D1231733

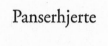

Panserhjerte

Jo Nesbø

Panserhjerte

Jo Nesbø

Flaggermusmannen 1997

Kakerlakkene 1998

Stemmer fra Balkan (med Espen Søbye) 1999

Rødstrupe 2000

Karusellmusikk 2001

Sorgenfri 2002

Marekors 2003

Frelseren 2005

Snømannen 2007

Doktor Proktors prompepulver 2007 (barnebok)

Doktor Proktors tidsbadekar 2008 (barnebok)

Hodejegerne 2008

© 2009 H. Aschehoug & Co. (W. Nygaard), Oslo
www.aschehoug.no
Satt med 10,8/12 pkt. AGaramond-Regular
hos Type-it AS, Trondheim 2009
Papir 70 g Holmen Book Cream 1,6
Printed in Sweden
ScandBook AB, Smedjebacken 2009

ISBN 978-82-03-19551-8
ISBN 978-82-525-7283-4 (Bokklubben)

DEL I

Kapittel 1
Drukningen

Hun våknet. Blunket mot det stummende mørket. Gapte og pustet gjennom nesa. Hun blunket igjen. Kjente en tåre renne, kjente den løse opp saltet fra andre tårer. Men det rant ikke lenger spytt ned i strupen, munnhulen var tørr og hard. Kinnene var spent ut av presset innenfra. Fremmedlegemet i munnen kjentes som det skulle sprenge hodet hennes. Men hva var det, hva var det? Det første hun hadde tenkt da hun våknet, var at hun ville ned igjen. Ned i det mørke, varme dypet som hadde omsluttet henne. Sprøyten han hadde gitt henne virket fremdeles, men hun visste at smertene var i anmarsj, kjente det på de langsomme, dumpe slagene som markerte pulsslagene og blodets rykkvise forflytning gjennom hjernen. Hvor var han? Sto han rett bak henne? Hun holdt pusten, lyttet. Hun hørte ingenting, men hun kunne merke tilstedeværelsen. Som en leopard. Noen hadde fortalt at leoparden var så lydløs at den kunne snike seg helt innpå byttet sitt i mørket, at den kunne regulere åndedrettet sitt slik at det puster i takt med deg. Holder pusten når du holder pusten. Hun syntes hun kunne kjenne kroppsvarmen hans. Hva ventet han på? Hun begynte å puste igjen. Og syntes i samme øyeblikk hun kjente en annens pust mot nakken. Hun virvlet rundt, slo ut, men traff bare luft. Krøket seg sammen, prøvde å gjøre seg liten, gjemme seg. Nytteløst.

Hvor lenge hadde hun vært borte?

Dopet fikk et glipptak. Det varte bare brøkdelen av et sekund. Men det var nok til å gi henne forsmaken, løftet. Løftet om det som skulle komme.

Fremmedlegemet som var blitt lagt på bordet foran henne hadde vært på størrelse med en biljardkule, av et blankt metall og med utstansete små hull og figurer og tegn. Ut av et av hullene stakk en rødfarget tråd med løkke på og som automatisk hadde fått henne til å tenke på juletreet som skulle pyntes hos foreldrene på lille julaften om syv dager. Med blanke kuler, nisser, kurver, lys og norske flagg. Om åtte dager skulle de synge «Deilig er jorden», og hun skulle se de tindrende øynene til tantebarna når de åpnet presangene fra henne. Alt hun skulle gjort så annerledes. Alle dagene hun skulle levd så mye mer, så mye sannere, fylt dem opp med glede, pust og kjærlighet. Stedene hun bare hadde reist gjennom, stedene hun var på vei til. Mennene hun hadde møtt, mannen hun ennå ikke hadde møtt. Fosteret hun hadde kvittet seg med da hun var sytten, barna hun ennå ikke hadde fått. Dagene hun hadde kastet bort for dagene hun hadde trodd hun skulle få.
Så hadde hun sluttet å tenke på noe annet enn kniven som var blitt holdt opp foran henne. Og den myke stemmen som hadde fortalt henne at hun skulle føre kulen inn i munnen. Hun hadde gjort det, selvfølgelig hadde hun det. Med hjertet hamrende hadde hun gapt så høyt hun kunne og skjøvet kulen inn slik at tråden hang ut av munnen. Metallet hadde smakt bittert og salt, som tårer. Så var hodet hennes blitt tvunget bakover, og stålet hadde brent mot huden da kniven var blitt lagt flatt mot halsen hennes. Taket og rommet hadde vært opplyst av en lykt som sto lent opp mot veggen i et av hjørnene. Grå, naken betong. Bortsett fra lykta inneholdt rommet et hvitt campingbord i plast, to stoler, to tomme ølflasker, to mennesker. Han og henne. Hun hadde kjent lukten av lærhansken da en pekefinger hadde nappet lett i den røde trådløkken som hang ut av munnen. Og i neste øyeblikk var det som om hodet hennes hadde eksplodert.

Kulen hadde ekspandert og sprengte mot innsiden av munnen hennes. Men uansett hvor mye hun gapte, var presset konstant. Han hadde undersøkt den åpne munnen hennes med en konsentrert, engasjert mine, som en tannlege som sjekker om reguleringen sitter riktig. Et lite smil hadde tydet på tilfredshet.

Hun hadde kjent med tungen at det sto spiler ut av kulen, at det var de som presset mot ganen, mot det myke kjøttet i undermunnen, mot innsiden av tennene, mot drøvelen. Hun hadde prøvd å si noe. Han hadde lyttet tålmodig til de uartikulerte lydene som kom fra munnen hennes. Nikket da hun ga opp og tatt fram en sprøyte. Dråpen på sprøytespissen hadde blinket i lyset fra lommelykta. Han hadde hvisket noe inn i øret hennes: «Ikke rør tråden.»

Så hadde han stukket henne på siden av halsen. Hun hadde vært borte i løpet av sekunder.

Hun lyttet til sin egen skrekkslagne pust mens hun blunket mot mørket.

Hun måtte foreta seg noe.

Hun satte håndflatene mot stolsetet som var klamt av hennes egen svette og reiste seg. Ingen stoppet henne.

Hun gikk med små skritt til hun møtte en vegg. Famlet seg langs den bort til en glatt, kald flate. Metalldøra. Hun dro i metallslåen. Den rikket seg ikke. Låst. Selvfølgelig var den låst, hva hadde hun egentlig trodd? Var det latter hun hørte, eller kom lyden inne fra hennes eget hode? Hvor var han? Hvorfor lekte han med henne på denne måten?

Foreta seg noe. Tenke. Men for å tenke måtte hun først bli kvitt denne metallkulen før smertene drev henne til vanvidd. Hun stakk tommelen og pekefingeren inn i hver sin munnvik. Kjente på spilene. Prøvde forgjeves å presse fingrene under en av dem. Et hosteanfall kom, sammen med panikken da hun ikke fikk puste. Det gikk opp for henne at spilene hadde fått kjøttet rundt pusterøret til å hovne opp, at hun snart risikerte å kveles. Hun sparket i jerndøra, prøvde å skrike, men metallkulen kvalte lyden. Hun ga opp igjen. Lente seg mot veggen. Lyttet. Var det

9

forsiktige skritt hun hørte? Beveget han seg rundt i rommet, lekte han blindebukk med henne? Eller var det bare hennes eget blod som dunket forbi ørene? Hun stålsatte seg mot smertene og presset munnen sammen. Hun greide bare så vidt å presse spilene i kulene tilbake før de igjen presset munnen hennes opp. Det var som om kulen pulserte nå, var blitt et hjerte av jern, en del av henne.

Foreta seg noe. Tenke.

Fjærer. Spilene var fjærbelastet.

Spilene var blitt utløst da han hadde trukket i tråden.

«Ikke rør tråden,» hadde han sagt.

Hvorfor ikke? Hva ville skje da?

Hun gled ned langs veggen til hun satt. En fuktig kulde steg opp fra betonggulvet. Hun ville skrike igjen, men orket ikke. Stillhet. Taushet.

Alle ordene hun skulle sagt i samvær med mennesker hun elsket i stedet for dem som hadde fylt stillheten i samvær med slike som var henne likegyldige.

Det var ingen vei ut. Bare henne selv og denne vanvittige smerten, hodet som holdt på å sprenges.

«Ikke rør tråden.»

Hvis hun dro i den, ville kanskje spilene klikke tilbake, inn i kulen, og hun ville være befridd for smertene.

Tankene gikk i de samme sirklene. Hvor lenge hadde hun vært her. To timer? Åtte timer? Tjue minutter?

Hvis det var så enkelt som å bare dra i tråden, hvorfor hadde hun ikke alt gjort det? På grunn av advarselen fra en åpenbart syk person? Eller var dette en del av leken, at hun skulle la seg lure til ikke å stoppe denne helt unødvendige smerten? Eller handlet leken om at hun skulle trosse advarselen og dra i trå-den slik at ... slik at noe forferdelig skjedde. Hva ville i så fall skje, hva var den kulen?

Jo, det var en lek, en grusom lek. For hun måtte. Smertene var uutholdelige, halsen hovnet opp, hun ville snart kveles.

Hun prøvde å skrike igjen, men det ble bare til et hulk, og hun blunket og blunket uten at det kom flere tårer.

Fingrene fant tråden der den hang mot utsiden av leppene hennes. Hun dro forsiktig slik at den ble stram.

Hun angret på alt hun ikke hadde gjort, det var klart. Men om et liv i forsakelse hadde plassert henne et annet sted enn akkurat her nå, ville hun heller valgt det. Hun ville bare leve. Et hvilket som helst liv. Så enkelt var det.

Hun dro i tråden.

Nålene spratt ut av endene på spilene. De var sju centimeter lange. Fire trengte ut gjennom kinnene på hver side, tre inn i bihulene, to opp i nesegangen og to ut gjennom haka. Én nål gjennomboret spiserøret og én det høyre øyeeplet. To av nålene trengte opp gjennom bakre del av ganen og nådde hjernen. Men det var ikke det som var den direkte dødsårsaken. På grunn av metallkulen som sperret, greide hun ikke å spytte unna blodet som strømmet fra sårene og ned i munnen. I stedet rant det ned i pusterøret og videre ned i lungene, forårsaket at oksygen ikke kunne bli tatt opp i blodet, som igjen førte til hjertestans og det rettsmedisineren i sin rapport skulle kalle cerebral hypoksi, altså mangel på surstoff i hjernen. Med andre ord: Borgny Stem-Myhre druknet.

Kapittel 2
Det forklarende mørket

Den 18. desember

Dagene er korte. Ute er det fortsatt lyst, men her inne i klippe-rommet mitt er det evig mørketid. I lyset fra arbeidslampen ser personene på bildene på veggen så irriterende glade og intetanende ut. Så fulle av forventninger, som om det skulle være en selvfølge at livet ligger foran dem, plant og ubrutt som et blikkstille hav av tid. Jeg har klippet i avisen, skåret bort de tåredryppende histo-riene om familien som er i sjokk, redigert vekk de bloddryppende detaljene om likfunnet. Bare tatt det uunngåelige fotoet som en slektning eller en venn har gitt en pågående journalist, bildet fra den gang hun var på sitt beste, da hun smilte som om hun skulle være udødelig.

Politiet vet ikke stort. Ikke ennå. Men de skal snart få mer å jobbe med.

Hva er det, hvor ligger det, det som gjør et menneske til mor-der? Er det medfødt, sitter det i et gen, en arvet mulighet noen har og andre ikke? Eller er det frembrakt av nødvendighet, utviklet i møtet med verden, en overlevelsesstrategi, en livreddende sykdom, rasjonell galskap? For akkurat som sykdom er kroppens feberhete ildgivning, er galskap en nødvendig retrett til et sted hvor men-nesket kan forskanse seg på nytt.

Personlig mener jeg at drapsevnen er fundamental hos ethvert friskt menneske. Vår tilværelse er en kamp om godene, og den som ikke kan drepe sin neste har ingen eksistensberettigelse. Å drepe er tross alt bare å fremskynde det uunngåelige. Døden gjør ingen unntak og godt er det, for livet er smerte og lidelse. Slik sett er hvert drap en barmhjertighetshandling. Det virker bare ikke slik når sola varmer ens egen hud, når vannet risler mot leppene og en kjenner sin egen idiotiske livslyst i hvert hjerteslag og er beredt til å betale for selv smuler av tid med alt man har vunnet gjennom livet; verdighet, posisjon, prinsipper. Det er da en må gripe dypt inn, forbi det forvirrende, forblindende lyset. Inn til det kalde, forklarende mørket. Og kjenne den harde kjernen. Sannheten. For det var det jeg måtte finne. Det var det jeg fant. Det som gjør en person til morder.

Hva med mitt eget liv, tror også jeg at det er en ubrutt havflate av tid?

Slett ikke. Om ikke lenge vil også jeg ligge på dødens søppeldynge, sammen med de andre rolleinnehaverne i dette lille dramaet. Men uansett hvilket stadium av forråtnelse min kropp måtte være i, selv om bare skjelettet er tilbake, vil det ha et smil om munnen. For dette er det jeg lever for nå, min eneste berettigelse til å eksistere, min mulighet for å renses, befris for all skjensel.

Men dette er bare begynnelsen. Nå vil jeg slukke lampen og gå ut i dagslyset. Det lille som er igjen.

Kapittel 3
Hong Kong

Regnet ga seg ikke med det første. Og heller ikke det andre. Det ga seg rett og slett ikke. Det var vått og mildt, uke etter uke. Bakken var mettet av vann, Europaveier raste sammen, trekkfuglene lot være å trekke, og det ble meldt om insekter man aldri hadde sett så langt nord før. Kalenderen slo fast at det var vinter, men Oslos løkker lå ikke bare snøløse, de var ikke engang brune. De var grønne og innbydende som kunstgressbanen på Sogn hvor oppgitte trimmere hadde tydd til jogging i Dæhlie-trikotene sine mens de forgjeves ventet på skiføre rundt Sognsvann. Nyttårsaften lå tåken så tett at lyden av rakettene bar fra Oslo sentrum og helt ut til Asker, men man så ikke snurten av selv dem man skjøt opp fra gresset i egen hage. Likevel svidde nordmenn av fyrverkeri for seks hundre kroner per husstand den kvelden, ifølge en forbrukerundersøkelse som også viste at antallet nordmenn som realiserte drømmen om en hvit jul på Thailands hvite strender, var fordoblet bare på tre år. Men også i Sørøst-Asia virket det som været gikk på syre; truende alfasnabler man vanligvis bare så på værkartet i tyfonsesongen, lå nå på rekke og rad utover Kinahavet. I Hong Kong, hvor februar vanligvis er en av årets tørreste måneder, styrtet regnet ned denne morgenen, og manglende sikt gjorde at Cathay Pacific Airways flight 731 fra London måtte ta en ekstra runde før den gikk inn for landing på Chek Lap Kok.

«Vær glad vi ikke skal lande på den gamle flyplassen,» sa den

14

kinesisk utseende passasjeren til Kaja Solness som klemte om armlenene så knokene hennes hvitnet. «Den lå midt inni byen, vi hadde gått rett i en av skyskraperne.»

Det var de første ordene mannen hadde ytret siden de hadde tatt av tolv timer tidligere. Kaja grep begjærlig sjansen til å fokusere på noe annet enn det faktum at hun befant seg i løse, og for øyeblikket ganske turbulente, lufta:

«Takk, sir, det var beroligende. Er De engelsk?»

Han rykket til som om hun hadde gitt ham en ørefik, og hun skjønte at hun hadde fornærmet ham blodig ved å foreslå at han tilhørte de forhenværende koloniherrene: «Eh ... kinesisk, kanskje?»

Han ristet bestemt på hodet: «Hong Kong-kinesisk. Og De, frøken?»

Kaja Solness lurte et øyeblikk på om hun skulle svare «Hokksund-norsk», men begrenset seg til «norsk» som Hong Kong-kineseren funderte på en stund før han med et triumferende «a-ha!» rettet det til «skandinav!» og spurte hva hennes ærend i Hong Kong var.

«Finne en mann,» sa hun og stirret ned i de blygrå skyene i håp om at fast grunn snart måtte åpenbare seg.

«A-ha!» gjentok Hong Kong-kineseren. «De er svært vakker, frøken. Og tro slett ikke alt De hører om at kinesere bare gifter seg med andre kinesere.»

Hun smilte matt. «Hong Kong-kinesere, mener De?»

«Særlig Hong Kong-kinesere,» nikket han ivrig og holdt opp en ringløs hånd. «Jeg driver med mikrochips, familien har fabrikker i Kina og Sør-Korea. Hva gjør De i kveld?»

«Sover, håper jeg,» gjespet Kaja.

«Hva med i morgen kveld?»

«Da håper jeg at jeg har funnet ham og er på vei hjem igjen.»

Mannen rynket pannen: «Så travelt, frøken?»

Kaja takket nei til mannens tilbud om skyss og tok en buss, en dobbeltdekker, inn til byen. En time senere sto hun alene i en korridor i hotellet Empire Kowloon og pustet dypt inn og ut.

15

Hun hadde satt nøkkelkortet i døra til hotellrommet hun var blitt tildelt og nå gjensto bare å åpne. Hun tvang hånden til å trykke ned dørhåndtaket. Så rykket hun døra opp og stirret inn i rommet.

Det var ingen der.

Selvfølgelig var det ikke det.

Hun gikk inn, lot trillebagen stå ved siden av senga, stilte seg ved vinduet og kikket ut. Først ned på menneskevrimmelen i gata sytten etasjer under seg, så på skyskraperne som slett ikke lignet sine grasiøse eller i det minste pompøse søstre på Manhattan, Kuala Lumpur eller i Tokyo. Disse så ut som termitt-tuer, avskrekkende og imponerende på en gang, som groteske vitnesbyrd over hvordan menneskearten er i stand til å tilpasse seg når sju millioner må få plass på litt over hundre kvadratkilometer. Kaja kjente trettheten sige innover seg, sparket av seg skoene og lot seg falle ned på senga. Selv om det var et dobbeltrom og hotellet firestjerners, opptok den hundre og tjue centimeter brede senga det som var av gulvplass. Og hun tenkte at blant disse termitt-tuene skulle hun nå finne én bestemt person, en mann som alt tydet på ikke var spesielt interessert i å bli funnet.

Hun veide en stund alternativene: lukke øynene eller sette i gang. Så tok hun seg sammen og kom seg opp igjen. Dro av seg klærne og gikk inn i dusjen. Etterpå sto hun foran speilet og slo fast uten selvtilfredshet at Hong Kong-kineseren hadde rett: hun var vakker. Det var ikke noe hun syntes, det var så nært et faktum som skjønnhet kunne være. Ansiktet med de høye kinnbeina, de ravnsvarte og markerte, men fint formede øyebrynene over de nesten barnslig store øynene med grønne iriser som skinte med en moden, ung kvinnes intensitet. Det honningbrune håret, de fyldige leppene som så vidt kysset seg selv på hennes litt brede munn. Den lange, slanke halsen, den like slanke kroppen med små bryster som ikke var mer enn hevninger, dønninger på en havflate av perfekt, om enn vinterblek hud. Hoftekammenes myke runding. De lange beina som hadde fått to modellbyråer i Oslo til å ta turen mens hun gikk på videregående skole i Hokksund, og kun hoderystende godta hennes nei. Og det hun hadde vært gladest for var da en av dem hadde sagt til avskjed: «Greit, men husk, kjære: du er ingen *perfekt* skjønnhet. Tennene dine er små og spisse. Du burde ikke smile så mye.»

Etter det hadde hun smilt lettere enn før.

Kaja tok på seg et par kakibukser, en tynn regnjakke og svevde vektløst og lydløst i heisen ned til resepsjonen.

«Chungking Mansion?» spurte resepsjonisten, greide nesten å la være å heve et øyebryn og pekte: «Kimberley Road til Nathan Road og til venstre.»

Alle herberger og hoteller i Interpols medlemsland plikter å registrere utenlandske gjester, men da Kaja hadde ringt den norske ambassadesekretæren for å sjekke det siste stedet mannen hun lette etter var registrert på, hadde ambassadesekretæren forklart at Chungking Mansion verken var et hotell eller noe *mansion* i betydningen herskapshus. Det var en samling butikker, gatekjøkken, restauranter og sannsynligvis over hundre sertifiserte og usertifiserte herberger med alt fra to til tjue rom fordelt på fire svære høyblokker. Rommene som ble leid ut kunne karakteriseres som alt fra enkle, rene og hyggelige til rottehull og énstjerners fengselsceller. Og viktigst: på Chungking Mansion kunne en mann uten for høye krav til livet sove, spise, bo, arbeide og formere seg uten noen gang å forlate tua.

I Nathan Road, en travel handlegate med merkevarer, glattpolerte fasader og høye utstillingsvinduer, fant Kaja inngangen til Chungking. Og steg inn.

Til matos fra fastfood-kjøkken, hammerslag fra skomakere, muslimsk bønnemessing fra radioer og trette blikk fra bruktklærbutikker. Hun smilte fort til en forvirret backpacker med *Lonely Planet* i hånden og hvite, frosne legger stikkende ut av de overoptimistiske kamuflasjeshortsene.

En uniformert vakt så på lappen Kaja viste ham, sa «*lift C*» og pekte innover en korridor.

Køen foran heisen var så lang at hun kom med først på tredje tur, hvor de sto klemt sammen i en knirkende og skakende jernkiste som fikk Kaja til å tenke på sigøynerne som begravde sine døde vertikalt.

Herberget hadde en turbankledd muslimsk eier som straks og med stor entusiasme viste henne en liten boks av et rom hvor de på mirakuløst vis hadde fått plass til en TV på veggen over fotenden av senga og en surklende airconboks over hodeenden. Eierens entusiasme dalte da hun avbrøt markedsføringen hans ved å vise ham et bilde av en mann, med navnet slik det ville være stavet i passet hans, og spurte hvor han var nå.

Da Kaja så reaksjonen, skyndte hun seg å opplyse at hun var hustruen. Ambassadesekretæren hadde forklart henne at å vifte med ID-kort fra offisielt hold på Chungking ville være «kontraproduktivt». Og da Kaja for sikkerhets skyld la til at hun og mannen på bildet hadde fem barn sammen, endret herbergeierens holdning seg radikalt. En ung, vestlig hedning som allerede hadde satt så mange barn til verden, avtvang hans respekt. Han sukket tungt, ristet på hodet og sa på klagende, stakkato engelsk. «Trist, trist, frue. De kom og tok passet hans.»

«Hvem?»

«Hvem? Triaden, frue. Alltid Triaden.»

«Triaden?» utbrøt Kaja.

Hun kjente selvfølgelig til organisasjonen, men egentlig hadde hun vel en forestilling om at kinesisk mafia først og fremst hørte hjemme i tegneserier og karatefilmer.

«Sett Dem ned, frue.» Han trakk skyndsomt fram en stol som hun dumpet ned i. «De lette etter ham, han var borte, de tok passet hans.»

«Passet? Hvorfor det?»

Han nølte.

«Vær så snill, jeg må få vite det.»

«Deres mann spilte på hester, er jeg redd.»

«Hester?»

«Happy Valley. Galoppbanen. Det er en vederstyggelighet.»

«Han har spillegjeld? Til Triaden?»

Han nikket og ristet på hodet flere ganger for vekselvis å bekrefte og beklage dette faktum.

«Og de tok passet?»

«Han må kjøpe passet sitt tilbake med gjelden om han vil reise fra Hong Kong.»

«Et nytt pass kan han jo bare skaffe på det norske konsulatet.»

Turbanen vagget fra side til side. «Ja da. Og du kan få lagd et falskt ett for åtti amerikanske dollar her på Chungking. Men det er ikke passet som er problemet. Problemet er at Hong Kong er øy, frue. Hvordan kom De hit?»

«Fly.»

«Og hvordan vil De dra herfra?»

«Fly.»

«Én flyplass. Flybilletter. Alle navn på computer. Mange kontrollpunkter. Mange på flyplassen som får litt betalt av Triaden for å kjenne igjen ansikter. Skjønner De?»

Hun nikket langsomt. «Det er vanskelig å rømme.»

Eieren ristet leende på hodet. «Nei, frue. Det er *umulig* å rømme. Men man kan gjemme seg i Hong Kong. Sju millioner. Lett å bli borte.»

Kaja kjente søvnmangelen og lukket øynene. Eieren må ha misforstått, for han la en trøstende hånd på skulderen hennes og mumlet et: «Så, så.»

Han nølte, så lente han seg fram og hvisket: «Jeg tror han fortsatt er her, frue.»

«Ja, jeg skjønner det.»

«Nei, jeg mener her på Chungking. Jeg har sett ham.»

Hun løftet hodet.

«To ganger,» sa han. «På Li Yuan. Han spiser. Billig ris. Ikke si til noen at jeg sa. Din mann er bra mann. Men trøbbel.» Han himlet med øynene så de nesten forsvant opp i turbanen. «Mye trøbbel.»

Li Yuan var en disk, fire plastbord og en kineser som smilte oppmuntrende til henne da hun etter seks timer, to porsjoner stekt ris, tre kaffe og to liter vann våknet med et rykk og løftet hodet fra den fettete bordplaten og så på ham.

«*Tired*?» lo han og viste et ufullstendig sett med fortenner.

Kaja gjespet, bestilte sin fjerde kopp kaffe og fortsatte å vente. To kinesere kom og satte seg ved disken uten å snakke eller bestille noe. De verdiget henne ikke et blikk, og hun var glad til. Kroppen hennes var så stiv av sitting det siste døgnet at smertene skar gjennom kroppen uansett hvilken stilling hun satt i. Hun rullet hodet fra side til side for å prøve å få i gang en viss blodsirkulasjon. Så bakover. Det knaket i nakken. Hun stirret på de blåhvite lysrørene i taket før hun senket hodet igjen. Og stirret rett på et jaget, blekt ansikt. Han hadde stoppet foran en av de nedtrukne stålgardinene i korridoren og skannet Li Yuans lille etablissement. Blikket hans stoppet ved de to kineserne ved disken. Så hastet han videre.

Kaja kom seg opp, men det ene beinet hadde sovnet og sviktet under henne. Hun grep veska og haltet etter mannen så fort hun klarte.

«*Welcome back*,» hørte hun Li Yuan rope etter seg.

Han hadde sett så tynn ut. På bildene hadde han vært bred og himmelhøy, og på det talkshowet på TV hadde han fått stolen han satt i til å se ut som den var lagd for pygmeer. Men hun var ikke i tvil om at det var ham: Den kortklipte, bulkete skallen, den markerte nesa, øynene med spindelvevet av blodårer og de alkoholvaskede, lyseblå irisene. Den bestemte haka med den overraskende milde, nesten vakre munnen.

Hun tumlet ut i Nathan Road. I skinnet fra neonlyset fikk hun øye på ryggen på en skinnjakke som raget over menneskemengden. Det så ikke ut som han gikk fort, likevel måtte hun småløpe for å holde følge. Han svingte av fra den travle handlegata og hun økte avstanden da de kom inn i trangere, mindre folksomme gater. Hun registrerte et gateskilt med navnet Melden Row. Det var fristende å gå bort til ham og presentere seg, å få det overstått. Men hun hadde bestemt seg for å holde seg til planen: å finne ut hvor han bodde. Det hadde sluttet å regne og plutselig ble en flik av skyene trukket til side, og himmelen bak var høy og fløyelssvart med nålestikkstore, funklende stjerner.

Etter å ha gått i tjue minutter stoppet han brått ved et hjørne, og Kaja var redd hun var oppdaget. Men han snudde seg ikke, tok bare noe ut av jakkelomma. Hun stirret forbauset. En tåteflaske? Han svingte rundt hjørnet.

Kaja fulgte etter og kom ut på en stor, åpen plass fylt av mennesker, de fleste av dem unge. I enden av plassen, over brede glassdører, lyste skilt med engelsk og kinesisk skrift. Kaja gjenkjente titlene på noen av de nye filmene hun aldri kom til å rekke å se. Blikket hennes fant skinnjakka hans, og hun rakk å se at han satte fra seg tåteflaska på den lave sokkelen til en bronseskulptur som forestilte en galge med en tom tauløkke. Han fortsatte forbi to fullsatte benker og satte seg på den tredje, hvor han plukket opp en avis. Etter cirka tjue sekunder reiste han seg igjen, gikk tilbake til bysten, grep tåteflaska i forbifarten, stakk den tilbake i jakkelomma og fortsatte å gå samme vei som han hadde kommet.

Det hadde begynt å regne igjen da hun så ham gå inn til Chungking Mansion. Hun begynte så smått å forberede seg på talen sin. Det var ikke lenger kø ved heisene, likevel fortsatte han opp en trapp, dreide til høyre og forsvant inn en svingdør. Hun skyndte seg etter og befant seg plutselig i en forfallen, mennesketom trappeoppgang med en gjennomtrengende lukt av kattepiss og våt betong. Hun holdt pusten, men alt hun hørte var dryppelyder. Idet hun hadde bestemt seg for å fortsette oppover, hørte hun en dør smelle igjen lenger ned. Hun sprintet ned trappene og fant den eneste som kunne ha lagd et smell, en bulkete metalldør. Hun la hånda på klinken, kjente skjelvingene komme, lukket øynene og bannet inni seg. Så rykket hun døra opp og steg inn i mørket. Det vil si; ut.

Noe løp over føttene hennes, men hun verken skrek eller rørte seg.

Hun trodde først hun hadde kommet inn i en heissjakt. Men da hun så opp, skimtet hun svartsotete murvegger dekket av et villnis av vannrør, ledninger, forvridde metallstumper og sammenraste, rustne jernstillaser. Det var ikke en gårdsplass, bare noen kvadratmeter mellomrom mellom høyhusene. Det eneste lyset kom fra en liten firkant med stjerner høyt der oppe.

Til tross for den skyfri himmelen høljet det mot asfalten og ansiktet hennes der nede, og hun skjønte plutselig at det var kondensert vann fra de små, rustne airconbokser som stakk ut av fasadene. Hun trakk seg tilbake, lente ryggen mot jerndøra.

Ventet.

Og til slutt lød det fra mørket: «*What do you want?*»

Hun hadde aldri hørt stemmen hans før. Jo, hun hadde hørt den på det talkshowet da de snakket om seriemordere, men det var noe helt annet å høre den i virkeligheten. Det var en slitt heshet der som fikk ham til å høres eldre ut enn de knappe førti hun visste han var. Men samtidig en trygg, selvsikker ro som stemte dårlig med det jagete ansiktet hun hadde sett utenfor Li Yuan. Dyp, varm.

«Jeg er norsk,» sa hun.

Det kom ikke noe svar. Hun svelget. Hun visste at de første ordene kom til å være de viktigste.

«Jeg heter Kaja Solness. Jeg har fått i oppdrag å finne deg. Av Gunnar Hagen.»

Ingen reaksjon på navnet til sjefen hans på Voldsavsnittet. Hadde han gått?

«Jeg jobber for Hagen som drapsetterforsker,» sa hun ut i mørket.

«Gratulerer.»

«Ikke noe å gratulere med. Ikke hvis du har lest norske aviser de siste månedene.» Hun kunne bitt seg i tunga. Sto hun her og prøvde å være vittig? Det måtte være søvnmangelen. Eller nervøsiteten.

«Jeg mente gratulerer med vel utført oppdrag,» sa stemmen. «Jeg er funnet. Nå kan du dra igjen.»

«Vent!» ropte hun. «Vil du ikke høre hva jeg vil?»

«Helst ikke.»

Men ordene hun hadde skrevet ned og øvd inn trillet alt ut av henne: «To kvinner er drept. Rettsmedisinske funn tyder på at det er samme gjerningsmann. Utover det står vi uten spor. Selv om pressen har fått minimalt med detaljer, har de for lengst skreket opp om at en ny seriemorder er løs. Enkelte har skrevet at han kanskje er inspirert av Snømannen. Vi har hentet inn ekspertise fra Interpol uten at de har kommet noen vei. Presset fra media og myndigheter ...»

«Det betyr nei,» sa stemmen.

Det smalt i en dør.

«Hallo? Hallo? Er du der?»

Hun famlet seg fram og fant en dør. Åpnet den før redselen rakk å få feste og sto i en annen, mørklagt trappeoppgang. Hun skimtet lys lenger oppe og tok tre trappetrinn i slengen. Lyset kom gjennom glasset i en av svingdørene, og hun skjøv den opp. Kom inn i en enkel, naken korridor hvor man hadde gitt opp å klatte på den avskallete murpussen, og fuktigheten sto som dårlig ånde ut av veggene. Lent mot fuktigheten sto to menn med sigaretter dinglende fra munnvikene og en søt eim drev mot henne. De så på henne med sløve blikk. For sløve, håpet hun. Den minste av dem var svart, av afrikansk opprinnelse, antok hun. Den høyeste var hvit og hadde et pyramideformet arr i pannen, som en varseltrekant. Hun hadde lest i tidsskriftet deres, «Politiet», at Hong Kong hadde nesten tretti tusen politifolk på gatene og var regnet som verdens tryggeste millionby. Men det var altså på gatene.

Looking for hashish, lady?»

Hun ristet på hodet, prøvde å smile trygt, prøvde å gjøre slik hun hadde rådet unge piker til den tiden hun hadde reist rundt på skoler; å se ut som en som visste hvor hun var på vei, ikke en som var kommet bort fra flokken. Ikke et bytte.

De smilte tilbake. Den eneste andre døråpningen i korridoren var murt igjen. De tok hendene ut av bukselommene, sigarettene ut av munnvikene.

Looking for fun, then?»

Wrong door, that's all,» sa hun og snudde for å gå ut igjen. En hånd låste seg rundt håndleddet hennes. Redselen kjentes som tinnfolie i munnen. Hun kunne dette i teorien. Hadde øvd på det på en gummimatte i en opplyst gymsal med en instruktør og kolleger samlet rundt seg.

Right door, lady. Right door. Fun is this way.» Pusten mot ansiktet hennes stinket av fisk, løk og marihuana. I gymsalen hadde det bare vært én motstander.

«*No thanks,*» sa hun og forsøkte å holde stemmen fast.

Den svarte kom opp på siden av henne, grep det andre håndleddet og sa med en stemme som gled inn og ut av falsett: «*We will show you.*»

«*Only there's not much to see, is there?*»

De snudde seg alle tre mot svingdøra.

Hun visste at det sto hundre og nittifire centimeter i passet hans, men der han sto i døråpningen som var bygd etter Hong Kong-mål, så han ut som minst to ti. Og dobbelt så bred som for bare en time siden. Armene hans hang ned langs sidene, litt ut fra kroppen, men han rørte seg ikke, stirret ikke, snerret ikke, så bare rolig på den hvite og gjentok:

«*Is there, jau-ye?*»

Hun kjente den hvites fingre stramme og slakke om håndleddet sitt, merket den svarte skifte tyngde fra fot til fot.

«*Ng-goy,*» sa mannen i døråpningen.

Hun kjente hendene deres nølende slippe taket.

«Kom,» sa han og tok henne lett under armen.

Hun kjente varmen i kinnene da de gikk ut døra. Varme produsert av spenning og skam. Skam over hvor lettet hun var, hvor tregt hjernen hennes hadde fungert i situasjonen, hvor villig hun hadde latt ham ordne opp med to uskyldige hasjpushere som bare ville skremme henne litt.

Han geleidet henne opp to etasjer og inn gjennom en svingdør hvor han plasserte henne foran en heisdør, trykket på knappen med pilen som pekte ned, stilte seg ved siden av henne og festet blikket på det lysende elleve-tallet over heisdøra. «Gjestearbeidere,» sa han. «De er alene og kjeder seg bare.»

«Jeg vet det,» sa hun trassig.

«Trykk G for groundfloor, ta til høyre og gå rett fram til du er i Nathan Road.»

«Vær så snill å høre på meg. Du er den eneste på Voldsavsnittet som har spesialkompetanse på seriemordere. Det var du som fanget Snømannen.»

«Stemmer,» sa han. Hun kunne se noe bak i blikket hans bevege, seg og han dro en finger langs kjeven under høyre øre. «Og deretter sa jeg opp.»

«Sa opp? Tok tjenestefri, mener du.»

«Sa opp. Som i 'slutta'.»

Først nå så hun at det høyre kjevebeinet hans sto ut på en unaturlig måte.

«Gunnar Hagen sier at da du reiste fra Oslo for seks måneder siden, innvilget han deg tjenestefri inntil videre.»

Mannen smilte, og Kaja så hvordan det forandret ansiktet hans fullstendig: «Det er bare fordi Hagen ikke kan få inn i huet ...» Han holdt inne, og smilet forsvant. Blikket ble rettet mot tallet på heisdisplayet som nå var blitt fem.

«Jeg jobber uansett ikke for politiet lenger.»

«Vi trenger deg ...» Hun trakk pusten. Visste at hun beveget seg, på tynn is, men at hun måtte handle før han forsvant for henne igjen. «Og du trenger oss.»

Blikket hans flyttet seg bort på henne. «Hva i all verden får deg til å tro det?»

«Du skylder Triaden penger. Du kjøper dop på gata med en tåteflaske. Du bor ...» Hun skar en grimase, «... her. Og du har ikke pass.»

«Jeg trives her, hva skal jeg med pass?»

Det lød et pling, heisdøra gled knirkende opp, og stinkende, varm luft sto ut fra kroppene på innsiden.

«Jeg tar ikke den!» sa Kaja, høyere enn hun hadde tenkt og la merke til ansiktene som så på henne med en blanding av utålmodighet og åpenlys nysgjerrighet.

«Jo, du gjør det,» sa han, satte en hånd mot korsryggen hennes og skjøv henne forsiktig, men bestemt inn. Hun var øyeblikkelig omsluttet av menneskekropper som stengte og gjorde det umulig å røre seg eller få snudd seg. Hun vred hodet tidsnok til å se heisdørene gli igjen.

«Harry!» ropte hun.

Men han var allerede borte.

25

Kapittel 4
Sex Pistols

Den gamle herbergeieren satte en tenksom pekefinger mot pannen rett under turbanen og så lenge og vurderende på henne. Så grep han telefonen og slo et nummer. Han sa noen ord på arabisk og la på. «Vente,» sa han. «Kanskje, kanskje ikke.»

Kaja smilte og nikket.

De satt og så på hverandre fra hver sin side av det smale bordet som fungerte som resepsjonsdisk.

Så ringte telefonen. Han tok den, lyttet og la på uten ett ord.

«Hundre og femti tusen dollar,» sa han.

«Hundre og femti?» gjentok hun vantro.

«Hong Kong-dollar, frue.»

Kaja regnet i hodet. Det skulle bli rundt hundre og tretti tusen norske kroner. Omtrent det dobbelte av hva hun hadde fått rammer til.

Det var over midnatt og nesten førti timer siden hun hadde sovet da hun fant ham. Hun hadde trålet H-blokka i tre timer. Hadde tegnet et indre kart mens hun beveget seg gjennom herbergene, kafeene, snackbarene, massasjeklubbene og bønnerommene til hun kom til de billigste herbergene, rommene og sovesalene der den importerte arbeidskraften fra Afrika og Pakistan holdt til, de som ikke hadde rom, bare avlukker uten dør, uten TV, uten aircon og uten privatliv. Den svarte natt-

portieren som slapp Kaja inn, så lenge på bildet og enda lenger
på hundredollarseddelen hun holdt fram før han tok den og
pekte på et av avlukkene.

Harry Hole, tenkte hun. *Got you.*

Han lå på ryggen på en madrass og pustet nesten lydløst.
Han hadde en dyp rynke i pannen, og det utstående kjevebei-
net under høyre øre var enda tydeligere nå da han sov. Fra de
andre avlukkene hørte hun menn som hostet og snorket. Fra
taket dryppet vann som traff murgulvet med dype, mismodige
sukk. Åpningen til avlukket slapp inn en kald, blå stripe fra lys-
rørene i resepsjonen. Hun så et klesskap foran vinduet, en stol
og en plastflaske med vann ved siden av madrassen på gulvet,
det var alt. Det luktet søtbittert, som av svidd gummi. Røyk
steg opp fra en nedbrent sneip som lå i et askebeger ved siden
av tåteflasken på gulvet. Hun satte seg på stolen og oppdaget at
han holdt noe i hånden. En fettet, gulbrun klump. Kaja hadde
sett nok hasjklumper det året hun jobbet i patruljebil til å vite
at det ikke var det.

Klokka var nesten to da han våknet.

Hun hørte bare en ørliten endring i pusterytmen, og så
skinte plutselig øyehviten hans i mørket.

«Rakel?» Han hadde hvisket det. Og så sovnet igjen.

En halv time senere slo han øynene brått opp, fór sammen,
kastet seg rundt og grep etter noe under madrassen.

«Det er meg,» hvisket Kaja. «Kaja Solness.»

Kroppen foran henne stoppet midt i bevegelsen. Så kollap-
set den og falt ned på madrassen igjen.

«Faen gjør her?» stønnet han med stemmen full av grus.

«Henter deg,» sa hun.

Han lo lavt med lukkede øyne. «Henter meg? Fortsatt?»

Hun tok fram en konvolutt, bøyde seg fram og holdt den
opp foran ham. Han åpnet ett øye.

«En flybillett,» sa hun. «Til Oslo.»

Øyet lukket seg igjen. «Takk, men jeg blir her.»

«Hvis jeg kan finne deg, er det et tidsspørsmål før de også
gjør det.»

Han svarte ikke. Hun ventet mens hun lyttet til pusten hans og vannet som dryppet og sukket. Så slo han øynene opp igjen, gned seg under høyre øre og heiste seg opp på albuene:

«Har du en røyk?»

Hun ristet på hodet. Han slengte av seg lakenet, reiste seg og gikk bort til klesskapet. Han var overraskende blek til å ha vært over et halvt år i subtropisk klima og så mager at ribbeina sto ut selv på ryggen. Bygningen tydet på at han en gang hadde vært atletisk, men nå vistes restene av muskler bare som skarpe skygger under den hvite huden. Han åpnet skapet. Hun ble overrasket over å se at klærne lå brettet med sirlige tellekanter. Han dro på seg en T-skjorte og et par olabukser, de samme han hadde hatt dagen før, og røsket med noe møye en krøllete sigarettpakke ut av lomma.

Han gikk rett inn i et par flipp-flopper og forbi henne mens det klikket i en lighter.

«Kom,» sa han lavt idet han passerte. «Middagstid.»

Klokka var halv tre på natta. Grå jerngardiner var trukket ned foran butikkene og serveringsstedene på Chungking. Bortsett fra hos Li Yuan.

«Så hvordan havnet du i Hong Kong?» sa Kaja og så på Harry som på uelegant, men effektivt vis skuffet i seg glinsende glassnudler fra den hvite suppebollen.

«Jeg fløy. Fryser du?»

Kaja trakk automatisk hendene vekk fra under lårene. «Men hvorfor hit?»

«Jeg var på vei til Manila. Hong Kong skulle bare være en mellomlanding.»

«Filippinene. Hva skulle du der?»

«Hive meg i en vulkan.»

«Hvilken av dem?»

«Vel. Hvilke kan du navnet på?»

«Ingen. Jeg har bare lest at det er mange. Ligger ikke en del av dem på ... eh, Luzon?»

«Ikke dårlig. Det er atten vulkaner i alt, og tre av dem er på

28

Luzon. Jeg ville opp på Mount Mayon. To og et halvt tusen meter. Stratovulkan.»

«Vulkan med bratte sider dannet av lag på lag med lava etter utbrudd.»

Harry sluttet å spise og så på henne. «Utbrudd i moderne tid?»

«Mange. Tretti?»

«Rullebladet sier førtisju siden 1616. Siste i 2002. Kan siktes for minst tre tusen drap.»

«Hva skjedde?»

«Trykket bygde seg opp.»

«Jeg mener med deg.»

«Jeg snakker om meg.» Hun mente hun så antydning til et smil. «Jeg sprakk og begynte å drikke sprit på flyet. Jeg fikk beskjed om å gå fra borde i Hong Kong.»

«Det går flere fly til Manila.»

«Jeg skjønte at bortsett fra vulkaner har ikke Manila noe som ikke Hong Kong har.»

«Som for eksempel?»

«Som for eksempel avstand til Norge.»

Kaja nikket. Hun hadde lest rapportene fra Snømannen-saken.

«Og viktigst,» sa han og pekte med en pinne. «De har Li Yuans glassnudler. Prøv. Det er grunn god nok til å søke statsborgerskap.»

«Dét og opium?»

Det var ikke hennes stil å være så direkte, men hun visste at hun måtte svelge sin naturlige sjenanse, at dette var hennes eneste sjanse til å få gjort det hun var kommet for.

Han trakk på skuldrene og konsentrerte seg om glassnudlene igjen.

«Du røyker opium jevnlig?»

«Ujevnlig.»

«Og hvorfor gjør du det?»

Han svarte med mat i munnen: «For ikke å drikke. Jeg er alkis. Der har du forresten en annen fordel med Hong Kong sammenlignet med Manila. Lavere strafferammer for dop. Og renere fengsler.»

«Jeg visste om det med alkohol, men er du narkoman?»

«Definer narkoman.»

«*Må* du ha det?»

«Nei, men jeg vil ha det.»

«Fordi?»

«Bedøvelse. Dette høres ut som et jobbintervju til en jobb jeg ikke vil ha, Solness. Har du røyka opium?»

Kaja ristet på hodet. Hun hadde prøvd marihuana noen ganger på backpackertur i Sør-Amerika, men hadde ikke likt det spesielt.

«Men det har kineserne. For to hundre år siden importerte britene opium fra India for å bedre handelsbalansen. De gjorde halve Kina til junkier sånn.» Han knipset med den ledige hånden. «Og da kinesiske myndigheter rimeligvis forbød opium, gikk britene til krig for sin rett til å dope Kina sønder og sammen. Forestill deg at Colombia hadde begynt å bombe New York fordi amerikanerne beslagla noe kokain på grensa.»

«Hva er poenget ditt?»

«At jeg ser det som min plikt som europeer å røyke opp noe av svineriet vi har fått inn i det landet her.»

Kaja hørte at hun lo. Hun trengte virkelig å sove.

«Jeg fulgte etter deg da du handlet,» sa hun. «Jeg så hvordan dere gjør det. Det var penger i tåteflasken da du satte den fra deg. Og opium etterpå, ikke sant?»

«Mm,» sa Harry med munnen full av nudler. «Har du jobbet på Nark?»

Hun ristet på hodet. «Hvorfor tåteflaske?»

Harry strakte armene over hodet. Suppebollen foran ham var tom. «Opium lukter noe helt jævlig. Hvis du bare har klumpen i lomma eller i folie, kan narkbikkjene plukke deg ut selv i en svær folkemengde. Og tåteflasker har ikke pant, så du risikerer ikke at en eller annen unge eller fyllik tilfeldigvis rapper den midt under handelen. Det har skjedd.»

Kaja nikket langsomt. Han hadde begynt å slappe av, det var bare å fortsette. Alle som ikke har snakket språket sitt på et halvt år, blir snakkesalige når de treffer en landsmann. Det er naturlig. Bare å fortsette.

«Du liker hester?»

Han tygget på tannpirkeren. «I grunnen ikke. De er så jævlig humørsjuke.»

«Men du liker å spille på dem?»

«Jeg liker det, men tvangsmessig gambling er ikke en av mine laster.»

Han smilte og igjen slo det henne hvordan smilet forvandlet ham, gjorde ham menneskelig, tilgjengelig, gutteaktig. Og hun tenkte på glimtet av åpen himmel hun hadde fått over Melden Row.

«Gambling er en dårlig vinnerstrategi i det lange løp. Men om du ikke har noe å tape lenger, er det den eneste strategien. Jeg satset alt jeg hadde, pluss en del jeg ikke hadde, på ett enkelt løp.»

«Du satset alt du hadde på én hest?»

«To. En quinella. Du plukker ut de to hestene som tar første og andre, uavhengig av hvilken av de to som vinner.»

«Og du lånte penger av Triaden?»

For første gang så hun overraskelse i Harrys blikk.

«Hva får et seriøst kinesisk forbryterkartell til å låne penger til en opiumsrøykende utlending som ikke har noe å tape?»

«Vel,» sa Harry og fisket fram en sigarett. «Som utlending får du adgang til VIP-losjen på galoppbanen på Happy Valley de tre første ukene etter at passet ditt er stemplet.» Han fikk fyr på sigaretten og blåste røyk mot takviften som gikk så sakte at fluene kjørte karusell på den. «Det er regler for antrekk der, så jeg fikk sydd meg en dress. De to første ukene var nok til å få smaken på det. Jeg ble kjent med Herman Kluit, en sørafrikaner som tjente seg søkkrik på mineraler i Afrika på nittitallet. Han lærte meg hvordan jeg skulle tape ganske mye penger med stil. Jeg likte rett og slett konseptet. Kvelden før løpsdagen den tredje uka var jeg på middag hos Kluit hvor han underholdt gjestene med å vise fram samlingen sin av afrikanske torturinstrumenter fra Goma. Og der fikk jeg et stalltips av sjåføren til Kluit. Favoritten til et av løpa var skada, men det ble holdt hemmelig fordi den likevel skulle stille til start. Poenget var at den var så klar favoritt at det kunne bli *minus pool*, det vil si at det var umulig å tjene penger ved å spille på den. Derimot var det penger å tjene på å helgardere ved å satse på samtlige av de andre. For eksempel med quinellas. Men det krevde selvfølgelig en del kapital om det skulle bli en viss gevinst av det. Jeg fikk låne av Kluit på mitt ærlige ansikt. Og skreddersydde dress.» Harry studerte sigarettgloen og så ut som han smilte ved tanken.

«Og?» spurte Kaja.

«Og favoritten vant med seks lengder.» Harry trakk på skuldrene. «Da jeg forklarte Kluit at jeg ikke eide nåla i veggen, så han oppriktig lei seg ut og forklarte høflig at han som forretningsmann var nødt til å holde seg til handlingsprinsippene sine. Han forsikret meg at disse slett ikke inkluderte bruk av torturgjenstandene fra Kongo, men ganske enkelt å selge gjelden med rabatt til Triaden. Hvilket han innrømmet ikke var stort bedre. Men at han i mitt tilfelle ville vente i trettiseks timer før han solgte, slik at jeg kunne rekke å komme meg ut av Hong Kong.»

«Men det gjorde du ikke?»

«Jeg er litt treg i oppfattelsen av og til.»

«Og etter det?»

Harry slo ut med hendene rundt seg. «Dette. Chungking.»

«Og fremtidsplanene?»

Harry trakk på skuldrene og stumpet sigaretten. Og Kaja kom til å tenke på platecoveret Even hadde vist henne med bildet av Sid Vicious i Sex Pistols. Og musikken som gikk i bakgrunnen: «No fu-ture, no fu-ture.»

Han stumpet sigaretten. «Du har fått vite det du trenger, Kaja Solness.»

«Trenger?» Hun rynket pannen. «Jeg forstår ikke.»

«Gjør du ikke?» Han reiste seg. «Trodde du at jeg babler av gårde om opiumbruk og gjeld fordi jeg er en ensom nordmann som treffer en annen?»

Hun svarte ikke.

«Det er fordi jeg vil at du skal skjønne at jeg ikke er en mann dere har bruk for. Så du kan reise tilbake uten følelsen av ikke å ha gjort jobben din. Så du ikke havner i trøbbel i trappeoppganger, og jeg kan sove i fred uten å tenke på at du leder kreditorene mine rett til meg.»

Hun så på ham. Han hadde noe strengt, asketisk over seg som likevel ble motsagt av morskapen som danset i blikket hans og sa at man ikke behøvde å ta alt så alvorlig. Eller rettere sagt: at han ga fullstendig faen.

«Vent.» Kaja åpnet veska og tok ut den lille, røde boka, rakte den til ham og observerte virkningen. Så hvordan forbauselse spredte seg i ansiktet hans da han bladde i den.

«Faen, ser jo ut som originalpasset mitt.»

«Det er det.»

«Jeg tviler på at Voldsavsnittet hadde budsjett til dette.»

«Gjelden din har sunket i kurs,» løy hun. «Jeg fikk rabatt.»

«Det håper jeg for din del, for jeg har ikke tenkt meg til Oslo.»

Kaja så lenge på ham. Gruet seg. For det var ingen vei utenom nå. Hun ville bli nødt til å spille det siste kortet, det Gunnar Hagen hadde sagt at hun måtte spare til det siste om stabeisen viste seg helt umulig.

«Det er én ting til,» sa Kaja og stålsatte seg.

Harrys ene øyebryn føk til værs, kanskje han hørte noe i tonefallet hennnes.

«Det gjelder din far, Harry.» Hun hørte hvordan hun automatisk hadde puttet inn fornavnet hans. Sa til seg selv at det var oppriktig ment og ikke bare for effektens skyld.

«Min far?» Han sa det som om det kom som en overraskelse at han hadde én.

«Ja. Vi kontaktet ham for å høre om han visste hvor du holdt hus. Det viste seg at han er syk.»

Hun stirret ned i bordplaten.

Hørte ham puste. Grusen var tilbake i stemmen hans: «Alvorlig syk?»

«Ja. Og jeg er lei for at jeg måtte være den som forteller deg dette.»

Hun torde fremdeles ikke løfte blikket. Skammet seg. Ventet. Lyttet til den snatrende lyden av kantonesisk fra TV-en bak disken til Li Yuan. Svelget og ventet. Hun måtte sove snart.

«Når går flyet?»

«Klokka åtte,» sa hun. «Jeg plukker deg opp om tre timer utenfor her.»

«Jeg kommer meg dit på egen hånd, det er et par ting jeg må fikse først.»

Han holdt fram en åpen hånd. Hun så spørrende på ham. «Til det trenger jeg passet. Og så burde du spise. Få litt kjøtt på kroppen.»

Hun nølte. Så rakte hun ham passet og flybilletten.

«Jeg stoler på deg,» sa hun.

Han så uttrykksløst på henne.

Så var han borte.

Klokka over gate C4 på Chek Lap Kok viste kvart på åtte, og Kaja hadde gitt opp. Selvfølgelig kom han ikke. Det var en naturlig refleks hos dyr og mennesker å gjemme seg når man var skadet. Og Harry Hole var definitivt skadet. Rapportene fra Snømannen-saken hadde beskrevet i detalj drapene på alle kvinnene. Men Gunnar Hagen hadde i tillegg fortalt henne det som ikke hadde stått der. Om hvordan Harry Holes ekskjæreste Rakel og sønnen hennes Oleg hadde havnet i klørne på den gale drapsmannen. Om at hun og sønnen hadde flyttet fra landet med en gang saken var avsluttet. Og om Harry som hadde levert inn oppsigelsen sin og dratt sin vei. Han var bare mer skadet enn hun hadde vært klar over.

Kaja hadde alt levert boardingkortet, var på vei mot gangbroa og hadde så smått begynt å tenke på utformingen av rapporten om det mislykkede oppdraget, da hun så ham komme joggende i det skrå solskinnet som falt inn gjennom terminal-bygningen. Han hadde en enkel bag over skulderen, en tax-free-pose og dampet frenetisk på en sigarett. Han stoppet ved boardingskranken. Men i stedet for å gi det ventende persona-let boardingkortet satte han fra seg bagen og ga Kaja et oppgitt blikk.

Hun gikk tilbake til boardingskranken.

«Problemer?» spurte hun.

«Sorry,» sa han. «Kan ikke bli med.»

«Hvorfor ikke?»

Han pekte på tax-free-posen. «Kom akkurat på at kvota per person i Norge er én sigarettkartong. Jeg har to. Så med mind-re ...» Han fortrakk ikke en mine.

Hun himlet med øynene og prøvde å ikke se lettet ut. «Kom med den.»

«Tusen takk,» sa han, åpnet posen som hun noterte seg ikke inneholdt flasker, og rakte henne en åpnet kartong med Camel-sigaretter hvor den ene pakken alt var borte.

Hun gikk foran ham ut til flyet så han ikke skulle se at hun smilte.

Kaja holdt seg våken lenge nok til å få med seg takeoff, Hong Kong som forsvant under dem og Harrys blikk som fulgte ser-veringsvogna som rykkvis nærmet seg med lystig flaskeklang. Og hvordan han lukket øynene og svarte flyvertinnen med et knapt hørbart «*no, thank you*».

Hun lurte på om Gunnar Hagen hadde rett, om mannen ved siden av henne virkelig var det de trengte.

Så var hun borte, i svime, og drømte at hun sto foran en lukket dør og hørte et ensomt, kaldt fugleskrik fra skogen, og at det lød så rart fordi sola skinte og skinte. At hun åpnet døra ...

Hun våknet med hodet mot skulderen hans og tørt sikkel i munnvikene. Kapteinens stemme forkynte at de gikk inn for landing i London.

Kapittel 5
Parken

Marit Olsen likte å gå på ski i fjellet. Men hun hatet å jogge. Hun hatet sin egen hivende pust etter bare hundre meter, den jordskjelvlignende dirringen i bakken når hun satte foten ned, de lett overraskede blikkene fra turgåere og bildene som dukket opp når hun så seg selv gjennom deres øyne: de dissende hakene, kroppen som skvalpet rundt inni treningsdrakten som lå i valker, og det hjelpeløse, måpende fisk-på-land ansiktsuttrykket hun selv hadde sett hos sterkt overvektige mennesker som trener. Det var én av grunnene til at hun la sine tre faste ukentlige joggeturer til Frognerparken klokka ti på kvelden: Det var nesten ingen mennesker der. De som var der, så minst mulig av henne der hun peste seg fram i bekmørket mellom de fåtallige lyktene på stiene som gjennomboret byens største park på kryss og tvers. Og av de få som så henne, var det uansett få som kjente igjen stortingsrepresentanten for Arbeiderpartiet og Finnmark. Stryk «igjen». Det var få som noensinne hadde sett Marit Olsen. Når hun uttalte seg – som regel på vegne av hjemfylket sitt – tiltrakk hun seg ikke den oppmerksomhet som ble andre og mer fotogene kolleger til del. For det andre hadde hun ikke sagt eller gjort noe galt i løpet av de to periodene hun hadde sittet. Det var i alle fall forklaringene hun hadde gitt seg selv. Forklaringen til redaktøren i Finnmark Dagblad, at hun var en politisk lettvekter, var kun et ondsinnet ordspill på hennes fysiognomi. Redaktøren hadde likevel ikke utelukket at hun en dag kunne bli å se i en Arbeiderparti-regjering ettersom hun oppfylte de viktigste kravene: ikke utdannelse, ikke av hannkjønn, ikke fra Oslo.

Ja vel, så kunne han ha rett i at hennes styrke ikke lå i de store, kompliserte – og luftige – tankebygg. Men hun var en person av folket, en som visste hvordan kvinner og menn i gata hadde det, og hun kunne være deres stemme her inne blant alle de selvopptatte og selvtilfredse i hovedstaden. For stemmen til Marit Olsen snakket rett fra leveren. Det var det som var hennes egentlige kvalifikasjon, det som hadde brakt henne dit hun tross alt var kommet. Med verbal intelligens og humor – den som søringer gjerne kalte «nordnorsk» og «ramsalt» – var hun en sikker vinner i de få debattene hun hadde fått slippe til i. Det var bare et tidsspørsmål før de måtte begynne å legge merke til henne. Bare hun kunne få kvittet seg med noen av disse kiloene. Undersøkelser viste at folk hadde mindre tillit til overvektige mennesker, underbevisstheten oppfattet det som manglende selvbeherskelse.

Hun kom til en stigning, bet tennene sammen og kortet ned skrittelengden, gikk vel nærmest over i en slags gange om hun skulle være ærlig. Powerwalk. Ja, det var det det var. Marsjen mot makten. Vekten ble redusert, valgbarheten økt.

Hun hørte det knase i grusen bak seg og kjente hvordan ryggen automatisk rettet seg og pulsen steg ytterligere noen hakk. Det var den samme lyden hun hadde hørt under joggeturen for tre dager siden. Og to dager før det igjen. Begge gangene hadde noen løpt bak henne i nesten to minutter før lyden var blitt borte. Den siste gangen hadde Marit snudd seg og sett svarte treningsklær og en svart hette, som om det var en kommandosoldat som trente der bak henne. Bortsett fra at ingen, og særlig ikke en kommandosoldat, kunne finne det meningsfylt å jogge like sakte som Marit Olsen.

Hun kunne selvfølgelig ikke være sikker på at dette var samme personen, men noe med lyden av skrittene sa henne at det var det. Det var bare litt igjen av stigningen opp til Monolitten, så bar det slakt nedover, hjemover, til Skøyen, mann og en betryggende stygg, overfôret rottweiler. Skrittene kom nærmere. Og plutselig var det ikke så fint at klokka var ti og parken mørk og folketom. Marit Olsen var redd for opptil flere ting, men først og fremst var hun redd for utlendinger. Ja da, hun visste at det var fremmedfrykt og i strid med partiprogrammet, men å frykte det som er fremmed, er tross alt en fornuftig overlevelsesstrategi. Akkurat nå skulle hun ønske at hun hadde stemt mot alle de innvandrervennlige lovforslagene partiet hennes hadde fremmet, at hun også der hadde snakket litt mer rett fra sin beryktede lever.

Kroppen hennes flyttet seg bare så altfor sakte, lårmusklene sved, lungene skrek på luft, og hun visste at hun snart ikke kom til å greie å bevege seg mer. Hjernen hennes prøvde å kjempe mot frykten, prøvde å fortelle henne at hun ikke akkurat var et opplagt voldtektsoffer.

Frykten hadde båret henne helt opp, hun kunne se over på den andre siden av høyden nå, ned på Madserud allé. Det rygget en bil ut fra porten til en av villaene. Hun kunne rekke det, det var bare litt over hundre meter. Marit Olsen løp ut på det sleipe gresset, nedover skråningen, greide så vidt å holde seg på beina. Hun hørte ikke lenger skritt bak seg, alt var overdøvet av pust. Bilen hadde rygget ut på veien nå, det skrapte stygt i girkassa da føreren koblet om fra revers. Marit Olsen var ved enden av skråningen, det var bare noen meter igjen til veien, til de reddende kjeglene av lys foran bilen. Den betydelige kroppsvekten hennes hadde fått et lite forsprang på henne i nedstigningen, og nå tvang den henne ubønnhørlig framover. Så greide ikke beina holde følge lenger. Hun stupte framover, ut i veien, inn i lyset. Magen, innpakket i svettevåt polyester, traff asfalten, og hun halvveis skled og halvveis rullet framover. Så lå Marit Olsen stille, med den bitre smaken av veistøv i kjeften og håndflatene brennende av småstein.

Noen sto over henne. Tok tak i skulderen hennes. Hun veltet seg stønnende over på siden og holdt armene beskyttende opp foran seg. Ingen kommandosoldat, bare en eldre mann med hatt. Døra på bilen bak ham sto åpen.

«Alt i orden, frøken?» sa han.

«Ka trur du?» sa Marit Olsen og kjente raseriet stige opp i seg.

«Vent! Jeg har sett deg før.»

«Det va' da nåkka,» sa hun, viftet vekk hans hjelpende hånd og kom seg stønnende på beina.

«Er du med i det moroprogrammet?»

«Akkurat det,» sa hun og stirret inn i parkens tomme, tause mørke og masserte leveren. «... ska' du skite i, bestefar.»

Kapittel 6
Hjemkomst

En Volvo Amazon, den siste som hadde rullet ut fra Volvofabrikken i 1970, hadde stoppet foran fotgjengerfeltet ved ankomstterminalen på Oslo Lufthavn, Gardermoen.

En lenke av barnehagebarn paraderte foran bilen i gnissende oljehyrer. Noen av dem kikket nysgjerrig på den gamle, rare bilen som hadde rallystripe langs panseret, og på de to mennene bak vindusviskerne som svisjet bort formiddagsregnet.

Mannen i passasjersetet, politioverbetjent Gunnar Hagen, visste at synet av barn hånd i hånd burde fått ham til å smile og tenke på samhold, omtanke og et samfunn hvor man passer på hverandre. Men Hagens første assosiasjon var en manngard på jakt etter en person de regnet med å finne drept. Det var slikt jobben som leder for Voldsavsnittet gjorde med en. Eller som en vittigper hadde skrevet på kontordøra til Hole: *I see dead people.*

«Å faen gjør en barnehaga på en flyplass?» spurte mannen i førersetet. Han het Bjørn Holm, og Amazonen var hans kjæreste eie. Bare lukten fra det bråkete, men uhyggelig effektive varmeapparatet, de innsvettede skaisetene og den støvete hattehylla ga ham fred i sjelen. Særlig hvis det ble akkompagnert av motoren på riktig turtall, det vil si rundt åtti kilometer i timen på flat mark, og Hank Williams på kassettspilleren. Bjørn Holm fra Krimteknisk på Bryn, var en hillbilly fra Skreia med cowboyboots i slangeskinn og et måneansikt med lett bulende øyne, noe som ga ham et konstant forundret ansiktsuttrykk. Det ansiktet hadde fått mer enn én etterforskningsleder til å ta feil av Bjørn Holm. Sannheten var at Bjørn Holm var det største krimteknikertalentet siden Webers glansdager. Holm bar en myk, semsket skinnjakke med rysjer og en strikket rastafarilue hvorfra de kraftigste, rødeste kotelettene Hagen hadde sett på denne siden av Nordsjøen stakk ut og nesten dekket kinnene.

Holm svingte Amazonen inn på kortidsparkeringsplassen, hvor den stoppet med et hikst, og de to mennene steg ut. Hagen brettet opp frakkekragen, noe som selvfølgelig ikke hindret regnet i å bombardere hans blanke hodeskalle. Den var for øvrig omkranset av svart hår så tykt og kraftig at enkelte hadde Gunnar Hagen mistenkt for å ha et utmerket hårfeste, men en eksentrisk frisør.

«Si meg, tåler virkelig den jakka di regn?» spurte Hagen mens de langet ut mot inngangen.

«Nei,» sa Holm.

Kaja Solness hadde ringt dem mens de satt i bilen og opplyst at SAS-maskinen fra London hadde landet ti minutter før rutetid. Og at hun hadde mistet Harry Hole.

Gunnar Hagen så seg rundt da de hadde kommet innenfor svingdørene, fikk se Kaja sitte på kofferten sin borte ved taxidisken, nikket kort til henne og strenet bort mot døra til ankomsthallen. Han og Holm smatt inn da den gled opp for passasjerer på vei ut. En vakt ville til å stoppe dem, men nikket, ja, nærmest bukket da Hagen holdt opp ID-kortet og bjeffet et kort: «Politi.»

Hagen svingte til høyre og gikk rett inn forbi tollerne og hundene deres, forbi de blanke metalldiskene som fikk ham til å tenke på likbenkene på Rettsmedisinsk, og inn i avlukket bak.

Der stoppet han så brått at Holm gikk inn i ham bakfra. Foran ham hveste en velkjent stemme mellom sammenpressede tenner. «Hei, sjef. Beklager at jeg ikke kan gå opp i rett her.»

Bjørn Holm kikket over avsnittssjefens skulder.

Det var et syn som skulle komme til å forfølge ham lenge.

Bøyd over en stolrygg sto mannen som var en levende le-

gende ikke bare på Politihuset i Oslo, men som enhver politi-
mann i Norge hadde hørt en eller annen vanvittig historie om,
på godt eller vondt. En mann Holm selv hadde jobbet tett
med. Men ikke så tett som den mannlige tolleren som sto bak
legenden med en lateksbekledd hånd som var delvis omsluttet
av legendens blekhvite rumpeballer.

«Han er min,» sa Hagen til tolleren og viftet med ID-kortet.
«La ham gå.»

Tolleren stirret på Hagen og syntes uvillig til å gi slipp, men
da en eldre toller med gullstriper på skulderklaffene kom inn
og nikket kort med lukkede øyne, vred tolleren hånden rundt
en siste gang og trakk den til seg. Offeret stønnet lavt.

«Få på deg buksene, Harry,» sa Hagen og vendte seg vekk.

Harry trakk på seg benklærne og snudde seg til tolleren som
holdt på å dra av seg latekshansken: «Var det godt for deg
òg?»

Kaja Solness reiste seg fra kofferten da de tre kollegene hennes
kom ut av døra igjen. Bjørn Holm gikk for å kjøre fram bilen
mens Gunnar Hagen gikk for å kjøpe noe å drikke i kiosken.

«Blir du ofte sjekket?» spurte Kaja.

«Hver gang,» sa Harry.

«Tror jeg aldri er blitt stoppet i en tollkontroll.»

«Jeg veit det.»

«Hvordan vet du det?»

«Fordi det er tusen små kjennetegn de ser etter, og du har
ingen av dem. Mens jeg har minst halvparten av dem.»

«Mener du at tollere er så forutinntatte?»

«Vel. Har du noensinne smuglet noe?»

«Nei.» Hun lo. «OK da. Men hvis de er så gode, burde de
vel sett at du var politimann også da. Og latt deg passere.»

«De så nok det også»

«Kom igjen. Det er bare på film at de liksom kan se hvem
som er politi.»

«Jo da. En fallen politimann.»

«Å ja?» sa Harry og famlet etter sigarettpakken. «La blikket gli over taxidisken. Der ser du en med smale, litt skjeve øyne. Så du ham?»

Hun nikket.

«Han har dratt i beltet to ganger siden vi kom ut. Som om det henger noe tungt i det. Et par håndjern eller en batong. En bevegelse som blir automatisk hvis du har jobbet i patruljebil eller på arresten noen år.»

«Jeg har jobbet i patruljebil, og jeg har aldri ...»

«Han jobber på nark nå og ser etter folk som ser litt for letta ut etter å ha passert tollen. Eller som går rett bort til toalettet der fordi de ikke orker å ha varene i endetarmen lenger. Eller kofferter som skifter hender mellom en naiv, hjelpsom passasjer og smugleren som har fått idioten til å bære det lille stykket bagasje med all dopen tvers gjennom tollen.»

Hun la hodet på skakke og kikket på Harry med et lite smil på leppene: «Eller det kan hende at han er en vanlig fyr med buksesig som venter på moren sin. Og at du tar feil.»

«Ja visst,» sa Harry, kikket på sin egen klokke og så på den oppe på veggen. «Det skjer hele tida. Er det virkelig midt på dagen?»

Volvo Amazonen gled ut på motorveien idet gatelyktene tentes.

I forsetene konverserte Holm og Kaja Solness ivrig mens Townes van Zandt hulket behersket på kassettspilleren. I baksetet strøk Gunnar Hagen hånden over det glatte svineskinnet på veska han hadde lagt i fanget.

«Jeg skulle ønske jeg kunne si at du ser godt ut,» sa han lavt.

«Jetlag, sjef,» sa Harry, som mer lå enn satt.

«Hva har skjedd med kjeven din?»

«Det er en lang og kjedelig historie.»

«Uansett, velkommen hjem. Beklager omstendighetene.»

«Jeg trodde jeg hadde levert en oppsigelse.»

«Det har du gjort før.»

«Så hvor mange må du ha?»

Gunnar Hagen så på sin tidligere førstebetjent og senket

øyebrynene og stemmen ytterligere: «Som sagt beklager jeg omstendighetene. Og jeg skjønner godt at den siste saken tok på for deg. At du og mennesker du er glad i ble involvert på en måte som ... ja, som kan få en til å ønske seg et annet liv. Men det er dette som er jobben din, Harry, det er dette du kan.»

Harry snufset som om han alt hadde pådratt seg hjemkomst-forkjølelsen.

«To drap, Harry. Vi er ikke sikre på hvordan de er utført engang, bare at de er identiske. Men med vår dyrekjøpte erfaring fra sist, vet vi hva det er.» Overbetjenten holdt inne.

«Det er ikke farlig å si ordet, sjef.»

«Jeg vet nå ikke det.»

Harry så ut på de bølgende, brune og snøfrie jordene. «Det har vært ropt ulv en del ganger. Men det har vist seg at en seriemorder er et sjeldent dyr.»

«Jeg vet det,» nikket Hagen. «Snømannen er den eneste vi har sett her til lands i min tid. Men vi er temmelig sikre denne gangen. Ofrene hadde ingenting med hverandre å gjøre, og det er funnet identiske bedøvelsesmiddel i blodet deres.»

«Det er da noe. Lykke til.»

«Harry ...»

«Sett noen som er skikket til jobben, sjef.»

«*Du* er skikket.»

«Jeg er gått i stykker.»

Hagen trakk pusten. «Så setter vi deg sammen igjen.»

«*Beyond repair*,» sa Harry.

«Du er den eneste her til lands som har kompetanse og erfaring med seriemord.»

«Fly inn en amerikaner.»

«Du vet godt at det ikke fungerer slik.»

«Så beklager jeg.»

«Gjør du? To er døde så langt, Harry. Unge kvinner ...»

Harry vinket avvergende da Hagen åpnet veska og trakk ut en brun mappe.

«Jeg mener det, sjef. Takk for at dere kjøpte løs passet mitt og alt det der, men jeg er ferdig med blodfotos og gørrapporter.»

Hagen ga Harry et såret blikk, men la likevel mappen i fanget hans.

«Ta en kikk, det er alt jeg ber deg om. Pluss at du holder kjeft om at vi jobber med denne saken.»

«Å? Hvorfor det?»

«Det er komplisert. Bare ikke nevn det for noen, OK?»

Samtalen foran i bilen hadde dødd ut, og Harry festet blikket på Kajas bakhode. Siden Bjørn Holms Amazon var lagd lenge før noen hadde funnet opp ordet whiplashskade, hadde den ingen nakkestøtte, slik at Harry kunne se den tynne nakken hennes der håret var satt opp, se de hvite dunene mot huden, og han tenkte på hvor sårbart det var alt sammen, hvor fort ting endret seg, hvor mye som kunne ødelegges i løpet av sekunder. At det var det livet var: en ødeleggelsesprosess, en nedbrytning av noe som i utgangspunktet er perfekt. Det eneste det knyttet seg spenning til, var om vi ville destrueres plutselig eller langsomt. Det var en trist tanke. Han holdt likevel fast på den. Helt til de var på vei gjennom Ibsentunnelen, en grå, anonym maskindel i byens trafikkmekanisme som kunne befunnet seg i en hvilken som helst by i verden. Likevel var det akkurat da han merket det. En voldsom og betingelsesløs glede over å være her. I Oslo. Hjemme. Følelsen var så overveldende at det noen sekunder var helt borte for ham hvorfor han var kommet tilbake.

Harry så på Sofies gate 5 mens Amazonen forsvant bak ham. Det var mer graffiti på fasaden enn da han hadde dratt, men blåfargen under var den samme.

Så hadde han altså sagt fra at han ikke tok saken. At han hadde en far som lå på sykehuset, at det var den eneste grunnen til at han var her. Det han ikke hadde fortalt dem, var at om han hadde fått velge å få vite om farens sykdom eller ikke, hadde han valgt å ikke få vite. For han kom ikke av kjærlighet. Han kom av skam.

Harry kikket opp mot de to svarte vinduene i tredje etasje som var hans.

Så låste han opp porten og gikk inn i bakgården. Søppel-vogna sto der den pleide. Harry skjøv opp lokket. Han hadde lovet Hagen å ta en kikk på mappen med kopier av saksdo-kumentene. Mest for at sjefen skulle slippe å miste ansikt, det passet hadde tross alt kostet avsnittet en del kroner. Harry lot mappen gli under lokket og ned blant de sprukne plastposer hvor det tøt ut kaffegrut, bleier, råtten frukt og potetskrell. Han dro inn duften og slo fast hvor forbløffende internasjonal lukten av søppel er.

Ingenting var rørt i toromsleiligheten, likevel var noe anner-ledes. Et puddergrått skjær, som om noen akkurat hadde for-latt stedet, men frostpusten hang fremdeles igjen. Han gikk ut på soveværelset, satte fra seg bagen og fisket opp den uåpnede kartongen med sigaretter. Det var det samme der inne, grått som huden på et to dager gammelt lik. Han falt bakover på senga. Lukket øynene. Hilste på de kjente lydene. Som dryp-pingen fra hullet i takrenna ned på blikket på vinduskarmen. Det var ikke den langsomme, beroligende dryppingen fra taket i Hong Kong, men en febrilsk tromming, i overgangen mel-lom å dryppe og å renne, som en påminnelse om at tiden gikk, sekundene raste, slutten av tallinjen nærmer seg. Det hadde pleid å få ham til å tenke på La Linea, den italienske anima-sjonsfiguren som etter fire minutter alltid endte med å falle, forsvinne der tegnerens, skaperens linje ble borte under ham.

Harry visste at det sto en halvfull flaske Jim Beam i ska-pet under utslagsvasken. Visste at han kunne begynne der han hadde sluttet i denne leiligheten. For faen, han hadde vært full allerede før han satte seg i drosjen til flyplassen den dagen for et halvt år siden. Ikke rart han ikke hadde greid å kare seg til Manila.

Han kunne også gå rett inn på kjøkkenet nå og helle inn-holdet i vasken.

Harry stønnet.

Det var bare tull at han lurte på hvem hun lignet på. Han visste hvem hun lignet på. Hun lignet på Rakel. De lignet alle på Rakel.

Kapittel 7
Galge

«Men æ e redd, Rasmus» sa Marit Olsen. «Æ *e* det!»

«Jeg vet det,» sa Rasmus Olsen med den dempete, behagelige stemmen som hadde fulgt og beroliget hans kone gjennom tjuefem år med politiske valg, førerkorteksamener, raseriutbrudd og et og annet panikkanfall.

«Det er bare naturlig,» sa han og la armen rundt henne. «Du jobber hardt, du har mye å tenke på. Hodet har ikke overskudd til å stenge den type tanker ute.»

«Sånne tanka?» sa hun, snudde seg i sofaen og så på ham. Hun hadde for lengst mistet interessen for DVD-en de så på: *Love Actually.* «Sånne tanka, tulltanka, e det det du mene?»

«Det viktige er ikke hva jeg mener,» sa han mens fingertuppene lette seg fram. «Det viktige …»

«… er ka *du* mene,» hermet hun. «Herregud, Rasmus, du må holde opp å se på doktor Phil.»

Han lo silkemykt. «Jeg sier bare at du som stortingsrepresentant selvfølgelig kan be om å få en vakt som følger deg rundt hvis du føler deg truet. Men er det det du vil?»

«Mmm,» malte hun da fingrene hans begynte å massere akkurat der hun visste han visste at hun elsket det. «Ka betyr 'det du vil'?»

«Tenk deg om. Hva tror du vil skje?»

Marit Olsen tenkte seg om. Lukket øynene og kjente fingrene hans massere ro og harmoni inn i kroppen hennes. Hun

hadde møtt Rasmus mens hun jobbet på Arbeidsmarkedseta-
ten i Alta. Hun var blitt valgt til tillitsmann og Norsk Tje-
nestemannslag hadde sendt henne på tillitsmannsskolering på
Sørmarka kurs- og konferansesenter. Der hadde en tynn mann
med levende, blå øyne under høye viker kommet bort til henne
den første kvelden. Han hadde snakket på en måte som minnet
henne om de frelsesjuke kristne på ungdomsklubben i Alta.
Bare at han snakket om politikk. Han jobbet i gruppesekre-
tariatet til Arbeiderpartiet, hvor han hjalp partiets stortingsre-
presentanter med praktiske kontoroppgaver, reiser, presse og
nå og da skrev han til og med en tale for dem.

Rasmus hadde spandert en øl, spurt om hun ville danse, og
etter fire stadig roligere evergreens med stadig tettere kropps-
kontakt, hadde han spurt om hun ville bli med. Ikke opp på
rommet hans, men i partiet hans.

Da hun kom hjem igjen, hadde hun begynt å gå på partimø-
ter i Alta, og på kveldene hadde hun og Rasmus hatt lange tele-
fonsamtaler om hva de hadde gjort og tenkt den dagen. Marit
hadde naturligvis aldri sagt det høyt, at hun av og til tenkte
at det var den beste tiden de hadde hatt sammen, to hundre
mil fra hverandre. Så hadde nominasjonskomiteen ringt, satt
henne på en liste og vips var hun valgt inn i kommunestyret i
Alta. To år senere var hun nestleder i Alta AP, året etter satt
hun i styret i fylkespartiet, og så hadde det kommet en ny tele-
fon, og denne gangen var det nominasjonskomiteen for Stor-
tinget.

Og nå hadde hun et bitte lite kontor på Stortinget, en sam-
boer som hjalp henne med talene, og utsikt til å stige i gradene
om alt gikk som planlagt. Og hun unngikk tabber.

«Dæm kommer til å sette en politimann til å passe på mæ,»
sa hun. «Og pressen vil vite koffer en stortingskvinne ingen har
hørt om, skal gå rundt med en jævli bodyguard på skattebe-
talerans regning. Og når dæm finn ut koffer, at ho har *trudd*
at noen har fulgt etter ho i parken, kommer dæm til å skrive
at med en *sånn* begrunnelsen vil annakver dame i Oslo be om
politivakt over statsbudsjettet. Æ vil ikke ha vakt. Dropp det.»

Rasmus lo lydløst og brukte fingrene til å massere sin til-slutning.

Vinden suste hult gjennom de bladløse trærne i Frognerpar-ken. En and med hodet trykket ned i fjærdrakten drev rundt på en nattsvart vannoverflate. I Frognerbadet klistret råttent løv seg til flisene i de tomme bassengene. Stedet virket endelig og evig forlatt, en tapt verden. I det dype bassenget skapte vinden turbulens som sang en monoton, gråtende tone under det ti meter høye hvite stupetårnet som tegnet seg som en galge mot nattehimmelen over.

Kapittel 8
Snow Patrøl

Klokka var tre på ettermiddagen da Harry våknet. Han åpnet bagen, dro på seg et sett med rene klær, fant en ullfrakk i skapet og kom seg ut. Duskregnet vekket ham nok til at han så noenlunde nykter ut da han kom inn på Restaurant Schrøders brune, innrøkte lokaler. Bordet hans var opptatt, så han tok det innerste, under TV-en.

Han så seg rundt. Over ølglassene så han et par ansikter han ikke hadde sett før, ellers hadde tiden stått stille. Nina kom og satte et hvitt krus og en stålkanne med kaffe foran ham.

«Harry,» sa hun. Ikke som en hilsen, men for å få en bekreftelse på at det virkelig var ham.

Harry nikket. «Hei, Nina. Gamle aviser?»

Nina forsvant ut på bakrommet og kom tilbake med en bunke gulnet papir. Harry hadde aldri fått klarhet i hvorfor de sparte på avisene på Schrøder, men det hadde kommet ham til gode mer enn en gang.

«*Long time,*» sa Nina og forsvant. Og Harry husket hva han likte med Schrøder utover at det var skjenkestedet i kortest avstand fra hans egen leilighet. De korte setningene. Og respekten for privatlivet. Det ble slått fast at du var tilbake, og det forlangtes ingen redegjørelse for tiden imellom.

Harry helte ned to kopper med den forbløffende vonde kaffen mens han bladde igjennom avisene i en slags fast forward-teknikk for å skaffe seg en generell oversikt over hva som hadde skjedd i kongeriket de siste månedene. Det var som vanlig ikke stort. Som var det han likte best ved Norge.

Noen hadde vunnet Idol, en kjendis hadde røket ut i en dansekonkurranse, en fotballspiller i tredje divisjon hadde tatt kokain, og Lene Galtung, datteren til skipsreder Anders Galtung, hadde arvet noen av millionene på forskudd og forlovet seg med en penere, men antagelig ikke like rik investor som het Tony. Redaktøren i Liberal, Arve Støp, mente at for en nasjon som gjerne ville framstå som en sosialdemokratisk rollemodell, begynte det å bli pinlig at det fortsatt var et kongedømme. Alt var ved det samme.

Først i avisene fra desember så Harry de første oppslagene om mord. Han gjenkjente Kajas beskrivelse av åstedet, en kjeller i et kontorkompleks under oppføring i Nydalen. Dødsårsaken var uklar, men politiet utelukket ikke drap.

Harry bladde forbi og leste heller om en politiker som skrøt av at han trakk seg som statsråd for å være mer sammen med familien.

Schrøders avisarkiv var på ingen måte fullstendig, men det andre drapet dukket opp i en avis datert to uker senere.

Kvinnen var funnet bak en vraket Datsun som var dumpet i skogbrynet ved Dausjøen i Maridalen. Politiet utelukket ikke en «kriminell handling», men avslørte ikke noe om dødsårsak her heller.

Harrys øyne scannet artikkelen og slo fast at politiets taushet skyldtes det vanlige; de hadde ikke noe, nada, radaren sveipet over åpent, tomt hav.

Bare to drap. Likevel hadde Hagen virket sikker i sin sak da han sa at det dreide seg om en seriemorder. Så hva var sammenhengen, hva var det som ikke sto i avisene? Harry kjente hjernen begynne å gå de gamle, kjente veiene, bannet over at han ikke greide la være og bladde forbi.

Da stålkanna var tom, la han en krøllete seddel på bordet og gikk ut på gata. Trakk frakken tettere rundt seg og myste opp på den grå himmelen.

Han praiet en ledig taxi som gled inn til fortauskanten. Sjåføren lente seg diagonalt over inne i bilen, og bakdøra svingte opp. Et triks man sjelden så nå til dags, og som Harry bestemte seg for å belønne med et tips. Ikke bare fordi det betydde at han kunne stige rett inn, men fordi vinduet i bildøra akkurat hadde reflektert et ansikt bak rattet i en bil som sto parkert bak Harry.

«Rikshospitalet,» sa Harry og akte seg inn mot midten av baksetet.

«Skal bli,» sa sjåføren.

Harry studerte sladrespeilet idet de svingte ut fra fortauskanten. «Forresten, kjør til Sofies gate 5 først.»

I Sofies gate ventet taxien med kaklende dieselmotor mens Harry tok trappene i lange, hurtige steg og hjernen vurderte alternativene. Triaden? Herman Kluit? Eller den gode, gamle paranoiaen? Stæsjet lå der han hadde lagt det før han dro, i verktøykassa i matskapet. Det gamle, utgåtte ID-kortet. To sett håndjern av merket Hiatts med fjærbelastet arm for speedcuffing. Og tjenesterevolveren, en Smith & Wesson 38-kaliber.

Da Harry kom ned igjen på gata, så han seg verken til høyre eller venstre, satte seg bare rett inn i taxien.

«Rikshospitalet?» spurte sjåføren.

«Kjør i den retningen i alle fall,» svarte Harry og studerte speilet mens de svingte opp Stensberggata og videre oppover Ullevålsveien. Han så ingenting. Hvilket betydde ett av to. At det var den gode gamle paranoiaen. Eller at fyren var god.

Harry nølte, men sa til slutt: «Rikshospitalet.»

Han fortsatte å holde øye med speilet mens de passerte Vestre Aker kirke og Ullevål sykehus. Han måtte for all del ikke lede dem rett dit han var mest sårbar. Dit de alltid ville prøve å komme til. Familien.

Landets største sykehus lå hevet over resten av byen.

Harry betalte sjåføren, som takket for tipset og gjentok trikset med bakdøra.

Fasadene på bygningene reiste seg foran Harry så det lave skydekket syntes å subbe takene.

Han trakk pusten dypt.

Olav Hole smilte så mildt og kraftløst fra sykehusputen at Harry måtte svelge.

«Jeg var i Hong Kong,» svarte Harry. «Jeg måtte tenke.»

«Fikk du gjort det, da?»

Harry trakk på skuldrene. «Hva sier legene?»

«Minst mulig. Neppe noe godt tegn, men jeg merker at jeg foretrekker det sånn. Å takle livets realiteter har som du vet aldri vært vår families sterke side.»

Harry lurte på om de kom til å snakke om mor. Han håpet ikke det.

«Har du en jobb?»

Harry ristet på hodet. Farens hår lå så fint og hvitt over pannen hans at Harry tenkte det ikke var hans hår, at det var noe han hadde fått utdelt sammen med pyjamasen og tøflene.

«Ingenting?» sa faren.

«Jeg har fått et tilbud om å forelese på Politihøyskolen.»

Det var nesten sant. Hagen hadde tilbudt ham det etter Snømannen-saken, som en slags permisjon.

«Lærer?» Faren lo lavt og forsiktig som om noe mer ville ta knekken på ham. «Jeg trodde et av prinsippene dine var å aldri gjøre noe som jeg har gjort?»

«Det var aldri slik.»

«Det er greit, du har alltid gjort ting på din måte. Disse politigreiene ... Vel, jeg får vel bare være takknemlig for at du ikke har gjort som meg. Jeg er ikke noe eksempel til etterfølgelse. Du vet at etter at din mor døde ...»

Harry hadde sittet i det hvite sykehusværelset i tjue minutter og kjente allerede en desperat trang til å flykte.

«Etter at din mor døde, klarte jeg ikke helt å få tingene til å henge sammen. Jeg trakk meg tilbake, jeg fant ikke noen glede i selskap med andre mennesker. Det var liksom i ensomheten jeg var nærmest henne, syntes jeg. Men det er feil, Harry.» Faren smilte englemildt. «Jeg vet at tapet av Rakel var hardt, men du må ikke gjøre som meg. Du må ikke gjemme deg, Harry. Du må ikke låse døra og kaste nøkkelen.»

Harry så ned på hendene sine, nikket og kjente maur krype over hele kroppen. Han måtte ha noe, et eller annet.

En pleier kom inn, presenterte seg som Altman, holdt opp en sprøyte og sa lett lespende at han bare skulle gi «Olav» noe å sove bedre på. Harry hadde lyst til å spørre om han hadde noe til ham også.

Faren la seg over på siden, ansiktshuden hang, han så eldre ut enn da han lå på ryggen. Han så på Harry med et tungt, blankt blikk.

Harry reiste seg så brått at stolbeina rapet høyt mot gulvet.

«Hvor skal du?» mumlet faren.

«Ut og ta en røyk,» sa Harry. «Jeg er snart tilbake.»

Harry stilte seg på en lav murkant hvor han hadde oversikt over parkeringsplassen og tente en Camel. På den andre siden av motorveien kunne han se Blindern og universitetsbygningene hvor faren hadde studert. Det var de som mente at sønner alltid ble mer eller mindre forkledde varianter av sine fedre, at opplevelsen av å ha brutt ut aldri var noe mer enn en illusjon, at man vendte tilbake, at blodets tyngdekraft ikke bare var sterkere enn viljen, men var viljen. Harry hadde alltid ment at han selv var et bevis på det motsatte. Så hvorfor hadde det å se farens ribbete, nakne ansikt på puten vært som å se inn i et speilbilde? Å høre ham snakke plutselig vært som å høre seg selv. Å høre ham tenke, ordene ... som et tannlegebor som med selvfølgelig sikkerhet fant Harrys nerver. Fordi han var en kopi. Faen! Harrys blikk hadde funnet en hvit Corolla på parkeringsplassen.

Alltid hvit, det er den mest anonyme fargen. Fargen på Corollaen utenfor Restaurant Schrøder, den med ansiktet bak rattet, det samme ansiktet som mindre enn et døgn tidligere hadde stirret på ham med sine skjeve, smale øyne.

Harry kastet sigaretten og spurtet inn igjen. Roet skrittene da han kom inn i korridoren som ledet mot farens rom. Han svingte inn der korridoren utvidet seg til et åpent venterom og lot som han lette igjennom bunken av blader på bordet mens han med sideblikket scannet de som satt der.

Mannen hadde gjemt seg bak et nummer av Liberal.

Harry tok med seg et Se og Hør med bilde av Lene Galtung og forloveden og gikk.

Olav Hole lå med lukkede øyne. Harry la øret ned mot munnen hans. Pusten var så lett at den var knapt hørbar, men han kjente en luftstrøm mot kinnet.

Harry satt en stund på stolen ved siden av senga og så på faren mens tankene spilte av dårlig redigerte barndomsminner i tilfeldig rekkefølge og uten annen rød tråd enn at det var ting han i alle fall husket.

Så plasserte han stolen ved døra som han satte på klem og ventet.

Det tok en halv time før han så mannen komme fra venterommet og gå nedover korridoren. Harry slo fast at den tette, kortvokste mannen var usedvanlig hjulbeint, det så ut som han gikk med en badeball klemt mellom knærne. Før han svingte inn en dør med et internasjonalt forståelig tegn for herretoalett, løftet han på beltet. Som om det hang noe tungt i det.

Harry reiste seg og gikk etter.

Stoppet utenfor toalettet og trakk pusten. Det var lenge siden. Så skjøv han døra opp og gled inn.

Toalettet var som Rikshospitalet: rent, pent, nytt og overdimensjonert. Langs den ene langveggen var det seks toalettdører, ingen med røde felter over låsene. På kortveggen fire vasker og på den andre langveggen fire porselenspotter i hoftehøyde. Mannen sto ved den ene av pottene, med ryggen mot Harry. På veggen over ham gikk et vannrør på langs. Det så solid ut. Solid nok. Harry tok ut revolveren og håndjernene. Internasjonal etikette på herretoaletter er å ikke se på hverandre. Blikkontakt, selv utilsiktet, er drapsgrunn. Derfor snudde ikke mannen seg for å se på Harry. Ikke da Harry uendelig forsiktig vred rundt låsen i utgangsdøra, ikke da han med rolige skritt gikk fram til ham, og ikke da han satte revolverløpet mot den fete valken i overgangen mellom nakken og hodet og hvisket det en kollega pleide å hevde at alle politifolk burde få lov til å si minst én gang i karrieren:

55

«*Freeze.*»

Mannen gjorde akkurat det. Harry kunne se den glattbarberte nakkevalken få gåsehud da mannen stivnet til.

«*Hands up.*»

Mannen løftet et par korte, kraftige armer over hodet. Harry lente seg fram. Og skjønte i samme sekund at det hadde vært en tabbe. Mannens hurtighet var forbløffende. Harry visste fra timene med terping på nærkampteknikk at det handlet like mye om å vite hvordan man skal ta juling som å gi juling. At kunsten er å greie å slappe av i muskulaturen, å skjønne at straffen ikke kan unngås, bare reduseres. Så da mannen virvlet rundt, myk som en danserinne med kneet løftet, reagerte Harry med å følge bevegelsen. Han rakk så vidt å flytte kroppen i samme retning som sparket. Foten traff ham like over hoften. Harry mistet balansen, falt og akte seg på ryggen bortover det glatte flisgulvet til han var utenfor rekkevidde. Der ble han liggende, sukket og så i taket mens han dro fram sigarettpakken. Han stakk en sigarett i munnen.

«Speedcuffing,» sa Harry. «Lærte det det året jeg var på FBI-kurs i Chicago. Cabrini Green, et høl av en hybel. Som hvit mann var det ingenting å finne på på kveldstid med mindre man ville gå utenfor døra og bli rana. Så jeg satt og øvde på to ting. Å tømme og lade tjenesterevolveren min i mørket på kortest mulig tid. Og speedcuffing mot et bordbein.»

Harry heiste seg opp på albuene.

Mannen sto fortsatt med de korte armene strakt opp over hodet. Hendene var lenket fast til håndjern på hver sin side av vannrøret. Han stirret uttrykksløst på Harry.

«*Mister Kluit sent you?*» spurte Harry.

Den andres blikk holdt Harrys uten å blunke.

«*The Triade. I've paid my debts, haven't you heard?*» Harry studerte mannens uttrykksløse ansikt. Mimikken – eller mangelen på det – var kanskje asiatisk, men han hadde ikke ansiktsformen og fargene til en kineser. Mongol, kanskje? «*So what do you want from me?*»

Ikke noe svar. Som var dårlig nytt, siden det mest sannsynlig betydde at mannen ikke var kommet for å kreve noe. Men for å gjøre noe.

Harry reiste seg og gikk i en halvsirkel slik at han kom inn på ham fra siden. Han holdt revolveren mot mannens tinning mens han stakk venstre hånd på innsiden av dressjakka hans. Hånden gled over det kalde stålet på et håndvåpen før den fant en lommebok og nappet den ut.

Harry gikk tre skritt tilbake.

«*Let's see ... mister Jussi Kolkka.*» Harry holdt et American Express kredittkort opp mot lyset. «*Finnish?* Finsk? Da skjønner du kanskje norsk?»

Ikke noe svar.

«Du har vært politimann, ikke sant? Da jeg så deg i ankomsthallen på Gardermoen, trodde jeg du var narkspaner. Hvordan visste du at jeg kom med akkurat det flyet, Jussi? Hvis det er greit at jeg sier Jussi? Det føles liksom mest naturlig å bruke fornavn på en fyr som står foran deg med pikken hengende ute.»

Det lød en kort harkelyd før spyttklysen virvlet gjennom lufta, rundt sin egen akse og landet på Harrys bryst.

Harry så ned på T-skjorta si. Den snussvarte spyttklysen hadde lagt seg tvers over o-en så det sto Snow Patrøl.

«Skjønner altså norsk,» sa Harry. «Så hvem jobber du for, Jussi? Og hva vil du?»

Ikke en muskel rørte seg i Jussis ansikt. Noen tok i dørhåndtaket på utsiden, bannet og ble borte.

Harry sukket. Så løftet han revolveren til den var på høyde med finnens panne og presset hanen tilbake.

«Du tror kanskje at jeg er en vanlig, tilregnelig person, Jussi. Vel, her er hvor tilregnelig jeg er. Faren min ligger hjelpeløs i en sykeseng der inne, du har funnet det ut og dermed har jeg et problem. Det kan bare løses på én måte. Heldigvis er du bevæpnet slik at jeg kan fortelle politiet at det var selvforsvar.»

Harry presset hanen enda lenger tilbake. Og merket den velkjente kvalmen komme.

«Kripos.»

57

Harry stoppet hanen. «*Repeat?*»

«Jag är i Kripos.» De svenske ordene ble frest fram med den finske aksenten som vitsefortellere i norske bryllupsmiddager er så glad i.

Harry stirret på mannen. Han var ikke et øyeblikk i tvil om at han snakket sant. Likevel var det totalt ubegripelig.

«I plånboken,» hveste finnen uten at raseriet i stemmen nådde øynene hans.

Harry åpnet lommeboka og kikket nedi. Trakk ut et laminert ID-kort. Opplysningene var få, men fyllestgjørende. Mannen foran Harry var ansatt i det norske kriminalpolitiet, Kripos, sentralenheten i Oslo som bisto – og som regel ledet – etter-forskningen i drapssaker over hele landet.

«Hva i helvete vil Kripos med meg?»

«Fråga Bellman.»

«Hvem er Bellman?»

Finnen utstøtte en kort lyd det var vanskelig å avgjøre om var hoste eller latter. «Overbetjent Bellman, din stackars djävel. Min chef. Men få mej loss nu, cute boy.»

«Faen,» sa Harry og så på ID-kortet igjen. «Faen, faen.» Han slapp lommeboka ned på gulvet og snudde seg mot døra.

«Hallo. Hallo!»

Finnens rop døde ut bak Harry da døra gled igjen bak ham og han gikk nedover korridoren mot utgangen. Pleieren som hadde vært inne hos faren, kom gående motsatt vei og nikket smilende da de var kommet nær nok. Harry kastet den lille nøkkelen til håndjernene opp i været.

«Står en blotter på dass, Altman.»

Pleieren fanget automatisk nøkkelen mellom begge hendene. Harry kjente det måpende blikket i ryggen til han var ute av døra.

Kapittel 9
Stupet

Klokka var kvart på elleve på kvelden. Det var ni plussgrader, og Marit Olsen husket at værmelderen hadde sagt at det ville bli enda mildere i morgen. I Frognerparken var det ikke et menneske å se. Det var noe med det store utendørsbadet som fikk henne til å tenke på skip i opplag, på fraflyttede fiskevær hvor vinden plystrer i husveggene og tivolier utenfor sesongen. Løsrevne minner fra barndommen. Som de druknede fiskerne som gikk igjen på Tronholmen, som kom opp av havet ved nattetid, med tang i håret og småfisk i munn og nesebor. Gjenferd uten pust, men som av og til skrek hese, kalde måkeskrik. Dauinger med oppbløtte lemmer som haket seg fast i en grein og ble slitt av med en revnende lyd, uten at det stanset fremmarsjen mot det ensomme huset der ute på Tronholmen. Tronholmen der bestemor og bestefar bodde. Der hun selv lå på barnerommet og skalv. Marit Olsen pustet. Pustet fortsatt.

Det var vindstille der nede, men her oppe på toppen av det ti meter høye stupetårnet kunne man kjenne lufta bevege seg. Marit kjente sin egen puls banke i tinningene, i svelget, i skrittet, i hvert lem strømmet blodet friskt og livgivende. Det var deilig å leve. Å være i live. Hun hadde knapt vært andpusten etter å ha gått opp alle trappene i stupetårnet, hadde bare kjent hjertet, den trofaste muskelen, rase vilt. Hun stirret ned på det tomme stupebassenget under seg, som lyset fra månen ga et nesten unaturlig, blåaktig skinn. Lenger borte, i enden av svømmebassenget, så hun den store klokka. Viseren hadde stoppet på ti over fem. Tiden sto stille. Hun kunne høre byen, se lysene fra bilene på Kirkeveien. Så nær. Og likevel for langt unna. For langt borte til at noen kunne høre henne.

Hun pustet. Og var likevel død. Hun hadde et rep tykt som en trosse rundt halsen og kunne høre måkeskrikene, gjenferdene hun snart skulle slå seg sammen med. Men hun tenkte ikke på døden. Hun tenkte på livet, hvor gjerne hun skulle levd det. Alle de små og store tingene hun gjerne skulle gjort. Hun skulle reist til land hun ikke hadde vært i, sett tantebarna bli voksne, sett verden ta til fornuft.

Det hadde vært en kniv, bladet hadde blinket i lyset fra gatelykta og blitt ført mot halsen hennes. Det sies at redsel gir krefter. Henne hadde den frastjålet alle krefter, fratatt all handlingsevne. Tanken på at stålet som skulle skjære i kroppen, hadde gjort henne til en skjelvende, viljeløs bylt. Så da hun hadde fått beskjed om å klatre over gjerdet, hadde hun ikke greid det, hadde falt og blitt liggende der som en saccosekk med tårene strømmende nedover kinnene. Fordi hun visste hva som skulle skje. Og at hun ikke kom til å kunne hindre det, at hun kom til å gjøre alt for ikke å bli skåret i. Fordi hun så gjerne ville leve litt til. Noen år til, noen minutter til, det var det samme regnestykket, den samme blinde, sinnssyke rasjonaliteten som drev en.

Hun hadde snakket for å forklare at hun ikke kom over, glemt beskjeden om å holde kjeft. Kniven hadde hugget som en slange, skutt inn i munnen, blitt vridd rundt så det knaste i tennene hennes og så blitt dratt ut igjen. Blodet hadde kommet med en gang. Stemmen hadde hvisket noe bak masken og dyttet henne foran seg i mørket langs gjerdet. Til et sted bak buskene hvor det var et hull i gjerdet hun var blitt dyttet gjennom.

Marit Olsen svelget blodet som fortsatte å fylle munnen og så ned på tribunene under seg, også de badet i det blå måneskinnet. De var så tomme, det var en rettssak uten tilhørere og jury, bare en dommer. En henrettelse uten mobb, bare bøddel. En siste offentlig opptreden hvor ingen hadde funnet det verdt å møte opp. Marit Olsen tenkte at hun manglet appell i døden så vel som i livet. Og nå klarte hun ikke snakke heller.

«Hopp.»

Hun så hvor vakker parken var, selv nå på vinteren. Hun skulle ønske klokka i enden av svømmebassenget hadde gått, så hun kunne se sekundene med liv hun nå stjal.

«Hopp,» gjentok stemmen. Han måtte ha tatt av seg masken, for stemmen hadde forandret seg, hun gjenkjente den nå. Hun vred hodet og stirret i sjokk. Så kjente hun en fot treffe ryggen. Hun skrek. Hun hadde ikke lenger grunn under føttene, var i et forbauset øyeblikk vektløs. Men jorda trakk henne til seg, kroppen akselererte og hun registrerte at bassengets blåhvite porselen raste oppover, kom for å knuse henne.

Tre meter over bassengets bunn strammet tauet rundt Marit Olsens hals og nakke. Tauet var en gammeldags type, lagd av bast fra lind og alm, og var uten elastisitet. Marit Olsens veldige kropp lot seg ikke bremse nevneverdig, men rev seg løs fra hodet og traff bunnen av stupebassenget med et dumpt drønn. Hodet og halsen hang igjen i tauet. Det var ikke mye blod. Så tippet hodet framover, gled ut av løkka, falt ned på Marit Olsens blå treningsjakke og trillet bortover bassengflisene med en rumlende lyd.

Så ble det igjen stille i badet.

DEL II

Kapittel 10
Purring

Klokka var tre på natta da Harry ga opp soveprosjektet og sto opp.

Han skrudde opp vannkranen på kjøkkenet og stakk et glass under, holdt det der til vannet rant over kanten og rislet kaldt rundt håndleddet. Kjeven verket. Blikket var festet på to fotografier som var stiftet opp over kjøkkenbenken.

Det ene hadde et par stygge bretter og viste Rakel i en lyseblå sommerkjole. Men det var ikke sommer, det var høstfarger på løvverket bak henne. Det svarte håret hennes falt ned på de bare skuldrene. Blikket hennes så ut som det søkte noen bak linsen, kanskje fotografen. Var det han selv som hadde tatt bildet? Merkelig at han ikke skulle huske det.

Det andre bildet var av Oleg. Tatt med Harrys mobiltelefonkamera på Valle Hovin under skøytetrening i fjor vinter. Foreløpig en spinkel guttunge, men om han hadde fortsatt treningen, ville han snart ha fylt ut den røde trikoten. Hva gjorde han nå? Hvor var han? Hadde Rakel greid å skape et hjem for dem der de var, et som føltes tryggere enn det de hadde hatt i Oslo? Var det kommet nye mennesker inn i livet deres? Når Oleg ble trøtt eller mistet konsentrasjonen, hendte det fortsatt at han hadde kalt Harry «pappa»?

Harry skrudde igjen kranen. Han kjente underskapdøra mot knærne. Jim Beam hvisket navnet hans fra innsiden.

Harry dro på seg en bukse og en T-skjorte, gikk ut i stua og satte på Miles Davis' «Kind of Blue». Det var originalen, den hvor de ikke har kompensert for at opptaksmaskinen i studio gikk ørlite for sakte slik at hele platen var en nesten umerkelig forskyvning av virkeligheten.

Han lyttet litt før han skrudde opp volumet så det overdøvet hviskingen fra kjøkkenet. Lukket øynene.

Kripos. Bellman.

Han hadde aldri hørt navnet. Han kunne selvfølgelig ringt Hagen og forhørt seg, men han hadde ikke orket. Fordi han hadde en følelse av hva det kunne handle om. Best å la det ligge.

Harry var kommet til siste låt, «Flamenco Sketches», da han ga opp. Han reiste seg og gikk ut av stua mot kjøkkenet. I gangen snudde han til venstre, tråkket opp i Dr. Martens-bootsene og gikk ut.

Han fant den under en plastpose det var gått hull i. Noe som lignet størknet ertesuppe dekket hele forsiden av mappen.

Han satte seg i den grønne ørelappstolen og begynte å lese mens han hutret.

Den første kvinnen het Borgny Stem-Myhre, 33 år, opprinnelig fra Levanger. Single, ingen barn, bosatt på Sagene i Oslo. Jobbet som stylist, hadde stor omgangskrets, særlig blant frisører, fotografer og folk i motepressen. Hun frekventerte flere av byens utesteder, og ikke bare de hippeste. Dessuten var hun glad i naturen og likte å gå fra hytte til hytte, både til fots og på ski.

«Hun greide aldri helt å kvitte seg med Levanger-jenta,» sto det i et generelt referat fra avhørene med kolleger. Harry gikk ut fra at det kom fra kolleger som mente de hadde lykkes i å radere ut sitt eget småsted.

«Vi likte henne alle, hun var en av de få som var ekte i denne bransjen.»

«Det er ubegripelig, vi kan ikke skjønne hvem som skulle ville ta livet av henne.»

«Hun var for snill. Og det utnyttet før eller siden alle menn hun falt for. Hun ble et leketøy for dem. Hun stilet for høyt, ganske enkelt.»

Harry så på et bilde av henne. Det ene i mappen hvor hun fremdeles var levende. Blond, kanskje ikke ekte. Alminnelig søt, ingen åpenbar skjønnhet, men hun var typete kledd i militærjakke og rastalue. Typete og dumsnill, hørte det sammen?

Hun hadde vært på utstedet Mono, hvor det hadde vært den månedlige lanseringsfesten og «forhåndslesing» av motebladet Sheness. Det hadde foregått mellom sju og åtte, og Borgny hadde sagt til en kollega slæsj venninne at hun ville hjem for å forberede en fotoshoot dagen etterpå hvor fotografens klesønske var «jungle møter pønk på en åttitallsmåte».

De gikk ut fra at hun ville gå til nærmeste taxiholdeplass, men ingen av taxisjåførene som var i nærheten på det aktuelle tidspunktet (datalister fra Norgestaxi og Oslo Taxi vedlagt), hadde gjenkjent bildet av Borgny Stem-Myhre eller hadde hatt turer til Sagene. Kort fortalt hadde ingen sett henne etter at hun forlot Mono. Helt til to polske murere hadde kommet på jobb, sett at hengelåsen til jerndøra til tilfluktsrommet var klippet over, og gått inn. Borgny hadde ligget midt på gulvet i en forvridd stilling med alle klærne på.

Harry så på bildet. Den samme militærjakka. Ansiktet så ut som det var sminket hvitt. Blitzlampa kastet skarpe skygger mot kjellerveggen. Fotoshoot. Typete.

Rettsmedisineren hadde slått fast at Borgny Stem-Myhre døde et sted mellom klokka tjueto og tjuetre. Det var funnet spor av stoffet ketanomin i blodet, et sterkt bedøvelsesmiddel som virker fort selv når det settes intramuskulært. Men den direkte dødsårsaken var drukning forårsaket av blod fra sårene i munnen. Og det var her det mest foruroligende begynte. Rettsmedisineren fant tjuefire stikk i munnen, symmetrisk fordelt og – de som ikke gjennomboret ansiktet – nøyaktig like dype, sju centimeter. Men etterforskerne ante ikke hva slags våpen eller instrument det dreide seg om. De hadde rett og slett aldri sett noe lignende. Det var null og niks av tekniske spor; ingen fingeravtrykk, ikke noe DNA, ikke engang sko- eller støvelavtrykk siden betonggulvet dagen før var blitt rengjort før det skulle legges varmekabler og gulvbelegg. I rapporten til

Kim Erik Lokker, en krimtekniker som må ha blitt ansatt etter Harrys tid, var det avbildet to gråsvarte småstein som var funnet på gulvet og som ikke stammet fra grusen rundt åstedet. Lokker påpekte at i støvler med grovt mønster satte småstein seg ofte fast og datt av når man gikk på fastere underlag, som dette betonggulvet. Og at disse steinene var såpass uvanlige at om de dukket opp seinere i etterforskningen, for eksempel i en grusgang, kunne de kanskje matches. Rapporten hadde fått en tilføyelse etter at den var skrevet og datert; at det var funnet små spor av jern og koltan på innsiden av to av jekslene.

Harry ante alt fortsettelsen. Han bladde videre.

Den andre pikens navn var Charlotte Lolles. Fransk far, norsk mor. Bosatt på Lambertseter i Oslo. Hun ble tjueni år. Utdannet jurist. Bodde alene, men hadde en kjæreste: en Erik Fokkestad som for lengst var sjekket ut av saken, han hadde befunnet seg på et geologiseminar i Yellowstone nasjonalpark i Wyoming, USA. Charlotte skulle vært med, men hadde prioritert en større eiendomstvist hun jobbet med.

Kolleger hadde sist sett henne på kontoret tirsdag kveld rundt klokka ni. Hun hadde sannsynligvis aldri kommet seg hjem, stresskofferten med sakspapirene var blitt funnet ved siden av liket bak den kasserte bilen i skogbrynet i Maridalen. Begge parter i eiendomstvisten var for øvrig blitt sjekket ut av saken. Obduksjonsrapporten viste at det var funnet biter av billakk og rust under Charlotte Lolles negler, noe som stemte med åstedsrapporten som beskrev skrapemerker rundt låsen på bagasjelokket, som om hun hadde prøvd å få det opp. Nærmere undersøkelse av låsen viste for øvrig at den var blitt dirket opp minst én gang. Men neppe av Charlotte Lolles. Harry så for seg at hun måtte ha vært lenket fast til noe som lå inni bagasjerommet, at det var derfor hun hadde prøvd å åpne det. Noe drapsmannen hadde tatt med seg etterpå. Men hva? Hvordan? Og hvorfor?

Avhørsprotokoll med sitat fra en kvinnelig kollega på advokatkontoret: «Charlotte var en ambisiøs jente, jobbet alltid sent. Skjønt hvor effektivt det var, vet jeg ikke. Alltid blid, men

ikke så utadvendt som smilingen og hennes sydlandske utse-
ende kunne tyde på. Litt privat, rett og slett. Hun fortalte for
eksempel sjelden noe om denne samboeren sin. Men sjefene
likte henne jo.»

Harry så for seg den kvinnelige kollegaen servere Charlotte
den ene intime avsløringen etter den andre om sin egen kjæ-
reste, uten å få annet enn et smil i retur. Og etterforskerhjernen
hans gikk som på autopilot; kanskje hadde Charlotte unndratt
seg medlemskap i et klamt søsterskap, kanskje hadde hun hatt
noe å skjule. Kanskje ...

Harry så på bildene. Litt harde, men pene trekk. Mørke øyne,
lignet øynene til ... faen! Han lukket øynene. Åpnet dem igjen.
Bladde fram til rettsmedisinerens rapport. Lot blikket gli ned-
over arket mens han leste.

Han måtte se opp igjen på navnet til Charlotte på toppen av
arket for å forsikre seg om at han ikke leste rapporten på Borgny
en gang til. Bedøvelsesmiddelet. De tjuefire sårene i munnen.
Drukning. Ingen annen ytre vold, ingen tegn på seksuelle over-
grep. Den eneste forskjellen var klokkeslettet for dødstidspunk-
tet som var mellom tjuetre og midnatt. Men også denne hadde
tilføyelsen om at det var funnet spor etter jern og koltan på en
av offerets tenner. Antagelig fordi Krimteknisk i etterkant hadde
skjønt at det kunne ha relevans siden det var funnet på begge
ofrene. Koltan. Var det ikke det Schwarzeneggers Terminator-
robot hadde vært lagd av?

Harry oppdaget at han var lys våken nå, at han satt ytterst på
stolen. Han kjente sitringen, spenningen. Og kvalmen. Som
når han tok den første drinken, den som fikk magen til å vrenge
seg, den som kroppen hans desperat avviste. Og snart kom til å
trygle om mer av. Mer og mer. Til det ødela ham og alle rundt
ham. Som dette. Harry reiste seg så brått at han svimlet, grep
mappen, visste den var for tykk, men greide likevel å slite den
i to.

Han samlet sammen papirbitene og bar dem ned til søppel-
vogna igjen. Slapp dem oppi inntil kanten og løftet på plast-
poser slik at saksdokumentene gled helt ned langs siden, helt

til bunnen. Søppelbilen ville forhåpentligvis være her i morgen eller i overmorgen.

Harry gikk tilbake og satte seg i stolen.

Da natta hadde fått et strøk grått utenfor vinduet, hørte han de første lydene av en våknende by. Men over den jevne brummingen av begynnende morgenrush i Pilestredet, kunne han også høre en fjern, tynn sirene på en politibil vri seg gjennom frekvensene. Kunne være hva som helst. Han hørte enda en sirene starte opp. Hva som helst. Og så en til. Ikke hva som helst.

Fasttelefonen begynte å ringte.

Harry løftet av røret.

«Det er Hagen. Vi har akkurat fått meldi ...»

Harry la på.

Det begynte å ringe igjen. Harry så ut av vinduet. Han hadde ikke ringt Søs. Hvorfor ikke? Fordi han ikke ville vise seg for lillesøsteren – hans ivrigste, mest betingelsesløse beundrer? Hun som hadde det hun selv kalte «et snev av Down syndrom» og som likevel fikset livet så uendelig mye bedre enn ham selv. Hun var det eneste menneske han ikke kunne tillate seg å skuffe.

Telefonen sluttet å ringe. Og begynte på igjen.

Harry trev røret. «Nei, sjef. Svaret er nei, jeg vil ikke jobbe.»

Det var stille i den andre enden et sekund. Så lød en fremmed stemme:

«Det er fra Oslo Energi. Herr Hole?»

Harry bannet inni seg. «Ja?»

«De har latt være å betale fakturaene vi har sendt Dem, og De har heller ikke svart på stengningsvarsler. Jeg ringer for å si fra at vi stenger strømmen til leiligheten Deres i Sofies gate 5 fra og med i dag klokka tolv.»

Harry svarte ikke.

«Den vil kunne åpnes etter at vi har mottatt utestående beløp på vår konto.»

«Og beløpet er?»

«Med renter, purregebyr og stengningsgebyr er det fjorten tusen fire hundre og sekstitre kroner.»

Pause.

«Hallo?»

«Jeg er her. Jeg har ikke så mye penger nå.»

«Utestående beløp vil gå til rettslig inkasso. Imens får vi håpe at det ikke blir kuldegrader. Eller hva?»

«Hva,» konstaterte Harry og la på.

Sirenene utenfor steg og sank.

Harry gikk og la seg. Han lå i et kvarter med lukkede øyne før han ga opp, dro på seg klærne igjen og forlot leiligheten for å ta trikken til Rikshospitalet.

Kapittel 11
Print

Da jeg våknet i morges, visste jeg at jeg hadde vært der igjen. I drømmen er det alltid slik: vi ligger på bakken, blodet renner, og når jeg ser til siden, står hun der og ser på oss. Hun ser på meg med sorg i blikket, som om hun først nå har oppdaget hvem jeg er, avslørt meg, sett at jeg ikke er den hun vil ha.

Frokosten smakte fortreffelig. Det står på tekst-TV. «Kvinnelig stortingsrepresentant funnet død i stupebassenget i Frognerbadet.» Avisenes nettsider er fulle. Printe ut, klippe, klippe.

Om ikke lenge vil de første nettsidene offentliggjøre navnet. Hittil har politiets såkalte etterforskning vært så latterlig amatørmessig at det har vært mer irriterende enn spennende. Men denne gangen vil de sette alle ressurser inn, ikke leke etterforskning som de har gjort med Borgny og Charlotte. Marit Olsen var tross alt stortingsrepresentant. Det er på tide at dette stoppes. For jeg har pekt ut neste offer.

Kapittel 12
Åsted

Harry røykte en sigarett utenfor sykehusbygningen. Over ham var himmelen blekblå, men under ham dekket tåka byen som lå i en gryte mellom lave, grønne åser. Synet minnet ham om barndommen på Oppsal, da han og Øystein hadde skulket første time på skolen og dratt bort til tyskerbunkersene på Nordstrand, hvor de hadde sett ned på den ertesuppefargete tåka som hadde skjult Oslo sentrum. Men med årene hadde morgentåka gradvis forsvunnet fra Oslo, sammen med industri og vedfyring.

Harry knuste sigaretten under hælen.

Olav Hole så bedre ut. Eller kanskje det bare var lyset. Han spurte hvorfor Harry smilte. Og hva som egentlig hadde skjedd med kjeven hans.

Harry sa noe om å være klønete og lurte på i hvilken alder skiftet skjedde, når det var barna som begynte å skåne foreldrene for virkeligheten. Rundt tiårsalderen kom han fram til.

«Lillesøsteren din var her,» sa faren.

«Hvordan har hun det?»

«Bra. Da hun hørte at du var kommet hjem, sa hun at nå måtte hun passe på deg. For nå var hun blitt stor. Og du liten.»

«Mm. Klok dame. Hvordan har du det i dag?»

«Bra. Veldig bra, faktisk. Tror jammen det er på tide å komme seg ut herfra.»

Han smilte, og Harry smilte tilbake.

73

«Hva sier legene?»

Olav Hole smilte fortsatt. «Altfor mye. Skal vi snakke om noe annet?»

«Klart det. Hva vil du snakke om?»

Olav Hole tenkte seg om. «Jeg vil snakke om henne.»

Harry nikket. Og satt taus og hørte faren fortelle om hvordan han og Harrys mor hadde møtt hverandre. Giftet seg. Om morens sykdom da Harry bare var guttungen.

«Ingrid hjalp meg bestandig. Bestandig. Men hun trengte meg så sjelden. Helt til hun ble syk. Av og til var det så jeg tenkte at den sykdommen var en velsignelse.»

Harry rykket til.

«Den ga meg en mulighet til å betale tilbake, skjønner du. Og jeg betalte. Alt hun ba om gjorde jeg.» Olav Hole satte blikket i sønnen. «Alt, Harry. Nesten.»

Harry nikket.

Faren snakket videre. Om Søs og Harry, hvor grei og blid Søs hadde vært. Og hvor viljesterk Harry hadde vært. At han hadde vært mørkredd, men ikke ville si det til noen, slik at når han og moren hadde lyttet ved døra, hadde de kunnet høre ham vekselvis gråte og forbanne usynlige monstre. Men de visste at de ikke kunne gå inn og trøste og berolige ham, da ville han bli rasende og rope at de ødela, at de måtte komme seg ut igjen.

«Du skulle alltid slåss mot de monstrene på egen hånd, du, Harry.»

Olav Hole fortalte den gamle historien om at Harry ikke hadde sagt et ord før han var nesten fem. Men at da – en dag – hadde hele setninger flytt ut av ham. Langsomme og alvorlige med voksne ord de ikke skjønte hvor han kunne ha lært.

«Men Søs har rett,» smilte faren. «Du er blitt liten igjen. Du snakker ikke.»

«Mm. Vil du at jeg skal snakke?»

Faren ristet på hodet. «Du skal lytte. Men nok nå. Du får komme tilbake en annen dag.»

Harry klemte farens venstre hånd med sin høyre og reiste seg. «Er det greit om jeg bor på Oppsal noen dager?»

«Takk for at du tilbyr deg. Jeg ville ikke mase om det, men huset trenger jo tilsyn.»

Harry droppet forklaringen om at strømmen ville bli stengt i hans egen leilighet.

Faren ringte og en ung, leende sykepleier kom inn og brukte farens fornavn på en uskyldig, flørtende måte. Og Harry hørte hvordan faren gjorde stemmen litt dypere da han forklarte at Harry måtte få kofferten med husnøklene i, så hvordan den syke mannen i senga prøvde å bruse litt med fjærene for henne. Og av en eller annen grunn virket det ikke patetisk, det var som det skulle være.

Til avskjedshilsen gjentok faren: «Alt hun ba meg om.» Og hvisket: «Bortsett fra én ting.»

Da pleiersken førte Harry til oppbevaringsrommet, fortalte hun at legen ønsket et par ord med ham. Etter å ha funnet nøkkelen i kofferten banket Harry på døra pleiersken hadde vist ham.

Legen nikket mot en stol, lente seg bakover i kontorstolen og satte fingertuppene mot hverandre: «Det var godt du kom hjem. Vi har forsøkt å få tak i deg.»

«Jeg veit det.»

«Kreften har spredd seg.»

Harry nikket. Noen hadde en gang sagt det til ham at det er jobben til en kreftcelle: å spre seg.

Legen så studerende på ham, som om han vurderte neste skritt.

«Ja,» sa Harry.

«Ja?»

«Ja, jeg er klar for å høre resten.»

«Vi pleier ikke lenger å si hvor lenge vi tror en person har igjen. Til det er avvikene og belastningene som følger for store. Men jeg synes i dette tilfellet at det er riktig å fortelle deg at han er på overtid allerede.»

Harry nikket. Så ut av vinduet. Tåka lå like tett der nede.

«Har du en mobiltelefon vi kan nå deg på om noe skulle skje?»

75

Harry ristet på hodet. Var det en sirene han hørte der nede fra tåka?

«Noen du kjenner som kan få gitt deg beskjed?»

Harry ristet på hodet igjen. «Ikke så farlig. Jeg ringer hit og besøker ham hver dag. OK?»

Legen nikket og så etter Harry som hadde reist seg og strenet ut.

Klokka var blitt ni da Harry ankom Frognerbadet. Hele Frognerparken er på et halvt tusen dekar, men siden det offentlige utendørsbadet bare utgjør en liten del og dessuten er gjerdet inn, hadde politiet hatt en enkel jobb med å sperre av åstedet; de hadde ganske enkelt trukket sperrebånd på utsiden av gjerdet rundt hele badet og satt en vakt i billettporten. Hele gribbeflokken av krimjournalister var på vingene og de kom seilende inn, sto kaklende utenfor porten og lurte på hvordan de skulle komme til kadaveret. Det var jo en ekte stortingsrepresentant for ville helvete, offentligheten hadde da krav på bilder av et såpass prominent lik?

Harry kjøpte en americano på Kaffepikene. De hadde hatt stoler og bord ute på fortauet i hele februar, og Harry slo seg ned, tente en sigarett og så på flokken foran billettporten.

En mann slo seg ned på stolen ved siden av.

«Selveste Harry Hole. Hvor har du vært?»

Harry løftet blikket. Roger Gjendem, Aftenpostens krimjournalist, tente en sigarett og gestikulerte mot Frognerparken: «Omsider får Marit Olsen det som hun vil. Innen klokka åtte i kveld er hun kjendis. Henge seg i stupetårnet i Frognerbadet? *Good career move.*» Han snudde seg mot Harry og skar en grimase: «Hva har skjedd med kjeven din? Du ser for jævlig ut.»

Harry svarte ikke. Sippet bare kaffen og gjorde ikke noe for å unngå den pinlige pausen, i et fåfengt håp om at journalisten skulle skjønne at han ikke var ønsket selskap. Fra tåkeheimen over dem kom den flappende lyden av rotor. Roger Gjendem myste opp.

«Helt sikkert VG, typisk dem å leie helikopter. Håper tåka ikke letter.»

«Mm. Bedre at ingen får bilder enn at VG gjør det?»

«Klart det. Hva vet du?»

«Sikkert mindre enn deg,» sa Harry. «Liket ble funnet av en av vaktmesterne ved morgengry, og han ringte politiet med én gang. Og du?»

«Hodet ble slitt rett av. Dama hoppet fra toppen av tårnet med et tau rundt halsen, ser det ut til. Og hun var jo temmelig feit. Hundreogfemtikilosklassen.

De har funnet tråder på gjerdet som kan stemme med treningsdressen hennes der de mener hun tok seg over. De fant ikke spor etter noen andre der, så de mener at hun var alene.»

Harry sugde inn røyken. *Hodet ble slitt rett av.* De snakket som de skrev, disse journalistene, på omvendt pyramideform som de kalte det: den viktigste informasjonen først.

«Skjedde vel i natt dette da?» fisket Harry.

«Eller i går kveld. Ifølge ektemannen dro Marit Olsen hjemmefra klokka kvart på ti i går kveld for å jogge.»

«Seint for en joggetur.»

«Det var visst da hun pleide å gjøre det. Likte å ha parken for seg sjøl.»

«Mm.»

«Jeg prøvde forresten å finne vaktmesteren som fant henne.»

«Hvorfor det?»

Gjendem så forbauset på Harry. «For å få en førstehåndsbeskrivelse, selvsagt.»

«Selvsagt,» sa Harry og sugde på sigaretten.

«Men det virker som han har gått i dekning, han er verken her eller hjemme. Er vel i sjokk, stakkar.»

«Tja. Det er ikke første gang han har funnet lik i stupebassenget. Jeg antar det er etterforskningsledelsen som har sørget for at dere ikke får tak ham.»

«Hva mener du med at det ikke er første gang?»

Harry trakk på skuldrene. «Jeg har vært tilkalt her to eller tre ganger før. Unggutter som har kommet seg inn her på natta. Den ene gangen var det selvmord, den andre gangen en ulykke. Fire fulle venner på vei hjem fra fest som ville leke litt, se hvem som torde stå ytterst på kanten. Han som torde mest, ble nitten år. Den eldste av guttene var storebroren hans.»

«Fy faen,» sa Gjendem pliktskyldigst.

Harry så på klokka som om han skulle rekke noe.

«Må ha vært litt av en kraft i det tauet,» sa Gjendem. «Huet rett av. Noen gang hørt om noe sånt?»

«Tom Ketchum,» sa Harry, tømte resten av kaffen i én slurk og reiste seg.

«Ketchup?»

«Ketchum. Hole-in-the-Wall-gjengen. Hengt i New Mexico i 1901. Helt vanlig galge, de brukte bare litt for langt tau.»

«Oi. Hvor langt da?»

«Så vidt over to meter.»

«Ikke mer? Han må ha vært smellfeit da.»

«Niks. Sier noe om hvor lett det er å miste huet, ikke sant?»

Gjendem ropte noe etter ham, men Harry fikk det ikke med seg. Han gikk over parkeringsplassen på nordsiden av badet, gjennom parken og tok til venstre over broa mot hovedporten. Gjerdet var over to og en halv meter høyt hele veien. *Hundreogfemtikilosklassen.* Marit Olsen hadde kanskje forsøkt, men hun hadde ikke tatt seg over det gjerdet alene.

På den andre siden av broa gikk Harry til venstre slik at han kom opp igjen mot badet fra motsatt side. Han tråkket over politiets oransje sperrebånd og stoppet på toppen av skråningen foran et buskas. Harry hadde glemt skremmende mye de siste årene. Men sakene satt. Han husket fremdeles navnene på de fire guttene i stupetårnet. Storebrorens tusenmeterblikk inn i intet mens han tonløst hadde svart på Harrys spørsmål. Og hånden som hadde pekt på stedet hvor de hadde kommet seg inn.

Harry trådte forsiktig for ikke å ødelegge eventuelle spor og bøyde buskaset til side. Oslo Parkvesens vedlikeholdsarbeid måtte ha lang planleggingshorisont. Om noen overhodet. Revnen i gjerdet var der fortsatt.

Harry satte seg på huk og studerte de skarpe gjerdetaggene. Han så mørke tråder. Noen som ikke hadde sneket, men brøytet seg gjennom her. Eller blitt dyttet. Han så etter andre spor. På en tagg øverst i revnen hang en lang, svart ulltråd. Revnen var så høy at noen måtte ha stått oppreist for å komme i berøring med gjerdet der. Hodet. Det stemte bra med ull, en ullue. Hadde Marit Olsen brukt ullue? Ifølge Roger Gjendem hadde Marit Olsen dratt hjemmefra klokka kvart på ti for å jogge i parken. Slik hun pleide, hadde han sagt.

Harry prøvde å se det for seg. Han så en uvanlig mild kveld i parken. Han så en stor, svettende dame jogge. Han så ingen ullue. Han så ingen andre som brukte ullue heller. Ikke fordi det var kaldt i alle fall. Men kanskje for ikke å bli sett eller gjenkjent. Svart ullue. En finlandshette, kanskje.

Han skrittet forsiktig ut av buskaset.

Han hadde ikke hørt dem komme.

Den ene mannen holdt en pistol – sannsynligvis en Steyr, østerriksk, semiautomatisk. Den pekte på Harry. Mannen bak hadde lyst hår, en åpen munn med kraftig underbitt, og da han i tillegg utstøtte en gryntende latter, husket Harry kallenavnet til Truls Berntsen, Kripos. Beavis. Som i Beavis & Butt-Head.

Den andre mannen var kort, usedvanlig hjulbeint og hadde hendene i lommene på en frakk som Harry visste skjulte et skytevåpen og et ID-kort fra Kripos med et finskklingende navn. Men det var den tredje mannen, han i grå, elegant støvfrakk som tiltrakk seg Harrys oppmerksomhet. Han sto litt til venstre for de to andre, men det var noe med pistolmannen og finnens kroppsspråk, måten de orienterte seg delvis mot Harry på, delvis mot denne mannen. Som om de var hans forlengelse, som om det var denne mannen som *egentlig* holdt pistolen. Det som slo Harry ved mannen, var ikke hans nesten feminine penhet. Ikke at øyevippene syntes så godt både over og under øynene at man kunne ha mistenkt ham for å sminke dem. Eller nesa, haka, kinnenes fine form. Ikke at håret var tykt, mørkt, grått, velfrisert og en god del lengre enn bransjestandarden. Heller ikke de mange, små pigmentflekkene i den solbrune huden

79

som fikk det til å se ut som han var vært utsatt for syreregn. Det som slo Harry, var hatet. Hatet i blikket som mannen fikserte ham med, et hat så sterkt at Harry syntes han kunne kjenne det fysisk, som noe hvitt og hardt.

Mannen renset tennene med en tannpirker. Stemmen var lysere og mykere enn Harry ville trodd: «Du har trengt deg inn på et område som er sperret av for etterforskning, Hole.»

«Et ufrakommelig faktum,» sa Harry og så seg rundt.

«Hvorfor?»

Harry så på mannen mens han stumt forkastet det ene svaret etter det andre til det var gått opp for ham at han ganske enkelt ikke hadde noe.

«Siden du synes å kjenne til meg,» sa Harry. «Hvem har jeg gleden av å hilse på?»

«Jeg tviler på om det vil gjøre noen av oss særlig glad, Hole. Så jeg foreslår at du forlater dette stedet nå og at du aldri viser deg i nærheten av noen av Kripos' åsteder igjen. Er det forstått?»

«Vel. Oppfattet, men ikke helt forstått. Hva om jeg kan gi et bidrag til politiet i form av et tips om hvordan Marit Olsen ...»

«Ditt eneste bidrag til politiet,» avbrøt den myke stemmen ham, «har vært dårlig renommé. I min bok er du en fyllik, lovbryter og et skadedyr, Hole. Så mitt tips til deg er at du kryper tilbake under den steinen du kom fra før noen setter hælen på deg.»

Harry kikket på mannen og kjente at både hjernen og magen sa det samme: Ta det. Retrett. Du har ingenting å kontre med. Vær lur.

Og han skulle virkelig ønske han var lur, han skulle virkelig ha satt pris på den egenskapen. Harry trakk fram sigarettpakken:

«Og den noen skulle da være deg, Bellman? For du er Bellman, ikke sant? Geniet som sendte den saunaapen der etter meg?» Harry nikket mot finnen. «Skal jeg dømme ut fra det forsøket, greier du ikke sette hælen på ... på ...» Harry lette febrilsk etter analogien, men den kom ikke. Helvetes jetlag. Bellman kom ham i forkjøpet:

«Stikk nå, Hole.» Overbetjenten pumpet tommelen over skulderen. «Så, så. Fort, fort.»

«Jeg ...» begynte Harry.

«Det var det,» sa Bellman og smilte bredt. «Du er arrestert, Hole.»

«Hva?»

«Du har fått tre beskjeder om å fjerne deg fra åstedet uten å etterkomme det. Hendene på ryggen.»

«Hør nå her!» snerret Harry med en snikende følelse av å være en uendelig forutsigbar rotte i laboratoriets labyrint. «Jeg vil bare ...»

Berntsen, alias Beavis, rykket ham i armen så sigaretten falt ut av munnen hans og ned på den våte bakken. Harry bøyde seg for å plukke opp sigarettene, men fikk Jussis fot i ryggen og falt fremover. Han stanget pannen i bakken og kjente smaken av jord og galle. Og hørte Bellmans myke stemme like ved øret:

«Du motsetter deg arrestasjon, Hole. Jeg ba deg legge hendene på ryggen, gjorde jeg ikke? Ba deg legge dem her ...»

Bellman la en hånd lett på Harrys rumpe. Harry pustet hardt inn og ut gjennom nesa uten å røre seg. For han visste akkurat hva det var Bellman ville oppnå. Vold mot tjenestemann. To vitner. 127-sak. Strafferamme fem år. Game over. Og selv om Harry hadde alt dette klinkende klart for seg, visste han at Bellman snart ville få det som han ville. Derfor konsentrerte han seg om noe annet, stengte ute Beavis' gryntende latter og Bellmans eau de cologne. Han tenkte på henne. På Rakel. Han la hendene på ryggen, oppå Bellmans hånd og vred hodet rundt. Vinden hadde akkurat blåst bort tåka over dem og der oppe kunne han se det hvite, slanke stupetårnet tegne seg mot den grå himmelen. Fra utstikkeren på toppen dinglet noe i vinden, et rep, kanskje.

Det klikket mykt i håndjernene.

Bellman sto på parkeringsplassen ved Middelthuns gate og så etter dem da de kjørte vekk. Vinden nappet blidt i frakken hans.

Vakthavende i arresten leste i avisen da han ble oppmerksom på de tre mennene foran skranken.

«Hei, Tore,» sa Harry. «Har du et ikke-røyk med utsikt?»

«Hei, Harry. Lenge siden.» Vakthavende plukket ned en nøkkel fra skapet bak seg og rakte Harry. «Bryllupssuiten.»

Harry så Tores forvirring da Beavis lente seg fram, nappet nøkkelen til seg og snerret: «Det er han som er arrestanten, gammer'n.»

Harry så beklagende på Tore mens Jussis hender lette igjennom lommene hans og fisket opp nøkler og lommebok.

«Fint hvis du ringer Gunnar Hagen, Tore. Han ...»

Jussi rykket i håndjernene slik at metallet skar inn i huden og Harry tumlet baklengs etter de to mot inngangen til varetektscellene.

Etter at de hadde låst ham inne på den to og en halv ganger halvannen meter lille cella, gikk Jussi ut til Tore for å signere papirene mens Beavis ble stående på utsiden av sprinkeldøra og se inn på Harry. Harry så at det var noe han ville si og ventet. Og til slutt kom det, med en stemme som skalv av undertrykt raseri:

«Hvordan føles det egentlig? Å ha vært en sånn jævla hotshot, ha fakka to seriemordere og vært på TV og sånn liksom. Og nå sitter du her og stirrer på innsida av de sprinkla sjæl?»

«Hva er det du er så sint på, Beavis?» spurte Harry lavt og lukket øynene. Han kjente dønninger i kroppen som om han akkurat hadde gått i land etter en lang sjøreise.

«Jeg er ikke sint. Men når det gjelder pønkere som har skutt bra politifolk, så er jeg forbanna på de.»

«Tre feil i én setning,» sa Harry og la seg ned på brisken. «For det første heter det 'på dem', for det andre var ikke førstebetjent Waaler 'bra politifolk' og for det tredje skjøt jeg ikke, jeg sleit armen av ham. Her oppe ved skuldra.» Harry viste.

Beavis åpnet og lukket munnen uten at det kom noe ut.

Harry lukket øynene igjen.

Kapittel 13
Kontor

Neste gang Harry åpnet øynene, hadde han ligget på brisken i politiets varetekt i to timer, og Gunnar Hagen sto utenfor og strevde med nøkkelen for å få låst opp.

«Beklager, Harry, jeg satt i et møte.»

«Passet meg helt fint, sjef,» sa Harry, strakte seg på brisken og gjespet. «Er jeg løslatt?»

«Jeg snakket med politiadvokaten som sa det var greit. Varetekt er forvaring, ikke straff. Jeg hørte det var to gutter fra Kripos som brakte deg inn. Hva skjedde?»

«Det er det jeg håper du kan forklare meg.»

«Jeg?»

«Helt fra jeg landet i Oslo har jeg blitt skygget av Kripos.»

«Kripos?»

Harry satte seg opp på brisken og dro en hånd gjennom hårbørsten på hodet. «De har fotfulgt meg til Rikshospitalet. De arresterte meg på formalia. Hva er det som foregår, sjef?»

Hagen løftet haka og dro i halshuden. «Pokker, jeg burde forutsett det.»

«Forutsett hva?»

«At det ville lekke ut at vi prøvde å spore opp deg. At Bellman ville stoppe det.»

«I hovedsetninger, er du snill?»

«Det er, som jeg sa til deg, ganske komplisert. Det handler om nedkutting og rasjonalisering i politiet. Om jurisdiksjon.

Den gamle kampen, Voldsavsnittet mot Kripos. Om det er ressurser nok til to fagmiljøer med parallell kompetanse i et lite land. Diskusjonen blusset opp da Kripos fikk en ny nestkommanderende, en Mikael Bellman.»

«Fortell om ham.»

«Bellman? Politihøyskolen, kort fartstid i Norge før han havnet i Europol i Haag. Kommet hjem til Kripos som en wonderboy som skal opp og fram. Det var bråk fra dag én da han ville ansette en tidligere kollega i Europol, en utlending.»

«Ikke tilfeldigvis finsk?»

Hagen nikket. «Jussi Kolkka. Politiutdannelse fra Finland, men har ingen av de formelle kvalifikasjoner som kreves for å få politistatus i Norge. Fagforeningen fløy i flint. Løsningen ble selvfølgelig at Kolkka ble midlertidig ansatt på utveksling. Bellmans neste utspill var å gjøre det klart at regelverket skal tolkes slik at i større drapssaker er det Kripos som selv skal bestemme om det er deres sak eller politidistriktets, ikke omvendt.»

«Og?»

«Og det er selvfølgelig helt uakseptabelt. Vi har landets største drapsavsnitt her på Politihuset, vi må selv få bestemme hvilke vi selv tar innenfor Oslo, hva vi trenger hjelp til og hva vi vil henstille til Kripos om å overta. Kripos ble opprettet for å hjelpe politidistriktene med ekspertise i drapssaker, men Bellman har altså uten videre gitt avdelingen sin keiserstatus. Justisdepartementet ble trukket inn i saken. Og de så straks muligheten til å gjennomføre det vi har greid å legge lokk på så lenge: å sentralisere drapsetterforskningen til ett kompetansesenter. De bryr seg ikke om våre argumenter om faren ved ensretting og innavl, om viktigheten av lokal kunnskap og kompetansespredning, om rekruttering og ...»

«Takk, du behøver ikke frelse meg.»

Hagen holdt opp en hånd. «Greit, men Justisdepartementet jobber nå med en innstilling ...»

«Og ...?»

«De sier de vil være pragmatiske. At det handler om å utnytte de knappe ressursene best mulig. Hvis det er slik at Kripos kan vise at de oppnår best resultater ved å være fristilt med hensyn til politidistriktene ...»

«... så er det all makt til Bryn,» sa Harry. «Stort kontor til Bellman og farvel til Voldsavsnittet?»

Hagen trakk på skuldrene. «Noe sånt. Da Charlotte Lolles ble funnet drept bak den Datsunen og vi så likhetene med drapet på den piken i kjelleren på det nybygget, ble det full kræsj. Kripos sa at selv om likene var funnet i Oslo, er dobbeltdrap en sak for Kripos, ikke Oslo politidistrikt, og satte i gang etterforskning på egen hånd. De har skjønt at det er i den saken slaget om departementets støtte vil stå.»

«Så da er det vel bare å løse saken før Kripos?»

«Det er som sagt komplisert. Kripos nekter å dele informasjon med oss, selv om de står i stampe. I stedet gikk de til departementet. Politimesteren her på huset fikk en telefon om at departementet 'gjerne så' at Kripos fikk kjøre denne saken inntil de fikk tatt stilling til ansvarsdelingen for fremtiden.»

Harry ristet langsomt på hodet. «Ting demrer. Dere ble desperate ...»

«Jeg vil ikke bruke det ordet.»

«Desperate nok til å spa opp igjen den gamle seriemorderjegeren Hole. En outsider som ikke lenger sto på lønningslista, som kunne etterforske saken i all stillhet. Det var derfor jeg ikke kunne si noe til noen.»

Hagen sukket. «Bellman fant det uansett ut, tydeligvis. Og satte en skygge på deg.»

«For å se om dere lot være å følge departementets høflige henstilling. Ta meg på fersken idet jeg leste gamle rapporter eller avhørte gamle vitner.»

«Eller enda mer effektivt: å sette deg ut av spill. Bellman vet at det hadde vært tilstrekkelig med et eneste feiltrinn, en eneste øl i tjeneste, et eneste brudd på tjenestereglementet, for å få deg suspendert.»

«Mm. Eller å motsette seg arrest. Han har tenkt å gå videre med saken, den kødden.»

«Jeg skal snakke med ham. Han vil droppe det når jeg forteller at du ikke ville ha saken likevel. Vi drar ikke politifolk ned i søla hvis det ikke har noen hensikt.» Hagen kikket på klokka. «Jeg har jobb som venter, la oss få deg ut.»

De gikk fra arresten, over parkeringsplassen og stoppet ved inngangen til Politihuset som tronet i betong og stål på toppen av parken. Ved siden av dem, navlet til Politihuset med en underjordisk kulvert, lå de gamle, grå murene til Botsen, Oslo Kretsfengsel. Under dem strakte bydelen Grønland seg nedover mot fjorden og havna. Fasadene var vinterbleke og skitne som om det hadde regnet aske på dem. Byggekranene nede ved havna tegnet seg som galger mot himmelen.

«Ikke noe vakkert syn, eller hva?»

«Nei,» sa Harry og snuste inn lufta.

«Men det er noe med denne byen likevel.»

Harry nikket. «Det er det.»

De sto der en stund på vippende hæler og med hendene i lommene.

«Det er kjølig,» sa Harry.

«Egentlig ikke.»

«Nei vel, men termostaten min er fortsatt innstilt på Hong Kong.»

«Ja vel.»

«Så du har kanskje en kopp kaffe der oppe?» Harry nikket mot sjette etasje.

«Eller var det sånn at du har jobb som venter? Marit Olsen-saken?»

Hagen svarte ikke.

«Mm,» sa Harry. «Så Bellman og Kripos tok den også.»

Harry mottok et og annet avmålt nikk på vei gjennom korridorene på rød sone i sjette etasje. Vel var han en legende på huset, men noen avholdt mann hadde han aldri vært.

De passerte en kontordør hvor det var limt opp et A4-ark med teksten *I SEE DEAD PEOPLE.*

Hagen kremtet. «Jeg måtte la Magnus Skarre overta kontoret, det er smekk fullt overalt.»

«For all del,» sa Harry.

De tok med seg hvert sitt pappkrus med den beryktede traktekaffen på tekjøkkenet.

Inne på Hagens kontor slo Harry seg ned i stolen foran overbetjentens skrivebord, hvor han hadde sittet så mange ganger.

«Du har den fremdeles, ser jeg,» sa Harry og nikket mot sokkelen på skrivebordet som ved første øyekast så ut som et hvitt utropstegn. Det var en utstoppet lillefinger. Harry visste at den hadde tilhørt en japansk kommandant under annen verdenskrig. Under retretten hadde kommandanten hugd av seg fingeren foran sine menn som en unnskyldning for at de ikke kunne gå tilbake og hente sine falne. Hagen yndet å bruke historien når han doserte for sine mellomledere om lederskap.

«Og du fremdeles ikke.» Hagen nikket mot Harrys langfingerløse hånd som holdt rundt pappkruset.

Harry nikket og drakk. Også kaffen var som før. Smeltet asfalt.

Harry skar en grimase. «Jeg trenger et team på tre personer.»

Hagen drakk langsomt og satte ned kruset: «Ikke flere?»

«Det spør du alltid om. Du veit at jeg ikke jobber med store etterforskningsgrupper.»

«I dette tilfellet skal jeg ikke bråke. Få folk betyr mindre sjanse for at Kripos og Justisdepartementet får nyss om at vi etterforsker dobbeltdrapet.»

«Trippeldrap,» sa Harry og gjespet.

«Hold an, vi vet ikke om Marit Olsen …»

«Kvinne alene ute på kveldstid, bortføres til annet sted hvor hun tas livet av på ukonvensjonelt vis. For tredje gang i lille Oslo. Trippel. Tro meg. Men uansett hvor få vi er, så veit du at det skal jævlig godt gjøres at ikke våre veier på en eller annen måte krysser Kripos' her.»

«Ja,» sa Hagen. «Jeg er klar over det. Derfor er det en betingelse at om etterforskningen avsløres, har det ingenting med Voldsavsnittet å gjøre.»

Harry lukket øynene. Hagen fortsatte:

«Vi vil selvfølgelig beklage at det involverer noen av våre ansatte, men gjøre det klart at dette er noe den notoriske solospilleren Harry Hole har startet på egen hånd, uten avsnittsledelsens kjennskap. Og du vil bekrefte den versjonen.»

Harry åpnet øynene igjen og stirret på Hagen.

Hagen møtte blikket hans: «Noen spørsmål?»

«Ja.»

«Vær så god.»

«Hvor er lekkasjen?»

«Unnskyld?»

«Hvem informerer Bellman?»

Hagen trakk på skuldrene. «Jeg har ikke inntrykk av at han har noe systematisk innsyn i hva vi gjør. Akkurat det med å hente inn deg kan han ha fått snusen i flere steder.»

«Jeg veit at Magnus Skarre liker å snakke i tide og utide.»

«Ikke spør meg mer, Harry.»

«OK. Hvor setter vi opp HK?»

«Nettopp. Nettopp.» Gunnar Hagen nikket flere ganger som om det var noe de alt hadde snakket om en stund. «Når det gjelder kontor …»

«Ja?»

«Det er som sagt smekkfullt her på huset, så vi måtte finne noe eksternt som var i nærheten.»

«Greit. Hvor da?»

Hagen så ut av vinduet. På Botsens grå murer.

«Du kødder,» sa Harry.

Kapittel 14
Rekruttering

Bjørn Holm kom inn på møterommet på Krimteknisk på Bryn. Utenfor vinduene var sola i ferd med å gi slipp på fasadene og overgi byen til ettermiddagsmørket. Parkeringsplassen utenfor var overfylt, og foran inngangen til Kripos på den andre siden av veien sto en hvit buss med suppetallerken på taket og Norsk rikskringkastings logo på siden.

Den eneste personen i rommet var sjefen hans, Beate Lønn, en usedvanlig blek, vever og stillferdig kvinne. Om man ikke visste bedre, kunne man trodd at en slik kvinne ville hatt problemer med å lede en gjeng voksne, meget proffe, selvbevisste, alltid sære og aldri konfliktskye krimteknikere. Om man visste bedre, visste man at hun var den eneste her som kunne takle dem. Ikke først og fremst fordi de respekterte at hun sto rakrygget etter å ha avgitt to politimenn til evighetsvakta, først sin egen far og senere faren til sitt eget barn. Men fordi hun var den beste av dem og utstrålte en uangripelighet, integritet og tyngde som gjorde at når Beate Lønn hvisket en ordre med nedslått blikk og rødmende kinn, ble den utført på stedet. Så Bjørn Holm hadde kommet så fort han fikk beskjed.

Hun satt i en stol som var trukket helt fram til TV-en.

«De direktesender fra pressekonferansen,» sa hun uten å snu seg. «Slå deg ned.»

Holm gjenkjente straks personene på TV-skjermen. Det slo ham at det var merkelig å sitte her og se TV-signaler som hadde reist tusenvis av kilometer ut i verdensrommet og tilbake, bare for å vise ham hva som akkurat nå skjedde på den andre siden av gata.

Beate Lønn skrudde opp lyden.

«Det er korrekt oppfattet,» sa Mikael Bellman og lente seg fram mot mikrofonen på bordet foran ham. «Vi har foreløpig verken spor eller mistenkte. Og for å gjenta det enda en gang: vi utelukker ikke at avdøde kan ha tatt sitt eget liv.»

«Men du sa …» begynte en stemme fra journalistkorpset.

Bellman skar henne av: «Jeg sa at vi etterforsker dødsfallet som *mistenkelig*. Du er sikkert kjent med terminologien. Hvis ikke bør du …» Han lot fortsettelsen henge i lufta og pekte på noen bak kamera.

«Stavanger Aftenblad,» brekte det langsomt på rogalandsdialekt: «Setter politiet dette dødsfallet i sammenheng med de to dødsfallene på …»

«Nei! Hvis du hadde fulgt med, så hadde du oppfattet at jeg sa at vi *ikke utelukker* en sammenheng.»

«Jeg fikk med meg det,» fortsatte rogalandsdialekten, uforstyrrelig langsomt: «Men vi som er her er nok mer interessert i hva dere tror enn hva dere *ikke utelukker.*»

Bjørn Holm kunne se Bellman fiksere mannen mens utålmodigheten rykket i munnvikene. En uniformert kvinne ved Bellmans side la hånden over mikrofonen, lente seg mot ham og hvisket noe. Overbetjenten ble mørk i ansiktet.

«Mikael Bellman mottar et kræsjkurs i hændtering ta media,» sa Bjørn Holm. «Leksjon én, stryk dom *med* håra, særlig distriktsavisen.»

«Han er bare fersk i jobben,» sa Beate Lønn. «Han kommer til å lære.»

«Trur du?»

«Ja. Bellman er typen som lærer.»

«Ydmykhet er itte lett å lære, har je hørt.»

«Ikke den ekte, nei. Men å legge seg flat når det er formålstjenlig, er grunnpensum i moderne kommunikasjon. Det er det Ninni nå forteller ham. Og Bellman er smart nok til å skjønne det.»

På TV-skjermen kremtet Bellman, tvang fram et nesten gut-teaktig smil og lente seg mot mikrofonen: «Jeg beklager hvis det lød litt bryskt, men det har vært en lang dag for oss alle, og jeg håper dere skjønner at vi bare er utålmodige etter å komme oss tilbake til etterforskningen av denne tragiske saken. Vi må avslutte nå, men om noen av dere har ytterligere spørsmål, så gi dem til Ninni her, så lover jeg å prøve å komme personlig tilbake til dere utpå kvelden. Før deadline. Høres det greit ut?»

«Hva sa jeg?» lo Beate triumferende.

«A star is born,» sa Bjørn Holm.

TV-bildet imploderte, og Beate Lønn snudde seg. «Harry ringte. Han vil at jeg skal avgi deg.»

«Meg?» sa Bjørn Holm. «Til hå da?»

«Du vet godt til hva. Jeg hørte at du var med Gunnar Hagen på flyplassen da Harry kom.»

«Ops.» Holm smilte med tennene i både over- og under-munnen.

«Jeg antar at Hagen ville bruke deg i operasjon overtalelse siden han vet at du er en av de få Harry liker å jobbe med.»

«Vi kom ældri så langt, 'n Harry sa nei til å ta saken.»

«Men nå har han altså ombestemt seg.»

«Ja vel? Hå var det som fækk'n til å gjøra det?»

«Det sa han ikke. Han sa bare at han syntes det var riktig å gå veien om meg.»

«Sjølsagt, du er jo sjefen her.»

«Ingenting er selvfølgelig når det gjelder Harry. Jeg kjenner ham ganske godt som du vet.»

Holm nikket. Han visste. Visste at Jack Halvorsen, vor-dende far og Beates kjæreste, var blitt drept mens han jobbet for Harry. En iskald vinterdag på åpen gate på Grünerløkka, strupen kuttet over. Holm hadde kommet dit like etterpå. Det varme blodet som hadde trukket ned i stålisen. En politimanns død. Ingen hadde plassert skylden på Harry. Andre enn han selv, selvfølgelig.

Han klødde seg i kinnskjegget. «Så hå svarte du'n?»

Beate trakk pusten og så ut på journalistene og fotografene

som hastet ut av Kripos' lokaler. «Det samme som jeg nå sier til deg. At departementet har signalisert at Kripos har forkjørsrett, og at jeg følgelig ikke har noen som helst mulighet til å avgi krimteknikere til andre enn Bellman i denne saken.»

«Men?»

Beate Lønn trommet en BIC-penn hardt mot bordplaten. «Men det finnes andre saker enn dette dobbeltdrapet.»

«Trippeldrapet,» sa Holm og la til da Beate Lønn så skarpt på ham: «Tru meg.»

«Jeg vet ikke akkurat hva førstebetjent Hole etterforsker, men det er i hvert fall ikke noen av disse drapssakene, det er han og jeg skjønt enige om,» sa Beate. «Og til den eller de sakene – som jeg altså ikke vet hva er – er du herved avgitt. For fjorten dager. Kopi av første rapport fra det dere jobber med skal ligge på min pult om fem virkedager fra nå. Forstått?»

Kaja Solness smilte som en sol inni seg og følte en nesten uimotståelig trang til å snurre en runde eller to på kontorstolen.

«Hvis Hagen sier OK, er jeg selvfølgelig med,» sa hun forsøksvis behersket, men hørte jubelen i sin egen stemme.

«Hagen sier OK,» sa mannen som sto lent mot karmen med armen over hodet slik at han gikk som en diagonal over døråpningen hennes. «Det blir altså bare Holm, du og jeg. Og det er konfidensielt hvilken sak vi jobber med. Vi begynner i morgen, oppmøte klokka sju på mitt kontor.»

«Eh … syv?»

«Sju. Syv. Nullsyvnullnull.»

«Ja vel. Hvilket kontor?»

Mannen gliste og forklarte.

Hun så vantro på ham. «Vi skal ha et kontor i et fengsel?»

Diagonalen løsnet fra døråpningen. «Møt forberedt. Spørsmål?»

Kaja hadde mange, men Harry Hole hadde alt forsvunnet.

Drømmen har begynt å dukke opp på dagen også nå. Langt borte kan jeg høre bandet fortsatt spille «Love Hurts». Jeg registrerer at noen karer har tatt oppstilling rundt oss, men de griper ikke inn. Godt. Selv ser jeg på henne. Se hva du har gjort, prøver jeg å si. Se på ham nå, vil du fortsatt ha ham? Herregud som jeg hater henne, som jeg vil rive kniven ut av munnen og sette i henne, stikke hull på henne, se det renne ut: blodet, innvollene, løgnen, dumskapen, den stupide selvgodheten hennes. Noen burde vise henne hvor stygg hun er på innsiden.

Jeg så pressekonferansen på TV. Udugelige idioter! Ingen spor, ingen mistenkte? De gylne første førtiåtte timene, timeglasset renner, skynd dere, skynd dere. Hva vil dere at jeg skal gjøre? Skrive det på veggen med blod?

Det er dere, ikke jeg som lar denne drepingen fortsette.

Brevet er ferdig skrevet.

Skynd dere.

Kapittel 15
Strobelys

Stine så på gutten som akkurat hadde snakket til henne. Han hadde skjegg, lyst hår og topplue. Inne. Og dette var ingen innelue, men en tykk lue som skulle holde ørene varme. En snowboarddude? Forresten, når hun så nærmere på ham, var det ikke en gutt, men en mann. Over tretti. I alle fall hadde han hvite rynker i den brune huden.

«Og hva så?» ropte hun over musikken som dundret over anlegget på Krabbe. Det nyåpnede utestedet hadde utbasunert at det var det nye stamstedet for Stavangers unge, fremadstormende garde av musikere, filmfolk og forfattere som det faktisk var blitt en del av i den ellers så businessorienterte, dollartellende oljebyen. Det ville vise seg, in-folket hadde ennå ikke bestemt seg for om Krabbe fortjente deres gunst. Slik Stine ennå ikke hadde bestemt seg for om denne gutten – mannen – fortjente hennes.

«Bare at jeg synes du burde høre meg fortelle om det,» sa han, smilte trygt og så på henne med et par øyne som forekom henne alt for lyseblå. Men det var kanskje lyset her inne. Strobelys? Var det kult? Det ville vise seg. Han dreide ølglasset i hånden og lente seg tilbake mot bardisken slik at hun måtte bøye seg fram om hun ville høre hva han sa, men hun gikk ikke på den. Han hadde på seg en tykk boblejakke, likevel syntes ikke en svettedråpe i ansiktet under den latterlige lua. Eller var den kul?

«Det er svært få som har vært på motorsykkeltur i deltaom-rådene i Burma og kommet såpass levende tilbake at de har kunnet fortelle om det,» sa han.

Såpass levende. En snakkefyr, altså. Hun likte for så vidt det. Han lignet noen. En eller annen amerikansk actionhelt fra reprisefilmer og åttitallsserier.

«Jeg lovet meg selv at om jeg kom meg tilbake til Stavanger skulle jeg gå ut, kjøpe en øl og gå bort til den fineste jenta jeg så og si akkurat det jeg sier nå.» Han slo ut med armene, smilte hvitt og bredt. «Jeg tror du er piken ved den blå pagodaen.»

«Er hva?»

«Rudyard Kipling, jente. Du er piken som venter på den engelske soldaten ved Moulmeins blå pagoda. Så hva sier du? Blir du med og går barbeint på marmoren i Shwedagon? Spise kobrakjøtt i Bago? Sovne til muslimenes bønnerop i Yangon og våkne til buddhistenes i Mandalay.»

Han trakk pusten. Hun bøyde seg fram: «Så jeg er den fineste jenta her inne?»

Han så seg rundt. «Nei, men du har de største muggene. Du er fin, men konkurransen er for hard om de *aller* fineste. Skal vi stikke?»

Hun lo og ristet på hodet. Visste ikke om han var morsom eller bare gal.

«Jeg er ute med venninner. Du får prøve det trikset på noen andre.»

«Elias.»

«Hva?»

«Du lurer på hva jeg heter. I tilfelle vi sees igjen. Og jeg heter Elias. Skog. Det siste kommer du til å glemme, men Elias husker du. Og vi kommer til å sees igjen. Før du aner det, faktisk.»

Hun la hodet på skakke: «Å jaså?»

Han la hodet på skakke og apet etter: «Ja jaså.»

Så tømte han ølglasset, satte det fra seg på disken, lo mot henne og gikk.

«Hva var det for en fyr?»

Det var Mathilde.

«Vet ikke,» sa Stine. «Han var litt søt. Men underlig. Snakket østlending.»

«Underlig?»

«Det var noe rart med øynene. Og tennene. Er det sånn strobelys her inne?»

«Strobelys?»

Stine lo. «Ja, sånn tannkremfarget solariumlys. Som får deg til å se ut som en zombie i trynet.»

Mathilde ristet på hodet. «Du trenger en drink. Kom.»

Stine snudde seg mot utgangen idet hun fulgte. Hun trodde hun hadde sett et ansikt mot ruta, men det var ingen der.

Kapittel 16
Speed King

Klokka var ni på kvelden, og Harry gikk gjennom Oslo sentrum. Han hadde brukt dagen på å bære stoler og bord inn på det nye kontoret. På ettermiddagen hadde han dratt opp til Rikshospitalet, men de hadde hatt faren inne til tester. Så han hadde dratt tilbake, kopiert rapporter, tatt noen telefoner, bestilt flybillett til Bergen, stukket innom City og kjøpt en SIM-brikke på størrelse med en sigarettsneip.

Harry langet ut. Han hadde alltid nytt dette, reisen til fots fra øst til vest i denne kompakte byen, de gradvise, men tydelige endringene i mennesker, mote, etnisitet, byggestil, butikker, kafeer, barer. Han stakk innom en McDonald's, spiste en hamburger, stakk tre sugerør i frakkelomma og gikk videre.

En halv time etter å ha stått i det gettoaktige, pakistanske Grønland befant han seg i pent, lett sterilt og kritthvitt vestkantland. Kaja Solness' adresse var i Lyder Sagens gate og viste seg å være en av disse store, gamle trevillaene som oslofolk stilte seg i kø utenfor når en av dem en sjelden gang var til salgs. Ikke for å kjøpe – det hadde nesten ingen råd til – men å se, drømme og få bekreftet at Fagerborg virkelig var det det ga seg ut for; et nabolag der de rike ikke var for rike, pengene ikke var for nye, og ingen hadde svømmebassenger, elektriske garasjeporter eller andre moderne, vulgære påfunn. For de fagre borgerne gjorde som de alltid hadde gjort her. Sommerstid satt de under epletrærne i de store, skyggefulle hagene sine i hagemøbler som var like gamle, upraktisk svære og svartbeisete som villaene de var blitt båret ut av. Og når de ble båret inn igjen og dagene ble kortere, ble lysene tent bak de smårutete vindusglassene. I Lyder Sagens gate var det julestemning fra oktober til mars.

Porten skrek så høyt at den forhåpentligvis overflødiggjorde hund. Grusen knaste under støvlene hans. Han hadde vært barnslig glad for å se igjen støvlene da han hadde funnet dem i skapet, men nå var de våte tvers igjennom.

Han gikk opp den innebygde trappa og trykket på ringeapparatet uten navneskilt.

Foran døra sto et par nette damesko og ved siden av dem: et par herresko. Størrelse 46, anslo Harry. Kajas mann var stor, kunne det se ut til. For selvfølgelig hadde hun en mann, han skjønte ikke hvorfor han hadde tenkt noe annet. For han hadde det, hadde han ikke? Det var ikke viktig. Døra gikk opp.

«Harry?» Hun hadde på seg en åpen og altfor stor ulljakke, slitte jeans og filttøfler som var så gamle at Harry kunne banne på at de hadde leverflekker. Ingen sminke. Bare smilende forbauselse. Likevel var det som om hun hadde visst at han ville komme. Visst at han ville like å se henne akkurat sånn. Han hadde selvfølgelig sett det i blikket hennes alt i Hong Kong, den fascinasjonen så mange kvinner har for enhver mann med et rykte, godt eller dårlig. Og han hadde heller ikke foretatt noen grundig analyse av hver enkelt overveining som i sum hadde ledet ham til denne døra. Like greit at han hadde spart seg det. Skonummer førtiseks. Eller førtiseks og en halv.

«Jeg fikk adressen av Hagen,» sa Harry. «Du bor i gangavstand fra leiligheten min, så jeg tenkte jeg kunne stikke bortom i stedet for å ringe.»

Hun smilte skjevt. «Du har ikke mobiltelefon.»

«Feil.» Harry fisket opp en rød telefon av lomma. «Jeg fikk denne av Hagen, men jeg har alt glemt PIN-koden. Forstyrrer jeg?»

«Nei nei.» Hun slo døra helt opp, og Harry steg inn.

Det var patetisk, men hjertet hans hadde slått bitte litt fortere mens han hadde ventet på henne. For femten år siden ville det ergret ham, men han hadde resignert, akseptert det banale faktum at en kvinnes skjønnhet alltid skulle ha denne lille makten over ham.

«Jeg koker kaffe, vil du ha?»

De hadde kommet inn i stua. Veggene var dekket av bilder og bokhyller med så mange bøker at han tvilte på at hun hadde rukket å samle dem alle på egen hånd. Rommet hadde et utpreget maskulint preg. Store, kantete møbler, globus, en vannpipe, vinylplater i hyllene, kart og fotografier av høye, snødekte fjell på veggene. Det fikk Harry til å trekke slutningen at han var en god del eldre enn henne. En TV sto på uten lyd.

«Marit Olsen er hovedsak i alle nyhetssendingene,» sa Kaja, løftet en fjernkontroll og TV-skjermen sluknet. «To av opposisjonslederne sto fram og forlangte rask oppklaring, sa at regjeringen systematisk hadde bygget ned politiet. Kripos kommer ikke til å få mye arbeidsro de neste dagene.»

«Ja takk til kaffe,» sa Harry, og Kaja forsvant ut på kjøkkenet.

Han satte seg i sofaen. På salongbordet, ved siden av et par feminine lesebriller, lå en oppslått John Fante-bok med ansiktet ned. Ved siden av den lå bilder fra Frognerbadet. Ikke av selve åstedet, men av menneskene som hadde samlet seg på utsiden av sperringene for å se. Harry gryntet tilfreds. Ikke bare fordi hun hadde tatt med seg jobben hjem, men fordi åstedsgruppa fortsatt tok disse bildene. Det var Harry som i sin tid hadde pålagt dem alltid å fotografere de oppmøtte. Det var noe han hadde lært på FBI-kurset om seriedrap, at det ikke bare er en myte at gjerningsmannen vender tilbake til åstedet. Både Kingbrødrene i San Antonio og K-Mart-mannen var blitt tatt nettopp fordi de ikke greide å la være å komme for å nyte verket sitt, se på all oppstandelsen de hadde forårsaket, kjenne på hvor usårbare de var. Fotografene på Krimteknisk kalte det Holes sjette bud. Og, ja, det fantes ni andre. Harry bladde igjennom bildene.

«Du bruker ikke melk, gjør du vel?» ropte Kaja fra kjøkkenet.

«Ja.»

«Gjør du? På Heathrow ...»

«Jeg mener 'ja, du har rett, jeg bruker ikke melk'.»

«Aha. Du har konvertert til kantonesisk.»

«Hva?»

«Du har sluttet å bruke dobbel nektelse. Kantonesisk er mer logisk. Du liker logisk.»

«Er det tilfelle? Det med kantonesisk?»

«Jeg vet ikke,» lo hun fra kjøkkenet. «Jeg prøver bare å høres smart ut.»

Harry kunne se at fotografen hadde vært diskré, skutt fra hofta, ingen blitz. Tilskuernes oppmerksomhet var vendt mot stupetårnet. Sløve blikk, halvåpne munner, som om de kjedet seg mens de ventet på et glimt av noe skrekkelig, noe for minnebøkene, noe å skremme vettet av naboen med. En mann holdt en mobiltelefon opp i været som han utvilsomt tok bilder med. Harry løftet forstørrelsesglasset som lå på bunken av rapporter, og så på ansiktene ett etter ett. Han visste ikke hva han så etter, hjernen var tømt, det var den beste måten å ikke gå glipp av det som eventuelt var der.

«Finner du noe?» Hun hadde stilt seg bak stolen hans og bøyd seg ned for å se. Han kunne kjenne en svak duft av lavendelsåpe, den samme han hadde kjent på flyet da hun hadde sovnet med hodet på skulderen hans.

«Mm. Tror du at det er noe å finne her?» spurte han og tok imot kaffekruset.

«Nei.»

«Så hvorfor har du tatt med disse bildene hjem?»

«Fordi nittifem prosent av all etterforskning består i å lete på feil sted.»

Hun hadde akkurat sitert Harrys tredje bud.

«Og du må lære deg å like de nittifem prosentene, også. Ellers går du på veggen.»

Fjerde bud.

«Og rapportene?» spurte Harry.

«Vi har selvfølgelig bare våre egne rapporter fra drapene på

Borgny og Charlotte, og der er det nada. Ingen tekniske spor, ingen vitner som kunne melde om noe uvanlig. Ingen som visste om bitre fiender, sjalu elskere, grådige arvinger, forstyrrede stalkere, utålmodige langere eller andre kreditorer. Kort sagt ...»

«Ingen spor, ingen synlige motiv, ikke noe drapsvåpen. Jeg skulle gjerne begynt å avhøre folk i Marit Olsen-saken, men som du veit jobber vi ikke med den saken.»

Kaja smilte. «Selvfølgelig ikke. Jeg snakket forresten med en journalist på politisk i VG i dag. Han sa at ingen av deres journalister på Stortinget kjente til at Marit Olsen skulle ha hatt depresjoner, personlige kriser eller selvmordstanker. Eller fiender, verken i jobben eller privat.»

«Mm.»

Harry lot blikket gli bortover raden av tilskueransikter. En kvinne med søvngjengerblikk og et barn på armen.

«Hva vil disse menneskene?»

I bakgrunnen; ryggen på en mann som var på vei derfra. Boblejakke, topplue. «Sjokkeres. Rystes. Underholdes. Renses ...»

«Utrolig.»

«Mm. Og så leser du John Fante. Du liker visst eldre greier?» Han nikket mot rommet, huset. Og mente rommet, huset. Men regnet med at hun kom til å kommentere mannen hvis han var så mye eldre enn henne som Harry tippet.

Hun så oppglødd på ham: «Har du lest Fante?»

«Da jeg var ung og hadde Bukowski-perioden min, leste jeg en jeg ikke husker tittelen på. Jeg kjøpte dem vel mest fordi Charles Bukowski var uttalt fan.» Han så demonstrativt på klokka. «Opsann. På tide å komme seg hjem.»

Kaja så forbauset først på ham og så på den urørte kaffekoppen hans.

«Jetlag,» smilte Harry og reiste seg. «Vi kan ta det på møtet i morgen.»

«Selvfølgelig.»

Harry klappet seg på bukselomma. «Forresten er jeg tom for røyk. Den Camel-kartongen du tok med på taxfreekvoten for meg ...»

«Vent her,» smilte hun.

Da hun kom tilbake med den åpnede sigarettkartongen, sto Harry ute i gangen og hadde fått på seg jakka og skoene.

«Takk,» sa Harry, tok ut en av sigarettpakkene og åpnet den.

Da han sto ute på trappa, lente hun seg mot dørkarmen: «Jeg burde kanskje ikke si dette, men jeg har en følelse av at dette var en eller annen test.»

«Test?» sa Harry og tente en sigarett.

«Jeg skal ikke spørre hva testen gikk ut på, men besto jeg?»

Harry lo kort. «Det var bare denne.» Han gikk ned trappa mens han viftet med kartongen. «Nullsyvnullnull.»

Harry låste seg inn i leiligheten. Slo på lysbryteren og slo fast at strømmen ennå ikke var stengt. Tok av seg frakken, gikk inn i stua, satte på Deep Purple, hans definitive favorittband i kategorien ufrivillig-komisk-men-steinbra-likevel. «Speed King». Ian Paice på trommer. Han satte seg på sofaen og presset fingertuppene mot tinningene. Bikkjene rykket i lenkene. Ulte, snerret, glefset, tennene rev og slet i innvollene. Om han slapp dem løs denne gangen, ville det ikke være noen vei tilbake. Ikke denne gangen. Før hadde det alltid vært grunner som hadde vært gode nok til å stoppe igjen. Rakel, Oleg, jobben, kanskje til og med far. Han hadde ingen av de tingene lenger. Det kunne ikke skje. Ikke alkohol. Så han måtte ha alternativ rus. Rus han kunne kontrollere. Takk, Kaja. Skammet han seg ikke? Selvfølgelig skammet han seg. Men stolthet var en luksus man ikke alltid hadde råd til.

Han rev plasten av sigarettkartongen. Tok ut den nederste sigarettpakken. Man kunne nesten ikke se at seglet på pakken var brutt. Det var et faktum at kvinner som Kaja aldri ble sjekket i tollen. Han åpnet esken og trakk ut tinnfolien. Brettet den åpen og så på den brune klumpen. Inhalerte den søte lukten.

Så begynte han å gjøre i stand.

Harry hadde sett alle mulige måter å røyke opium på, alt fra opiumshusenes rituelle, innviklede prosedyrer som var rene kinesiske teseremonier, via ulike sorter pipearrangementer og til den enkleste: å få fyr på klumpen, sette et sugerør borttil og inhalere for harde livet mens godsakene bokstavelig talt gikk opp i røyk. Uansett handlet det om det samme: å få virkemidlene – morfinen, tebainen, kodeinen og en bukett andre kjemiske venner – inn i blodbanen. Harrys metode var enkel. Han teipet en stålskje til enden av bordet, plasserte en liten bit av klumpen, ikke større enn et fyrstikkhode, i skjeen og varmet den opp med en lighter. Når det begynte å ryke av opiumen, holdt han et vanlig glass over som han samlet opp røyken i. Så stakk han et sugerør, helst et med ledd på, opp i glasset og trakk inn. Harry registrerte at fingrene jobbet uten antydning til skjelving. I Hong Kong hadde han med jevne mellomrom sjekket avhengighetsnivået sitt, sånn sett var han den mest disiplinerte rusmisbrukeren han kjente. Han kunne på forhånd utdosere alkohol til seg selv og stoppe der, uansett hvor dritings han var. I Hong Kong hadde han kuttet ut opium i én uke eller fjorten dager, bare tatt et par paralgin forte som uansett ikke ville stanset abstinenssymptomene, men som muligens hadde en psykologisk virkning siden han visste at de inneholdt bitte litt morfin. Han var ikke hekta. På rus generelt, OK, men på opium spesielt: neppe. Men det er klart; det er en glidende skala. For allerede mens han teipet fast teskjeen, kunne han kjenne at bikkjene roet seg. For de visste nå, visste at de snart skulle få.

Og kunne holde fred. Til neste gang.

Den glovarme lighteren sved allerede Harrys fingre. På bordet lå sugerørene fra McDonald's.

Ett minutt senere hadde han tatt det første draget.

Virkningen var umiddelbar. Smertene, til og med de han ikke hadde visst han hadde, forsvant. Assosiasjonene, bildene kom. Han ville få sove i natt.

Bjørn Holm fikk ikke sove.

Han hadde prøvd å lese i Escotts' *Hank Williams, The Biography*, om countrylegendens korte liv og lange død, å høre på en Lucinda Williams bootleg-CD fra en konsert i Austin og å telle Texas Longhorn-kyr, men ingenting hjalp.

Et dilemma. Det var nettopp det det var. Et problem uten noe helt riktig svar. Krimtekniker Holm hatet den type problemer.

Han krøp sammen på den litt for korte sovesofaen som hadde vært med på flyttelasset fra Skreia sammen med vinyl-platesamlingen med Elvis, Sex Pistols, Jason & The Scorchers, tre håndsydde dresser fra Nashville, en amerikansk bibel og et spisemøblement som hadde overlevd tre generasjoner Holm. Men han greide ikke å konsentrere seg.

Dilemmaet var at han hadde gjort en interessant oppdagelse da de hadde undersøkt tauet som Marit Olsen var blitt hengt – eller rettere sagt – gjort hodeløs i. Det var ikke et spor som nødvendigvis ville føre til noe som helst, men dilemmaet var uansett det samme: var det riktig å gi informasjonen videre til Kripos eller til Harry? Bjørn Holm hadde oppdaget de bitte små skjellene på tauet på et klokkeslett da han fremdeles jobbet på oppdrag for Kripos. Det samme da han hadde snakket med en ferskvannsbiolog på Biologisk institutt, UiO. Men så hadde jo Beate Lønn overført ham til Harrys avdeling før rapporten var skrevet, slik at idet han i morgen skulle sette seg ved PC-en og skrive, så skulle han jo rapportere til Harry.

OK, så var det teknisk sett kanskje ikke noe dilemma, informasjonen var Kripos'. Å gi den til noen andre ville måtte betraktes som tjenesteforsømmelse. Og hva skyldte han egentlig Harry Hole? Han hadde aldri skaffet ham annet enn trøbbel. Han var sær og hensynsløs i jobben. Direkte livsfarlig i fylla. Men streit som nykter. Du kunne stole på at han stilte opp og det uten fakter og «you owe me». En kjip fiende, men en god venn. En bra mann. En jævlig bra mann. Litt Hank, faktisk.

Bjørn Holm stønnet og snudde seg inn mot veggen.

Stine våknet med et rykk.

Det murret og malte i mørket. Hun snudde seg over på siden. Taket var svakt opplyst, og lyset kom fra gulvet ved siden av senga. Hva var klokka? Tre på natta? Hun strakte seg og fikk tak i mobiltelefonen.

«Ja?» sa hun med en stemme som hun gjorde mer søvndrukken enn hun følte seg.

«Etter deltaområdet var jeg lei av slanger og mygg, og jeg og motorsykkelen min dro nordover langs Burma-kysten til Arakan.»

Hun gjenkjente stemmen hans med en gang.

«Til Sai Chung-øya,» sa han. «Det er en aktiv muddervulkan som jeg hørte var i ferd med å eksplodere. Og den tredje natta jeg var der, kom utbruddet. Jeg trodde det bare skulle komme mudder, men tror du ikke den spydde god, gammeldags lava også. Tjukk lava som rant så langsomt gjennom byen at vi kunne rolig gå fra den.»

«Det er midt på natta,» gjespet hun.

«Likevel lot den seg ikke stoppe. De kaller det visst kald lava når den er så seig, men den brant opp alt som kom i veien for den. Trær med friske, grønne blader så ut som juletrær i fire sekunder før de ble til aske og var borte. Burmeserne prøvde å rømme i biler fullastet med eiendelene de hadde rasket med seg, men de hadde pakket for lenge, lavaen kom jo så langsomt! Da de kom ut med TV-en, sto lavaen alt ved husveggene deres. De kastet seg inn i bilen, men varmen fikk dekkene til å punktere. Så antentes bensinen og så løp de ut av bilene som levende fakler. Husker du hva jeg heter?»

«Hør, Elias …»

«Jeg sa du ville huske det.»

«Jeg må sove. Jeg skal på skolen i morgen.»

«Jeg er et slikt utbrudd, Stine. Jeg er kald lava. Jeg renner langsomt, men jeg er ustoppelig. Jeg kommer dit du er.»

Hun prøvde å huske om hun hadde fortalt ham navnet sitt. Og rettet blikket automatisk mot vinduet. Det var åpent. Utenfor suste vinden fredfull, beroligende.

Stemmen hans var lav, hviskende: «Jeg så en bikkje som hadde viklet seg inn i en piggtråd da den hadde prøvd å flykte. Den lå midt i veien for lavaen. Men så dreide lavastrømmen til venstre, så ut som den skulle ta veien like forbi den. En barmhjertig Gud, liksom. Men lavaen sneiet borti den. Halve bikkja bare forsvant, evaporerte. Før resten tok fyr. Så var den også aske. Alt blir til aske.»

«Uff, nå legger jeg på.»

«Se utenfor. Se, jeg er alt ved husveggen.»

«Hold opp!»

«Slapp av, jeg tuller bare med deg.» Han lo høyt og skrallende i øret hennes.

Stine grøsset. Han måtte være full. Eller gal. Eller begge deler.

«Sov godt, Stine. Vi sees snart.»

Forbindelsen var brutt. Stine stirret på telefonen. Så slo hun den helt av og kastet den ned i fotenden av senga. Bannet fordi hun for lengst visste det. At hun ikke ville få sove mer i natt.

Kapittel 17
Fibre

Klokka var 06.58. Harry Hole, Kaja Solness og Bjørn Holm gikk gjennom kulverten, en fire hundre meter lang underjordisk gang som forbandt Politihuset med Oslo Kretsfengsel. Den ble av og til brukt til å frakte innsatte til Politihuset for avhør, noen ganger til løpstrening vinterstid og i gamle, vonde dager til høyst uoffisiell banking av spesielt gjenstridige fanger.

Vanndråper falt fra taket og traff betongen med våte kyss som sendte ekkoer innover den dunkelt opplyste korridoren.

«Her,» sa Harry da de var kommet til enden av korridoren.

«HER?» spurte Bjørn Holm.

De måtte bøye hodene for å komme under trappene som førte opp til fengselscellene. Harry vred nøkkelen rundt i låsen og åpnet jerndøra. Lukt av oppvarmet, innestengt fuktighet slo mot ham.

Han trykket på lysbryteren. Blått, kaldt lys fra lysstoffrør falt på et firkantet betongrom med gråblå linoleum på gulvet og ingenting på veggene.

Lokalet var uten vinduer, uten varmeovner, uten noen av de fasilitetene man forventer i et lokale som skal fungere som kontor for tre mennesker.

Bortsett fra pulter med stol og hver sin PC. På gulvet sto en brunsvidd kaffetrakter og en vanndunk.

«Kjelene til sentralfyringen for hele fengselet ligger i rommet ved siden av,» sa Harry. «Det er derfor det er så varmt her.»

«Det er i grunnen litt koselig,» sa Kaja og satte seg ved en av pultene.

«Ja visst, minner liksom litt om helvete,» sa Holm, dro av seg den semskete jakka og kneppet opp en skjorteknapp. «Er det mobildekning her?»

«Så vidt,» sa Harry. «Og internettilkobling. Vi har alt vi trenger.»

«Bortsett frå kaffekopper,» sa Holm.

Harry ristet på hodet. Opp fra frakkelommene trakk han tre hvite kopper som han plasserte på hver sin pult. Deretter dro han en pose kaffe opp av innerlomma og gikk bort til trakteren.

«Du har tatt dom frå kantina,» sa Bjørn og løftet koppen Harry hadde satt foran ham. «Hank Williams?»

«Skrevet med tusj, så vær forsiktig,» sa Harry og rev opp kaffeposen med tennene.

«John Fante?» leste Kaja på sin kopp. «Hva har du selv?»

«Foreløpig ingenting,» sa Harry.

«Og hvorfor ikke?»

«Fordi det skal stå navnet på vår til enhver tid hovedmistenkte.»

Ingen av de to andre sa noe. Kaffetrakteren slurpet opp vann.

«Jeg vil ha tre teorier på bordet før denne er ferdig,» sa Harry.

De var et stykke ned i andre kaffekopp og sjette teori da Harry avbrøt seansen.

«OK, det var oppvarming, bare for å få løsnet opp i hjernevindingene.»

Kaja hadde akkurat lansert ideen om at drapene var seksuelt motiverte, at gjerningsmannen var tidligere dømt for lignende forhold, visste at politiet hadde hans DNA og derfor ikke spilte sin sæd på jorden, men onanerte i en pose eller lignende før han forlot åstedet, og at de derfor burde begynne å lete i strafferegisteret og snakke med folk på Sedelighetsavsnittet.

«Men tror du ikke vi er inne på noe?» sa hun.

«Jeg tror ikke noe,» svarte Harry. «Jeg prøver å holde hjernen tom og mottagelig.»

«Du må da tro noe?»

«Ja. Jeg tror at de tre drapene er utført av samme person eller personer. Og jeg tror det er mulig å finne en sammenheng som i sin tur kan lede oss til et motiv som i sin tur – hvis vi er svineheldige – vil lede oss til den eller de skyldige.»

«Svineheldige? Du får det til å høres ut som vi har dårlige muligheter her.»

«Vel.» Harry la seg bakover i stolen med hendene bak hodet. «Det er skrevet flere hyllemeter med faglitteratur om hva som karakteriserer seriemordere. På film kaller politiet inn en psykolog som etter å ha lest et par rapporter gir dem en profil som uten unntak stemmer. Folk tror at *Henry – portrett av en seriemorder* er en generell beskrivelse. Men i virkeligheten er seriemordere dessverre like forskjellige som alle andre mennesker. Det er bare én ting som skiller dem fra alle andre kriminelle.»

«Og det er?»

«De blir ikke tatt.»

Bjørn Holm lo, skjønte det var upassende og klappet igjen.

«Det er vel ikke riktig?» sa Kaja. «Hva med …»

«Du tenker på de sakene der man så et mønster og tok personen bak. Men tenk på alle de uoppklarte drapene man fortsatt tror er enkeltsaker, hvor man aldri oppdaget noen sammenheng. Tusenvis.»

Kaja kikket bort på Bjørn som nikket megetsigende.

«Du tror på sammenheng?» sa hun.

«Jepp,» sa Harry. «Og den må vi finne uten å gå veien om avhør som kan avsløre oss.»

«Som er?»

«Da vi lagde trusselbilder på Overvåkingstjenesten, gjorde vi ikke annet enn å se etter mulige sammenhenger, uten å snakke med en sjel. Vi hadde en NATO-bygd søkemotor lenge før noen hadde hørt om Yahoo! og Google. Med den kunne vi snike oss inn overalt og scanne praktisk talt alt som hadde en halv kobling til Internett. Det er det vi også må gjøre.» Han så på klokka. «Og det er derfor jeg om halvannen time sitter på et fly til Bergen. Og om tre timer snakker med en arbeidsledig kollega som jeg håper kan hjelpe oss. Så la oss bli ferdige her. Kaja og jeg har snakket en del, Bjørn. Hva har du?»

Bjørn Holm rykket til i stolen som om han var blitt vekket. «Je? Ææ ... itte mye, er je redd.»

Harry gned seg forsiktig over kjevebeinet. «Noe har du.»

«Niks. Verken vi på Krimteknisk eller dom taktiske etterforskera har så mye som en flugulort, verken i Marit Olsensaken eller i noen ta dom andre.»

«To måneder,» sa Harry. «Kom igjen.»

«Je kæn godt repetere,» sa Bjørn Holm. «I to måneder har vi analysert, gjennomlyst og stirre oss såre på bilder, blodprøver, hårstrå, negler, you name it. Vi har gått igjennom fireogtjuge teorier på åssen og åffer hæn har støkki fire og tjuge hull i kjeften på dom to første ofra, slik at ælle stikka peker inn mot det samma sentrerte punktet. Uten noe svar. Marit Olsen hadde også sår i munnen, men dom var påført med kniv og var slurvete, voldsomt. Kort sagt: nada.»

«Hva med disse småsteinene i kjellerlokalet der Borgny ble funnet?»

«Analysert. Mye jern og magnesium, litt aluminium og silika. Såkalt basal bergart. Porøs og svart. Klokere?»

«Både Borgny og Charlotte hadde jern og koltan på innsiden av jekslene. Hva betyr det?»

«At dom vart drept med den samma jævla innretningen, men det bringer oss itte noe nærmere hå det var.»

Pause.

Harry kremtet. «OK, Bjørn, kom med det.»

«Hva?»

«Det jeg har sett du har grublet på helt siden vi kom.»

Krimteknikeren kløbbe seg i kinnskjegget mens han så på Harry. Kremtet en gang. Og en gang til. Kikket bort på Kaja som for å søke hjelp der. Åpnet munnen, lukket den.

«Greit,» sa Harry. «Da går vi over til ...»

«Det gjelder tauet.»

De to andre så på Bjørn.

«Je fant skjell på det.»

«Jaha?» sa Harry.

«Men itte noe salt.»

De så fremdeles på ham.

«Det er ganske uvanlig,» fortsatte Bjørn. «Skjell. I ferskvatn.»

«Slik at?»

«Slik at je sjekke litt med en ferskvannsbiolog. Denne muslingen kalles jyllandmusling, er den minste ta dammuslinga og er observert i bære to vatn i Norge.»

«Og de nominerte er?»

«Øyeren og Lyseren.»

«Østfold,» sa Kaja. «Nabovann. Store.»

«I et tett befolka fylke,» sa Harry.

«Sorry,» sa Holm.

«Mm. Noen merker på tauet som forteller hvor det kan ha vært kjøpt?»

«Nei, det er akkurat det,» sa Holm. «Det har ingen merker. Og det ligner itte noe tau je har sett. Fibra er bære organiske, itte noe nylon eller andre kunststoff.»

«Hamp,» sa Harry.

«Hå da?» sa Holm.

«Hamp. Tau og hasj blir lagd av samme stoffet. Har du lyst på en blås, kan du bare stikke ned på havna og fyre opp fortøyningstrossa til danskebåten.»

«Itte hamp,» sa Bjørn Holm over Kajas latter. «Fibra er alm og lind. Mest alm.»

«Hjemmelagd norsk tau,» sa Kaja. «Det var slik de lagde tau på gårdene før i tiden.»

«På gårdene?» sa Harry.

Kaja nikket. «Hver bygd hadde som regel minst én taumaker. Du legger bare trestokkene til bløt i vann i en måneds tid, flekker av barken og bruker basten innenfor. Tvinner det til tau.»

Harry og Bjørn snudde kontorstolene sine mot Kajas.

«Hva er det?» spurte hun usikkert.

«Vel,» sa Harry. «Er dette allmennkunnskap alle burde besitte?»

«Å sånn,» sa Kaja. «Bestefaren min lagde tau.»

«Aha. Og til taumaking bruker man alm og lind?»

«I prinsippet kan du bruke bastfibrene fra hvilke tresorter som helst.»

«Og blandingsforholdet?»

Kaja trakk på skuldrene. «Jeg er ikke spesialist, men jeg tror det er uvanlig å bruke bast fra flere tretyper i samme tau. Jeg husker at Even, storebroren min, sa at bestefar bare brukte lind fordi det suger lite vann. Da behøvde han ikke å tjære tauene sine.»

«Mm. Hva tror du, Bjørn?»

«Hvis blandingstau er uvanlig, blir det naturligvis lettere å spore tilbake til produksjonsstedet.»

Harry reiste seg og begynte å gå fram og tilbake. Det sukket tungt hver gang gummisålene slapp linoleumsgulvet. «Så vi kan anta at produksjonen var begrenset og salget lokalt. Synes du det høres rimelig ut, Kaja?»

«Anta, ja.»

«Og vi kan også anta at produksjonssted og brukersted var i nærheten av hverandre. Disse hjemmelagde tauene reiste neppe langt.»

«Høres fortsatt rimelig ut, men …»

«Så la oss bruke det utgangspunktet som vårt eget utgangspunkt. Dere begynner å kartlegge lokale tauprodusenter i nærheten av Lyseren og Øyeren.»

«Men det er ingen som lager slike tau lenger,» protesterte Kaja.

«Gjør så godt dere kan,» sa Harry, så på klokka, grep frakken fra stolryggen og gikk mot døra. «Finn ut hvor tauet er lagd. Jeg går ut fra at Bellman ikke kjenner til disse jyllandmuslingene. Eller hva, Bjørn?»

Bjørn Holm presset fram et smil til svar.

«Er det greit om jeg følger opp den teorien om seksualdrap,» sa Kaja. «Jeg kan snakke med noen jeg kjenner på Sedelighet.»

«Negativt,» sa Harry. «Det generelle hold-kjeft-påbudet om hva vi jobber med gjelder spesielt overfor våre kjære kolleger på Politihuset. Det ser ut til å være en lekkasje mellom huset og Kripos, så den eneste vi snakker med her er Gunnar Hagen.»

Kaja hadde åpnet munnen, men et blikk fra Bjørn fikk henne til å lukke den igjen.

«Men det du kan gjøre,» sa Harry. «Er å få tak i en ekspert på vulkaner. Og å sende ham analyseresultatene på de småsteinene.»

Bjørns blonde øyebryn ble løftet et godt stykke opp på pannen.

«Porøs, svart stein, basal bergart,» sa Harry. «Jeg tipper på lava. Jeg er tilbake fra Bergen i firetiden.»

«Hils politikammeret i Bæææ-gen,» brekte Bjørn og løftet kaffekoppen.

«Jeg skal ikke til kammeret,» sa Harry.

«Å? Hen da?»

«Sandviken sykehus.»

«Sand …»

Døra smalt igjen bak Harry. Kaja så på Bjørn Holm som med et måpende ansiktsuttrykk stirret på den lukkede døra.

«Hva skal han der?» spurte hun. «Til en rettsmediciner?»

Bjørn ristet på hodet. «Sandviken sjukehus er et sinnssjukehus.»

«Ja vel? Så han skal treffe en psykolog med seriemord som spesiale eller noe sånn?»

«Je visste at je skulle sagt nei,» hvisket Bjørn fremdeles med blikket på døra. «Hæn er klin gær'n.»

«Hvem er gær'n?»

«Vi jobber i et fengsel,» sa Bjørn. «Vi risikerer jobba våres hvis sjefa finn ut hå vi driver med, og den kollegaen i Bergen …»

«Ja?»

«Hu er gær'n på ordentlig.»

«Du mener hun er …?»

«Tvangsinnlagt-på-lukket-avdeling-gær'n.»

Kapittel 18
Pasienten

For hvert steg den høye politimannen tok, måtte Kjersti Røds-
moen ta to. Likevel ble hun hengende etter gjennom korrido-
ren på Sandviken sykehus. Regnet silte ned utenfor de høye,
smale vinduene som vendte ned mot fjorden hvor trærne sto
så grønne at man skulle tro våren var kommet før vinteren.

Kjersti Rødsmoen hadde kjent igjen politimannens stemme
med en gang dagen før. Som om hun bare hadde ventet på
at han skulle ringe. Og be om akkurat det han ba om: å få
snakke med Pasienten. Pasienten var blitt hetende Pasienten for
å gi henne mest mulig anonymitet etter den snart ett år gamle
drapssaken hvor kvinnen hadde vært involvert som etterfors-
ker, og påkjenningene hadde sendt henne rett tilbake dit hun
kom fra: psykiatrisk avdeling. Riktignok hadde hun kommet
seg bemerkelsesverdig fort, hadde flyttet hjem igjen, men pres-
sen – som var hysterisk opptatt av denne Snømannen selv om
saken for lengst var oppklart – hadde ikke latt henne være i
fred. Og en kveld for tre måneder siden hadde Pasienten ringt
Rødsmoen og spurt om å få komme tilbake.

«Så hun er i brukbar form?» sa politimannen. «Medisinert?»

«Ja til det første,» sa Kjersti Rødsmoen. «Det andre er under-
lagt taushetsplikten.» Sannheten var at Pasienten var så frisk
at verken medisin eller innleggelse lenger var påkrevet. Like-
vel hadde Rødsmoen vært i tvil om hun burde la ham besøke
Pasienten, han hadde vært med i Snømannen-saken og kunne

få gamle ting til overflaten. Kjersti Rødsmoen hadde i sin tid som psykiater kommet til å tro mer og mer på fortrengning, på å kapsle ting inn, på glemsel. Det var en underkjent retning innen faget. På den annen side, et møte med en person som hadde hatt med akkurat den saken å gjøre, kunne være en bra test på hvor robust Pasienten var blitt.

«Du får en halv time,» sa Rødsmoen før hun åpnet døra til oppholdsrommet. «Og husk at sinnet er sårbart.»

Sist Harry hadde sett Katrine Bratt, hadde han ikke kjent henne igjen. Den pene kvinnen i slutten av tjueårene med det mørke håret og gløden i huden og blikket hadde vært borte, og tilbake hadde vært en person som hadde fått ham til å tenke på en tørket blomst; livløs, sprø, skjør, avmattet i fargene. Han hadde hatt en følelse av å kunne komme til å knuse hånden hennes om han klemte for hardt.

Derfor var det en lettelse å se henne nå. Hun så eldre ut, eller kanskje var hun bare trett. Men gløden var tilbake i øynene da hun smilte og reiste seg.

«Harry Hå,» sa hun og ga ham en klem. «Hvordan går det?»

«Medium pluss,» sa Harry. «Og du?»

«Helt jævlig,» sa hun. «Men mye bedre.»

Hun lo, og Harry visste at hun var tilbake. At nok av henne var tilbake.

«Hva har skjedd med kjeven din? Gjør det vondt?»

«Bare når jeg snakker og spiser,» sa Harry. «Og når jeg våkner.»

«Høres kjent ut. Du er styggere enn jeg husker deg, men jeg er glad for å se deg uansett.»

«I like måte.»

«Du mener i lige måde, men stryk det med styggere?»

Harry smilte. «Selvfølgelig.» Han så seg rundt. De andre pasientene i rommet satt og stirret ut av vinduet, ned i fanget eller rett i veggen. Men ingen virket interessert i ham og Katrine.

Harry fortalte om hva som var skjedd siden sist. Om Rakel

115

og Oleg som var reist til ukjent adresse i utlandet. Om Hong Kong. Om farens sykdom. Om saken han hadde tatt. Hun lo til og med da han sa at hun ikke måtte fortelle det til noen.

«Hva med deg?» sa Harry.

«De vil egentlig ha meg ut herfra, de mener jeg er frisk og tar opp en plass. Men jeg liker meg her. Roomservicen stinker, men det er trygt. Jeg har TV og får komme og gå som jeg vil. Om en måned eller to flytter jeg kanskje hjem igjen, hvem vet.»

«Hvem vet?»

«Ingen. Galskapen kommer og går. Hva vil du?»

«Hva vil du at jeg skal ville?»

Hun så lenge på ham før hun svarte: «Bortsett fra at jeg vil at du skal ha lyst til å knulle meg, vil jeg at du skal ha bruk for meg.»

«Og det er akkurat det jeg har.»

«Lyst til å knulle meg?»

«Bruk for deg.»

«Faen. Men OK. Hva gjelder det?»

«Har dere en PC her med tilgang til nettet?»

«Vi har en felles PC på hobbyrommet, men den er ikke koblet til nettet, det tar de ikke sjansen på. Det eneste den blir brukt til er å legge kabal. Men jeg har min egen PC på rommet.»

«Bruk den som er felles.» Harry stakk hånden i lomma og skjøv SIM-brikken over bordet. «Dette er et 'mobilt kontor' som de kalte det på butikken. Du plugger det bare …»

«… inn i en av USB-utgangene,» sa Katrine, tok brikken og stakk den i lomma. «Hvem betaler for abonnementet?»

«Jeg. Det vil si: Hagen.»

«Jippi, da blir det surfing i kveld. Noen nye, hotte porr-siter jeg burde vite om?»

«Sannsynligvis.» Harry skjøv en mappe over bordet. «Her har du rapportene. Tre drap, tre navn. Jeg vil ha deg til å gjøre det samme som i Snømannen-saken. Oppdage sammenhenger vi har oversett. Kjenner du saken?»

«Ja,» sa Katrine Bratt uten å se på mappen. «De var kvinner. Det er sammenhengen.»

«Du leser aviser ...»

«Bare så vidt. Hvorfor tror du de er noe annet enn tilfeldige ofre?»

«Jeg tror ingenting, jeg leter.»

«Men du vet ikke etter hva?»

«Korrekt.»

«Men du er sikker på at gjerningsmannen til Marit Olsen er den samme som for de to andre? Drapsmetoden var helt annerledes, har jeg skjønt.»

Harry smilte. Mest av Katrines forsøk på å skjule at hun hadde nilest detaljene i avisene. «Nei, Katrine, jeg er ikke sikker. Men jeg hører i alle fall at du har trukket samme konklusjon som meg.»

«Selvfølgelig. Vi var jo tvillingsjeler, remember?»

Hun lo, og med et slag var hun Katrine igjen og ikke bare skjelettet etter den briljante, eksentriske etterforskeren som han bare hadde rukket så vidt å bli kjent med før alt hadde rast sammen. Harry kjente til sin forbauselse en klump i halsen. Fordømte jetlag.

«Kan du hjelpe meg, tror du?»

«Å finne noe Kripos har brukt to måneder på ikke å finne? Med en utrangert computer på et hobbyrom på et sinnssyke-hus? Jeg vet ikke engang hvorfor du spør meg. Det er folk på Politihuset som kan mye mer om datasøk enn meg.»

«Jeg veit det, men jeg har noe de ikke har. Og heller ikke kan gi dem.»

«Passordet til undergrunnen.»

Hun så uforstående på ham. Harry sjekket at ingen var kommet innenfor hørevidde.

«Da jeg jobbet på Overvåkingstjenesten i forbindelse med Rødstrupe-saken fikk jeg adgang til søkemotorene POT bruker til å spore terrorister. De bruker de hemmelige bakdørene i Internett som MILNET, det amerikanske militærnettet, lagde før de ga fra seg nettet til kommersielt bruk gjennom ARPA-

NET på åttitallet. ARPANET ble som du veit til Internett, men bakdørene er der fortsatt. Søkemotorene bruker trojanske hester som oppdaterer passord, koder og oppgraderinger der de først har kommet inn. Flybookinger, hotellreservasjoner, bomringpasseringer, nettbankoverføringer, disse motorene ser alt.»

«Jeg har hørt om de søkemotorene, men jeg trodde ærlig talt ikke at de fantes,» sa Katrine.

«Det gjør de. Satt opp i 1984. Det orwellske marerittet come true. Og best av alt: passordet mitt er fortsatt gyldig. Jeg sjekket det.»

«Så hva skal du med meg? Du kan jo gjøre dette selv.»

«Det er bare POT som får bruke systemet, og som sagt bare i krisesituasjon. Akkurat som på Google kan datasøket ditt spores tilbake til avsender. Om det oppdages at jeg eller noen andre på Politihuset har vært inne på søkemotorene, risikerer vi å bli straffeforfulgt. Men om søket skulle spores tilbake og man ender opp på en fellesmaskin på et psykiatrisk sykehus ...»

Katrine Bratt lo. Den andre latteren, den onde heksevarianten. «Jeg begynner å skjønne. Min fremste kvalifikasjon her er ikke som den geniale etterforskeren Katrine Bratt, men ...» Hun slo ut med hånden. «... pasienten Katrine Bratt. For som utilregnelig kan hun uansett ikke straffeforfølges.»

«Korrekt,» sa Harry med et smil. «Og at du er en av de få jeg veit jeg kan stole på at holder kjeft. Og om du ikke er genial, er du i hvert fall over gjennomsnittet smart.»

«Tre oppflisa nikotinfingre i det trange rævholet ditt.»

«Ingen kan få vite hva vi holder på med. Men jeg lover deg at vi er The Blues Brothers her.»

«*On a mission from God?*»

«Jeg har skrevet passordet på baksiden av SIM-brikken.»

«Hva får deg til å tro at jeg klarer å bruke de søkemotorene?»

«Omtrent som å google, selv jeg skjønte det da jeg satt på POT.» Han smilte skjevt. «Motorene er tross alt beregnet på politifolk.»

Hun sukket dypt.

«Takk,» sa Harry.

«Jeg *sa* ikke noe!»

«Når kan du ha noe til meg, tror du?»

«Faen ta deg!» Hun slo hånden i bordet. Harry så at en pleier kikket bort mot dem. Harry holdt Katrines ville blikk. Ventet.

«Jeg vet ikke,» hvisket hun. «Jeg tror ikke jeg skal sitte på hobbyrommet og bruke illegale søkemotorer midt på lyse dagen, for å si det sånn.»

Harry reiste seg. «OK, jeg kontakter deg om tre dager.»

«Har du ikke glemt noe?»

«Hva da?»

«Å fortelle meg what's-in-it-for-me?»

«Vel,» sa Harry og kneppet igjen frakken. «Nå vet jeg jo hva du ønsker deg.»

«Hva jeg ønsk ...» Forbauselsen i ansiktet hennes vek for forbløffelse da det demret, og hun ropte etter Harry som alt var på vei mot døra: «Din frekke faen! Innbilsk er du også!»

Harry satte seg inn i taxien, sa «flyplass», fisket fram telefonen og så det var tre tapte anrop fra ett av de eneste to numrene han hadde i adresselista. Godt, det betydde at de hadde noe.

Han ringte tilbake.

«Lyseren,» sa Kaja. «Det var et taumakeri der som ble nedlagt for femten år siden. Lensmannen i Ytre Enebakk kan vise oss stedet i ettermiddag. Han hadde et par notorisk kriminelle i området, men det var småting, innbrudd og biler. Pluss en som hadde sonet for å banke kona. Men han oversendte en manntalliste og jeg kjører en sjekk mot Strafferegisteret nå.»

«Bra. Hent meg på Gardermoen, det er på veien til Lyseren.»

«Det er ikke.»

«Du har rett. Hent meg likevel.»

Kapittel 19
Den hvite bruden

Til tross for den lave farten, krenget og duvet Bjørn Holms Volvo Amazon på den smale veien som snodde seg mellom og over de østfoldske jorder og åkrer.

Harry sov i baksetet.

«Så ingen seksualforbrytere rundt Lyseren,» sa Bjørn.

«Ingen som er blitt tatt,» korrigerte Kaja. «Så du ikke spørreundersøkelsen i VG? En av tjue sier de har begått det som må karakteriseres som overgrep.»

«Svarer folk sant på slikt? Om je hadde pusha ei dame for langt, trur je jaggu huet mitt ville rasjonalisert det bort etterpå.»

«Har du gjort det?»

«Je?» Bjørn svingte ut og gasset forbi en traktor. «Niks. Je er en ta dom nitten. Ytre Enebakk. Faen, hå er det 'n heter at hæn komifiguren på TV som er herifrå? Bygdeidioten med knust brilleglass og mopped? Na-na-na frå Ytre Enebakk. Hysterisk parodi.»

Kaja trakk på skuldrene. Bjørn kikket i speilet, men så bare rett inn i Harrys åpne munn.

Lensmannen i Ytre Enebakk sto ved renseanlegget ved Vøyentangen og ventet på dem som avtalt. De parkerte, han presenterte seg som Skai – noe særlig Bjørn Holm syntes å sette pris på – og de fulgte etter ham ned til en flytebrygge hvor det lå et dusin båter og duppet i det stille vannet.

«Tidlig å sette båten på vannet,» sa Kaja.

«Det kom aldri noe is i år, kommer ikke heller,» sa lensmannen. «Første gang siden jeg ble født.»

De trådte ned i en bred, flatbunnet pram, Bjørn mer forsiktig enn de andre.

«Det er grunt her,» sa Kaja mens lensmannen staket båten ut fra brygga.

«Jess,» sa han, kikket ned i vannet og startet motoren med et bestemt rykk i snora. «Men taumakeriet ligger over der, på den djupe sia. Det går en vei nesten fram, men det er så bratt på tomta at den eneste måten å komme seg dit er med båt.» Han vippet hendelen på siden av motoren forover. En fugl av ubestemt art lettet fra et tre inne i barskogen og skrek advarende.

«Je hater sjøen,» sa Bjørn til Harry som så vidt hørte kollegaen over hakkingen fra den totakters påhengsmotoren. De gled gjennom grått ettermiddagslys i en renne i det to meter høye sivet. Listet seg forbi en kvisthaug Harry antok måtte være en beverbolig og videre ut gjennom en allé av mangroveaktige trær.

«Dette er et vann,» sa Harry. «Ikke sjø.»

«Samma dritten,» sa Bjørn og flyttet seg nærmere midten av toften. «Gi meg innland, kumøkk og fast fjell.»

Kanalen videt seg ut og der lå den foran dem; Lyseren. De tøffet forbi øyer og holmer med små, vinterforlatte hytter med svarte vinduer som så ut som de stirret på dem med vaktsomme blikk.

«Gerhardsen-hytter,» sa lensmannen. «Her slipper du stresset nedover gullkysten hvor du må konkurrere med naboen om største båten og flotteste tilbygget til hytta.» Han spyttet i vannet.

«Hå er det 'n heter at hæn komitypen på TV som er frå Ytre Enebakk?» ropte Bjørn over motorduren. «Knust brilleglass. Mopped.»

Lensmannen så uttrykksløst på Bjørn Holm og ristet langsomt på hodet.

121

«Taumakeriet,» sa han.

Foran bauen, inne på land, helt nede ved vannet, så Harry en gammel, avlang trebygning som lå for seg selv under en bratt skråning og med tett skog på begge sider. Ved siden av huset gikk en skinnegang ned den bratte fjellsiden og forsvant i det svarte vannet. Rødmalingen flasset av veggene som hadde gapende åpninger til vinduer og dør. Harry myste. I det svinnende lyset så det ut som en hvitkledd person sto og stirret på dem fra det ene vinduet.

«Jøss, reine spøkelseshus,» lo Bjørn.

«De sier så,» sa lensmann Skai og slo av motoren.

I den plutselige stillheten kunne de høre ekkoet av Bjørns latter fra den andre siden og en fjern, ensom sauebjelle som nådde dem over vannet.

Kaja tok imot, hoppet i land med tauet og slo båtvant et halvstikk rundt en råtten, grønngrodd påle som sto opp mellom vannliljene.

De steg ut av prammen, opp på kampesteinene som fungerte som brygge. De steg inn gjennom døråpningen og kom inn i et avlangt, smalt og tomt rom som luktet tjære og urin. Det hadde ikke vært så lett å se utenfra fordi endene av bygningen forsvant inn i den tette skogen, og mens rommet var bare litt over to meter dypt, måtte det være over seksti meter fra kortvegg til kortvegg.

«De sto i hver ende av bygningen og tvinnet tauet,» forklarte Kaja før Harry rakk å spørre.

I et hjørne lå tre tomme ølflasker og spor etter forsøk på å lage bål. På motsatt vegg, foran et par løse planker, hang et garn.

«Etter Simonsen var det ingen som ville overta,» sa lensmannen og så seg rundt. «Det har stått tomt siden.»

«Hva er de skinnene på siden av huset til?» spurte Harry.

«To ting. Å låre og å få opp båten som han hentet tømmeret med. Og til å holde trestokkene under vann når de skulle ligge i bløt. Han surret stokkene fast til jernvogna som sikkert står i naustet der oppe. Så sveivet han vogna ned under vann og sveiva den opp igjen etter noen uker når treet hadde fått godgjort seg. Praktisk kar, Simonsen.»

De kvakk alle sammen da det plutselig braket i skogen rett på utsiden av veggen.

«Sau,» sa lensmannen. «Eller hjort.»

De fulgte etter ham opp en smal tretrapp til annen etasje. Et enormt langbord sto midt i rommet. Begge de korridoraktige endene av rommet forsvant inn i mørke. Det blåste inn gjennom vinduene som hadde border av knust glass langs karmene, og vinden lagde en lav plystrelyd og fikk kvinnens møllspiste brudeslør til å blafre. Hun var i halvfigur og så ut over innsjøen. Under hodet og torsoen var skjelettet: et svart jernstativ på hjul.

«Simonsen brukte henne som fugleskremsel,» sa Skai og nikket mot utstillingsfiguren.

«Ganske skummel,» sa Kaja, stilte seg ved siden av lensmannen og skuttet seg inne i jakka.

Han så sideveis på henne og smilte skjevt: «Ungene rundt her var livredde for henne. De voksne sa at ved fullmåne gikk hun rundt i omegnen og jaktet på mannen som hadde sveket henne på bryllupsdagen. Og at man kunne høre de usmurte hjulene når hun kom. Jeg vokste opp rett bak her, i Haga, skjønner du.»

«Gjorde du?» sa Kaja, og Harry skjulte et smil.

«Jess,» sa Skai. «Dette var for øvrig det eneste kjente kvinnfolket i livet til Simonsen. Han var litt av en einstøing, skjønner du. Men lage tau, det kunne han.»

Bak dem løftet Bjørn Holm ned en taukveil som hang på en spiker.

«Sa jeg at du kunne røre noe?» sa lensmannen uten å snu seg.

Bjørn skyndte seg å henge tauet tilbake.

«OK, sjef,» sa Harry og ga Skai et smil uten tenner. «Kan vi røre noe?»

Lensmannen så vurderende på Harry. «Dere har ennå ikke fortalt meg hva slags sak dette er.»

«Det er konfidensielt,» sa Harry. «Beklager. Økokrim. Du veit.»

«Jaså? Hvis du er den Harry Hole jeg tror du er, jobbet du med drap.»

«Vel,» sa Harry. «Nå er det innsidehandel, skatteunndrag og bedrageri. Man rykker visst oppover her i livet.»

Lensmann Skai knep sammen ett øye. En fugl skrek igjen.

«Du har selvfølgelig rett, Skai,» sa Kaja og sukket. «Men det er jeg som må styre med å få blålapp fra politiadvokaten for å få ransake, vi er som du vet underbemannet og det ville spart meg for mye tid om vi bare kunne ...» Hun smilte med de små, spisse tennene og nikket mot taukveilen.

Skai så på henne. Vippet et par ganger fram og tilbake på gummistøvelhælene. Så nikket han.

«Jeg venter i båten,» sa han.

Bjørn satte straks i gang. Han la taukveilen på langbordet, åpnet den lille ryggsekken han hadde med, tente en lommelykt med en snor som hadde en fiskekrok i enden og huket kroken fast mellom to bord i taket. Han tok fram laptopen, et bærbart mikroskop med form og størrelse som en hammer, plugget den til USB-utgangen på laptopen, sjekket at mikroskopet viste bilder på skjermen og hentet så opp et stillfoto han hadde overført til laptopen før de dro.

Harry stilte seg ved siden av bruden og så ned på innsjøen. I prammen glødet det i en sigarettglo. Han så på skinnene som forsvant ned i vannet. Den dype enden. Harry hadde aldri likt å bade i ferskvann, særlig ikke etter den gangen han og Øystein hadde skulket skolen, dratt til Hauktjern i Østmarka og hoppet fra Jævelstupet som de påsto var tolv meter høyt. Og Harry – like før han hadde truffet vannflata – hadde sett en huggorm gli gjennom vannet under seg før han selv ble oppslukt av det glassgrønne, iskalde mørket og i panikken hadde svelget halve tjernet og var sikker på at han aldri skulle se daglys og puste luft igjen.

Harry kjente duften som fortalte at Kaja sto rett bak ham.

«Bingo,» hørte han Bjørn Holm si lavt bak seg.

Harry snudde seg: «Samme type tau?»

«Ingen tvil,» sa Bjørn mens han holdt hammermikroskopet mot tauenden og trykket for høyoppløselige stillfotos. «Lind og alm. Samma tjukkelse og lengde på fibra. Men det som kvalifiserer for bingo her, er den ferske kuttflata i enden ta tauet.»

«Hva?»

Bjørn Holm pekte på skjermen. «Bildet til venstre tok je med. Det viser kuttflata på tauet i Frognerbadet, forstørre femogtjue gonger. Og på dette tauet har je en perfekt ...»

Harry lukket øynene for bedre å nyte ordet han visste skulle komme:

«... match.»

Han fortsatte å ha øynene lukket. Tauet Marit Olsen var blitt hengt i var ikke bare blitt lagd her inne, det var kuttet fra tauet de hadde foran seg. Og det var et ferskt kutt. Han hadde stått der de sto for ikke lenge siden. Harry snuste ut i lufta.

Det hadde falt et altoppslukende mørke. Harry kunne så vidt ane noe hvitt i vindusåpningen da de dro.

Kaja satt sammen med Harry foran i prammen. Hun måtte lene seg helt inntil ham for at han skulle høre over motorduren:

«Den personen som har hentet tauet der ute, må være lokalkjent. Og det kan ikke være mange leddene mellom den personen og drapsmannen ...»

«Jeg tror ikke det er noen ledd i det hele tatt,» sa Harry. «Kuttet var ferskt. Og det er ikke så mange grunner til at tau skal bytte hender.»

«Lokalkjent som bor i nærheten eller har hytte her,» tenkte Kaja høyt. «Eller har vokst opp her.»

«Men hvorfor dra helt ut til det nedlagte taumakeriet for å skaffe noen meter tau?» spurte Harry. «Hvor mye koster et langt tau i butikken? Et par hundrelapper?»

«Kanskje han tilfeldigvis var i nærheten og visste at det var tau der.»

«OK, men 'i nærheten' vil si at han må ha bodd på en av de nærmeste hyttene. For alle andre er det en drøy båttur ut til taumakeriet. Lager du ...»

«Ja, jeg lager en liste over de nærmeste naboene. Jeg fikk forresten tak i den vulkaneksperten du ba om også. En nerd oppe på Geologisk institutt. Felix Røst. Han driver visst med volcano-spotting. Folk som reiser verden rundt og ser på vulkaner og utbrudd og sånn.»

«Snakket du med ham?»

«Bare søsteren som bor hos ham. Hun ba meg sende mail eller SMS, han kommuniserer ikke på annen måte, sa hun. Han var dessuten ute og spilte sjakk. Jeg sendte over steinene og dataene.»

De sneglet seg gjennom den grunne kanalen og inn mot brygga. Bjørn holdt lommelykta som fungerte som lanterne og veiviser i den lette tåka som drev over vannflaten. Lensmannen slo av motoren.

«Se!» hvisket Kaja og lente seg enda tettere mot Harry. Han kunne kjenne lukten av henne da han fulgte pekefingeren hennes. I sivet bak brygga gled en stor, kritthvit og ensom svane ut av tåkesløret og inn i lyskjeglen fra lommelykta.

«Er det ikke bare ... vakkert,» hvisket hun henført, lo og klemte hånden hans fort.

Skai fulgte dem opp til renseanlegget. De hadde satt seg inn i Amazonen og skulle til å kjøre da Bjørn febrilsk sveivet ned ruta og ropte etter lensmannen: «FRITJOF!»

Skai stoppet og snudde seg langsomt. Lyset fra toppen av en lyktestolpe falt på det tunge, uttrykksløse ansiktet hans.

«Komifyren på TV,» ropte Bjørn. «Fritjof frå Ytre Enebakk.»

«Ytre Enebakk?» sa Skai og spyttet. «Aldri hørt om.»

Da Amazonen tjuefem minutter senere svingte inn på europaveien ved søppelbrenninga på Grønmo, hadde Harry tatt en avgjørelse.

«Vi må lekke denne informasjonen til Kripos,» sa han.

«Hva?» sa Bjørn og Kaja i kor.

«Jeg snakker med Beate, så rapporterer hun videre slik at det ser ut som det er hennes folk på Krimteknisk som har funnet ut det med tauet og ikke oss.»

«Hvorfor?» sa Kaja.

«Hvis drapsmannen bor i området rundt Lyseren, må det kjøres en hus-til-hus-undersøkelse. Vi har ikke mulighet eller mannskap til det.»

Bjørn Holm slo i rattet.

«Jeg veit,» sa Harry. «Men det viktigste er at han blir tatt, ikke hvem som tar ham.»

De kjørte videre i taushet med den falske klangen av ordene hengende i lufta.

Kapittel 20
Øystein

Strømmen var stengt. Harry ble stående i mørket i gangen og slå bryteren av og på et par ganger. Gjorde det samme i stua.

Så satte han seg i ørelappstolen og stirret ut i mørket.

Etter å ha sittet der en stund ringte mobiltelefonen.

«Hole.»

«Felix Røst.»

«Ja vel?» spurte Harry ettersom stemmen hørtes ut som den tilhørte en vever, liten kvinne.

«Frida Larsen, søsteren hans. Han ba meg ringe og si at steinene dere har funnet er mafisk, basaltisk lava. Greit?»

«Vent! Hva betyr det? Mafisk?»

«At det er varm lava, over tusen grader, med lav viskositet som gjør at den er tyntflytende og sprer seg langt ved utbrudd.»

«Kan den komme fra Oslo?»

«Nei.»

«Hvorfor ikke? Oslo ligger på lava.»

«Gammel lava. Denne lavaen er fersk.»

«Hvor fersk?»

Han hørte henne legge hånden over røret og snakke med noen. Eller til noen, han hørte ikke andre stemmer. Hun må likevel ha fått svar for like etterpå var hun tilbake:

«Han sier alt fra fem til femti år. Men at hvis du tenker på å finne ut hvilken vulkan den kommer fra, har du en liten jobb å gjøre. Det er over femten hundre aktive vulkaner i verden.

Og det er bare dem man vet om. Er det noe annet dere lurer på, kan Felix kontaktes på mail. Assistenten din har adressen.»

«Men ...»

Hun hadde alt lagt på.

Han vurderte å ringe tilbake, men ombestemte seg og slo et annet nummer.

«Oslo Taxi.»

«Hei, Øystein, det er Harry Hå.»

«Du kødder, Harry Hå er død.»

«Ikke helt.»

«Okei, da er det jeg som er død.»

«Lyst til å kjøre meg fra Sofies gate opp til barndomsheimen?»

«Nei, men jeg gjør det jo likavæl. Skal bare gjøre ferdig denna turen.» Øystein lo og hostet. «Harry Hå! Fy faen ... Ringer deg når jeg er der.»

Harry la på, gikk inn på soverommet, pakket en bag i lyset fra gatelykta utenfor vinduet, hentet et par CD-er fra stua i lyset fra mobiltelefondisplayet. Sigarettkartongen, håndjern, tjenestepistolen.

Han satte seg i ørelappstolen og benyttet mørket til å repetere revolverøvelsen. Startet stoppeklokka på armbåndsuret, svingte ut tønna på sin Smith & Wesson, tømte og ladet. Fire patroner ut, fire inn, uten hurtiglader, bare raske fingre. Svingte tønna inn igjen slik at den første patronen lå først. Stopp. Ni sekstiseks. Nesten tre sekunder over persen. Han åpnet tønna. Han hadde bommet. Det første kammeret som lå klart til avfyring, var ett av de to tomme. Han var død. Han repeterte øvelsen. Ni femti. Og død igjen. Da Øystein ringte etter tjue minutter, var han nede i åtte sekunder og hadde dødd seks ganger.

«Kommer,» sa Harry.

Han gikk inn på kjøkkenet. Så på skapdøra under vasken. Nølte. Så tok han ned bildene av Rakel og Oleg og stakk i innerlomma.

«Hong Kong?» snøftet Øystein Eikeland. Han snudde sitt alko-holpløsete ansikt med det brutale nesegrevet og den triste hen-gebarten mot Harry i passasjersetet. «Å faen skulle ru der 'a?»

«Du kjenner meg,» sa Harry mens Øystein stoppet på rødt utenfor Radisson SAS-hotellet.

«Det gjør jeg faen ikke,» sa Øystein og strødde rulletobakk i papiret. «Hvordan skulle jeg det?»

«Vel, vi vokste opp sammen. Husker du?»

«Og så? Du var et jævla mysterium alt den gangen, Harry.»

Bakdøra ble revet opp og en mann i frakk satte seg inn: «Flytoget, Byporten. Fort.»

«Opptatt,» sa Øystein uten å snu seg.

«Tull, skiltet på taket ditt lyser.»

«Hong Kong høres fett ut. Hvorfor kom du hjem egentlig?»

«Unnskyld,» sa mannen i baksetet.

Øystein stakk sigaretten mellom leppene og tente på. «Tresko ringte og inviterte meg på venneparty i kveld.»

«Tresko har ikke venner,» sa Harry.

«Ikke sant? Så jeg spørte'n: 'Hvem er kompisene dine 'a? 'Deg,' sa'n og spørte: 'Og du 'a, Øystein?' 'Deg,' svarte jeg. Så det er oss to. Vi hadde rett og slett glemt deg, Harry. Sånn går'e når'u reiser til …» Han formet munnen til en trakt og uttalte med stakkato stemme: «Hong Kong!»

«Hallo!» kom det fra baksetet. «Hvis dere er ferdige, kan vi kanskje …»

Lyset skiftet til grønt, og Øystein ga gass.

«Så kommer du? Det er hjemme hos Tresko.»

«Det lukter så jævlig tåfis der, Øystein.»

«Han har kjøleskapet fullt.»

«Sorry, jeg er ikke i partyhumør.»

«Partyhumør?» snøftet Øystein og slo håndflaten i rattet. «Du veit ikke hva partyhumør er, du Harry. Du skulka jo all-tid festene. Husker du? Vi hadde kjøpt inn øl, skulle på en eller annen ply adresse på Nordstrand med masse damer. Og så foreslo du at du og jeg og Tresko heller skulle dra til bun-kersene og drikke for oss sjæl.»

«Hei, dette er ikke veien til flytoget!» hvinte det fra baksetet.

Øystein bremset for rødt igjen, kastet sitt skulderlange, pistrete hår til siden og henvendte seg til baksetet: «Og der havna vi da. Og ble fulle som dupper, og han der begynte å synge 'No Surrender' til Tresko kasta tomflasker etter'n.»

«Ærlig talt!» klynket mannen og slo pekefingeren mot glasset på et TAG Heuer-ur. «Jeg bare *må* nå siste flyet til Stockholm.»

«Bra ved bunkersene,» sa Harry. «Byens beste utsikt.»

«Jepp,» sa Øystein. «Hadde de allierte prøvd seg, hadde tyskerne skutt dem i filler.»

«Nemlig,» gliste Harry.

«Du skjønner, vi hadde et stående løfte, han der og jeg og Tresko,» sa Øystein, men dressmannen var nå fortvilt opptatt med å speide ut i regnet etter ledige drosjer. «At om de jævla allierte kom, så skulle vi faen ta oss skyte kjøttet av skjelettet på rem. Sånn.» Øystein holdt en imaginært maskingevær mot dressmannen og fyrte løs. Dressmannen stirret skrekkslagent på den gale drosjesjåføren som lagde snatrelyder så små, skumhvite dråper av spytt landet på mørke, nypressete dressbukser. Med et lite gisp fikk han opp bildøra og tumlet ut i regnet.

Øystein lo rått og hjertelig.

«Du lengtet hjem,» sa Øystein. «Du ville danse med Killer Queen på Ekebergrestauranten igjen.»

Harry lo og ristet på hodet. I sidespeilet så han at mannen stormet planløst i retning Nationaltheatret. «Det er faren min. Han er sjuk. Han har ikke lenge igjen.»

«Å faen.» Øystein trykket inn gassen igjen. «Bra mann, også.»

«Takk. Tenkte du ville vite det.»

«Visst faen. Skal si fra til gamlingene mine.»

«Så her er vi,» sa Øystein da de sto parkert foran garasjen og den vesle, gule trevillaen på Oppsal.

«Jepp,» sa Harry.

Øystein inhalerte så hardt at det så ut som sigaretten skulle ta fyr, holdt røyken nede i lungene og slapp den ut igjen med et langt, surklende hves. Så la han hodet litt på skakke og kakket av asken i askeskuffen. Harry kjente et søtt stikk i hjertet. Hvor mange ganger hadde han sett Øystein på akkurat den måten, sett ham lene seg til siden som om sigaretten var så tung at han ville miste balansen ellers. Hodet på skakke. Asken ned på bakken i et røykeskur på skolen, ned i en tom ølflaske på en fest de hadde gatecrasha, ned på kald, rå bunkersbetong.

«Livet er faen ikke rettferdig,» sa Øystein. «Faren din var nykter, gikk søndagsturer og jobba som lektor. Mens faren min drakk, jobba på Kadok-fabrikken hvor alle fikk astma og merkelige utslett, og rørte seg ikke en millimeter når'n først hadde finni sofaen hjemme. Og fyren er frisk som en jævla fisk.»

Harry husket Kadok-fabrikken. Kodak baklengs. Eieren, en sunnmøring, hadde nemlig lest at Eastman hadde kalt kamerafabrikken sin Kodak fordi det var et navn som kunne huskes og uttales i hele verden. Men Kadok var glemt og nedlagt for mange år siden.

«Alt blir borte,» sa Harry.

Øystein nikket som om han hadde fulgt tankebanen hans. «Du får ringe hvis det er noe, Harry.»

«Jepp.»

Harry ventet til han hørte bilhjulene knase mot grusen og bli borte bak seg, før han låste opp og steg inn. Han slo på lysbryteren og ble stående mens døra gled igjen og smekket i bak ham. Lukten, stillheten, lyset som falt på garderobeskapet, alt snakket til ham, det var som å senke seg ned i et basseng av minner. De omsluttet ham, varmet ham, fikk halsen til å snøre seg sammen. Han dro av seg frakken og sparket av seg skoene. Så begynte han å gå. Fra rom til rom. Fra år til år. Fra mor og far til Søs, og til slutt til seg selv. Gutterommet. Plakaten med Clash, den med gitaren som var i ferd med å bli slått i bakken. Han la seg på senga og trakk inn lukten fra madrassen. Og så kom tårene.

Kapittel 21
Snøhvit

Klokka var to minutter på tjue da Mikael Bellman gikk oppover Karl Johans gate, en av verdens mer beskjedne paradegater. Han befant seg midt i kongeriket Norge, på selve korset i aksen. Til venstre lå Universitetet og kunnskapen, til høyre Nationaltheatret og kulturen. Bak ham, i Slottsparken, tronet kongehuset. Og rett foran ham: makten. Tre hundre skritt senere, nøyaktig klokka tjue, steg han opp steintrappa til Stortingets hovedinngang. Bygningen var, som det meste i Oslo, ikke spesielt stor eller imponerende. Og beskjedent beskyttet. Alt som syntes av security var to løver hugget i grorudgranitt som sto på hver sin side av forhøyningen som ledet opp til inngangen.

Bellman gikk opp til døra som åpnet seg lydløst før han rakk å skyve på den. Han kom inn i resepsjonen og ble stående og se seg rundt. En sikkerhetsvakt dukket opp foran ham og nikket vennlig, men bestemt mot en gjennomlysningsmaskin av merket Gilardoni. Ti sekunder senere hadde den avslørt at Mikael Bellman ikke var bevæpnet, hadde metall i beltet, men det var også alt.

Rasmus Olsen ventet på ham, lent mot resepsjonsdisken. Marit Olsens tynne enkemann håndhilste og gikk foran mens han som på autopilot skrudde på guidestemmen;

«Stortinget, tre hundre og åtti ansatte, hundre og sekstini representanter. Bygd i 1866, tegnet av Emil Victor Langlet.

Svensk, forresten. Dette er Trappehallen. Den steinmosaikken heter 'Samfunn', Else Hagen, 1950. Kongeportrettet er malt ...»

De kom opp i Vandrehallen som Mikael kjente igjen fra TV. Et par ansikter, ingen han dro kjensel på, hastet forbi. Rasmus forklarte ham at det akkurat hadde vært et komitémøte, men Bellman hørte ikke etter. Han tenkte bare at dette var maktens korridorer. Han var skuffet. Vel gikk det i gull og rødt, men hvor var det storslagne, det offisielle, det som skulle inngi ærefrykt for dem som bestemte? Denne fordømte, smålåtne nøkternheten, det var som en skavank dette lille og nylig så fattige demokratiet nord i Europa ikke greide å kvitte seg med. Likevel hadde han kommet tilbake. Om han ikke hadde greid å nå toppen der han først hadde prøvd, blant ulvene i Europol, skulle han i hvert fall greie det her, i konkurranse med dverger og undermålere.

«Hele dette rommet var Terbovens kontor under krigen. Ingen har så stort kontor her i dag.»

«Hvordan fungerte ekteskapet?»

«Unnskyld?»

«Du og Marit. Kranglet dere?»

«Eee ... nei.» Rasmus Olsen så rystet ut, og han begynte å gå fortere. Som for å gå fra politimannen eller i alle fall komme utenfor hørevidde for andre. Først da de satt bak Olsens lukkede kontordør på gruppesekretariatet, slapp han skjelvende pusten. «Vi hadde selvfølgelig våre ups and downs. Er du gift, Bellman?»

Mikael Bellman nikket.

«Da skjønner du sikkert hva jeg mener.»

«Var hun utro?»

«Nei. Det tror jeg at jeg bestemt kan utelukke.»

Siden hun var så feit? hadde Bellman lyst til å spørre, men lot være, han hadde fått det han var ute etter. Nølingen, rykningen i øyekroken, den nesten umerkelige sammentrekningen i pupillen.

«Du selv da, Olsen, har du vært utro?»

Samme reaksjon. Pluss en viss rødfarge i pannen under de dype vikene. Svaret var kort og innbitt: «Nei, faktisk ikke.»

Bellman la hodet på skakke. Han hadde ingen mistanke til Rasmus Olsen. Så hvorfor plage mannen med denne type spørsmål? Svaret var like enkelt som det var frustrerende. Fordi han ikke hadde noen andre å avhøre, ingen andre spor å forfølge. Han tok ganske enkelt frustrasjonen ut på stakkaren.

«Hva med deg, overbetjent?»

«Hva med meg?» sa Bellman og kvalte et gjesp.

«Er du utro?»

«Min kone er for vakker,» smilte Bellman. «Dessuten har vi to barn. Du og din kone var jo barnløse, og det innbyr jo til litt mer ... moro. Jeg snakket med en kilde som sier at du og din kone hadde problemer her for en stund siden.»

«Det er nabokona går jeg ut fra. Marit snakket en del med henne, ja. Det var en liten sjalusigreie for et par måneder siden. Jeg hadde rekruttert ei ung jente til partiet under et tillitsmannskurs. Det var slik jeg traff Marit, så hun ...»

Rasmus Olsens stemme gikk plutselig i oppløsning, og Bellman så at tårene hadde vellet opp i øynene hans.

«Det var ingenting. Men Marit dro på fjellet et par dager for å tenke. Etterpå var alt fint igjen.»

Bellmans telefon ringte. Han plukket den fram, så navnet på displayet og svarte med et kort «ja». Og kjente pulsen og raseriet stige mens han lyttet til stemmen.

«Tau?» gjentok han. «Lyseren? Det blir ... Ytre Enebakk? Takk.»

Han stakk telefonen i frakkelomma. «Jeg må stikke, Olsen. Takk for din tid.»

På vei ut stoppet Bellman kort og så seg rundt i Terbovens, den tyske Reichskommisars kontor. Så gikk han fort videre.

Klokka var ett på natta og Harry satt i stua og hørte på Martha Wainwright synge om «... far away» og «... whatever remains is yet to be found».

Han var utmattet. Foran ham på salongbordet lå mobiltelefonen, lighteren og sølvpapiret med den brune klumpen inni. Han hadde ikke rørt den. Men han måtte snart få sove, finne en rytme, få en pause. I hånden holdt han bildet av Rakel. Blå kjole. Han lukket øynene. Kjente lukten av henne. Hørte stemmen. «Se!» Hånden hennes ga ham et raskt trykk. Vannet rundt dem var svart og dypt, og hun fløt, hvit, lydløst, vektløst på vannflaten. Vinden løftet brudesløret og viste de kritthvite fjærene under. Den lange, slanke halsen hennes formet et spørsmålstegn. Hvor? Hun steg opp på land, et svart jernskjelett med hjul som gnisset og klaget. Så gikk hun inn i huset og ble borte. Og kom til syne igjen i annen etasje. Hun hadde en løkke rundt halsen og ved sin side en mann i svart dress med en hvit blomst på jakkeslaget. Foran dem, med ryggen til ham, sto en prest i hvit kappe. Han leste langsomt. Så snudde han seg. Ansiktet og hendene hans var hvite. Av snø.

Harry våknet med et rykk.

Blunket i mørket. Lyd. Men ikke Martha Wainwright. Harry vred seg rundt og grep den lysende, pulserende telefonen på salongbordet.

«Ja,» sa han med en stemme tykk som havregrøt.

«Jeg har den.»

Han satte seg opp. «Du har hva?»

«Sammenhengen. Og det er ikke tre døde. Det er fire.»

Kapittel 22
Søkemotor

«Jeg prøvde først med de tre navnene du ga meg,» sa Katrine Bratt. «Borgny Stem-Myhre, Charlotte Lolles og Marit Olsen. Men søket ga ikke noe fornuftig. Så jeg la inn alle savnede personer i Norge de siste tolv månedene i tillegg. Og da fikk jeg noe å jobbe videre med.»

«Vent,» sa Harry som nå var lys våken. «Hvor i helvete fikk du de savnede personene fra?»

«Intranettet til Savnetgruppa, Oslo politidistrikt. Hva trodde du?»

Harry stønnet, og Katrine fortsatte:

«Det dukket opp ett navn som faktisk linket de tre andre sammen. Er du klar?»

«Vel …»

«Den savnede kvinnen heter Adele Vetlesen, tjueåtte år, bosatt i Drammen. Hun ble meldt savnet av samboeren i november. Det kom opp en kobling på NSBs billettsystem. Den syvende november bestilte Adele Vetlesen en togbillett på Internett fra Drammen til Ustaoset. Samme dato hadde Borgny Stem-Myhre togbillett fra Kongsberg til samme sted.»

«Ustaoset er ikke verdens navle,» sa Harry.

«Det er ikke et sted, det er et stykke fjell. Hvor bergensfamilier med gamle penger har bygd fjellhyttene sine og Turistforeningen har bygd hytter på toppene, slik at nordmenn kan holde arven etter Amundsen og Nansen i hevd og gå fra hytte

JO NESBØ

til hytte med ski på beina, tjuefem kilo på ryggen og et snev
av dødsangst i bakhodet. Setter en spiss på livet, vet du.»

«Høres ut som du har vært der.»

«Eksmannen min har familiehytte i fjellheimen. De er så
ærverdig rike at de verken har strøm eller innlagt vann. Bare
oppkomlinger har sauna og jacuzzi.»

«De andre koblingene?»

«Det var ikke registrert noen togbillett på Marit Olsen. Der-
imot dukket det opp en registrert betaling på kortautomaten
i restauranttoget på tilsvarende tog dagen før. Klokkeslettet
for registreringen var fjorten tretten, ifølge rutetabellen skulle
toget da befinne seg mellom Ål og Geilo, altså før Ustaoset.»

«Den er tynnere,» sa Harry. «Toget går helt til Bergen,
kanskje hun skulle dit.»

«Tror du …» begynte Katrine Bratt skarpt, men holdt inne,
ventet og fortsatte så i en dempet tone. «… tror du jeg er dum?
Hotellet på Ustaoset har registrert en overnatting på dobbelt-
rom på en Rasmus Olsen som i det sentrale personregisteret er
oppført med samme bostedsadresse som Marit Olsen. Så jeg
antok at det er …»

«Ja, det er samboeren hennes. Hvorfor hvisker du?»

«Fordi nattvakten gikk akkurat forbi, OK? Hør, vi har plas-
sert to drepte og en savnet person på Ustaoset på samme dato.
Hva synes du?»

«Vel. Et signifikant sammenfall, men vi kan ikke utelukke
at det er tilfeldig.»

«Enig. Så her kommer resten. Jeg søkte på Charlotte Lolles
pluss Ustaoset, men fikk ikke opp noe. Så jeg konsentrerte meg
om datoen for å se hvor Charlotte Lolles kan ha vært da de tre
andre personene befant seg på Ustaoset. To dager før hadde Char-
lotte betalt for diesel på en bensinstasjon utenfor Hønefoss.»

«Det er langt unna Ustaoset.»

«Men det er i riktig retning fra Oslo. Jeg prøvde å finne en
bil som var registrert på henne eller en eventuell samboer. Hvis
de har betalingsbrikke og har passert flere bompengestasjoner,
kan man følge bevegelsene deres.»

«Mm.»

«Problemet er at hun hadde verken bil eller samboer, ikke noen som er registrert i alle fall.»

«Hun hadde en kjæreste.»

«Mulig det. Men i dataene til Europark fant søkemotoren en bil i garasjen deres på Geilo, betalt av en Iska Peller.»

«Det er bare noen mil unna. Men hvem er ... eh, Iska Peller?»

«Ifølge kredittkortdataene er hun bosatt i Bristol, Sydney, Australia. Poenget er at hun scorer høyt på relasjonssøk med Charlotte Lolles.»

«Relasjonssøk?»

«Det går på sånt som at folk de siste årene er blitt registrert med kortbetaling på samme restaurant på samme klokkeslett, noe som tyder på at de samme menneskene har spist sammen og så delt regningen. Eller at noen er medlemmer på samme treningssenter med samme innmeldingsdato, har hatt flyseter ved siden av hverandre mer enn én gang. Du skjønner tegningen.»

«Jeg skjønner tegningen,» gjentok Harry på bergensk bokmål. «Og jeg er sikker på at du har sjekket hva slags bil det er og at den går på ...»

«Ja, den går faktisk på diesel,» svarte Katrine spisst. «Vil du høre resten eller ikke?»

«For all del.»

«Du kan ikke forhåndsbooke seng på disse ubetjente hyttene til Turistforeningen. Er alle sengene opptatt når man kommer, må man bare hive seg ned på gulvet på en madrass eller i sovepose på eget liggeunderlag. Det koster bare hundre og sytti per natt, og du kan betale enten kontant i en kasse i hytta, eller legge igjen en konvolutt med en engangsfullmakt til å belaste kontoen din.»

«Du kan med andre ord ikke se hvem som har vært når på hvilke hytter?»

«Ikke hvis de betaler med cash. Men dersom de har lagt igjen fullmakt, vil det jo etterpå være en kontotransaksjon mellom vedkommendes konto og Turistforeningens. Med merknad om hvilken hytte og dato betalingen gjelder.»

«Jeg mener å huske at det var plundrete å søke på banktransaksjoner.»

«Ikke hvis motoren blir gitt de riktige søkekriteriene av en skarp, menneskelig hjerne.»

«Og det er jo til stede her, så?»

«Sånn skal det låte. Iska Pellers konto ble den tjuende november belastet med to senger på fire av Turistforeningens hytter, hver av dem en dagsmarsj fra den andre.»

«En fire dagers fjelltur.»

«Ja. Og den siste, Håvasshytta, lå de på den syvende november. Den ligger bare en halv dagsmarsj fra Ustaoset.»

«Interessant.»

«Det virkelig interessante er to andre konti som også er blitt belastet for overnatting den syvende november på Håvasshytta. Gjett hvilke?»

«Vel. Det er neppe Marit Olsens og Borgny Stem-Myhres siden jeg antar at Kripos ville ha funnet det ut hvis to av de drepte nylig hadde vært på samme sted samme natt. Så den ene må være den savnede piken, hva var det hun het?»

«Adele Vetlesen. Og du har helt rett. Hun har betalt for to personer, men jeg kan naturligvis ikke vite hvem den andre er.»

«Hvem er den andre som har betalt med fullmakt?»

«Ikke så interessant. Fra Stavanger.»

Harry hentet likevel en penn og noterte navn og adresse på vedkommende og også på Iska Peller i Sydney. «Du høres ut som du liker søkemotoren,» sa han.

«Jepp,» sa hun. «Det er som å fly et gammelt bombefly. Litt rustent og tregt å få i gang, men når det først kommer på vingene ... du verden. Hva synes du om resultatet?»

Harry tenkte seg om.

«Det du har gjort,» sa han, «er å plassere en savnet kvinne og en kvinne som formodentlig ikke har noe med saken å gjøre, på samme sted til samme tid. I seg selv ikke noe å rope hurra for. Men du har sannsynliggjort at en av de drepte – Charlotte

Lolles – var i følge med henne. Og du har plassert to av de drepte – Borgny Stem-Myhre og Marit Olsen – i umiddelbar nærhet av Ustaoset. Så …»

«Så?»

«Så jeg gratulerer. Du har holdt din del av dealen. Når det gjelder min …»

«Spar deg og tørk av deg det gliset jeg vet du sitter med. Jeg mente det ikke, jeg er utilregnelig, har du ikke skjønt det?»

Hun smalt på røret.

Kapittel 23
Passasjer

Hun var alene på bussen. Stine la pannen mot vinduet for ikke bare å se speilbildet av seg selv. Stirret ut på den tomme, nattsvarte busstasjonen. Håpet at noen skulle komme. Håpet at ingen skulle komme.

Han hadde sittet ved et vindu på Krabbe med en øl foran seg og bare stirret på henne uten å røre seg. Topplue, blondt hår og de ville, blå øynene. Blikket lo, stakk, bønnfalt, ropte navnet hennes. Til slutt hadde hun sagt til Mathilde at hun ville hjem. Men Mathilde som akkurat var kommet i snakk med en amerikansk oljefyr, ville bli litt lenger. Så Stine hadde tatt kåpen, løpt fra Krabbe til byterminalen og satt seg inn på bussen til Våland.

Hun så på de røde sifrene på den digitale klokka over sjåføren. Håpet at dørene skulle klappe igjen og bussen sette seg i bevegelse. Ett minutt igjen.

Hun så ikke opp, verken da hun hørte de løpende skrittene, hørte den andpustne stemmen bestille billett fremme hos sjåføren eller da han satte seg ned på setet ved siden av henne.

«Du, Stine,» sa han. «Jeg tror du unngår meg, jeg.»

«Å hei, Elias,» sa hun uten å flytte blikket fra den regnvåte asfalten. Hvorfor hadde hun satt seg så langt bak i bussen, så langt fra sjåføren?

«Du burde ikke gå ute om natta alene på denne måten, vet du.»

«Ikke?» mumlet hun og håpet at det skulle komme noen, hvem som helst.

«Leser du ikke avisene? De to jentene i Oslo. Og nå forleden, hun stortingsdama. Hva var det hun het igjen?»

«Jeg aner ikke,» løy Stine og kjente hjertet galoppere.

«Marit Olsen,» sa Elias. «Arbeiderpartiet. De to andre het Borgny og Charlotte. Sikker på at du ikke kjenner igjen navnene, Stine?»

«Jeg leser ikke aviser,» sa Stine. Noen måtte snart komme.

«Greie jenter alle tre,» sa han.

«Ja, du kjente dem vel.» Stine angret straks på den sarkastiske tonen. Det var redselen.

«Ikke godt, selvfølgelig,» sa Elias. «Men jeg likte førsteinntrykket. Jeg er – som du skjønner – en person som legger stor vekt på førsteinntrykk.»

Hun stirret på hånden som han forsiktig hadde lagt på kneet hennes.

«Du ...» sa hun og selv i den ene stavelsen kunne hun høre tryglingen.

«Ja, Stine?»

Hun så opp på ham. Ansiktet hans var åpent som et barns, blikket oppriktig spørrende. Hun ville til å skrike, fare opp, da hun hørte skritt og en stemme fremme hos sjåføren. En passasjer. En voksen mann. Han kom bakover i bussen. Stine prøvde å få tak i blikket hans, få ham til å forstå, men hattebremmen skygget for øynene og han var opptatt med å få vekslepenger og billett ned i lommeboka. Hun pustet lettere da han satte seg på et sete rett bak dem.

«Det er ufattelig at politiet ikke har oppdaget sammenhengen mellom dem,» sa Elias. «Det burde ikke være så vanskelig. De må jo vite at alle de tre jentene likte å gå i fjellet. At de overnattet på Håvasshytta samme natt. Synes du jeg burde gå til dem og fortelle det?»

«Kanskje det,» hvisket Stine. Hvis hun var rask, kunne hun kanskje greie å hive seg forbi Elias og komme seg av bussen. Men ikke før hadde hun tenkt tanken, før det prustet i hydraulikk, dørene gled igjen og bussen satte seg i bevegelse. Hun lukket øynene.

«Jeg har bare ikke lyst å bli innblandet. Jeg håper du kan skjønne det, Stine?»

Hun nikket langsomt, fortsatt med øynene lukket.

«Fint. Da kan jeg fortelle deg om en annen som var der. Én du garantert vet hvem er.»

DEL III

Kapittel 24
Stavanger

«Det lukter ...» sa Kaja.

«Møkk,» sa Harry. «Type ku. Velkommen til Jæren.»

Morgenlyset lakk ned fra skyene som subbet over de vårgrønne jordene. Fra bak steingjerder stirret kyr stumt etter taxien deres. De var på vei fra Sola flyplass til Stavanger sentrum.

Harry lente seg fram mellom forsetene: «Kan du kjøre litt fortere, sjåfør?» Han holdt opp ID-kortet. Sjåføren smilte bredt, trykket ned gassen, og de akselererte ut på motorveien.

«Er du redd vi er for sent ute?» spurte Kaja da Harry dumpet tilbake.

«Ikke noe svar på telefonen, ikke møtt opp på jobben,» sa Harry og behøvde ikke fullføre resonnementet.

Etter at han hadde snakket med Katrine Bratt natta før, hadde Harry sett på det han hadde notert ned. Han hadde navn, telefonnummer og adresse på to levende personer som sannsynligvis hadde overnattet sammen med de tre drapsofrene på en hytte i november. Han hadde sett på klokka, regnet ut at det var tidlig formiddag i Sydney og ringt Iska Pellers nummer. Hun hadde svart og lød svært forbauset da Harry brakte Håvasshytta på banen. Hun hadde da heller ikke kunnet fortelle Harry stort om oppholdet på turisthytta ettersom hun tilbrakte tiden på et eget rom med høy feber. Kanskje var det fordi hun hadde gått for lenge i svett, vått tøy, kanskje var det fordi det var et blodslit for en uerfaren skigåer å komme seg fra hytte til hytte. Eller ganske enkelt fordi influensa rammer vilkårlig. Hun hadde i alle fall med nød og neppe karet seg til Håvasshytta, hvor hun var blitt sendt rett til køys av sin turvenninne Charlotte Lolles. Der hadde Iska Peller glidd inn og ut av drømmefylt søvn mens kroppen vekselvis verket, svettet og frøs. Hva som hadde foregått mellom de andre på hytta, ja, hvem de andre var – hadde hun rett og slett ikke fått med seg ettersom hun og Charlotte var de første som hadde ankommet Håvasshytta. Neste dag hadde hun ligget til de andre var dratt, og hun og Charlotte ble hentet på en snøscooter av en lokal politimann som Charlotte hadde fått tak i. Han hadde kjørt dem hjem til seg, hvor han hadde tilbudt dem å overnatte ettersom han kunne opplyse at det var fullt på hotellet. De hadde takket ja, men utpå kvelden hadde de ombestemt seg, tatt et sent tog til Geilo og tatt inn på hotell der. Charlotte hadde ikke fortalt Iska noe spesielt om kvelden på Håvasshytta. En begivenhetsløs kveld, antagelig.

Fem dager etter hytteturen hadde frøken Peller dratt fra Oslo til Sydney, fremdeles med litt feber, og hadde etter hjemkomsten hatt jevnlig kontakt med Charlotte på mail, men ikke oppfattet noe som unormalt. Helt til hun hadde fått den sjokkerende nyheten om at venninnen var blitt funnet død bak et bilvrak i et skogbryn ved Dausjøen like utenfor tettbebyggelsen i Oslo.

Harry hadde varsomt, men uten å gå rundt grøten, forklart Iska Peller at de var bekymret for de personene som hadde vært på hytta den kvelden, og at han etter å ha lagt på, ville ringe lederen for drapsavsnittet ved Sydney South politidistrikt, Neil McCormack, som Harry hadde jobbet for ved en anledning. At McCormack ville ta opp nærmere forklaring fra henne og – selv om Australia var langt borte – sørge for politibeskyttelse inntil videre. Iska Peller lot til å ta dette med fatning.

Så hadde Harry ringt det andre telefonnummeret han hadde fått, nummeret i Stavanger. Han hadde prøvd fire ganger, men vedkommende hadde ikke svart. Han visste selvfølgelig at det i seg selv ikke behøvde å bety noe. Ikke alle sov med mobiltelefonen påslått ved siden av seg. Men Kaja Solness gjorde tydeligvis det. Hun tok telefonen på andre ring, og da Harry sa at de skulle til Stavanger på første fly og at hun skulle møte på flytoget fem over seks, hadde hun bare svart «ja».

De hadde ankommet Oslo Lufthavn halv sju og Harry hadde ringt nummeret igjen, uten svar. En time senere hadde de landet på Sola flyplass, og Harry hadde ringt med samme resultat. På vei ut fra terminalen til taxikøen hadde Kaja fått tak i arbeidsgiveren som fortalte at personen de søkte ikke hadde møtt opp på jobb til vanlig tid. Hun hadde meddelt Harry dette, og han hadde lagt hånden forsiktig mot korsryggen hennes, ført henne resolutt forbi taxikøen og inn i en taxi til høylytte protester som han besvarte med et: «Takk og ha en jævlig god dag, folkens.»

Klokka var nøyaktig 08.16 da de ankom adressen, et hvitt trehus i Våland. Harry overlot betalingen til Kaja, gikk ut og lot døra stå oppe. Studerte fasaden som ikke røpet noe. Trakk inn den fuktige, friske, men likevel milde vestlandslufta. Stålsatte seg. For han visste allerede. Han kunne selvfølgelig ta feil, men han visste med samme sikkerhet som han visste at Kaja kom til å si «takk» når hun fikk kvitteringen.

«Takk.» Bildøra smekket igjen.

Navnet sto på den midterste av de tre ringeklokkene ved ytterdøra.

Harry trykket inn knappen og hørte det dure et sted i husets indre.

Ett minutt og tre forsøk senere trykket han på den nederste klokka.

Den gamle damen som åpnet, så smilende på dem.

Harry noterte at Kaja automatisk skjønte hvem som skulle ta ordet: «Hei, jeg er Kaja Solness, vi er fra politiet. Det svarer ikke i etasjen over Dem, vet De om noen er hjemme der?»

«Sannsynligvis. Selv om det har vært stille der i hele dag,» sa damen. Og skyndte seg å føye til da hun så Harrys hevete øyebryn: «Det er temmelig lytt, og jeg hørte at det kom folk i

149

natt. Siden det er jeg som leier ut leiligheten, synes jeg at jeg må følge litt med.»

«De følger med?» spurte Harry.

«Ja, men jeg legger meg jo ikke opp i …» Damen var blitt litt hektisk rød i kinnene. «Det er ikke noe galt, formoder jeg? Jeg mener, jeg har aldri hatt noen som helst problemer med …»

«Vi veit ikke,» sa Harry.

«Det beste ville nok være å sjekke,» sa Kaja. «Så hvis De har en nøkkel dit …» Harry visste at ulike formuleringsalternativer nå svirret rundt i Kajas hjerne, og ventet spent på fortsettelsen. «… så er vi gjerne behjelpelige med å sjekke for Dem at alt er i orden.»

Kaja Solness var en slu pike. Hvis utleieren gikk med på forslaget og de fant noe, ville det i rapporten stå at de ble invitert inn, at det slett ikke var snakk om å ha tiltvunget seg adgang eller ransaket uten ransakelsesordre.

Damen nølte.

«Men De kan selvfølgelig også låse Dem inn alene etter at vi er gått,» smilte Kaja. «Og så tilkalle politiet. Eller sykebilen. Eller …»

«Jeg tror det er best at dere blir med meg,» sa damen som hadde fått en dyp, bekymret rynke i pannen. «Vent, så henter jeg nøklene.»

Leiligheten de ett minutt senere steg inn i, var ren, ryddig og nesten helt uten møbler. Harry gjenkjente straks den stillheten som er så tilstedeværende, nesten trykkende i tomme leiligheter om formiddagen når hverdagens travelhet bare når en som en nesten uhørbar støy fra utsiden. Men det var også en lukt der han kjente igjen. Lim. Han så ett par sko, men ingen ytterklær.

På det lille kjøkkenet sto en stor tekopp på oppvaskbenken, og på hylla over tinnbokser som proklamerte at de inneholdt tesorter av for Harry ukjent opprinnelse; Oolong Tea, Anji Bai Cha Tea. De gikk videre gjennom leiligheten. På stueveggen hang et bilde som Harry mente å gjenkjenne som K2, den populære drapsmaskinen av et fjell i Himalaya.

«Sjekker du?» sa Harry, nikket mot døra med hjerte på og

gikk mot det han antok måtte være soveromsdøra. Han tok et dypt åndedrag, trykket ned håndtaket og skjøv døra opp.

Senga var oppredd. Rommet ryddet. Et vindu sto på klem, ingen limlukt, luft frisk som barnepust. Harry hørte vertinnen stille seg i døra bak ham.

«Så rart,» sa hun. «Jeg hørte dem jo i natt. Og det var bare én som gikk.»

«Dem?» sa Harry. «Du er sikker på at de var flere?»

«Ja. Jeg hørte stemmer.»

«Hvor mange var de?»

«Tre, tipper jeg.»

Harry kikket i klesskapene. «Menn? Kvinner?»

«Så lytt er det heldigvis ikke.»

Klær. En sovepose og en ryggsekk. Mer klær.

«Hvorfor tipper du på tre?»

«Etter at den ene gikk, hørte jeg lyder her oppe fra.»

«Hva slags lyder?»

Vertinnen fikk igjen farge i kinnene. «Dunking. Som om … ja, du vet.»

«Men ingen stemmer?»

Vertinnen tenkte seg om. «Nei, ingen stemmer.»

Harry gikk ut av rommet. Og så til sin forbauselse at Kaja fortsatt sto i gangen foran baderomsdøra. Det var noe med måten hun sto på – som om det blåste sterk motvind.

«Noe galt?»

«Nei da,» sa Kaja fort og lett. For lett.

Harry gikk bort og stilte seg ved siden av henne.

«Hva er det?» spurte han lavt.

«Jeg … jeg har bare litt problemer med lukkede dører.»

«OK,» sa Harry.

«Det … det er bare sånn det er.»

Harry nikket. Og det var da han hørte lyden. Lyden av tilmålt tid, av linjen som løper ut, av sekundene som forsvinner, en rask, hektisk tromming av vann som ikke helt renner, ikke helt drypper. En kran på den andre siden av døra. Og han visste at han ikke hadde tatt feil.

«Vent her,» sa Harry. Så skjøv han opp døra.

Det første han noterte seg var at lukten av lim var enda sterkere her inne.

Det andre at på gulvet lå en jakke, et par jeans, en truse, en T-skjorte, to sorte sokker, en lue og en tynn ullgenser.

Det tredje at vann dryppet i en nesten sammenhengende, rett linje av vann fra kranen og ned i badekaret som var fylt opp slik at vann rant ned i overløpet oppe på siden av karet.

Det fjerde at vannet i karet var farget rødt, etter alle solemerker av blod.

Det femte at det brustne blikket over den gjenteipede munnen til den nakne, likhvite personen på bunnen av karet, stirret sideveis. Som om det prøvde å fange opp noe i dødvinkelen, noe det ikke hadde sett komme.

Det sjette at han ikke kunne se tegn til vold, ingen ytre skader som kunne forklare alt blodet.

Harry kremtet og lurte på hvordan han på mest skånsomme måte skulle be vertinnen komme inn og identifisere leietageren sin.

Men han behøvde ikke, hun sto alt på dørterskelen.

«Herreminjesus!» stønnet hun. Og så – med trykk på alle stavelsene: «Herre-min-Jesus!» Og til slutt, i en klagende tone hvor ytterligere forsterkninger ble innkalt: «Herre min Gud og Jesus ...»

«Er det ...?» begynte Harry.

«Ja,» sa damen med gråtkvalt stemme. «Det er ham. Det er Elias. Elias Skog.»

Kapittel 25
Territorium

Damen hadde lagt begge hendene foran munnen og mumlet ut mellom fingrene: «Men hva er det du har gjort, Elias, kjære, vene?»

«Det er ikke sikkert han har gjort noe som helst, frue,» sa Harry og førte henne ut fra badet og mot utgangsdøra. «Kan jeg be deg ringe politistasjonen i Stavanger og be dem sende krimteknikere, si at vi har et åsted her?»

«Åsted?» Øynene hennes var store og svarte av sjokk.

«Ja, si det. Bruk nødnummeret, 112, om du vil. Går det bra?»

«J... ja da.»

De hørte kvinnen stavre ned trappa og inn til seg selv.

«Vi har vel omtrent et kvarter på oss før de er her,» sa Harry. De tok av seg skoene, satte dem på gangen og gikk inn på badet i sokkelesten. Harry så seg rundt. Vasken var full av lange, blonde hår, og på benken lå en flatklemt tube.

«Det der ser ikke ut som tannkrem,» sa Harry og bøyde seg over tuben uten å røre den.

Kaja kom nærmere. «Superlim,» slo hun fast. «Strongest there is.»

«Det er sånt som du ikke skal få på fingrene, ikke sant?»

«Virker på en-to-tre. Om du klemmer fingrene sammen litt for lenge, forblir de sammenklistret. Da må du enten skjære dem løs fra hverandre eller dra til huden blir med.»

153

Harry stirret først på Kaja. Så ned på liket i badekaret. «Fy faen,» sa han langsomt. «Det er ikke sant ...»

Overbetjent Gunnar Hagen hadde hatt sine tvil. Kanskje var det det mest stupide han hadde gjort siden han kom til Politihuset. Å sette sammen en gruppe som skulle drive etterforskning i strid med departementets pålegg, var noe som kunne medføre trøbbel. Å sette Harry Hole til å lede den, var å trygle om trøbbel. Og trøbbel hadde akkurat banket på døra og kommet inn. Nå sto det foran ham i Mikael Bellmans skikkelse. Og mens Hagen lyttet, noterte han at de underlige merkene på Kriposoverbetjentens ansiktshud skinte hvitere enn vanlig, som om de ble opplyst innenfra av noe glødende, nedkjølt fisjon i et atomkraftverk, noe eksplosjonsfarlig som inntil videre var temmet.

«Jeg vet positivt at Harry Hole og to av hans kolleger har vært ved Lyseren og etterforsket drapet på Marit Olsen. Beate Lønn på Krimteknisk anmodet oss om å gjennomføre en hytte-til-hytte-razzia i området rundt et gammelt taumakeri. En av hennes teknikere skal ha funnet ut at tauet Marit Olsen ble hengt med stammer derfra. Så langt, alt vel ...»

Mikael Bellman vippet på hælene. Han hadde ikke engang tatt av seg den fotside støvfrakken. Gunnar Hagen stålsatte seg for fortsettelsen. Som kom pinefullt langsomt, i et liksom lett forbauset tonefall:

«Men da vi snakket med lensmannen i Ytre Enebakk, fortalte han meg at den herostratisk berømte Harry Hole var en av de tre som gjennomførte undersøkelsene. Altså en av dine menn, Hagen.»

Hagen svarte ikke.

«Jeg går ut fra at du skjønner konsekvensen av å sette seg utover Justisdepartementets pålegg, Hagen.»

Hagen svarte fremdeles ikke, men møtte Bellmans blikk.

«Hør,» sa Bellman, løsnet en knapp i frakken og satte seg likevel. «Jeg liker deg, Hagen. Jeg mener du er en bra politimann, og jeg vil få bruk for bra menn.»

«Når Kripos får all makt, mener du?»

«Nettopp. Jeg vil kunne ha god nytte av en som deg i en framskutt stilling. Du har krigsskolebakgrunn, kjenner til viktigheten av å tenke strategisk, av å unngå slag du ikke kan vinne, å vite når retrett er den beste vinnerstrategien ...»

Hagen nikket langsomt.

«Godt,» sa Bellman og reiste seg igjen. «La oss si at Harry Hole befant seg ved Lyseren ved en inkurie, et tilfeldig sammentreff, som ikke hadde noe med Marit Olsen å gjøre. Og at slike tilfeldige sammentreff, neppe vil skje igjen. Kan vi enes om det ... Gunnar?»

Hagen rykket uvegerlig til da han hørte sitt eget fornavn i den andres munn, som et ekko av et fornavn han selv en gang hadde uttalt, sin forgjengers, i et forsøk på å skape en jovialitet det ikke var grunnlag for. Men han lot det skje. For han visste at dette var et slikt slag som Bellman snakket om. At han dessuten var i ferd med å tape krigen, også. Og at kapitulasjonsbetingelsene Bellman hadde tilbudt ham kunne vært dårligere. Mye dårligere.

«Jeg skal snakke med Harry,» sa han og tok imot Bellmans utstrakte hånd. Det var som å klemme på marmor; hardt, kaldt og livløst.

Harry drakk en slurk og lirket ytterste ledd av pekefingeren løs fra hanken på vertinnens flortynne kaffekopp.

«Så du er førstebetjent Harry Hole fra Oslo politidistrikt,» sa mannen som satt i stolen på den andre siden av vertinnens salongbord. Han hadde presentert seg som førstebetjent Colbjørnsen med c, og nå gjentok han Harrys tittel, navn og tilhørighet med trykk på Oslo. «Og hva bringer Oslopolitiet til Stavanger, herr Hole?»

«Det vanlige,» sa Harry. «Den friske lufta, de flotte fjellene.»

«Jaha?»

«Fjorden. Basehopping fra Prekestolen, om vi får tid.»

«Så Oslo har sendt en komiker. Dere driver i hvert fall risikosport, så mye kan jeg fortelle. Noen god grunn til at vi ikke er informert om dette besøket?»

Førstebetjent Colbjørnsens smil var like tynt som barten hans. Han hadde på seg en slik morsom, liten hatt som bare ekstra gamle menn og ekstra selvbevisste hipstere går med. Harry husket at Gene Hackman hadde hatt en sånn som politimannen Popeye Doyle i *The French Connection*. Og tippet at Colbjørnsen heller ikke gikk av veien for kjærlighet på pinne eller å stoppe på vei ut døra med et «å ja, et siste spørsmål».

«Jeg regner med at det ligger en faks nederst i bunken,» sa Harry og så opp på den hvitkledde som i samme øyeblikk kom inn. Det raslet i stoffet på krimteknikerens heldekkende dress da han dro av seg den hvite hetten og dumpet ned i en stol. Han så rett på Colbjørnsen og mumlet et lokalt bannord.

«Nå?» sa Colbjørnsen.

«Han har rett,» sa krimteknikeren og nikket i Harrys retning uten å se på ham. «Fyren der oppe er blitt limt fast til bunnen av badekaret med superlim.»

«Blitt?» sa Colbjørnsen og så på sin underordnede med ett hevet og ett V-formet øyebryn. «Passivformen. Er du ikke litt rask til å utelukke at Elias Skog kan ha gjort det selv?»

«Og så vidt åpnet kranen så han skulle drukne på den mest langsomme, pinefulle måte tenkelig?» spurte Harry. «Etter at han hadde teipet igjen kjeften sin så han ikke kunne skrike?»

Colbjørnsen ga Harry et nytt, syltynt smil: «Jeg skal si fra når du kan avbryte, *Oslo*.»

«Limt fast fra topp til tå,» fortsatte teknikeren. «Bakhodet hans er barbert og smurt inn med lim. Skuldrene og ryggen likeså. Skinkene. Armene. Begge beina. Det vil si …»

«Det vil si,» sa Harry. «At da drapsmannen var ferdig med limejobben, hadde latt Elias ligge og limet herdes en stund, åpnet han kranen så vidt og etterlot Elias Skog til en langsom drukningsdød. Og Elias begynte sin kamp mot tiden og døden. Vannet steg langsomt, mens kreftene hans svant. Helt til dødsangsten grep ham for alvor og ga krefter til et siste desperat forsøk på å komme løs. Og det gikk. Han fikk det sterkeste av lemmene løs fra badekarbunnen. Høyre fot. Han flerret det rett og slett løs fra huden som dere kan se sitter igjen i bunnen av badekaret. Blodet sprøytet ut i vannet mens Elias dunket foten mot bunnen for å alarmere utleieren i etasjen under. Og hun hørte dunkingen.»

Harry nikket mot kjøkkenet hvor Kaja prøvde å trøste og roe ned vertinnen. De kunne høre den eldre damens såre hulking.

«Men hun misforsto. Hun trodde leietageren feide en dame som var blitt med ham hjem.»

Han så på Colbjørnsen som var blitt blek og ikke lenger gjorde mine til å ville avbryte ham.

«Og imens mistet Elias blod. Mye blod. All legghuden var borte. Han ble svakere, trøttere. Til slutt begynte viljen hans å gi etter. Han ga opp. Kanskje var han alt bevisstløs av blodtapet da vannet steg opp i neseborene hans.» Harry så på Colbjørnsen. «Og kanskje ikke.»

Colbjørnsens adamseple gikk i skytteltrafikk.

Harry så ned i bunnen av den tomme kaffekoppen. «Og nå tror jeg at betjent Solness og jeg skal takke for gjestfriheten og komme oss tilbake til *Oslo*. Har du flere spørsmål, er dette nummeret mitt.» Harry noterte i margen på en avis, rev papirbiten løs og skjøv over bordet. Så stablet han seg på beina.

«Men ...» sa Colbjørnsen og reiste seg han også. Harry raget tjue centimeter over ham. «Hva var det dere ville Elias Skog?»

«Redde ham,» sa Harry og kneppet igjen frakken.

«Redde? Var han innblandet i noe? Vent, Hole, vi må til bunns i dette.» Men det var ikke lenger den samme autoriteten i Colbjørnsens bruk av imperativformen.

«Jeg er sikker på at dere i Stavanger er fullt kapable til å finne ut av dette selv,» sa Harry, gikk bort til kjøkkendøråpningen og nikket til Kaja at de var på vei ut. «Hvis ikke kan jeg anbefale Kripos. Hils Mikael Bellman fra meg om du må.»

«Redde fra hva?»

«Fra det vi ikke greide å redde ham fra,» sa Harry.

I taxien på vei ut til Sola stirret Harry ut av sidevinduet, på regnet som hamret ned på de unaturlig grønne jordene. Kaja sa ikke et ord. Han var takknemlig for det.

Kapittel 26
Kanylen

Gunnar Hagen satt i Harrys stol og ventet på dem da Harry og Kaja steg inn i kontorets varme fuktighet.

Bjørn Holm, som satt bak Hagen, trakk på skuldrene og viste med mimikken at han ikke ante hva overbetjenten ville.

«Stavanger, hører jeg,» sa Hagen og reiste seg.

«Ja,» sa Harry. «Bare sitt, sjef.»

«Det er din stol. Jeg skal snart gå.»

«Ja vel?»

Harry ante at det var dårlige nyheter. Dårlige nyheter av en viss betydning. Sjefer forserer ikke kulverten over til Botsfengselet for å fortelle at reiseregningen er feil utfylt.

Hagen ble stående slik at Holm var den eneste i rommet som satt.

«Jeg må dessverre bare informere om at Kripos allerede har avslørt at dere har jobbet med drapene. Og at jeg ikke har noe annet valg enn å legge ned etterforskningen.»

I stillheten som fulgte kunne Harry høre det rumle i fyrkjelene i naborommet. Hagen lot blikket gli rundt, møtte hver enkelts blikk og stoppet ved Harrys: «Jeg kan heller ikke si at det er noen avskjed i nåde. Jeg ga klar beskjed om at dette var noe som måtte skje i all diskresjon.»

«Vel,» sa Harry. «Jeg ba Beate Lønn lekke informasjon om et bestemt taumakeri til Kripos, men hun lovet at hun skulle gjøre det slik at det så ut som Krimteknisk var kilden.»

«Og det gjorde hun sikkert,» sa Hagen. «Det var lensmannen i Ytre Enebakk som avslørte deg, Harry.»

Harry himlet med øynene og bannet lavt.

Hagen klappet hendene sammen så det smalt tørt mellom murveggene: «Så derfor må jeg gi dere den triste ordren at all etterforskning av drapene opphører med øyeblikkelig virkning. Og at dette kontoret skal være ryddet i løpet av førtiåtte timer. Gomen nasai.»

Harry, Kaja og Bjørn Holm så på hverandre mens jerndøra sakte gled igjen og Hagens hurtige skritt fjernet seg bortover kulverten.

«Åtteogførti timer,» sa Bjørn til slutt. «Vil noen ha nytrakte kaffi?»

Harry sparket til søppelbøtta ved siden av pulten. Den traff veggen med et smell, spredte sitt beskjedne innhold av papir og trillet tilbake til ham.

«Jeg er på Rikshospitalet,» sa han og skrittet mot døra.

Harry hadde plassert den harde trestolen ved vinduet og lyttet til farens jevne pust mens han bladde i avisen. Det var bryllup og begravelse side om side. Til venstre bildene fra Marit Olsens bisettelse, som viste statsministerens alvorlige, deltagende ansikt, partikollegers svarte dresser og ektemannen, Rasmus Olsen, bak et par digre, ukledelige solbriller. På høyre side ble det annonsert at rederdatter Lene skulle få sin Tony til våren, med bilder av de mest profilerte bryllupsgjestene som alle skulle flys inn til St. Tropez. På bakerste side sto det at sola i dag kom til å gå ned nøyaktig klokka 16.58 i Oslo. Harry så på klokka og slo fast at det var akkurat det den nå gjorde bak de lave skyene som verken ville slippe regn eller snø. Han så ut på lysene som kom på i alle hjemmene oppover i åssidene rundt det som en gang i tiden hadde vært en vulkan. Det var en på sett og vis befriende tanke, at vulkanen en dag skulle åpne seg under dem, sluke dem, fjerne alle spor av det som en gang hadde vært en tilfreds, velorganisert og litt bedrøvet by.

Førtiåtte timer. Hvorfor det? Det ville ikke tatt dem mer enn to timer å rydde det såkalte kontoret.

Harry lukket øynene og tenkte igjennom saken. Skrev en siste mental rapport til sitt personlige arkiv.

To kvinner drept på samme måte, druknet i sitt eget blod fra munnen og med ketanomin i blodet. Én kvinne hengt fra et stupetårn, i et tau tatt fra et gammelt taumakeri. Én mann druknet i sitt eget badekar. Alle ofrene hadde sannsynligvis befunnet seg på samme hytte på samme tidspunkt. De visste ennå ikke hvem andre som hadde vært der, hva motivet bak drapet kunne være eller hva som hadde skjedd på Håvasshytta det døgnet. De hadde bare virkning, ingen årsak. Case closed.

«Harry …»

Han hadde ikke hørt faren våkne og snudde seg.

Olav Hole så friskere ut, men kan hende skyldtes det fargen i kinnene og febergløden i blikket. Harry reiste seg og flyttet stolen bort til farens seng.

«Har du vært her lenge?»

«Ti minutter,» løy Harry.

«Jeg har sovet så godt,» sa faren. «Og drømt så deilig.»

«Jeg ser det. Du ser ut som du bare kan stå opp og gå herfra.»

Harry dyttet på puten hans, og faren lot ham gjøre det selv om begge visste at den lå helt fint.

«Hvordan er det med huset?»

«Prima,» sa Harry. «Det kommer til å stå i evighet.»

«Godt. Det er en ting jeg har villet snakke med deg om, Harry.»

«Mm.»

«Du er en voksen mann nå. Du mister meg på en naturlig måte. Dette er slik det skal være. Ikke som da du mistet din mor. Det holdt jo på å gjøre deg gal.»

«Gjorde det?» sa Harry og strøk hånden over putetrekket.

«Du raserte rommet ditt. Du ville drepe legene og dem som hadde smittet henne, og til og med meg. Fordi jeg hadde …

160

tja, fordi jeg ikke hadde oppdaget det tidligere, antar jeg. Du var så full av kjærlighet.»

«Av hat, mener du.»

«Nei, av kjærlighet. Det er samme valuta. Alt starter med kjærlighet. Hatet er bare myntens bakside. Jeg har alltid tenkt at det var din mors død som fikk deg til å begynne å drikke. Eller rettere sagt kjærligheten til din mor.»

«Kjærligheten er en drapsmaskin,» mumlet Harry.

«Hva?»

«Bare noe noen sa til meg en gang.»

«Jeg gjorde alt din mor ba meg om. Bortsett fra dette ene. Hun spurte meg om å hjelpe henne da tiden var inne.»

Det kjentes som om noen hadde injisert isvann i Harrys bryst.

«Men jeg klarte det ikke. Og vet du hva, Harry? Det har ridd meg som en mare. Det har ikke gått en dag uten at jeg har tenkt på at jeg ikke klarte å oppfylle dette ønsket for henne, kvinnen som jeg elsket over alt her på jord.»

Det knaket i treverket på den tynne stolen da Harry spratt opp av stolen. Han gikk bort igjen til vinduet. Han hørte faren trekke pusten et par ganger bak seg, dypt og skjelvende. Så kom det:

«Jeg vet at det er en tung byrde å legge på deg, sønn. Men jeg vet også at du er som meg, at det vil forfølge deg om du ikke gjør dette. Så la meg forklare hva du gjør …»

«Far,» sa Harry.

«Ser du denne kanylen?»

«Far! Stopp!»

Det ble stille bak ham. Bare den surklende pusten. Harry så ut på svart-hvit-filmen av en by hvor skyene presset sine blygrå, utflytende ansiktstrekk mot hustakene.

«Jeg vil begraves i Åndalsnes,» sa faren.

Begraves. Ordet lød som et ekko fra påskene med mor og far på Lesja, når Olav Hole med stort alvor forklarte Harry og Søs hva de skulle gjøre hvis de ble tatt av snøras, hvis de fikk panserhjerte. Rundt dem var flat mark og slake åser, det var omtrent som når flyvertinner på innenriksflyvninger i Indre

Mongolia forklarer hvordan svømmevestene brukes. Absurd, men likevel: det ga dem en følelse av trygghet, av at de skulle overleve alle sammen om de bare gjorde de riktige tingene. Og nå sa faren hans at det ikke var sant likevel.

Harry kremtet to ganger: «Hvorfor Åndalsnes? Hvorfor ikke her i byen hvor ...»

Harry tiet, faren skjønte resten: Hvor mor ligger.

«Jeg vil ligge sammen med mine sambygdinger.»

«Du kjenner dem ikke.»

«Nei, hvem kjenner man? De og jeg er i hvert fall fra samme sted. Det er kanskje til syvende og sist det det handler om. Stammen. Man vil være med i stammen.»

«Vil man?»

«Ja, det vil man. Enten man er klar over det eller ikke, er det det man ønsker.»

Pleieren med Altman på navneskiltet kom inn, ga Harry et kort smil og kakket på klokka si.

Harry gikk ned trappa og møtte to uniformerte politimenn på vei opp. Han nikket automatisk og innforstått. De stirret tause på ham, som på en fremmed.

Vanligvis lengtet Harry etter ensomheten og alle godene som fulgte med den; freden, stillheten, friheten. Men da han stilte seg på trikkeholdeplassen visste han plutselig ikke hvor han skulle dra. Hva han skulle gjøre. Bare at ensomheten i huset på Oppsal ikke ville være til å bære akkurat nå.

Han slo nummeret til Øystein.

Øystein var på langtur til Fagernes, men foreslo en øl på Lompa rundt midnatt for å feire at nok en arbeidsdag i Øystein Eikelands liv var noenlunde vel avviklet. Harry minnet Øystein på sin alkoholisme, og fikk til svar at selv en alkoholiker trengte vel å gå på fylla iblant?

Harry ønsket Øystein en sikker reise og la på. Så på klokka. Og spørsmålet dukket opp igjen. Førtiåtte timer. Hvorfor det?

En trikk stoppet foran ham og dørene slamret opp. Harry så inn i den innbydende varme, opplyste vogna. Så snudde han seg og begynte å gå nedover mot byen.

Kapittel 27
Snill, tyvaktig og gjerrig

«Jeg var i nabolaget,» sa Harry. «Men du er visst på vei ut?»

«Nei da» smilte Kaja som sto i døra med en tykk boblejakke på. «Jeg sitter på verandaen. Kom inn. Ta på deg de tøflene der.»

Harry tok av seg skoene og fulgte etter henne gjennom stua. På den overbygde verandaen satte de seg i hver sin enorme trestol. Det var stille og tomt i Lyder Sagens vei, bare en enslig, parkert bil. Men i annen etasje på huset tvers over gata kunne Harry se omrisset av en mann i et opplyst vindu.

«Det er Greger,» sa Kaja. «Han er åtti nå. Han har sittet slik og fulgt med på alt som har skjedd i gata her siden krigen, tror jeg. Jeg liker å tenke at han passer på meg.»

«Ja, man trenger det,» sa Harry og tok fram sigarettpakken. «Å tro at man blir passet på.»

«Har du også en Greger?»

«Nei,» sa Harry.

«Kan jeg få bomme en?»

«En sigarett?»

Hun lo. «Det hender jeg røyker. Det gjør meg … roligere, tror jeg.»

«Mm. Tenkt noe på hva du skal gjøre? Etter disse siste førti timene, mener jeg.»

Hun ristet på hodet. «Tilbake til avsnittet. Beina på bordet. Vente på et drap som er lite nok til at Kripos ikke snapper det fra oss.»

Harry kakket ut to sigaretter, satte dem mellom leppene, tente begge og rakte henne den ene.

«*Now, Voyager,*» lo hun. «Hen… Hen… Hva het han som gjorde det der?»

«Henreid,» sa Harry. «Paul Henreid.»

«Og hun han tente sigaretten for?»

«Bette Davis.»

«Killer film. Vil du låne en tjukkere jakke?»

«Nei takk. Hvorfor sitter du på terrassen forresten? Det er ikke akkurat tropenatt.»

Hun holdt opp en bok. «Hjernen min er mer skjerpet i kaldluft.»

Harry leste på forsiden. «'Materialisk monisme'. Hm. Ting fra Exphil vaker i overflaten.»

«Stemmer. Materialismen hevder at alt er materie og krefter. Alt som skjer er en del av et stort regnestykke, en kjedereaksjon, konsekvenser av noe som allerede har skjedd.»

«Og fri vilje er innbilt?»

«Jepp. Våre handlinger er bestemt av vår hjernes kjemiske sammensetning, som er bestemt av hvem som valgte å få barn med hvem, som igjen er bestemt av deres hjernekjemi. Og så videre. Alt kan føres tilbake til for eksempel big bang og enda lenger bakover. Selv det faktum at denne boka kom til å bli skrevet, og det du tenker akkurat nå.»

«Jeg husker det der,» nikket Harry og blåste røyk på novembernatta. «Fikk meg til å tenke på den meteorologen som sa at om han bare hadde hatt alle de relevante variablene, så kunne han varslet alt vær i all fremtid.»

«Og vi kunne hindret drap før de skjedde.»

«Og regnet ut at sigarettbommende politikvinner skulle sitte på kalde verandaer med dyrekjøpte filosofibind.»

Hun lo. «Jeg har ikke kjøpt boka selv, jeg fant den bare i bokhylla her.» Hun sugde på sigaretten med trutmunn og fikk røyk i øynene. «Jeg kjøper aldri bøker, jeg bare låner dem. Eller stjeler.»

«Jeg ser ikke for meg deg som tjuv akkurat.»

«Ingen gjør det, det er derfor jeg aldri blir tatt,» sa hun og la fra seg sigaretten på askebegeret.

Harry kremtet. «Og hvorfor stjeler du?»

«Jeg stjeler bare fra folk jeg kjenner og som har råd til det. Ikke fordi jeg er grådig, men fordi jeg er litt gjerrig. Da jeg studerte, stjal jeg doruller fra toalettet på Universitetet. Har du forresten kommet på tittelen på den Fante-boka som var så bra?»

«Nei.»

«Send meg en SMS når du kommer på den.»

Harry lo kort. «Sorry, jeg sender ikke SMS.»

«Hvorfor ikke?»

Harry trakk på skuldrene. «Jeg veit ikke. Jeg liker ikke konseptet. Som innfødte som ikke vil tas bilde av fordi de mener de mister noe av sjelen, kanskje.»

«Jeg vet det!» sa hun ivrig. «Du vil ikke etterlate kilder. Spor. Uomtvistelige bevis for hvem du var. Du vil vite at du skal forsvinne, helt og totalt.»

«Spikeren på hodet,» sa Harry tørt og inhalerte. «Vil du gå inn igjen?» Han nikket mot hendene som hun hadde stukket mellom lårene og benken.

«Nei da, bare hendene som er kalde,» smilte hun. «Hjertet er varmt. Hva med deg?»

Harry så over hagegjerdet, ut på veien. På bilen som sto der. «Hva med meg?»

«Er du som meg? Snill, tyvaktig og gjerrig?»

«Nei, jeg er slem, ærlig og gjerrig. Hva med mannen din?»

Det lød hardere enn Harry hadde ment det, som om han ville sette henne på plass fordi hun ... fordi hun hva da? Fordi hun satt her og var vakker og likte de samme tingene som ham og lånte ham tøflene til en mann hun lot som ikke eksisterte.

«Hva med ham?» spurte hun med et lite smil.

«Svære føtter, i hvert fall,» hørte Harry seg selv si og følte umiddelbart en trang til å smelle hodet i bordplata.

Hun lo høyt. Latteren trillet ut i den svarte Fagerborg-still-

165

heten som lå over husene, hagene, garasjene. Garasjene. Alle hadde garasjer. Bare én bil sto parkert i gata. Kunne selvfølgelig være omtrent tusen grunner til at den sto der.

«Jeg har ingen mann,» sa hun.

«Så ...»

«Så det er et par tøfler etter broren min du har på beina.»

«Og de på trappa ...»

«... er også storebroders, og står der fordi jeg innbiller meg at herresko størrelse førtiseks og en halv har avskrekkende virkning på slemme menn med skumle planer.»

Hun sendte Harry et megetsigende blikk. Han valgte å tro at dobbeltbunnen ikke var tilsiktet.

«Så broren din bor her?»

Hun ristet på hodet. «Han er død. Ti år siden. Det er pappas leilighet. De siste årene, da Even studerte på Blindern, bodde han og pappa her.»

«Og pappa?»

«Han døde like etter Even. Og da hadde jeg alt flyttet inn her, så jeg overtok leiligheten.»

Kaja trakk beina opp i stolen, la hodet mot knærne. Harry så på den slanke nakken, nakkegropen der det oppsatte håret strammet og et par løse hårtjafser lå mot huden.

«Tenker du ofte på dem?» spurte Harry.

Hun løftet hodet fra knærne.

«Mest på Even,» sa hun. «Pappa flyttet da vi var små, og mamma levde i sin egen boble, så Even ble liksom mamma-og-pappa-i-ett for meg. Han hjalp meg, oppmuntret meg, oppdro meg, var forbildet mitt. Han kunne ikke gjøre noen feil i mine øyne. Når du har vært så nær noen som Even og jeg, slipper det aldri taket. Aldri.»

Harry nikket.

Kaja kremtet forsiktig: «Hvordan går det med faren din?»

Harry studerte sigarettgloen.

«Synes du ikke det er rart?» sa han. «At Hagen ga oss førtiåtte timer. Vi kunne fint ryddet det kontoret på to.»

«Tja. Når du sier det.»

«Kanskje han tenkte at vi kunne bruke de siste to arbeidsdagene til noe nyttig.»

Kaja så på ham.

«Ikke etterforske den foreliggende drapssaken, naturligvis, det overlater vi til Kripos. Men Savnetgruppa trenger hjelp, hører jeg.»

«Hva mener du?»

«Adele Vetlesen er en ung kvinne som så vidt jeg veit ikke er knyttet til noen drapssak.»

«Du tenker at vi skal ...»

«Jeg tenker at vi skal møte på jobb klokka sju i morra,» sa Harry. «Og se om vi kan få gjort litt nytte for oss.»

Kaja Solness sugde på sigaretten. Blåste ut og sugde igjen.

«Blir du roligere?» spurte Harry med et skjevt smil.

Kaja ristet på hodet og holdt sigaretten ut foran seg. «Jeg vil gjerne beholde jobben min, Harry.»

Harry nikket. «Det er frivillig oppmøte. Bjørn ville også tenke seg om.»

Kaja sugde på sigaretten igjen. Harry stumpet sin.

«På tide å gå,» sa han. «Du hakker tenner.»

På vei ut prøvde han å se om det satt noen i den parkerte bilen, men det var umulig uten å gå nærmere. Og han valgte å ikke gå nærmere.

På Oppsal ventet huset på ham. Stort, tomt og fylt av ekko.

Han la seg i senga på gutterommet og lukket øynene.

Og drømte den drømmen han hadde så ofte. Fra en båthavn i Sydney, en kjetting som dras opp, brennmaneten som stiger mot vannoverflaten, som ikke er noen brennmanet, men det røde håret hennes som svømmer rundt det hvite ansiktet. Så kom den andre drømmen. Den nye. Den hadde dukket opp første gang i Hong Kong, rett før jul. Han lå og stirret opp på en spiker som stakk ut av veggen og spiddet et ansikt, en følsomt utseende person med en pent pleiet mustasje. I drømmen hadde Harry noe i munnen, noe som kjentes som det skulle sprenge hodet hans. Hva var det, hva var det? Det var et løfte. Harry rykket til. Tre ganger. Så sovnet han.

Kapittel 28
Drammen

«Så det var du som meldte Adele Vetlesen savnet,» sa Kaja.

«Ja,» sa gutten som satt foran dem på People & Coffee. «Vi bodde sammen. Hun kom ikke hjem. Jeg syntes ikke jeg kunne la være.»

«Nei visst,» sa Kaja og kikket bort på Harry. Klokka var halv ni på morgenen. Det hadde tatt dem en halv time å kjøre fra Oslo til Drammen rett etter trioens morgenmøte som hadde endt med at Harry hadde dimittert Bjørn Holm. Han hadde ikke sagt stort, bare sukket dypt, vasket kaffekoppen sin og så kjørt tilbake til Krimteknisk på Bryn for å gjenoppta sitt virke der.

«Har dere hørt noe fra Adele, eller?» spurte gutten og så fra Kaja til Harry.

«Nei,» sa Harry. «Har du?»

Gutten ristet på hodet og kikket seg over skulderen, mot disken, for å forsikre seg om at det ikke sto kunder og ventet. De satt vaglet på høye barstoler foran vinduet som vendte ut mot et av Drammens mange torg, det vil si en åpen plass som fungerte som parkeringsplass. People & Coffee solgte kaffe og bakevarer til flyplasspriser og prøvde å se ut som det tilhørte en amerikansk kjede, og kanskje gjorde de det også. Gutten Adele Vetlesen hadde bodd sammen med, Geir Bruun, så ut som han var rundt tretti, var usedvanlig hvit og hadde blank, lett svettende isse over et blått, konstant hoppende blikk. Han jobbet på stedet som såkalt barista, en tittel det hadde stått en viss fryktinngytende respekt av på nittitallet da kaffebarene først hadde inntatt Oslo. Men som altså handlet om å tilberede kaffe, en kunst som – slik Harry så det – først og fremst handlet om å unngå opplagte feil. Som politimann brukte Harry folks tonefall, diksjon, ordvalg og grammatikalske avvik til å plassere dem. Geir Bruun verken kledde, gredde eller førte seg på en måte som fikk en til å tenke homse, men med en gang han åpnet munnen, ble det umulig å la være. Det var noe med avrundingen av vokalene, de små, overflødige pynteordene, lespingen som nesten virket påtatt. Harry visste at fyren kunne være stein spikka heteroseksuell, men han hadde alt konkludert med at Katrine hadde trukket en forhastet slutning da hun hadde kalt Adele Vetlesen og Geir Bruun samboere. De var bare to mennesker som av økonomiske grunner hadde delt en sentrumsleilighet i Drammen.

«Jo,» sa Geir Bruun på Kajas spørsmål. «Jeg husker at hun dro på sånn overnattingshytte i fjellet i høst.» Han sa det som om det var et konsept som var ham nokså fremmed. «Men det var jo ikke der hun forsvant.»

«Vi vet det,» sa Kaja. «Dro hun dit sammen med noen, og vet du i tilfelle hvem?»

«Aner ikke. Vi snakket ikke om slikt, det holder å dele bad, om dere skjønner hva jeg mener. Hun hadde sitt privatliv, jeg mitt. Men jeg tviler på at hun dro opp i villmarken alene, for å si det sånn.»

«Å?»

«Adele gjorde minst mulig alene. Jeg ser liksom ikke henne for meg på en hytte uten en type. Men hvem er umulig å si. Hun var – om jeg skal si det rett ut – en smule promiskuøs. Hun hadde ingen venninner og desto flere mannlige venner. Som hun holdt hemmelig for hverandre. Adele levde ikke et dobbeltliv, men et kvadruppelliv. Eller der omkring.»

«Så hun var uærlig?»

«Ikke nødvendigvis. En gang tipset hun meg om ærlige måter å slå opp på. Hun fortalte at én gang, mens en fyr knullet henne bakfra, tok hun et bilde av det over skulderen med mobilen, klikket fram navnet til typen hun var sammen med, sendte bildet og slettet navnet. Alt i én operasjon.» Geir Bruun så uttrykksløst på dem.

«Imponerende,» sa Harry. «Vi veit at hun betalte for to personer der oppe. Kan du gi oss et navn på en mannlig venn, så vi kan begynne der?»

«Nei,» sa Geir Bruun. «Men da jeg meldte henne savnet, sjekket dere jo hvem hun hadde snakket med på telefonen de siste ukene.»

«Hvem?»

«Jeg husker ikke noe navn. Lokale politifolk.»

«Greit, vi har en avtale med politikammeret nå,» sa Harry, så på klokka og reiste seg.

«Hvorfor,» sa Kaja som var blitt sittende, «... sluttet politiet å etterforske saken? Jeg kan ikke engang huske å ha lest om den i avisene.»

«Vet dere ikke det?» sa gutten og signaliserte til to damer med barnevogner foran disken at han straks ville ekspedere dem. «Hun sendte jo det kortet.»

«Kortet?» sa Harry.

«Ja. Fra Rwanda. Nede i Afrika.»

«Hva skrev hun?»

«Det var i alle fall kortfattet. Hun hadde truffet drømmetypen, og jeg måtte ta husleia alene til hun var tilbake i mars. Den bitchen.»

Det var gangavstand til politikammeret. En førstebetjent med kort, bredt gresskarhode og et navn Harry glemte så fort han hørte det, tok imot på et røykstinkende kontor, serverte dem kaffe i plastikkbeger som brant mot fingertuppene og kastet lange blikk på Kaja hver gang han trodde seg usett.

Han begynte med å gi dem en forelesning om at det til enhver tid var et sted mellom fem hundre og tusen savnede nordmenn, at nesten alle før eller siden kom til rette, og at om politiet skulle etterforske alle saker med savnede hvor det ikke var mistanke om noe kriminelt eller en ulykke, ville de ikke hatt tid til annet. Harry kvalte en gjesp.

I Adele Vetlesens tilfelle var det i tillegg mottatt et livstegn, de hadde det faktisk liggende et sted. Førstebetjenten reiste seg og stakk gresskarhodet ned i en arkivskuff og kom opp igjen med et kort som han la foran dem. Det var bilde av et kjegleformet fjell med en sky rundt toppen, men var uten tekst som forklarte hva fjellet het eller hvor i verden det lå. Håndskriften var stygg og kantete. Harry kunne så vidt tyde underskriften. Adele. Det hadde et frimerke med Rwanda på og var poststemplet Kigali, som Harry mente å huske var hovedstaden.

«Moren hennes bekreftet at det er datterens håndskrift,» sa førstebetjenten og forklarte at de på morens innstendige oppfordring hadde sjekket og funnet Adele Vetlesen på passasjerlista til Brussels Airlines flight til Kigali via Entebbe-flyplassen i Uganda den tjuefemte november. Dessuten hadde de gjort et hotellsøk gjennom Interpol, og et hotell i Kigali – førstebetjenten lette i notatene: «Gorilla Hotel!» – hadde ganske riktig hatt en Adele Vetlesen som gjest samme natt som hun ankom med flyet. Den eneste grunnen til at Adele Vetlesen fortsatt sto på savnetlista var at de ikke visste nøyaktig hvor hun var akkurat nå, og at et kort fra utlandet teknisk sett ikke endret statusen som savnet.

«Dessuten snakker vi ikke akkurat om den siviliserte del av verden her,» sa førstebetjenten og slo ut med armene. «Huti, tutsu, eller hva det heter. Macheter. To mill. døde. Skjønner?»

Harry så Kaja lukke øynene mens førstebetjenten med skolemesterstemme og mange innskutte bisetninger forklarte hvor lite menneskeliv var verdt i Afrika hvor menneskehandel ikke akkurat var noe ukjent fenomen, og i teorien kunne Adele vært bortført og tvunget til å skrive kortet ettersom svartingene gjerne betalte en årslønn for å få satt tennene i ei blond, norsk jente, ikke sant?

Harry så på kortet og prøvde å stenge gresskarmannens stemme ute. Et kjegleformet fjell med en sky rundt toppen.

Han så opp da førstebetjenten med det forglemmelige navnet kremtet.

«Ja, man kan jo av og til forstå dem, eller hva?» sa han og smilte innforstått til Harry.

Harry reiste seg og sa at arbeid ventet i Oslo. Men om Drammen kunne være behjelpelig med å scanne og maile postkortet for dem?

«Til en håndskriftekspert?» spurte førstebetjenten, tydelig misfornøyd og så på adressen Kaja hadde skrevet opp for ham.

«Vulkanekspert,» sa Harry. «Jeg vil at du skal sende bildet og spørre om han kan identifisere fjellet.»

«*Identifisere fjellet?*»

«Han er mer enn gjennomsnittlig interessert. Han reiser rundt og ser på dem.»

Førstebetjenten trakk på skuldrene og nikket. Så fulgte han dem til utgangsdøra. Harry spurte om de hadde undersøkt om det hadde vært trafikk på Adeles mobiltelefon siden hun dro.

«Vi kan jobben vår, Hole,» sa førstebetjenten. «Ingen utgående samtaler. Men du kan jo tenke deg mobiltelefonnettet i et land som Rwanda …»

«Egentlig ikke,» sa Harry. «Men nå har jo ikke jeg vært der.»

«Et postkort!» stønnet Kaja da de sto ute på torget foran den sivile politibilen de hadde rekvirert på Politihuset. «Flybillett og hotellovernatting i Rwanda! Hvorfor kunne ikke den datafriken din i Bergen ha funnet ut det, så vi slapp å kaste bort halve dagen i føkking Drammen!»

«Trodde du ville være i perlehumør,» sa Harry og låste opp. «Fikk deg en ny venn, og Adele er kanskje ikke dau likevel.»

«Er *du* i perlehumør?» spurte Kaja.

Harry så på bilnøklene. «Lyst til å kjøre?»

«Ja!»

Det blinket merkelig nok ikke i noen av fotoboksene, men de var tilbake i Oslo på så vidt over tjue minutter.

De ble enige om å bære de lette tingene, kontorrekvisita og skrivebordsskuffene over til Politihuset først, og vente med de

tunge tingene til dagen etterpå. De satte det på samme tralla Harry hadde brukt da han innredet kontoret.

«Har du fått kontor ennå?» spurte Kaja da de var halvveis gjennom kulverten og stemmen hennes kastet lange ekko.

Harry ristet på hodet. «Vi setter tingene på ditt.»

«Har du bedt om kontor?» spurte hun og stoppet.

Harry fortsatte å gå.

«Harry!»

Han stoppet.

«Du spurte om faren min,» sa han.

«Jeg mente ikke å ...»

«Nei da. Men han har ikke lenge igjen. OK? Etter det drar jeg igjen. Jeg ville bare ...»

«Ville bare?»

«Har du hørt om Dead Policemen's Society?»

«Hva er det?»

«Folk som jobbet på Voldsavsnittet. Folk jeg brydde meg om. Jeg veit ikke om det er det at jeg skylder dem noe, men det er stammen.»

«Hva?»

«Det er ikke mye, men det er alt jeg har, Kaja. Det er det eneste jeg har noen grunn til å føle lojalitet til.»

«Et avsnitt?»

Harry begynte å gå. «Jeg veit, og det går nok over. Verden går videre. Det er bare en omorganisering, ikke sant? Historiene sitter i veggene, og nå skal veggene ned. Du og dine får lage noen nye historier, Kaja.»

«Er du full?»

Harry lo. «Jeg er bare slått. Ferdig. Og det er greit. Helt greit.»

Telefonen hans ringte. Det var Bjørn.

«Je la att Hank-biografien på pulten min,» sa han.

«Jeg har den her,» sa Harry.

«For en klang, er du i ei kjerke?»

«Kulverten.»

«Jøss, er det dekning der?»

«Vi har visstnok bedre mobilnett enn Rwanda. Jeg legger boka i resepsjonen.»

«Andre gongen je hører om Rwanda og mobbiltelefoner i dag. Je plukker den opp i morra, kan du si.»

«Hva hørte du om Rwanda?»

«Nei, bære noe a'Beate sa. Om koltan, du veit dom metall-resta vi fant på tenna til dom to som hadde slike stikkmerker i kjeften.»

«Terminator.»

«Hæ?»

«Ingenting. Hva har det med Rwanda å gjøre?»

«Koltan brukes i mobbiltelefoner. Det er et sjeldent metall og nesten all koltan i verda ligg i Kongo. Bære at forekomsta ligg ute i krigssonen der ingen har kontroll slik at smarte forretningsfolk rapper det i alt kaoset og shipper det over til Rwanda.»

«Mm.»

«Vi snakkes.»

Harry skulle til å legge telefonen tilbake da han ble oppmerksom på at han hadde en ulest SMS. Han åpnet den.

Nyiragongo. Siste utbrudd i 2002. En av få vulkaner med åpen lavasjø inne i krateret. Ligger i Kongo ved byen Goma. Felix.

Goma. Harry ble stående og se på dråpene som dryppet fra et rør i taket. Kluits afrikanske torturinstrumenter kom derfra.

«Hva er det?» sa Kaja.

«Ustaoset,» sa Harry. «Og Kongo.»

«Og hva skal det bety?»

«Jeg veit ikke,» sa Harry. «Men jeg er en ikke-troende når det gjelder tilfeldigheter.» Han tok tak i grepet på tralla, svingte den rundt.

«Hva er det du gjør?» sa Kaja.

«Snur,» sa Harry. «Vi har fortsatt mer enn ett døgn på oss.»

Kapittel 29
Kluit

Det var en uvanlig mild kveld i Hong Kong. Skyskraperne kastet lange skygger på The Peak, noen nesten helt opp til villaen hvor Herman Kluit satt på sin terrasse med en blodrød Singapore Sling i den ene hånden og telefonen i den andre. Han lyttet mens han så lysene på bilkøene sno seg som ildormer langt der nede.

Han likte Harry Hole, hadde likt ham fra første stund han hadde sett den høye, atletiske, men tydelig alkoholiserte nordmannen komme inn på Happy Valley for å sette sine siste penger på feil hest. Det var noe med det krigerske blikket, den arrogante holdningen, det vaktsomme kroppsspråket som minnet ham om seg selv som ung leiesoldat i Afrika. Herman Kluit hadde slåss overalt, på alle sider, tjent de herrer som betalte. I Angola, Zambia, Zimbabwe, Sierra Leone, Liberia. Alle land med mørk historie og enda mørkere fremtid. Men ingen mørkere enn landet Harry hadde spurt om. Kongo. Det var der de omsider hadde funnet gullåren. I form av diamanter. Og kobolt. Og koltan. Landsbyhøvdingen tilhørte mai-mai-folket som trodde vann gjorde dem usårbare. Men ellers var han en fornuftig mann. Det var ingenting man ikke kunne fikse i Afrika med en bunke sedler eller – om det knep – en ladd kalasjnikov. I løpet av ett år var Herman Kluit blitt en rik mann. I løpet av tre en søkkrik. Én gang i måneden hadde de dratt til nærmeste by, Goma, og sovet i senger i stedet for på jordgulv ute

175

i jungelen, hvor et teppe av mystiske, blodsugende fluer reiste seg fra hull i bakken hver natt og man våknet som et halvspist kadaver. Goma. Svart lava, svarte penger, svarte skjønnheter, svarte synder. I jungelen hadde halvparten av mennene pådratt seg malaria, resten sykdommer som ingen hvit doktor kjente til og som gikk under fellesbetegnelsen jungelfeber. Det var en slik sykdom Herman Kluit hadde, og selv om den lot ham i fred i lange perioder, ble han aldri helt kvitt den. Det eneste botemiddelet Herman Kluit visste om var Sinagapore Sling. Han var blitt introdusert for drinken i Goma, hos en belgier som eide en fantastisk villa som visstnok var blitt bygd av kong Leopold den gangen landet het Fristaten Belgisk Kongo og var monarkens egen, private lekegrind og pengebinge. Villaen lå helt nede ved bredden av Kivusjøen, med kvinner og solnedganger så vakre at man for en stund glemte jungel, mai-mai og jordfluer.

Det var belgieren som hadde vist Herman Kluit kongens lille skattkammer i kjelleren. Der hadde han samlet alt fra verdens mest avanserte klokker, sjeldne våpen, fantasifulle torturinstrumenter, gullklumper, uslepne diamanter og preparerte menneskehoder. Det var der Kluit første gang hadde kommet over det de kalte Leopolds eple. Det var visstnok blitt utviklet av en av kongens belgiske ingeniører for bruk på gjenstridige stammehøvdinger som ikke ville fortelle hvor de fant diamantene sine. Den tidligere metoden hadde vært å bruke bøfler. De smurte inn høvdingen i honning, bandt ham til et tre og ledet en fanget skogsbøffel bort til ham som så begynte å slikke av honningen. Poenget var at tungen til skogsbøffelen var så ru at den slikket med seg hud og kjøtt. Men det tok tid å fange bøfler, og de kunne være vanskelige å stagge når de først hadde begynt slikkingen. Derfor Leopolds eple. Ikke så mye fordi det var effektivt rent torturteknisk, eplet hindret jo til og med fangen i å snakke. Men virkningen på de innfødte som var til stede og så hva som skjedde når avhørslederen dro i snoren for andre gang, var upåklagelig. Neste mann som ble bedt om å gape opp for å ta imot eplet, snakket som en foss.

Herman Kluit nikket til sin filippinske hushjelp at hun skulle ta det tomme glasset inn.

«Du husker riktig, Harry,» sa Herman Kluit. «Det ligger fremdeles på peishylla mi. Om det noensinne har vært brukt, vet jeg heldigvis ikke. En suvenir. Det minner meg på hva som finnes i mørkets hjerte. Det er alltid nyttig, Harry. Nei, jeg har verken sett eller hørt at det har vært brukt noe annet sted. Det er et komplisert stykke teknologi, skjønner du, med alle disse fjærene og spissene. Krever en spesiell legering. Koltan stemmer. Ja visst. Veldig sjeldent. Han jeg kjøpte mitt eple av, Eddie van Boorst, påsto at det bare ble lagd tjuefire av dem, og at han hadde tjueto av dem, hvorav ett i fireogtjue karats gull. Stemmer, det er tjuefire nåler også, hvordan visste du det? Antallet på tjuefire hadde visstnok noe med ingeniørens søster å gjøre, jeg husker ikke hva. Men det kan også bare ha vært noe van Boorst sa for å få opp prisen, han er belgier, ikke sant?»

Kluits latter gikk over i hoste. Helvetes feber.

«Han burde uansett ha oversikten over hvor eplene befinner seg. Han bodde i en nydelig villa i Goma i Nord-Kivu, like ved grensen til Rwanda. Adressen?» Kluit hostet mer. «Goma får en ny gate hver dag, og innimellom blir halve byen begravd av lava, så adresser eksisterer ikke, Harry. Men postkontoret har oversikt over hvitingene. Nei, jeg aner ikke om han bor i Goma fortsatt. Eller om han lever, for den saks skyld. Forventet levealder i Kongo er noenogtredve, Harry. Også for hvite. Dessuten er byen i praksis beleiret. Nettopp. Nei da, selvfølgelig har du ikke hørt om den krigen. Ingen har det.»

Gunnar Hagen stirret vantro på Harry og lente seg fram over skrivebordet sitt.

«Du vil dra til Rwanda?» sa han.

«Bare en svipptur,» sa Harry. «To døgn inkludert reisen.»

«For å etterforske hva?»

«Det jeg sa. En savnetsak. Adele Vetlesen. Kaja drar opp til Ustaoset for å se om hun kan finne ut hvem Adele reiste sammen med rett før hun forsvant.»

«Hvorfor kan dere ikke bare ringe opp dit og be dem sjekke gjesteboka?»

«Fordi Håvasshytta ikke er betjent,» sa Kaja som hadde inntatt stolen ved siden av Harry. «Men alle som overnatter på hyttene til Turistforeningen, må skrive seg inn i gjesteboka med beskjed om hvor de er på vei. Det er påbudt slik at hvis noen blir meldt savnet i fjellet, kan letemannskapene vite hvor de skal begynne. Forhåpentligvis er Adele og reisevennen hennes skrevet inn med fullt navn og adresse.»

Gunnar Hagen klødde hårkransen med begge hender. «Og ingenting av dette har altså noe med de andre drapssakene å gjøre?»

Harry stakk fram underleppen. «Ikke det jeg kan se, sjef. Kan du?»

«Hm. Og hvorfor skulle jeg smadre avsnittets reisebudsjett med en slik ekstravagant utflukt?»

«Fordi menneskehandel er et prioritert felt,» sa Kaja. «Jamfør justisministerens uttalelse til pressen tidligere denne uka.»

«Dessuten,» sa Harry, strakte på seg og la hendene bak hodet. «Er det umulig å si om det skulle komme andre ting for dagen, ting som kan føre til oppklaring av andre saker.»

Gunnar Hagen så tenksomt på førstebetjenten.

«Sjef,» føyde Harry til.

Kapittel 30
Gjestebok

Et skilt på en beskjeden gul stasjonsbygning forkynte at de var på Ustaoset. Kaja sjekket med klokka at de var ankommet på rutetid, 10.44. Hun så ut. Sola skinte på de snødekte viddene og porselenshvite fjellene. Bortsett fra en klynge med hus og et hotell i tre etasjer, var Ustaoset snaufjell. Riktignok bestrødd med små hytter og en og annen høydeforvirret buskvekst, men like fullt ødemark. Ved siden av stasjonsbygningen, nesten inne på selve perrongen, sto en ensom SUV med motoren i gang. Fra togkupeen hadde det sett ut som det ikke var et vindpust ute. Men da Kaja steg ned på perrongen, var det som om vinden blåste rett gjennom klærne hennes; superundertøy, anorakk, skistøvler.

En skikkelse hoppet ut av SUV-en og kom mot henne. Han hadde den lave vintersola i ryggen. Kaja myste. Myk, selvsikker gange, et hvitt smil og en utstrakt hånd. Hun stivnet til. Det var Even.

«Aslak Krongli,» sa mannen og ga hånden hennes et fast trykk. «Lensmann.»

«Kaja Solness.»

«Det er kaldt, ja. Ikke som nede i lavlandet, hva?»

«Nettopp,» sa Kaja og gjengjeldte smilet.

«Jeg har ikke kapasitet til å bli med inn til Håvasshytta i dag. Vi har hatt snøras, en tunnel er stengt, og vi må omdirigere trafikken.» Uten å spørre tok han skiene hennes, la dem over skulderen og begynte å gå mot SUV-en. «Men jeg har fått han som har tilsyn med hytta til å kjøre deg inn dit. Odd Utmo. Er det greit?»

«Helt greit,» sa Kaja som bare var glad til. Det betydde kanskje at hun slapp så mange spørsmål om hvorfor Oslopolitiet plutselig engasjerte seg i en forsvinningssak fra Drammen.

Krongli kjørte henne de knappe fem hundre meterne til hotellet. På den snødekte plassen foran inngangen satt en mann på en gul snøscooter. Han hadde på seg rød kjeledress, skinnlue med ørelapper, skjerf foran munnen og store snøbriller.

Da han skjøv opp snøbrillene og mumlet fram navnet sitt, oppdaget Kaja at det ene øyet hans hadde en hvit, gjennomsiktig hinne, som om det var blitt sølt melk på. Det andre studerte henne uten sjenanse fra topp til tå. Mannens ranke holdning kunne tilhørt en ung mann, mens ansiktet hans var en oldings.

«Kaja. Takk for at du kunne stille opp på så kort varsel,» sa hun.

«Jeg får betalt,» sa Odd Utmo, så på klokka, dro ned skjerfet og spyttet. Kaja så det glimte i tannregulering mellom snusbrune tenner. Tobakkspyttet lagde en svart stjerne på isen. «Håper du har spist og pissa.»

Kaja lo, men Utmo hadde alt skrevet over snøscooteren og vendt henne ryggen.

Hun så på Krongli som imens hadde stukket skiene og stavene hennes under stroppene slik at de var spent fast på langs av scooteren sammen med Utmos ski, en bunt med noe som lignet røde dynamittgubber og en rifle med kikkertsikte.

Kaja snudde seg mot Krongli. Lensmannen trakk på skuldrene og smilte det hvite guttesmilet en gang til. «Lykke til, håper du finn...»

Resten ble overdøvet av brølet fra scootermotoren. Kaja skyndte seg å sette seg på. Til sin lettelse så hun at det hadde håndtak hvor hun kunne holde seg fast, så slapp hun i alle fall å omfavne den hvitøyde oldingen bakfra. Eksosen la seg rundt dem, så startet de med et rykk.

Utmo sto med svikt i knærne og brukte kroppstyngden til å balansere på snøscooteren som han førte forbi hotellet, over en snøskavle ut i den myke snøen og videre på skrå oppover den første, slake skråningen. Da de var kommet på toppen med utsikt nordover, så Kaja en uendelighet av hvitt ligge foran dem. Utmo snudde seg, nikket spørrende. Kaja nikket tilbake at alt var i orden. Så ga han gass. Kaja snudde seg og gjennom snøspruten som reiste seg bak beltene, så hun bebyggelsen forsvinne.

Kaja hadde ofte hørt folk si at snødekte vidder fikk dem til å tenke på ørken. Det fikk henne til å tenke på dagene og nettene sammen med Even i storebrorens havseiler.

Snøscooteren skar gjennom det veldige, tomme landskapet. Snøen og vinden hadde i samarbeid visket ut konturene, glattet over, jevnet til så det var blitt som én veldig havflate hvor det store fjellet, Hallingskarvet, reiste seg som en truende monsterbølge. Det var ingen brå bevegelser, snøens mykhet og scooterens tyngde gjorde alle bevegelser myke, dempede. Kaja gned nesa og kinnene forsiktig for å forsikre seg om at det løp nok blod gjennom dem. Hun hadde sett hva selv relativt små frostskader kunne gjøre med et ansikt. Motorens monotone brøl og landskapets beroligende ensformighet hadde gjort henne søvnig da hun brått våknet av at motoren døde ut og de sto stille. Hun så på klokka. Hennes første tanke var at de hadde fått motorstopp og var minst tre kvarters kjøring fra sivilisasjonen. Hvor langt var det på ski? Tre timer? Fem? Hun ante ikke. Utmo hadde alt hoppet av og løsnet skiene fra scooteren.

«Er det noe galt med ...» begynte hun, men stoppet da Utmo reiste seg og pekte innover i det lille dalsøkket de hadde stanset foran.

«Håvasshytta,» sa han.

Kaja myste bak solbrillene. Og ganske riktig, i bunnen av fjellsiden så hun en svart, liten hytte.

«Hvorfor kjører vi ikke ...»

«Fordi folk er idioter, og derfor må vi liste oss inn på den hytta.»

«Liste?» sa Kaja og skyndte seg å spenne på seg skiene slik Utmo alt hadde gjort.

Han pekte med staven opp mot fjellsiden. «Kjører du scooter inn i en sånn trang dal, kastes lyden fram og tilbake. Løs nysnø ...»

«Ras,» sa Kaja. Hun husket noe faren hadde fortalt henne etter en av turene sine i Alpene. At under annen verdenskrig hadde det omkommet over seksti tusen soldater i ras der oppe, og at de fleste rasene var blitt utløst av lydbølgene fra artilleriilden.

Utmo stoppet et øyeblikk og så på henne igjen. «Disse naturfolka fra byen tror de er smarte når de legger ei hytte i ly. Men det er bare et tidsspørsmål før den også blir tatt av snøen.»

«Også?» sa Kaja.

«Håvasshytta har bare stått der i tre år. I år er den første vinteren med ordentlig rassnø. Og snart kommer det mer.»

Han pekte mot vest. Kaja skygget for øynene. I snøhorisonten så hun hva han mente. Tunge, gråhvite kumulusskyer bygde sopptårn på blå bakgrunn.

«Skal snø hele uka,» sa Utmo, hektet løs rifla fra scooteren og hengte over skulderen. «Hvis jeg var deg, ville jeg skynda meg. Og latt være å rope.»

De gikk inn i dalen i taushet, og Kaja kjente temperaturen falle da de nådde skyggen, og kulda som la seg i gropene i terrenget.

De spente av seg skiene foran den svartbeisete tømmerhytta, satte dem opp mot veggen, og Utmo fisket fram en nøkkel fra lomma og satte den i låsen.

«Hvordan kommer overnattingsgjestene seg inn?» spurte Kaja.

«De kjøper standardnøkkelen. Passer til alle fire hundre og femti turisthyttene i hele landet.» Han vred nøkkelen rundt, trykket ned håndtaket og skjøv på døra. Ingenting skjedde. Han svor lavt, satte skulderen mot døra og dyttet. Den løsnet fra karmene med et iltert, lite skrik.

«Hytta krymper i kulda,» mumlet han.

Innenfor var det tussmørkt og luktet parafin og vedfyring.

Kaja inspiserte hytta. Hun visste at ordningen var såre enkel. Man kom, skrev seg inn i gjesteboka, tok en seng, eller en madrass om det var fullt, fyrte opp i peisen, kokte seg medbrakt mat på kjøkkenet hvor det var komfyr og kokesaker og – hvis man forsynte seg av tørrmaten som sto i skapene – betalte ved å putte litt penger på en boks. I den samme boksen betalte man for overnattingen eller fylte ut en betalingsfullmakt. All betaling var basert på eget ansvar og æresfølelse.

Hytta hadde fire soverom som alle vendte mot nord, alle med fire sengeplasser i to køyer. Stua vendte mot sør og var tradisjonelt møblert, det vil si med tunge furumøbler. Det var både en stor, åpen peis for den visuelle koseffekten, og en ovn for mer effektiv oppvarming. Kaja anslo at det var sitteplass til tolv–femten mennesker rundt spisebordet, og soveplass til det dobbelte om man trengte seg sammen og tok madrasser og gulv i bruk. Hun så for seg lyset fra stearinlys og peisen flakke over kjente og fremmede ansikter mens praten gikk om dagens og morgendagens tur og man nøt en øl eller et glass rødvin. Evens rødmussete ansikt som lo mot henne og skålte fra et av de nesten mørklagte hjørnene.

«Gjesteboka er på kjøkkenet,» sa Utmo og pekte mot en av dørene. Han så utålmodig ut der han sto ved utgangen fortsatt med lue og votter på. Kaja la hånden på dørklinka og skulle til å trykke den ned da det kom. Lensmannen, Krongli. Han hadde lignet sånn. Hun hadde visst tanken måtte dukke opp igjen, hun hadde bare ikke visst når.

«Kan du åpne døra for meg?» sa hun.

«Hæ?»

«I klemme,» sa Kaja. «Kulda.»

Hun lukket øynene mens hun hørte ham komme, hørte døra åpnes lydløst, merket hans forbausede blikk på seg. Så åpnet hun øynene igjen og steg inn.

Kjøkkenet hadde en lett harsk lukt av fett. Hun merket pulsen raske på mens blikket hennes fløy over benkene, skapene. Blikket fant den svarte skinnboka på kjøkkenbenken under vinduet. Den var fortøyd til veggen med en blå nylonsnor.

Kaja trakk pusten. Hun steg fram til boka. Bladde opp.

Side på side med håndskrevne navn, skrevet av gjestene selv. De fleste hadde fulgt regelen om å føre opp neste bestemmelsessted.

«Jeg skulle egentlig hit over helga og kunne sjekka boka for dere da,» hørte hun Utmos stemme bak seg. «Men dere kunne visst ikke vente?»

«Nei,» sa Kaja og bladde seg igjennom datoene. November. Sjette november. Åttende november. Hun bladde tilbake. Og fram igjen. Den var ikke der. Sjuende november var borte. Hun brettet boka ut. Fra margen strittet restene av det revne arket ut. Noen hadde fjernet det.

Kapittel 31
Kigali

Flyplassen i Kigali, Rwanda, var liten, moderne og overraskende velorganisert. På den annen side var det Harrys erfaring at internasjonale flyplasser fortalte lite eller ingenting om landet de lå i. I Mumbai, India, hersket ro og effektivitet, på JFK i New York paranoia og kaos. Køen foran passkontrolløren rykket ett hakk fram, og Harry fulgte på. Til tross for den behagelige temperaturen, kjente han svetten renne mellom skulderbladene på den tynne bomullsskjorta. Han tenkte igjen på skikkelsene han hadde sett på Schiphol i Amsterdam, der flyet fra Oslo hadde landet forsinket. Harry hadde jogget seg varm gjennom korridorer, alfabetet og gater i stigende nummerrekkefølge for å rekke flyet som skulle ta ham til Kampala, Uganda. I et korridorkryss hadde han sett noe ut av øyekroken. En skikkelse det hadde vært noe kjent med. Det hadde vært motlys og skikkelsen for langt borte til at han hadde kunnet skjelne ansiktet. Da Harry som sistemann hadde kommet seg om bord i flyet, hadde han konkludert med det åpenbare: at det ikke hadde vært henne. For hva var sjansen for det? Og den gutten ved siden av henne kunne definitivt ikke ha vært Oleg. Han kunne ikke ha vokst så mye.

«Next.»

Harry steg fram til luken, la fram passet, immigrasjonskortet, kopien av visumsøknaden han hadde printet ut fra nettet og de seksti nystrøkne dollarene visumet kostet.

«*Business?*» sa passkontrolløren, og Harry møtte blikket hans. Mannen var høy, tynn og huden så svart at den ga gjenskinn. Antagelig tutsi, tenkte Harry. Det var de som kontrollerte landets grenser nå.

«*Yes.*»

«*Where?*»

«Congo,» sa Harry før han presiserte med det navnet de brukte lokalt for å skille de to Kongo-landene.

«*Congo-Kinshasa.*»

Passkontrolløren pekte på immigrasjonskortet Harry hadde fylt ut på flyet. «*Says here you're staying at Gorilla Hotel in Kigali.*»

«*Just tonight,*» sa Harry. «*Then drive to Congo tomorrow, one night in Goma and then back here and home. It's a shorter drive than from Kinshasa.*»

«*Have a pleasant stay in Congo, busy man,*» sa den uniformerte med en hjertelig latter, svingte stempelet over passet og returnerte det.

En halv time senere fylte Harry ut et gjestekort på Gorilla, signerte det og fikk utlevert en nøkkel festet til en gorilla utskåret i tre. Da Harry la seg i senga, var det atten timer siden han hadde stått opp fra sin egen på Oppsal. Han stirret på den brølende viften ved fotenden av senga. Det kom knapt et vindpust fra den selv om bladene roterte med hysterisk fart. Han kom ikke til å få sove.

Sjåføren ba Harry kalle ham Joe. Joe var kongoleser, snakket flytende fransk og et noe mer tyktflytende engelsk. Han var leid inn via kontakter i en norsk bistandsorganisasjon som hadde base i Goma.

«*Eight hundred thousand,*» sa Joe mens han styrte Land Roveren langs en hullete, men fullt kjørbar asfaltvei som snodde seg mellom grønne åser og fjellsider med dyrket mark fra topp til tå. Av og til bremset han velvilligst for ikke å kjøre ned menneskene som gikk, syklet, trillet og bar langs veikanten, men som regel reddet de seg selv i siste liten ved å skvette unna.

«De drepte åtte hundre tusen i løpet av bare noen uker i

1994. Hutuer gikk inn til sine gamle, gode naboer og hugde dem ned med machete fordi de var tutsier. Propagandaen på radioen var at hvis ektemannen din var tutsi, var det din plikt som hutu å drepe ham. Cut down the tall trees. Mange flyktet på denne veien ...» Joe pekte ut av bilvinduet. «Likene lå stablet oppå hverandre, noen steder var det helt ufremkommelig. En god tid for gribbene.»

De kjørte videre i taushet.

De passerte to menn som bar et stort kattedyr som hang med sammenbundne lemmer fra en trestokk mennene bar mellom seg. Barn danset jublende ved siden og stakk pinner i det døde dyret. Pelsen var solfarget med flekker av skygge.

«Jegere?» spurte Harry.

Joe ristet på hodet, kikket i speilet og svarte med en blanding av engelske og franske gloser: «Overkjørt, tipper jeg. Den er nesten umulig å jakte på. Den er sjelden, har stort revir, jager bare om natta. Gjemmer seg og går i ett med omgivelsene om dagen. Jeg tror det er et svært ensomt dyr, Harry.»

Harry så på menn og kvinner som jobbet på åkrene. Flere steder var veimaskiner og menn i gang med utbedring av veien. Nede i en dal så Harry en motorvei under konstruksjon. På et jorde sparket jublende barn i blå skoleuniformer en fotball mellom seg.

«*Rwanda is good,*» sa Joe.

To og en halv time senere pekte Joe ut av frontruta. «*Lake Kivu. Very nice, very deep.*»

Vannflaten på den veldige sjøen syntes å reflektere tusen soler. Landet på den andre siden var Kongo. Fjell reiste seg på alle kanter. En enslig, hvit sky lå rundt toppen på en av dem.

«*No cloud,*» sa Joe som om han skjønte hva Harry tenkte. «*The killer mountain. Nyiragongo.*»

Harry nikket.

En time senere hadde de passert grensen og kjørte inn mot Goma. I veikanten satt en radmager mann med en opprevet jakke og stirret framfor seg med et desperat, vanvittig blikk. Joe styrte bilen forsiktig mellom kraterne i den gjørmete stien. En militærjeep kjørte foran dem. Den svaiende soldaten som bemannet mitraljøsen så på dem med et kaldt, trett blikk. Like over dem brølte det i flymotorer.

«*UN,*» sa Joe. «*More guns and grenades. Nkunda is coming closer to the city. Very strong. Many people escape now. Refugees. Maybe Mister van Boorst too, eh? I not seen him long time.*»

«*You know him?*»

«*Everybody knows Mister Van. But he has Ba-Maguje in him.*»

«*Ba-what?*»

"*Un mauvais ésprit. A demon. He makes you thirsty for alcohol. And take away your emotions.*»

AC-anlegget blåste kaldluft. Svetten rant mellom Harrys skulderblad.

De hadde stoppet midt mellom to rekker av skur i det Harry skjønte var et slags sentrum i Goma by. Mennesker hastet fram og tilbake på det nesten ufremkommelige tråkket som gikk mellom butikkene. Langs husveggene var det stablet svarte steinblokker som fungerte som grunnmurer. Bakken så ut som stivnet, svart glasur og grått støv virvlet i lufta som stinket av råtten fisk.

«Der,» sa Joe og pekte på døra til det eneste murhuset i rekken. «Jeg venter i bilen.»

Harry merket at et par av mennene i gata stoppet opp da han steg ut av bilen. Så dem gi ham det nøytrale, farlige blikket som ikke inneholdt noe varsel. Menn som visste at aggressive handlinger er mest effektivt uten varsel. Harry gikk rett mot døra uten å se seg om, viste at han visste hva han gjorde der, hvor han skulle. Han banket på. Én gang. To ganger. Tre. Faen! Det var en pokker så lang reise for bare ...

Døra gikk opp på klem.

Et hvitt, rynkete ansikt stirret spørrende på ham.

«Eddie van Boorst?» sa Harry.

«*Il est mort,*» sa mannen med en stemme så hes at det hørtes ut som dødsralling.

Harry husket nok av skolefransken til å skjønne at mannen påsto at van Boorst var død. Han satset på engelsk: «Mitt navn er Harry Hole. Jeg har fått navnet til van Boorst av Herman Kluit i Hong Kong. Jeg har reist langt. Jeg er interessert i Leopolds eple.»

Mannen blunket to ganger. Stakk hodet ut av døra og så til høyre og venstre. Så åpnet han døra litt mer opp. *«Entrez,»* sa han og nikket Harry inn.

Harry dukket hodet innenfor den lave døra og rakk i siste liten å sette beina under seg; gulvet innenfor lå tjue centimeter lavere. Det luktet røkelse der inne. Pluss noe annet, velkjent, den søte, emne stanken av gammel mann som har drukket i flere dager.

Harrys øyne vennet seg til mørket, og han oppdaget at den lille, spede gamlingen var iført en elegant, burgunderrød silkeslåbrok.

«Scandinavian accent,» sa van Boorst på Hercule Poirot-engelsk og førte en sigarett med et gulnet munnstykke til de smale leppene. *«Let me guess. Definitely not Danish. Could be Swedish. But I think Norwegian. Yes?»*

En kakerlakk viste følehornene i en sprekk i veggen bak ham.

«Mm. An expert on accents?»

«En hobby bare,» sa van Boorst, smigret, fornøyd. «I små nasjoner som Belgia må man lære seg å se utover, ikke innover. Og hvordan har Herman det?»

«Bra,» sa Harry, snudde seg til høyre og så to par øyne se uinteressert på ham. Det ene fra et bilde over senga i hjørnet. Et innrammet portrett av en person med langt, grått skjegg, kraftig nesegrev, kort hår, epåletter, kjede, sabel. Kong Leopold om ikke Harry tok feil. Det andre paret øyne tilhørte kvinnen som lå på siden i senga med bare et teppe drapert over hoften. Lyset fra vinduet over henne falt på de små, ungpikespenstige brystene. Hun besvarte Harrys nikk med et kort smil som blottet en stor gulltann blant alle de hvite. Hun kunne umulig være mer enn tjue år. På veggen bak den slanke midjen skimtet Harry en bolt som var slått inn i den sprukne murpussen. Fra bolten dinglet et par rosa håndjern.

«Min kone,» sa den lille belgieren. «Nå ja, en av dem.»

«Miss van Boorst?»

«Noe sånt. Du vil kjøpe? Du har penger?»

«Først vil jeg se hva du har,» sa Harry.

Eddie van Boorst gikk bort til døra, åpnet den på gløtt, kikket utenfor. Smelte den igjen og låste. «Er det bare sjåføren din du har med?»

«Ja.»

Van Boorst dampet på sigaretten mens han studerte Harry gjennom hudfoldene som la seg rundt øynene når han myste.

Så gikk han bort til et hjørne av rommet, sparket bort et teppe, bøyde seg og dro i en jernring. En luke åpnet seg. Belgieren vinket at Harry skulle stige ned i hullet først. Harry antok det var en forholdsregel basert på erfaring, og gjorde som han fikk beskjed om. En stige førte ned i stummende mørke. Først etter det sjuende trinnet fikk Harry fast grunn under føttene. Like etter ble en lampe i taket tent.

Harry så seg rundt i rommet som hadde full høyde og et plant gulv av sement. Hyller og skap dekket tre av veggene. På hyllene lå dagligvarene: godt brukte Glock-pistoler, hans egen Smith & Wesson .38, kasser med ammunisjon, en kalasjnikov. Harry hadde aldri holdt den berømte russiske automatriflen med det offisielle navnet AK-47. Han strøk hånden over treskjeftet.

«En original fra første produksjonsåret i 1947,» sa van Boorst.

«Virker som alle her nede har en,» sa Harry. «Afrikas mest populære dødsårsak har jeg hørt.»

Van Boorst nikket. «Av to enkle grunner. Da kommunist-landene begynte å eksportere kalasjnikoven hit etter den kalde krigen, kostet geværet like mye som en feit høne i fredstid. Og ikke mer enn hundre dollar i krigstid. For det andre virker den, uansett hva du gjør med den, og det er viktig i Afrika. I Mosambik er de så glad i kalasjnikovene sine at de har den i det nasjonale flagget sitt.»

Harrys blikk stoppet på bokstavene som diskré preget en svart koffert.

«Er det det jeg tror det er?» spurte Harry.

«Märklin,» sa van Boorst. «En sjelden rifle. Ble produsert i et svært begrenset antall ettersom det var en fiasko. Altfor tungt og altfor grovt kaliber. Ble brukt i elefantjakt.»

«Og menneskejakt,» sa Harry lavt.

«Kjenner du til våpenet?»

«Kikkertsikte med verdens beste optikk. Ikke akkurat noe du trenger for å treffe en elefant på hundre meters avstand. Det er en ren attentatrifle.» Harry strøk fingrene langs kofferten mens minnene strømmet på. «Ja, jeg kjenner til den.»

«Du kan få denne billig. Tretti tusen euro.»

«Jeg er ikke ute etter rifler denne gangen.» Harry snudde seg mot den åpne hylla som sto midt i rommet. Hvitmalte, groteske tremasker gren mot ham fra hyllene.

«Mai-mai-folkets åndemasker,» sa van Boorst. «De tror at hvis de dynker seg i hellig vann, kan ikke fiendenes kuler såre dem. Fordi kulene faktisk også blir til H_2O. Mai-mai-geriljaen gikk i krig mot regjeringshæren med pil og bue, dusjhetter på hodet og badekarpropper som amuletter. *I'm not kidding you, Monsieur.* De ble selvfølgelig meid ned. Men de liker vann, mai-mai. Og hvitmalte masker. Og sine fienders hjerter og nyrer. Lettstekt med maisstappe til.»

«Mm,» sa Harry. «Jeg hadde ikke ventet at et så enkelt hus hadde full kjeller.»

Van Boorst lo kort. *«Cellar? This is the ground floor. Or was.* Før utbruddet for tre år siden.»

Det demret for Harry. Svarte steinblokker, svart glasur. Gulvet der oppe som lå lavere enn bakken.

«Lava,» sa Harry.

Van Boorst nikket. «Den rant tvers gjennom sentrum og tok villaen min nede ved Kivusjøen. Alle trehusene rundt her brant ned, dette betonghuset var det eneste som sto igjen, men var halvveis begravd av lava.» Han pekte mot veggen. «Der ser du utgangsdøra til det som var gatenivå for tre år siden. Jeg kjøpte huset og satte bare inn en ny dør der du kom inn.»

191

Harry nikket. «Heldig at ikke lavaen brente seg gjennom døra og fylte denne etasjen da.»

«Som du ser er vinduene og døra plassert på veggen som vender bort fra Nyiragongo. Det er ikke første gang. Det satans fjellet spyr lava på denne byen hvert tiende eller tjuende år.»

Harry hevet et øyebryn. «Og likevel flytter folk tilbake?»

Van Boorst trakk på skuldrene. «Velkommen til Afrika. Men vulkanen er *bloody useful*. Hvis du skal kvitte deg med et plagsomt lik – som er en ganske vanlig problemstilling i Goma – kan du selvfølgelig senke det i Kivusjøen. Men det *finnes* jo fortsatt der nede. Bruker du Nyiragongo derimot ... Folk tror vulkaner flest har sånne boblende, gloheite lavasjøer i bånn, men de har ikke det. Ingen. Bortsett fra Nyiragongo. Tusen grader celsius. Senk noe ned der og 'poff'! Det stiger opp igjen som gass. Det er den eneste sjansen folk i Goma har for å komme til himmelen.» Han hostelo. «Jeg var vitne til en overivrig koltanjeger som brukte kjetting til å senke datteren til en stammehøvding ned i krateret der oppe en gang. Høvdingen ville ikke undertegne papirene som ga koltanjegerne rett til gruvedrift i området deres. Håret hennes tok fyr tjue meter over lavaen. Ti meter over brant pikebarnet som et talglys. Og fem meter lenger nede dryppet det av henne. Jeg overdriver ikke. Hud, kjøtt, det bare rant av skjelettet ... Er det denne du var interessert i?» Van Boorst hadde åpnet et skap og tatt ut en metallkule. Den var blank, perforert av små hull og litt mindre enn en tennisball. Fra et litt større hull hang en smal lenke med en ring i enden. Det var det samme instrumentet Harry hadde sett hjemme hos Herman Kluit.

«Fungerer den?» spurte Harry.

Van Boorst sukket. Han stakk lillefingeren inn i metallringen og dro i den. Det lød et høyt smell og metallkulen hoppet i belgierens hånd. Harry stirret. Ut av hullene på kulen stakk noe som lignet antenner.

«Kan jeg?» spurte han og rakk fram hånden. Van Boorst rakte ham kulen og fulgte vaktsomt med mens Harry telte antennene.

Harry nikket. «Tjuefire,» sa han.

«Samme som antall produserte epler,» sa van Boorst. «Tallet hadde en symbolsk verdi for ingeniøren som konstruerte og lagde den. Det var alderen på hans søster da hun tok sitt eget liv.»

«Og hvor mange av dem har du i skapet ditt der?»

«Kun åtte. Inkludert dette prakteksemplaret i gull.» Han tok ut en kule som blinket matt i lyset fra pæra før han la den tilbake i skapet. «Men den er ikke til salgs, den må du drepe meg for å få kloa i.»

«Så du har solgt fjorten av dem siden Kluit kjøpte sitt?»

«Og til stadig stigende priser. Det er en sikker investering, herr Hole. Gamle torturredskaper har en trofast og betalingsvillig tilhengerskare, tro meg.»

«Jeg tror deg,» sa Harry og prøvde å trykke ned en av antennene.

«Fjærbelastet,» sa van Boorst. «Når man har dratt én gang i snoren, vil den avhørte ikke greie å få eplet ut av munnen igjen. Ingen andre heller for den saks skyld. Man er nødt til å gå veien om trinn to for å få stagene inn igjen. Ikke dra i snoren, er du snill.»

«Trinn to?»

«Gi den til meg.»

Harry rakte van Boorst kulen. Belgieren tredde forsiktig en kulepenn gjennom metallringen, holdt pennen vannrett og i høyde med kulen og slapp så kulen. Idet snoren ble strammet lød et nytt smell. Leopolds eple danset femten centimeter under pennen og det glitret i de sylspisse nålene som nå stakk ut fra spissen av hver av antennene.

«Å faen,» unnslapp det Harry på norsk.

Belgieren smilte. «Mai-maiene kalte innretningen 'Blodets sol'. Kjært barn har mange navn.» Han la eplet på bordet, førte pennen inn i hullet snoren hang ut av, dro hardt til, og med et nytt smell forsvant både nålene og antennene inn igjen, og kongeeplet hadde fått tilbake sin runde, glatte form.

«Imponerende,» sa Harry. «Hvor mye?»

193

«Seks tusen dollar,» sa van Boorst. «Vanligvis legger jeg på litt for hver gang, men du får den for samme pris som jeg solgte den siste for.»

«Hvorfor det?» sa Harry og strøk pekefingeren over det glatte metallet.

«Fordi du har reist langt,» sa van Boorst og blåste sigarett-røyk ut i rommet. «Og fordi jeg liker aksenten din.»

«Mm. Og hvem var den siste kjøperen på seks tusen?»

Van Boorst lo. «Like lite som noen får vite at du har vært her, forteller jeg deg om mine andre kunder. Høres ikke det betryggende ut, herr ...? Se, jeg har alt glemt navnet.»

Harry nikket. «Seks hundre,» sa han.

«Hva behager?»

«Seks hundre dollar.»

Van Boorst lo den samme korte latteren. «Latterlig. Men prisen De nevner er tilfeldigvis prisen for en guidet tur inn i reservoaret for å se fjellgorillaer i tre timer. Vil De foretrekke det, herr Hole?»

«Du kan beholde kongeeplet,» sa Harry og dro opp en slank seddelbunke med tjuedollarsedler fra baklomma. «Jeg tilbyr seks hundre for opplysninger om hvem som har kjøpt epler av deg.»

Han la seddelbunken på bordet foran van Boorst. På toppen av den lå et ID-kort.

«Norsk politi,» sa Harry. «Minst to norske kvinner er blitt drept av produktet du er monopolist på.»

Van Boorst lente seg over seddelbunken og studerte ID-kortet uten å røre noen av delene.

«Om det er tilfelle, så beklager jeg det virkelig,» sa han, og det lød som om det hadde kommet enda grovere grus i stem-memaskineriet. «Tro meg. Men min personlige sikkerhet er nok mer verdt enn seks hundre dollar. Om jeg skulle begynne å snakke ut om alle dem som har handlet her, ville min for-ventede levealder ...»

«Vær mer bekymret for din forventede levealder i et kongo-lesisk fengsel,» sa Harry.

Van Boorst lo igjen. «*Nice try, Hole.* Men politisjefen i Goma er tilfeldigvis en personlig bekjent av meg, og dessuten ...» Han slo ut med armene, «... hva i all verden har jeg gjort?»

«Hva du har gjort er mindre interessant,» sa Harry og trakk et fotografi ut av brystlomma. «Den norske stat er en av de viktigste bistandsyterne til Kongo. Når norske myndigheter ringer Kinshasa, navngir deg som ikke-samarbeidsvillig kilde til drapsvåpenet i et norsk dobbeltdrap, hva tror du skjer da?»

Van Boorst smilte ikke lenger.

«Du blir ikke uskyldig dømt for noe, bevares,» sa Harry. «Bare varetektsfengsling som ikke må forveksles med straff. Bare hensiktsmessig oppbevaring av en person, for eksempel mens en sak etterforskes og man er redd for bevisforspillelse. Men fengsel like fordømt. Og denne etterforskningen kan ta lang tid. Har du sett innsiden av et kongolesisk fengsel, van Boorst? Nei, det er vel ikke så mange hvite menn som har det.»

Van Boorst dro slåbroken tettere rundt seg. Så på Harry mens han gnagde på sigarettmunnstykket. «OK,» sa han. «Tusen dollar.»

«Fem hundre,» sa Harry.

«Fem? Men du ...»

«Fire,» sa Harry.

«*Done!*» sa van Boorst og strakte armene i været. «Hva vil du vite?»

«Alt,» sa Harry, lente seg mot veggen og trakk fram sigarett-pakken.

Da Harry en halv time senere trådte ut av van Boorsts hus og inn i Joes Land Rover, hadde mørket senket seg.

«Hotellet,» sa Harry.

Hotellet viste seg å ligge helt nede ved sjøen. Joe advarte Harry mot å bade. Ikke på grunn av guineaparasitten som han neppe ville oppdage før det en dag buktet seg en tynn orm under huden hans, men for at metangass steg opp fra bunnen i form av store bobler som kunne slå ham ut med drukning som konsekvens.

Harry satte seg ut på balkongen, så ned på to langbeinte skapninger i stakkato gange på den opplyste plenen. De så ut som flamingoer i påfugldrakt. På den flombelyste tennisbanen spilte to svarte unggutter med bare to baller, begge så fillete at de så ut som sammenrullete sokker der de seilte fram og tilbake over det halvveis revnede nettet. Innimellom dundret nye fly inn like over taket på hotellet.

Harry hørte flaskeklirr borte fra baren. Den lå nøyaktig sekstiåtte skritt fra der han satt. Han hadde telt da han kom. Han fisket fram telefonen og slo nummeret til Kaja.

Hun hørtes glad ut for å høre stemmen hans. Glad, i alle fall.

«Jeg er værfast på Ustaoset,» sa hun. «Det snør ikke hunder og katter, men hester og kuer. Men jeg har i alle fall fått en middagsinvitasjon. Og gjesteboka var interessant.»

«Ja vel?»

«Siden for den datoen vi var ute etter, var borte.»

«Heisan. Sjekket du om …»

«Ja, jeg sjekket om det var fingeravtrykk eller avtrykk av skriften på neste side.» Hun fniste, og Harry tippet at hun hadde tatt et par glass vin.

«Mm. Jeg tenkte mer på …»

«Ja, jeg sjekket hvem som var skrevet inn dagen før og etter. Men det er nesten aldri noen som blir mer enn én natt på et så enkelt losji som Håvasshytta. Med mindre de blir værfast. Og den sjuende november var det fint vær. Men lensmannen her oppe har lovet meg at han skal sjekke gjestebøkene på de omkringliggende hyttene på dagene før og etter for å se hvem av gjestene der som kan ha lagt ruta si innom Håvasshytta.»

«Godt. Høres ut som tampen brenner.»

«Kanskje. Hva med deg?»

«Noe kjøligere her er jeg redd. Jeg fant van Boorst, men ingen av de fjorten kjøperne han hadde hatt var skandinaviske. Han var temmelig sikker. Jeg har seks navn med adresse, men de er alle kjente samlere. Ellers noen navn han halvt husker, noen beskrivelser, noen nasjonaliteter, det er alt. Det finnes to epler til, men van Boorst visste tilfeldigvis at de fortsatt befant seg hos en samler i Caracas. Sjekket du det med Adele og visum?»

«Jeg ringte konsulatet til Rwanda i Sverige. Jeg må innrømme at jeg ventet meg kaos, men de hadde orden i sysakene.»

«Kongos lille, streite storebror.»

«De hadde kopi av Adeles visumsøknad, og datoene stemte. Visumperioden er gått ut for lengst, men de ante selvfølgelig ikke hvor hun var. De ba oss kontakte immigrasjonsmyndighetene i Kigali. Jeg fikk et nummer, prøvde og ble sendt som en pinball mellom kontorer, helt til jeg kom til en engelsktalende viktigper som gjorde meg oppmerksom på at vi ikke har noen samarbeidsavtale med Rwanda på det området, beklaget høflig avslaget og ønsket meg og min slekt et godt og langt liv. Du har heller ikke fått ferten av noe?»

«Nei. Jeg viste van Boorst bildet av Adele. Han sa at den eneste kvinnen som hadde kjøpt av ham, var en kvinne med store, rustrøde krøller og østtysk aksent.»

«Østtysk aksent? Finnes det?»

«Jeg veit ikke, Kaja. Denne mannen går i slåbrok, bruker sigarettmunnstykke, er alkis og spesialist på aksenter. Jeg prøvde å holde meg til saken og så komme meg ut derfra.»

Hun lo. Hvitvin, tippet Harry. Rødvinsdrikkere ler mindre.

«Men jeg har en idé,» sa han. «Immigrasjonskortene.»

«Ja?»

«Man må fylle ut hvor man bor første natta. Hvis de beholder kortene i Kigali, kan jeg kanskje få sett hvor Adele dro. Det kan være et spor. For alt vi veit kan hun være den eneste i live som vet hvem som var på Håvasshytta den natta.»

«Lykke til, Harry.»

«Lykke til selv.»

Han la på. Han kunne naturligvis ha spurt henne hvem hun skulle spise middagen med, men om det hadde vært relevant for etterforskningen, hadde hun vel fortalt ham det.

Harry ble sittende på balkongen til baren stengte og flaskeklirringen opphørte og det i stedet var kommet elskovslyder fra et åpent vindu over ham. Hese, monotone skrik. De min-

net ham om måkene på Åndalsnes når han og bestefar sto opp
grytidlig for å fiske. Men far var aldri med. Hvorfor ikke? Og
hvorfor hadde Harry aldri tenkt over det, hvorfor hadde han
instinktivt skjønt at farens ikke hørte hjemme i den fiskebå-
ten? Hadde han allerede som femåring forstått at far hadde tatt
seg utdannelse, kommet seg bort fra gården nettopp for ikke
å sitte i den båten? Likevel var det farens ønske å dra tilbake og
tilbringe evigheten der. Livet var merkelig. I hvert fall døden.

Harry fyrte opp en sigarett til. Himmelen var stjerneløs og
svart bortsett fra rett over Nyiragongo-krateret hvor den hadde
et ulmende rødskjær. Harry kjente svien av et insektstikk. Mala-
ria. Magma. Metangass. Kivusjøen glitret langt der ute. *Very
nice, very deep.*

Det buldret fra fjellene, lyden rullet ut over vannet. Vulkan-
utbrudd eller bare torden? Harry så opp. Et nytt brak, ekkoet
ble kastet mellom fjellene. Og et annet ekko, fra langt borte,
nådde samtidig Harry.

Very deep.

Han stirret storøyet ut i mørket og merket knapt at him-
melen åpnet seg og regnet som hamret og overdøvet måkeskri-
kene.

Kapittel 32
Politi

«Jeg er glad dere kom dere bort fra Håvasshytta før dette kom ramlende ned,» sa lensmann Krongli. «Dere kunne vært inne-snødd i flere dager.» Han nikket mot hotellrestaurantens store panoramavindu. «Men det er ganske flott å se på, synes du ikke?»

Kaja så ut på det tette snødrevet. Even hadde også vært slik; latt seg begeistre av naturens kraft, uavhengig av om den jobbet for dem eller mot dem.

«Jeg håper toget mitt kommer fram,» sa hun.

«Ja da,» sa Krongli og fingret med vinglasset sitt på en måte som fikk Kaja til å tenke at det ikke var noe han gjorde så ofte. «Vi skal nok sørge for det. Pluss det med gjestebøkene fra de andre hyttene.»

«Takk,» sa Kaja.

Krongli dro en hånd gjennom de viltre krøllene sine og smilte skjevt. Chris de Burgh og «Lady In Red» rant som sirup ut av høyttalerne.

Det var bare to andre gjester i restauranten, to menn i trettiårsalderen ved hvert sitt hvitdukede bord med en halvliter foran seg, stirrende ut i snøværet, ventende på noe som ikke kom til å skje.

«Blir det ikke ensomt her, av og til?» spurte Kaja.

«Det kommer an på,» sa lensmannen og fulgte blikket hennes. «Dersom man ikke har kjerring og familie, blir det jo til at man samles på steder som dette.»

«For å være ensomme sammen med noen,» sa Kaja.

«Jepp,» sa Krongli, smilte og skjenket i mer vin til dem begge. «Men sånn er det vel nede i Oslo også?»

«Ja,» sa Kaja. «Det er det. Har du familie?»

Krongli trakk på skuldrene. «Jeg hadde en kjæreste. Det ble for stusslig her, så hun flytta ned dit du bor. Skjønner henne godt, jeg. Du må ha en interessant jobb på et sted som dette.»

«Og det har du?»

«Jeg synes det. Jeg kjenner alle her, og de kjenner meg. Vi hjelper hverandre. Jeg har bruk for dem og de ... vel ...» Han vred på glasset.

«De har bruk for deg,» sa Kaja.

«Jeg tror det, ja.»

«Og det er viktig.»

«Ja, det er det,» sa Krongli med fast stemme og så opp på henne. Evens blikk. Det som alltid hadde restene av en latter i seg, alltid så ut som det akkurat hadde skjedd noe morsomt eller noe å være glad over. Selv om det ikke var det. Særlig når det ikke var det.

«Hva med Odd Utmo?» sa Kaja.

«Hva med ham?»

«Han dro igjen med en gang han hadde satt meg av. Hva gjør han på en kveld som i kveld?»

«Hvordan veit du at han ikke sitter hjemme med kjerring og unger?»

«Hvis jeg noen gang har møtt en einstøing, lensmann ...»

«Aslak,» sa han, lo og løftet glasset. «Og jeg skjønner at du er ekte politi. Men Utmo har ikke alltid vært slik.»

«Nei vel?»

«Før sønnen hans forsvant, var han tilsnakkendes. Ja, av og til rent ut omgjengelig. Men et farlig sinne har han visstnok alltid hatt.»

«Jeg hadde ikke trodd en mann som Utmo var gift.»

«Kona var pen, også. Når en tenker på hvor støgg han er. Så du tennene hans?»

«Jeg så at han hadde tannregulering, ja.»

«Han sier at det er så tenna ikke skal bli skeive.» Aslak Krongli ristet på hodet med latteren i øynene, men ikke i stemmen. «Men det er det eneste som holder dem på plass så de ikke ramler ut.»

«Si meg, var det virkelig *dynamitt* han hadde med på snøscooteren?»

«*Du* så det,» lo Krongli. «Ikke jeg.»

«Hva mener du?»

«Det er mange av de fastboende som ikke helt ser romantikken i å sitte i timevis med fiskestang på fjellvanna her oppe. Men som gjerne vil ha fisken de betrakter som sin på middagsbordet.»

«De hiver dynamitt i fiskevannene?»

«Så fort isen går.»

«Er ikke det temmelig ulovlig, lensmann?»

Krongli holdt hendene opp foran seg: «Jeg så som sagt ikke noe.»

«Nei, det er sant, du bor jo her. Har du også dynamitt, kanskje?»

«Bare til garasjen. Som jeg planlegger å bygge.»

«Nettopp. Hva med geværet til Utmo? Så moderne ut, med kikkertsikte og greier.»

«Ja visst. Var visstnok en flink bjørnejeger, Utmo. Til han ble halvt blind.»

«Jeg så det øyet hans. Hva skjedde?»

«Guttungen hans kom visst til å velte et glass med syre på ham.»

«Visst?»

Krongli trakk på skuldrene. «Nå er det bare Utmo igjen som veit hva som skjedde. Sønnen forsvant da han var femten. Like etter forsvant kona også. Men alt det der er atten år siden, før jeg kom flyttende hit. Etter det har Utmo bodd aleine der inne på fjellet, ingen TV eller radio, leser ikke engang aviser.»

«Hvordan forsvant de?»

«Tja, si det. Det er mye stup du kan gå utfor rundt gården

til Utmo. Og snø. Det ble funnet en sko etter sønnen like ved et ras, men det var ingen spor etter'n da snøen smelta det året, og det var nå rart å miste en sko sånn oppå snøen. Noen mente at det var bjørn. Men det var nå så vidt jeg veit ikke noe bjørn her oppe for atten år sia. Og så var det de da som mente at det var'n Utmo sjøl.»

«Å? Hvorfor det?»

«Næææi,» sa Aslak og dro på det. «Guttungen hadde et stygt arr over brystet. Folk mente han hadde fått det av faren. At det hadde med mora, hu Karen, å gjøre.»

«På hvilken måte da?»

«At de konkurrerte om henne.»

Aslak ristet på hodet av spørsmålet i Kajas blikk. «Dette var altså før min tid. Og Roy Stille som har vært lensmannsbetjent her oppe siden tidenes morgen, dro ut til Utmo, men der var bare Odd og Karen. Og begge sa det samme, at gutten hadde dratt ut på jakt og ikke kommet tilbake. Men dette var i april.»

«Ikke jakttid?»

Aslak ristet på hodet. «Og siden har ingen sett ham. Året etter forsvant Karen. Folk mener at sorgen knekte henne, at hun hadde gått seg utfor et stup med vilje.»

Kaja syntes hun hørte en liten dirring i lensmannens stemme, men kom til at det måtte være vinen.

«Hva tror du?» spurte hun.

«Jeg tror det er sant. Og at guttungen ble tatt av ras. Kvalt under snøen. Frakta med smeltevannet ned i et fjellvann og ligger der. Sammen med mora, la oss tenke oss det.»

«Høres behageligere ut enn bjørn, i alle fall.»

«Nei.»

Kaja så opp på Aslak. Det var ikke lenger latter i øynene hans.

«Levende begravd av snøras,» sa han, og blikket hans hadde forsvunnet ut av vinduet, inn i snødrevet. «Mørket. Ensomheten. Du klarer ikke å bevege deg, det holder deg fast med en jernklo, ler av forsøkene dine på å komme løs. Vissheten om at du skal dø. Panikken, dødsangsten når du ikke får puste. Det finnes ikke verre måte.»

Kaja tok en slurk vin. Satte glasset fra seg. «Hvor lenge lå du der?» spurte hun.

«Jeg trodde det var tre eller kanskje fire timer,» sa Aslak. «Da de fikk gravd meg ut, sa de at jeg hadde vært der i femten minutter. Fem minutter til og jeg hadde vært dau.»

Kelneren kom og spurte om de ville ha noe mer, at de stengte alkoholserveringen om ti minutter. Kaja takket nei, og kelneren repliserte ved å legge regningen foran Aslak.

«Hvorfor har Utmo med seg det geværet?» spurte Kaja. «Det er så vidt jeg veit ikke jakttid nå heller?»

«Han sier det er på grunn av rovdyra. Sjølforsvar.»

«Er det rovdyr her? Ulv?»

«Han forteller meg aldri akkurat hva slags dyr han snakker om. Det går forresten et rykte om at på nattestid går gjenferdet av guttungen fortsatt rundt der inne på vidda. Og at hvis du ser ham, må du passe deg, for det betyr at det er et stup eller et rassted i nærheten.»

Kaja drakk ut.

«Jeg kan utvide skjenkebevillinga her med en time, om du vil.»

«Takk, Aslak, men jeg må opp tidlig i morgen.»

«Uff,» sa han, lo med øynene og klødde seg i krøllene. «Nå hørtes det ut som jeg …» Han holdt inne.

«Hva da?» sa Kaja.

«Ingenting. Du har vel mann eller kjæreste der nede.»

Kaja smilte, svarte ikke.

Aslak stirret i bordplata, sa lavt: «Nei, skulle du ha sett, bygdepolitiet tålte ikke to glass vin før han begynte å røle.»

«Det er vel greit,» sa hun. «Jeg har ikke kjæreste. Og jeg liker deg godt. Du minner meg om broren min.»

«Men?»

«Men hva da?»

«Husk at jeg er ekte politi, jeg også. Jeg kan se at du ikke er noen einstøing. Det er noen, ikke sant?»

Kaja lo. Vanligvis ville hun latt det være med det. Kanskje var det vinen. Kanskje var det fordi hun likte Aslak Krongli. Kanskje var det fordi hun ikke hadde hatt noen å snakke med slikt om, ikke etter at Even døde, og Aslak var en fremmed, langt fra Oslo, en som ikke snakket med folk i hennes omgangskrets.

«Jeg er forelsket,» hørte hun seg selv si. «I en politimann.» Hun førte vannglasset forfjamset til munnen, som for å skjule den. Det merkelige var at det var som om det ikke var blitt sant før nå, da hun hadde hørt ordene bli sagt høyt.

Aslak løftet vinglasset sitt mot henne. «Skål for en heldig fyr. Og ei heldig jente. Håper jeg.»

Kaja ristet på hodet. «Det er ikke noe å skåle for. Ikke ennå. Kanskje ikke noen gang. Herregud som jeg snakker …»

«Hva annet har vi å gjøre? Fortell.»

«Det er komplisert. *Han* er komplisert. Og jeg vet ikke om han vil ha meg. Akkurat det er faktisk ganske enkelt.»

«La meg gjette. Han har ei dame, og han greier ikke å gi slipp.»

Kaja sukket. «Kanskje det. Jeg vet ærlig talt ikke. Aslak, takk for all hjelpen, men jeg …»

«… må gå og legge meg nå.» Lensmannen reiste seg. «Jeg håper det skjærer seg fullkomment med den typen din, at du vil flykte fra din kjærlighetssorg i byen og at du da kunne tenke deg å vurdere dette.» Han rakte henne et A4-ark med Hol lensmannskontors brevhode.

Kaja leste og lo høyt. «Lensmannsbetjent?»

«Roy Stille skal gå av med pensjon til høsten og bra politi er vanskelig å finne,» sa Aslak. «Det er stillingsannonsa vår. Vi lyste den ut i forrige uke. Kontoret vårt er i Geilo sentrum. Fri annenhver helg og gratis tannlege.»

Da Kaja la seg, hørte hun fjern bulder. Torden og snøvær hørte sjelden sammen.

Hun ringte Harry, fikk svareren hans. La igjen en liten spøkelseshistorie om kjentmannen Odd Utmo med de råtne tennene og tannreguleringen, om sønnen hans som sikkert var enda styggere siden han hadde gått rundt som gjenferd i atten år her i traktene. Lo. Innså at hun var full. Sa godnatt.

Hun drømte om snøras.

Klokka var elleve på formiddagen. Harry og Joe hadde dratt fra Goma klokka sju, krysset grensen til Rwanda uten problemer, og Harry sto inne på et kontor i annen etasje på terminalbygningen på flyplassen i Kigali. To uniformerte offiserer målte ham fra topp til tå. Ikke uvennlig, men som for å vurdere om han virkelig var det han ga seg ut for: norsk politimann. Harry stakk ID-kortet tilbake i jakkelomma og kjente det glatte papiret på den kaffebrune konvolutten han hadde der. Problemet var at de var to. Hvordan bestikker man to offentlige tjenestemenn på én gang? Ber dem dele innholdet i konvolutten og høflig oppfordre begge om ikke å tyste på den andre?

Den ene offiseren, den samme som hadde kontrollert Harrys pass to dager før, dro bereten bakover i pannen. «*So you want a copy of the immigration card of ... could you repeat the date and the name?*»

«*Adele Vetlesen. We know she arrived at this airport November twenty-fifth. And I do pay a finder's fee.*»

De to offiserene vekslet blikk før den ene forsvant ut døra på signal fra den andre. Han som var igjen gikk bort til vinduet og så ut på flyplassen, på den lille DH8-maskinen som hadde landet, og som om femtifem minutter skulle frakte Harry den første etappen på vei hjem.

«Finnerlønn,» gjentok offiseren lavt. «Jeg går ut fra at du vet at det er ulovlig å prøve å bestikke en offentlig tjenestemann, herr Hole. Men du tenkte vel '*shiit, this is Africa*'.»

Det slo Harry igjen at mannens hud var så svart at den nesten virket lakkert.

Han kjente skjorta klistre seg til ryggen. Den samme skjorta. Kanskje de solgte skjorter på flyplassen i Nairobi. Om han kom så langt.

«*That's right,*» sa Harry.

Offiseren lo og snudde seg. «Tøff, hva? Er du en hard mann, Hole? Jeg så det på deg da du kom. At du er politimann.»

«Å?»

«Du gransket meg like nøye som jeg gransket deg.»

Harry trakk på skuldrene.

Døra gikk opp. Den andre offiseren var tilbake sammen med en kontoristkledd dame med klaprende hæler og briller på nesetippen.

«Jeg beklager,» sa hun på plettfri engelsk og mønstret Harry. «Jeg har sjekket datoen. Vi har ingen Adele Vetlesen som ankom med den flighten.»

«Mm. Kan det ha skjedd en glipp?»

«Usannsynlig. Immigrasjonskortene ligger ordnet etter dato. Den flighten du snakker om er en DH8-maskin fra Entebbe med trettisju seter. Det var fort gjort å sjekke.»

«Mm. Hvis det er så oversiktlig, kan jeg be Dem sjekke en annen ting for meg?»

«De kan naturligvis be. Hva gjelder det?»

«En oversikt over andre utenlandske kvinner som ankom med den flighten.»

«Og hvorfor skulle jeg gi Dem det?»

«Fordi Adele Vetlesen var booket på det flyet. Så enten leverte hun et falskt pass i kontrollen her …»

«Tviler jeg på,» sa passkontrolløren. «Vi sjekker alle passbilder nøye før passet blir lagt mot en scanner med en maskinleser som kontrollerer passnummeret mot det internasjonale registeret til ICAO.»

«… eller så har noen reist i Adele Vetlesens navn, men gått gjennom passkontrollen her med sitt eget, ekte pass. Hvilket er fullt mulig ettersom passnumrene ikke blir sjekket ved innsjekk eller om bordstigning.»

«Stemmer,» sa passkontrollsjefen og dro i bereten. «Folkene fra flyselskapene ser bare at navnet og bildet i passet stemmer sånn noenlunde. Til det bruket kan man få lagd et falskt pass for femti dollar hvor som helst i verden. Det er først når du skal ut av flyplassen på endelig destinasjon og må gjennom passkontrollen at passnummeret sjekkes og hjemmelagde pass avsløres. Men spørsmålet er like fullt: hvorfor skulle vi hjelpe Dem, herr Hole? Er De på offentlig oppdrag her, og har De papirer på det?»

«Mitt offentlige oppdrag var i Kongo,» løy Harry. «Men der fant jeg ingenting. Adele Vetlesen er savnet, og vi frykter at hun kan være drept av en seriemorder som alt har drept minst tre andre kvinner, blant dem et medlem av den norske nasjonalforsamlingen. Navnet hennes er Marit Olsen, dere kan sjekke det på Internett. Jeg er klar over at prosedyre nå er at jeg drar hjem, går via de offentlige kanaler, og vi mister flere dager og gir drapsmannen ytterligere forsprang. Og tid til å drepe igjen.»

Harry så at ordene gjorde inntrykk. Kvinnen og passkontrollsjefen snakket seg imellom, og kvinnen marsjerte ut igjen.

De ventet i taushet.

Harry kikket på klokka. Han hadde ikke sjekket inn på flyet ennå.

Det var gått seks minutter da de hørte klaprende hæler nærme seg igjen.

«Eva Rosenberg, Juliana Verni, Veronica Raul Gueno og Claire Hobbes.» Hun hadde spyttet ut navnene, rettet på brillene og lagt fire immigrasjonskort på bordet foran Harry alt før døra smekket i bak henne.

«Det er ikke så mange europeiske kvinner som kommer hit,» sa hun.

Harrys blikk løp nedover kortene. Alle hadde oppgitt hoteller som adresse i Kigali, men ingen av dem Gorilla Hotel. Han så på hjemmeadressene deres. Eva Rosenberg hadde oppgitt en adresse i Stockholm.

«Takk,» sa Harry og noterte navn, adresse og passnumrene på baksiden av en taxiregning han fant i jakkelomma.

«Beklager at vi ikke kunne være til mer hjelp,» sa kvinnen og rettet på brillene igjen.

«Tvert om,» sa Harry. «Dere har vært til stor hjelp. Virkelig.»

«*And now, policeman,*» sa den høye, tynne offiseren, og smi-
let lyste i det nattsvarte ansiktet.

«*Yes?*» sa Harry og ventet, klar til å ta fram den kaffebrune
konvolutten.

«Nå er det på tide at vi får deg sjekket inn på det flyet til
Nairobi.»

«Mm,» sa Harry og så på klokka. «Det er mulig jeg må ta
det neste.»

«Neste?»

«Jeg må tilbake til Gorilla Hotel.»

Kaja satt i NSBs såkalte komfortvogn som – bortsett fra gratis
aviser, to gratis kaffekopper og strøm til PC – bare betydde at
man satt som sild i tønne i motsetning til i den nesten tomme
økonomiavdelingen. Så da telefonen ringte og hun så det var
Harry, trakk hun skyndsomt inn dit.

«Hvor er du?» spurte Harry.

«På toget. Akkurat passert Kongsberg. Og du?»

«Gorilla Hotel i Kigali. Jeg har fått se på gjestekortet til
Adele Vetlesen. Jeg kommer meg ikke av gårde før ettermid-
dagsflyet, men jeg er hjemme i morgen tidlig. Kan du ringe
din venn gresskarhue på politikammeret i Drammen og spørre
om å få låne postkortet Adele hadde skrevet. Du kan be dem
komme ned på stasjonen med det, dere har jo stopp i Dram-
men.»

«Det er vel å strekke strikken, men jeg skal prøve. Hva skal
vi med det?»

«Sammenligne underskrifter. Det er en skriftekspert som
heter Jean Hue som jobbet på Kripos før han ble uføretrygda.
Innkall ham til kontoret klokka sju i morra.»

«Så tidlig? Tror du han …»

«Du har rett. Jeg scanner og mailer deg gjestekortet til Adele,
så tar du med begge deler opp til Jean i kveld.»

«I kveld?»

«Han blir nok glad for besøk. Hadde du andre planer, så er
de herved kansellert.»

«Greit. Forresten, beklager den oppringningen sent i går.»

«For all del. Underholdende historie.»

«Jeg var litt pussa.»

«Skjønte det.»

Harry la på.

«Takk for all hjelp,» sa han.

Resepsjonisten smilte til svar.

Den kaffebrune konvolutten hadde omsider fått en ny eier.

Kjersti Rødsmoen gikk inn på oppholdsrommet og bort til kvinnen som satt og så ut av vinduet, på regnet som falt på Sandvikens trehus. Foran seg hadde hun et urørt kakestykke med ett lite lys på.

«Denne telefonen ble funnet inne på rommet ditt i sted, Katrine,» sa hun lavt. «Avdelingssøster kom med den til meg. Du vet at det ikke er tillatt?»

Katrine nikket.

«Uansett,» sa Rødsmoen og holdt den fram. «Akkurat nå ringer den.»

Katrine Bratt tok imot den vibrerende mobiltelefonen og trykket på «ja».

«Det er meg,» sa stemmen i den andre enden. «Jeg har fire kvinnenavn her. Jeg vil vite hvilket av dem som ikke var booket på flight RA101 til Kigali den tjuefemte november. Og få bekreftet at vedkommende heller ikke var i bookingsystemet til noe hotell i Rwanda samme natt.»

«Jeg har det bare bra, tante.»

Ett sekunds pause.

«Jeg skjønner. Ring når det passer.»

Katrine rakte telefonen tilbake til Rødsmoen. «Tante som gratulerte meg med bursdagen.»

Kjersti Rødsmoen ristet på hodet. «Reglementet forbyr bruk av mobiltelefon. Så jeg kan ikke se noe i veien for at du har en telefon så lenge du ikke bruker den. Bare sørg for at avdelingssøster ikke ser den, OK?»

Katrine nikket, og Rødsmoen forsvant.

Katrine satt og så ut av vinduet en stund før hun reiste seg og gikk inn på hobbyrommet. Avdelingssøsters stemme nådde henne på terskelen.

«Hva skal du, Katrine?»

Katrine svarte uten å snu seg. «Spille solitaire.»

Kapittel 33
Leipzig

Gunnar Hagen tok heisen ned i kjelleren.

Nedtur. Nedleggelse. Nederlag.

Han steg ut og begynte å gå gjennom kulverten.

Men Bellman hadde holdt det han lovet, han hadde ikke sladret. Og han hadde slengt ut en redningsbøye til ham, en framskutt stilling i det nye, utvidede Kripos. Harrys rapport hadde vært kort og konsis. Ingen resultater. Enhver idiot ville skjønt at det var på tide å begynne å svømme i retning redningsbøya.

Hagen åpnet døra i enden av kulverten uten å banke på.

Kaja Solness smilte blidt, mens Harry Hole – som satt foran dataskjermen med en telefon mot øret – ikke engang snudde seg, bare sang ut et «slå'ræ-ned-sjef-litt-vond-kaffe?» som om avsnittssjefens vardøger alt hadde meldt hans ankomst.

Hagen ble stående i døra: «Jeg fikk beskjeden om at dere ikke fant Adele Vetlesen. På tide å pakke sammen. Tiden er ute, dere trengs til annet arbeid. I hvert fall du, Solness.»

«*Danke schön, Günther,*» sa Harry i telefonen, la den fra seg og svingte stolen rundt.

«*Danke schön?*» gjentok Hagen.

«Politiet i Leipzig,» sa Harry. «Jeg skal forresten hilse så mye fra Katrine Bratt, sjef. Du husker henne?»

Hagen så mistenksomt på førstebetjenten sin. «Jeg trodde Bratt satt på mentalinstitusjon.»

«Definitivt,» sa Harry, reiste seg og gikk bort til kaffetrakte-ren. «Men dama er en jævel til å søke på nettet. Apropos søk, sjef.»

«Søk?»

«Kunne du tenke deg å gi oss uinnskrenkede midler til en leteaksjon?»

Hagen så vantro på førstebetjenten. Så lo han høyt. «Du er pokker ikke sann, Harry. Dere har akkurat svidd av et halvt rei-sebudsjett på en fiaskotur til Kongo, og nå vil du ha en leteak-sjon? Denne operasjonen opphører fra og med dette øyeblikk. Skjønner du?»

«Jeg skjønner ...» sa Harry, skjenket kaffe i to kopper og rakte den ene til Hagen, «... så mye mer. Og snart vil du gjøre det samme, sjef. Lån stolen min og hør litt etter nå.»

Hagen så fra Harry til Kaja. Stirret mistenksomt på innhol-det i koppen. Så satte han seg. «Dere har to minutter.»

«Det er ganske enkelt,» sa Harry. «Ifølge passasjerlistene til Brussels Air reiste Adele Vetlesen til Kigali den tjuefemte novem-ber. Men ifølge passkontrollen gikk ingen med det navnet av der. Det som har skjedd, er at en kvinne med et falskt pass utstedt på Adele har reist fra Oslo. Falskt pass fungerer helt fint helt til hun kommer til endelig destinasjon i Kigali, for det er først der passet maskinleses og passnummeret sjekkes, ikke sant? Så der måtte den mystiske kvinnen bruke sitt eget, ekte pass. Passkontrollen ber ikke om å få se navnet på flybilletten din, så en eventuell uoverensstemmelse mellom pass og billett vil ikke oppdages. Om man ikke ser etter den, naturligvis.»

«Men det gjorde du?»

«Jepp.»

«Kan det ikke bare skyldes en administrativ feil, at de har glemt å registrere Adeles ankomst?»

«Jo da. Men så er det kortet ...»

Harry nikket til Kaja som holdt fram et postkort. Hagen registrerte bildet av noe som lignet en rykende vulkan.

«Det er postet i Kigali samme dag som hun angivelig skulle ha ankommet,» sa Harry. «Men for det første er det bilde av

Nyiragongo, en vulkan som ligger i Kongo og ikke i Rwanda. For det andre fikk vi Jean Hue til å sammenligne underskriften på dette kortet med det som står på innsjekkingskortet den påståtte Adele Vetlesen fylte ut på Gorilla Hotel.»

«Han slo fast det selv jeg kan se,» sa Kaja. «Det er ikke samme person.»

«Ålreit, ålreit,» sa Hagen. «Men hva vil dere fram til med dette?»

«At noen har gått til store anstrengelser for å få det til å se ut som Adele Vetlesen dro til Afrika,» sa Harry. «Jeg tipper at Adele befant seg i Norge og ble tvunget til å skrive kortet her. Kortet er så blitt tatt med til Afrika av en annen person som har sendt det derfra. Alt for å få det til å se ut som Adele har reist dit og så skrevet hjem om drømmemannen og at hun ikke er tilbake før i mars.»

«Noen idé om hvem denne stråpersonen kan være?»

«Ja.»

«Ja?»

«Hos immigrasjonsmyndighetene på flyplassen i Kigali fant de et kort utfylt på en Juliana Verni. Men ifølge vår ravende gale venn i Bergen finnes dette navnet verken på noen flyselskapers passasjerliste til Rwanda eller på noe hotell med moderne, elektronisk bookingverktøy på den aktuelle datoen. Men hun er på passasjerlisten til Rwandair fra Kigali tre dager senere.»

«Har jeg lyst til å vite hvordan dere har skaffet dere denne informasjonen?»

«Nei, sjef. Men du har lyst til å vite hvem og hvor Juliana Verni er.»

«Og det er?»

Harry så på klokka. «Ifølge opplysningene på immigrasjonskortet hennes bor hun i Leipzig i Tyskland. Noen gang vært i Leipzig, sjef?»

«Nei.»

«Ikke jeg heller. Men jeg veit at det er kjent for å være hjembyen til Goethe og Bach pluss en av disse valsekongene. Hva var det han het igjen?»

«Hva har dette med ...»

«Jo, og så er Leipzig kjent for hovedarkivene til STASI, overvåkningspolitiet. Byen lå nemlig i gamle DDR. Visste du at østtyskernes måte å snakke på rakk å utvikle seg såpass på de førti årene DDR eksisterte at et følsomt språkøre kan høre forskjell på dem og vesttyskere?»

«Harry ...»

«Beklager, sjef. Poenget er at en kvinne med østtysk dialekt i samme tidsperiode var i byen Goma i Kongo, som bare er tre timers kjøring fra Kigala. Og der kjøpte hun det jeg er overbevist om er drapsvåpenet som tok livet av Borgny Stem-Myhre og Charlotte Lolles.»

«Vi har fått sendt en utskrift av passkopien som politiet beholder når de utsteder pass,» sa Kaja og rakte Hagen et ark.

«Stemmer med van Boorsts beskrivelse av kjøperen,» sa Harry. «Juliana Verni hadde store, rustrøde krøller.»

«Mursteinsrødt,» sa Kaja.

«Hva behager?» sa Hagen.

Kaja pekte på arket. «Hun har et pass av den gammeldagse typen hvor hårfargen står oppført. De kalte det 'brick red', mursteinsrødt. Tysk grundighet, du vet.»

«Jeg har også bedt politiet i Leipzig konfiskere passet hennes og kontrollere at det har stempel fra Kigali den aktuelle datoen.»

Gunnar Hagen stirret tomt på arket mens han så ut som han prøvde å få det Harry og Kaja hadde sagt til å synke inn. Til slutt så han opp med et hevet, buskete øyebryn. «Sier du ... sier du at du kan ha personen som ...» Overbetjenten svelget, prøvde å finne en indirekte måte å si det i redsel for at dette mirakelet, denne luftspeilingen ville forsvinne om han sa det høyt. Men han ga opp forsøket: «... er seriemorderen vår?»

«Jeg sier ikke mer enn det jeg sier,» sa Harry. «Foreløpig. Min kollega i Leipzig sjekker personalia og strafferegister nå, så vi vet snart litt mer om Fräulein Verni.»

«Men dette er jo fantastiske nyheter,» sa Hagen og så glisende fra Harry til Kaja som nikket oppmuntrende.

«Ikke ...» sa Harry og tok en slurk av kaffekoppen sin. «... for Adele Vetlesens familie.»

Hagens smil sluknet. «Sant. Tror du det er noe håp for ...?»

Harry ristet på hodet. «Hun er død, sjef.»

«Men ...»

I det samme ringte telefonen.

Harry tok den. «Ja. Günther!» Og gjentok med et anstrengt smil: «Ja, Harry Klein. *Genau.*»

Gunnar Hagen og Kaja betraktet Harry som lyttet i taushet. Harry avsluttet med et «*danke*» og la på. Kremtet.

«Hun er død.»

«Ja, du sa det,» sa Hagen.

«Nei. Juliana Verni. Hun ble funnet i Elster-elven den andre desember.»

Hagen bannet stumt.

«Dødsårsak?» spurte Kaja.

Harry stirret framfor seg. «Drukning.»

«Kan ha vært en ulykke.»

Harry ristet langsomt på hodet. «Hun druknet ikke av vann.»

I stillheten som fulgte hørte de rumlingen fra fyringskjelene i naborommet.

«Stikksår i munnen?» spurte Kaja.

Harry nikket. «Temmelig nøyaktig tjuefire. Hun ble sendt til Afrika for å ta med seg hjem det hun selv skulle drepes med.»

Kapittel 34
Medium

«Så Juliana Verni ble funnet død i Leipzig tre dager etter at hun fløy hjem fra Kigali,» sa Kaja. «Hvor hun hadde reist som Adele Vetlesen, skrevet seg inn på Gorilla Hotell som Adele Vetlesen og postlagt et kort som var skrevet av den virkelige Adele Vetlesen, sannsynligvis på diktat.»

«Jepp,» sa Harry, som var i gang med å fyre opp ny trakte-kaffe.

«Og dere tror altså at Verni må ha gjort det i samarbeid med noen,» sa Hagen. «Og så har den andre personen drept henne for å skjule sporene.»

«Ja,» sa Harry.

«Så da er det jo bare å finne linken mellom henne og denne andre personen. Det burde vel ikke være så vanskelig, de må jo ha hatt tette forbindelser hvis de begikk denne type forbry-telser sammen.»

«I dette tilfellet blir det svært vanskelig, tipper jeg.»

«Hvorfor det?»

«Fordi,» sa Harry, smelte igjen lokket på trakteren og slo på bryteren. «Juliana Verni var i Strafferegisteret. Narkotika. Pro-stitusjon. Løsgjengeri. Hun var kort sagt en person det ville være enkelt å hyre inn til en jobb som denne, bare betalingen var god nok. Og alt i denne saken tyder på at personen bak ikke har lagt igjen spor til oss, at han har tenkt på det meste. Katrine fant ut at Verni reiste fra Leipzig til Oslo. Derfra dro hun altså

216

videre i Adeles navn til Kigali. Likevel fant ikke Katrine så mye som en telefonsamtale mellom Vernis mobiltelefon og Norge. Denne personen har vært forsiktig.»

Hagen ristet mismodig på hodet. «Så nær ...»

Harry satte seg på skrivebordet. «Det er et annet dilemma vi må ta stilling til også. Gjestene på Håvasshytta den natta.»

«Hva med dem?»

«Vi kan ikke utelukke at den forsvunne siden i gjesteboka er en dødsliste. De må advares.»

«Hvordan? Vi vet jo ikke hvem de er.»

«Gjennom media. Selv om det betyr at vi avslører overfor drapsmannen at vi er på det sporet.»

Hagen ristet langsomt på hodet. «Dødsliste. Og dette konkluderer du med først *nå*?»

«Jeg veit det, sjef.» Harry møtte Hagens blikk. «Om jeg hadde gått til media med en advarsel med én gang vi oppdaget Håvasshytta, kunne det ha reddet Elias Skog.»

Det ble stille i rommet.

«*Vi* kan ikke gå til media,» sa Hagen.

«Hvorfor ikke?»

«Hvis noen melder seg, kan vi kanskje få vite hvem ellers som var der og hva som egentlig skjedde,» sa Kaja.

«Vi kan ikke gå til media,» sa Hagen og reiste seg. «Vi har etterforsket en savnetsak og avslørt forbindelser til en drapssak som Kripos har. Vi må overbringe informasjonen til dem og la dem ta det videre. Jeg ringer Bellman.»

«Vent!» sa Harry. «Skal han ta all æren for jobben vi har gjort?»

«Det er ikke sikkert det blir noe ære til fordeling, er det vel?» sa Hagen og gikk mot døra. «Og dere får begynne å flytte ut herfra.»

«Er ikke det litt forhastet?» sa Kaja.

De to andre så på henne.

«Jeg mener, vi har like fullt en savnet person her. Burde vi ikke prøve å finne henne før vi rydder sammen?»

«Og hvordan har du tenkt å få til det?» spurte Hagen.

«Med det Harry sa i stad. En leteaksjon.»

«Dere vet jo pokker ikke hvor dere skal lete engang.»

«Harry vet det.»

De så på mannen som akkurat hadde nappet bort kaffekolben med den ene hånden og med den andre holdt koppen sin under den skittenbrune strålen som rant fra trakteren.

«Gjør du?» sa Hagen til slutt.

«Ja visst,» sa Harry.

«Hvor da?»

«Du kommer til å få bråk,» sa Harry.

«Hold kjeft og kom med det,» sa Hagen uten å legge merke til selvmotsigelsen. Fordi han tenkte at nå var han i ferd med å gjøre det igjen. Hva var det med den høye, lyse politimannen som gjorde at han alltid greide å ta med seg folk når han falt?

Olav Hole så opp på Harry og kvinnen han hadde med seg.

Hun hadde neiet da hun presenterte seg, og Harry hadde sett at faren likte det, han pleide å klage over at kvinner hadde sluttet å neie.

«Så du er Harrys kollega,» sa faren. «Oppfører han seg som han skal?»

«Vi er på vei for å organisere et søk,» sa Harry. «Svingte bare innom på veien for å se hvordan det gikk.»

Faren smilte blekt, trakk på skuldrene og vinket Harry nærmere. Harry lente seg fram, lyttet. Og rykket tilbake.

«Det går nok bra,» sa Harry med plutselig hes stemme og reiste seg. «Jeg kommer tilbake i kveld, OK?»

Ute i korridoren stanset Harry Altman og signaliserte at Kaja skulle gå i forveien.

«Hør, jeg lurer på om du kan gjøre meg en stor tjeneste?» sa han da Kaja var ute av hørevidde. «Faren min fortalte meg akkurat at han har smerter. Han vil aldri innrømme det overfor dere fordi han er redd for at dere skal gi ham mer smertestillende. Du skjønner, han har en manisk redsel for å bli avhengig av … rus. Det er litt familiehistorie på sånt.»

«Sønner,» lespet pleieren og det oppsto et øyeblikks forvirring før Harry forsto at Altman hadde sagt «skjønner.»

«Problemet er at jeg ambulerer mellom avdelingene hele tiden.»

«Jeg ber om det som en personlig tjeneste.»

Altman knep øynene sammen bak brilleglassene, stirret tenksomt på et punkt mellom seg selv og Harry. «Jeg skal se hva jeg kan få til.»

«Takk.»

Kaja kjørte mens Harry satt i telefonen og snakket med operasjonssjefen på brannstasjonen på Briskeby.

«Faren din virker som en bra mann,» sa Kaja da Harry la på.

Harry tenkte seg om. «Mamma gjorde ham bra,» sa han. «Da hun levde, var han bra. Hun fikk fram det beste i ham.»

«Høres ut som noe du har opplevd selv,» sa hun.

«Hva da?»

«At noen har gjort deg bra.»

Harry så ut av vinduet. Nikket.

«Rakel?»

«Rakel og Oleg,» sa Harry.

«Beklager, det var ikke meningen å …»

«Det er greit.»

«Det var bare at da jeg kom til Voldsavsnittet, snakket alle om Snømannen-saken. At han holdt på å ta livet av dem. Og deg. Men det var alt slutt mellom dere før den saken begynte, var det ikke?»

«På sett og vis,» sa Harry.

«Har du hatt noen kontakt med dem?»

Harry ristet på hodet. «Vi måtte prøve å legge det bak oss. Hjelpe Oleg å glemme. Når de er så unge, greier de fortsatt det.»

«Ikke alltid,» sa Kaja og smilte skjevt.

Harry kikket bort på henne. «Og hvem har gjort deg bra?»

«Even,» sa hun fort og uten nøling.

«Ingen stor kjærlighet?»

Hun ristet på hodet. «Ingen XL. Bare noen small. Og én medium.»

«Noen i kikkerten?»

Hun lo lavt. «*I kikkerten?*»

Harry smilte. «Ordforrådet mitt er litt gammelmodig på det området.»

Hun trakk på det. «Jeg er nok litt hengt opp i en fyr.»

«Og utsiktene er?»

«Dårlige.»

«La meg tippe,» sa Harry, sveivet ned vinduet litt og tente en sigarett. «Han er gift og sier at han vil gå fra kona og ungene for din skyld, men gjør det aldri?»

Hun lo. «La meg tippe. Du er én av dem som synes du er pokker så god til å lese andre mennesker fordi du bare husker de gangene gjetningene dine stemte.»

«Han sa du bare må gi ham litt tid?»

«Feil igjen,» sa hun. «Han sier ingenting.»

Harry nikket. Han skulle til å spørre mer da han kjente det: han ville ikke vite.

Kapittel 35
Dykket

Tåka drev over Lyserens svarte, blanke vannflate. Langs bredden sto trærne som dystre, tause vitner med lutende skuldrer. Stillheten ble brutt av kommandorop, radiokommunikasjon og plask da dykkerne bikket baklengs over bord fra gummibåtene. De hadde startet langs land, nærmest reperbanen. Dykkelederne hadde sendt dykkerne sine ut i vifteformasjon, og nå sto de på land, krysset av i rutemønsteret på kartet hvilke deler av det definerte søkeområdet de hadde dekket, og signaliserte med rykk i linene når de ville at dykkerne skulle stoppe eller komme tilbake. De proffe redningsdykkerne, slike som Jarle Andreassen, hadde dessuten ledninger i linene som gikk opp til helmaskene som gjorde at de kunne kommunisere muntlig.

Det var bare seks måneder siden Jarle hadde tatt sitt klasse R-kurs, og han fikk fremdeles høy puls under disse dykkene. Og høy puls betydde høyere luftforbruk. De mer erfarne karene på brannstasjonen på Briskeby kalte ham «Duppen» siden han så ofte måtte opp og skifte luftflasker.

Jarle visste at det fremdeles var godt dagslys der oppe, men her nede var det svarte natta. Han prøvde å svømme de foreskrevne halvannen meterne over bunnen, likevel virvlet han opp mudder som reflekterte lyset fra lykta og delvis blendet ham. Selv om han visste at det var andre dykkere bare noen meter fra ham på begge sider, følte han seg ensom. Ensom og

221

kald inntil margen. Og ennå kunne de ha timer med dykking foran seg. Han visste at han hadde mindre luft igjen enn de andre dykkerne og bannet inni seg. At han kom til å være den første av redningsdykkerne fra Oslo Brannstasjon som måtte skifte flaske var greit, men han fryktet at han kom til å måtte gå opp før de frivillige fra de lokale dykkerklubbene også. Han rettet blikket framover igjen og stoppet å puste. Ikke som en villet handling for å redusere forbruket. Men fordi midt i lys-kjeglen, inne i den svaiende skogen av stengler som vokste fra mudderbunnen nærmere land, svevet en skikkelse i løse lufta. En skikkelse som ikke hørte hjemme her nede, som ikke kunne leve her. Et fremmedelement. Det var det som gjorde det så fantastisk og samtidig så skremmende. Eller kanskje var det at lyset fra lykta hans ble reflektert i de mørke øynene slik at det så ut som det fremdeles var i live.

«Alt i orden, Jarle?»

Det var dykkelederens stemme. En av oppgavene hans var å lytte etter pusten til dykkerne sine. Ikke bare om de pustet, men om pusten viste uro. Eller overdreven ro. Allerede på tjue meters dybde begynte hjernen å lagre såpass mye nitrogen at dybderusen kunne komme, nitrogennarkosen som betydde at en begynte å glemme ting, at enkle arbeidsoppgaver ble litt vanskeligere, og som på større dybder kunne gi svimmelhet, tunnelsyn og direkte irrasjonell adferd. Jarle visste ikke om det bare var vandrehistorier, men han hadde hørt om dykkere som leende hadde dratt av seg maskene på femti meter dyp. Selv hadde han til nå bare merket rusen omtrent som den beha-gelige rødvinsroen han pleide å nyte sammen med samboeren sin på sene lørdagskvelder.

«Alt i orden,» sa Jarle Andreassen og begynte å puste igjen. Han sugde inn luftblandingen av nitrogen og oksygen og hørte det rumle forbi ørene da han slapp klaser av bobler som tumlet desperat mot overflaten.

Det var en stor kronhjort. Den hang opp ned, så ut som den var fanget i et stup med det veldige geviret foran seg. Den måtte ha gresset ved bredden og falt uti. Eller kanskje hadde noe eller noen jagd den ut i vannet, hva hadde den ellers der å gjøre? Den hadde sannsynligvis viklet seg inn i sivet og de flere meter lange stenglene til vannliljene, prøvd å komme løs, med det resultat at den bare hadde viklet seg enda mer inn i de grønne, seige fangarmene. Og så hadde den gått under og kjempet videre til den hadde druknet. Sunket til bunns og ligget der til bakterier og kroppens kjemi hadde fylt den med gass og den hadde steget mot overflaten igjen, men var blitt hengende igjen etter geviret i det grønne gitteret av ting som vokste her nede. Om noen dager ville kadaveret tømmes for gass og det ville synke igjen. Akkurat som et druknet menneske. Det kunne utmerket godt hende at det samme hadde skjedd med den de lette etter, at det var derfor kroppen ikke var blitt funnet, fordi den aldri hadde flytt opp. I tilfelle lå den her nede et sted, sannsynligvis dekket av et lag av mudder. Mudder som uunngåelig ville bli virvlet opp når de kom nær, som gjorde at selv små, definerte søkeområder som dette kunne gjemme på sine hemmeligheter i all evighet.

Jarle Andreassen trakk fram den kraftige dykkerkniven, svømte bort til hjorten og skar over stenglene under geviret. Det ante ham at hans overordnede ikke ville sette pris på det, men han orket ikke tanken på at det flotte dyret skulle forbli her under vann. Kadaveret steg en halvmeter, men så var det flere stengler som holdt den igjen. Jarle var forsiktig så linen ikke kom inn blant stenglene og skyndte seg å kutte. Så kjente han et rykk i linen. Hardt nok til at han merket irritasjonen. Hardt nok til at han et øyeblikk mistet konsentrasjonen. Kniven hadde glidd ut av hånden hans. Han rettet lykta mot bunnen og rakk å se knivbladet glimte i lyset før det forsvant i mudderet. Han svømte forsiktig etter. Strakte hånden ned i mudderet som steg opp mot ham som aske. Følte seg fram på bunnen. Kjente stein, kvister, sleipe av råte og grønske. Og noe hardt. Kjetting. Sikkert fra en båt. Mer kjetting. Noe annet. Hardt. Konturene av noe. Et hull, en åpning. Han hørte den plutselige fresingen av bobler før hjernen rakk å formulere tanken. At han var redd.

«Alt i orden, Jarle? Jarle?»

Alt var ikke i orden. For selv med tykke hansker, selv med en hjerne som ikke syntes den kunne få nok luft, var han ikke i tvil om hvor han hadde hånden. Inne i det åpne gapet på et menneske.

DEL IV

Kapittel 36
Helikopter

Mikael Bellman ankom Lyseren med helikopter. Rotorbladene lagde sukkerspinn av tåka mens han jogget krumbøyd fra passasjersetet og over jordet bak reperbanen. Etter ham småløp Kolkka og Beavis. I motsatt retning kom fire menn bærende på en kurvbåre. Bellman stoppet dem og dro til side teppet. Mens bårebærerne sto med bortvendte ansikter, lente Bellman seg over båren og studerte nøye det nakne, hvite, oppblåste liket.

«Takk,» sa han og lot dem fortsette mot helikopteret.

Bellman stoppet på toppen av skråningen og så ned på menneskene som sto mellom bygningen og vannet. Mellom dykkere som dro av seg utstyr og drakter, så han Beate Lønn og Kaja Solness. Og lenger borte Harry Hole som snakket med en mann Bellman tippet var Skai, den lokale lensmannen.

Overbetjenten signaliserte at Beavis og Kolkka skulle vente der og bukserte seg smidig og hurtig ned skrenten.

«God dag, lensmann,» sa Bellman og børstet småkvister av den lange frakken. «Mikael Bellman, Kripos, vi har snakket sammen på telefonen.»

«Stemmer,» sa Skai. «Det var samme kvelden som folka hans hadde funnet noe tau her.» Han pekte på Harry med tommelen.

«Og nå er han visst her igjen,» sa Bellman. «Spørsmålet er selvfølgelig hva han gjør på mitt drapsåsted.»

«Vel,» sa Harry og kremtet. «For det første er dette neppe

noe åsted. For det andre leter jeg etter savnede personer. Og det ser faktisk ut til at vi har funnet det vi leter etter. Hvordan går det med trippeldrapet? Funnet noe? Du har fått informasjonen vår om Håvasshytta?»

Lensmannen fikk et blikk av Bellman og fjernet seg diskré, men hurtig.

Bellman så utover vannet mens han dro en pekefinger over underleppen som for å gni ut en salve. «Nå, Hole. Du er klar over at du akkurat har sørget for at både du selv og sjefen din, Gunnar Hagen, ikke bare har mistet jobben, men kommer til å bli tiltalt for tjenesteforsømmelse?»

«Mm. Fordi vi gjør jobben vi er satt til?»

«Jeg tror justisministerens kontor vil forlange en ganske grundig forklaring på hvorfor dere satte i gang søk etter en savnet person rett utenfor reperbanen hvor repet som drepte Marit Olsen stammer fra. Jeg ga dere en sjanse, dere får ikke en ny. Game over, Hole.»

«Så får vi gi justisministeren en grundig forklaring, Bellman. Den bør selvfølgelig inneholde informasjon om at vi fant ut hvor repet stammet fra, kom på sporet av Elias Skog og Håvasshytta, fant ut at det var et fjerde offer som het Adele Vetlesen og i dag fant henne her. En jobb Kripos med alle sine folk og ressurser ikke har greid på over to måneder. Eller hva, Bellman?»

Bellman svarte ikke.

«Redd for at det kan rokke ved justisministerens vurdering av hvilken enhet som er best egnet til å etterforske drap her i landet?»

«Ikke overspill hånden din, Hole. Jeg moser deg sånn.» Bellman knipset med fingrene.

«OK,» sa Harry. «Ingen av oss har en vinnerhånd, så hva sier du til jekk?»

«Hva faen mener du?»

«Du får alt. Alt vi har. Vi tar ikke æren for noe.»

Bellman så mistenksomt på Harry. «Og hvorfor skulle du hjelpe oss?»

«Enkelt,» sa Harry og fisket den siste sigaretten opp av esken.

«Jeg får betalt for å bidra til å ta drapsmannen. Det er jobben min.»

Bellman gjorde en grimase og beveget skuldrene og hodet som om han lo, men det kom ikke en lyd. «Kom igjen, Hole, hva er det du vil ha?»

Harry tente sigaretten. «Jeg vil at verken Gunnar Hagen, Kaja Solness eller Bjørn Holm skal ta støyten her. Deres fremtidsutsikter i etaten skal være uforandret.»

Bellman klemte den fyldige underleppen mellom tommel og pekefinger:

«Jeg skal se hva jeg kan få til.»

«Og jeg vil delta. Jeg vil ha adgang til alt materialet dere har og få tilgang til etterforskningsressurser.»

«Stopp!» sa Bellman og løftet en hånd. «Hører du dårlig, Hole? Jeg ga deg beskjed om å holde deg unna denne saken.»

«Vi kan fange denne drapsmannen sammen, Bellman. Akkurat nå er vel det viktigere enn hvem faen som skal bestemme etterpå?»

«Ikke …!» ropte Bellman, men holdt inne da han så et par hoder snu seg mot dem. Han gikk et skritt nærmere Harry og senket stemmen: «Ikke snakk til meg som om jeg er en idiot, Hole.»

Vindretningen førte røyken fra Harrys sigarett rett i Bellmans ansikt, men han blunket ikke. Harry trakk på skuldrene. «Vet du hva, Bellman? Jeg tror ikke dette handler så mye om makt og politikk som at du er en liten gutt som har lyst til å være fyren som redder dagen. Så enkelt. Og nå er du redd for at jeg skal ødelegge helteposet. Men det finnes en enkel måte å få dette avgjort på. Hva om vi knepper opp her og nå og ser hvem som greier å pisse ut til dykkerbåten?»

Da Mikael Bellman lo denne gangen, var det på ordentlig, med lyd og det hele.

«Du burde lese advarslene, Harry.»

Den høyre hånden hans skjøt ut, så fort at Harry ikke rakk å reagere, og nappet sigaretten ut mellom leppene hans og knipset den vekk. Den traff vannflaten og ga fra seg et lite fres.

«Det kan ta livet av deg. Ha en god dag.»

Harry hørte helikopteret ta av mens han så på den siste sigaretten der den lå og fløt i vannskorpa. Det grå, våte sigarettpapiret, den svarte, døde enden.

Det var begynt å skumre da dykkerlagets båt satte Harry, Kaja og Beate Lønn i land ved parkeringsplassen. Det ble straks bevegelse under trærne, og like etter blinket det i blitz. Harry holdt automatisk en arm opp og hørte Roger Gjendems stemme inne fra mørket:

«Harry Hole, det går rykter om at dere har funnet en ung kvinne? Hva heter hun og hvor sikre er dere på at dette har forbindelse med de andre drapene?»

«Ingen kommentar,» sa Harry og banet seg vei halvt blendet. «Dette er foreløpig en savnetsak, og det eneste vi kan si er at en kvinne som muligens er den savnede er funnet. Når det gjelder drapssakene jeg går ut fra at du sikter til, kan du snakke med Kripos.»

«Navn på kvinnen?»

«Først må hun identifiseres og de pårørende informeres.»

«Men dere utelukker ikke at ...»

«Jeg utelukker som vanlig ingenting, Gjendem. Pressemelding kommer.»

Harry kom seg inn i bilen hvor Kaja alt hadde fått motoren i gang, og Beate Lønn satt i baksetet. De trillet ut på veien mens det glimtet i blitz bak dem.

«Nå,» sa Beate Lønn og lente seg fram mellom setene. «Jeg har ennå ikke fått forklaringen på hvordan dere kom på å lete etter Adele Vetlesen akkurat her.»

«Ren, skjær deduktiv logikk,» sa Harry.

«Selvfølgelig,» sukket Beate.

«Det er faktisk flaut at jeg ikke kom på det før,» sa Harry. «Jeg gikk rundt og lurte på hvorfor drapsmannen hadde tatt seg bryet med å dra helt ut til en nedlagt reperbane bare for å skaffe seg et tau. Særlig siden et slikt tau – i motsetning til et han kunne kjøpt i en butikk – kunne spores hit. Svaret var jo

230

åpenbart. Likevel var det først da jeg satt og så ut på en dyp, afrikansk innsjø at jeg kom på det. At det ikke var på grunn av tauet han dro hit. Sannsynligvis brukte han tauet til noe her ute og tok det så med seg hjem hvor han senere – fordi han tilfeldigvis hadde det liggende – brukte det da han drepte Marit Olsen. Grunnen til at han dro hit, var at han alt hadde et lik å kvitte seg med. Adele Vetlesen. Lensmann Skai sa det til oss i klartekst første gang vi var her. At dette er den dype enden av vannet. Drapsmannen fylte buksene hennes med stein og surret igjen livet og buksebeina hennes med tauet før han lempet henne over bord.»

«Hvordan vet du at hun var død før hun kom hit? Han kan ha druknet henne.»

«Hun hadde et stort kutt i halsen. Jeg tipper obduksjonen vil vise at det ikke er vann i lungene.»

«Og at hun har ketanomin i blodet slik som Charlotte og Borgny,» sa Beate.

«Jeg har skjønt at ketanomin er et hurtigvirkende bedøvelsesmiddel,» sa Harry. «Rart at jeg ikke har hørt om det før.»

«Ikke så rart,» sa Beate. «Det er en gammel billigkopi av ketalar som man bruker til narkose, og har den fordelen at pasienten fortsetter å puste for egen maskin. Ketanomin ble forbudt i EU og Norge på nittitallet på grunn av bivirkningene, så nå finnes det stort sett i u-land. Kripos brukte det som et hovedspor en stund, men kom ingen vei.»

Da de satte Beate av på Krimteknisk på Bryn førti minutter senere, ba Harry Kaja vente litt og gikk ut av bilen.

«En ting jeg ville spørre deg om,» sa Harry.

«Ja?» sa Beate hutrende og gned hendene sammen.

«Hva gjør du ute på et mulig åsted? Hvorfor var ikke Bjørn der?»

«Fordi Bellman har satt Bjørn på spesialtjeneste.»

«Og hva betyr det? Latrinevask?»

«Nei. Koordinering av Krimteknisk og taktisk etterforskning.»

«Hva?» Harry hevet forbauset øyebrynene. «Det er jo en forfremmelse.»

Beate trakk på skuldrene. «Bjørn er dyktig. Det var på tide. Noe mer?»

«Nei.»

«God kveld.»

«God kveld. Eller, forresten, vent litt. Jeg ringte deg jo og ba deg lekke til Bellman at vi hadde funnet det tauet på reperbanen. Når ga du beskjeden videre til ham?»

«Du ringte meg jo på natta, så jeg ventet til tidlig neste morgenen. Hvordan det?»

«Ingenting,» sa Harry. «Ingenting.»

Da han satte seg inn i bilen igjen, stakk Kaja akkurat telefonen i jakkelomma.

«Likfunnet er allerede på nettsidene til Aftenposten,» sa hun.

«Ja vel?»

«De sier at det er et stort bilde av deg med fullt navn, og at du omtales som 'etterforskningsleder'. Og de linker selvfølgelig saken til de andre drapene.»

«Så det gjør de. Mm. Si meg, er du også sulten?»

«Temmelig.»

«Har du planer? Hvis ikke spanderer jeg middag.»

«Fint! Hvor da?»

«Ekebergrestauranten.»

«Oi. Eksklusivt. Noen grunn til akkurat den?»

«Nja. Kom på den da en kamerat av meg minnet meg på en gammel historie.»

«Få høre.»

«Ikke noe å høre, bare en vanlig pubertetshistor...»

«Pubertet! Fortell!»

Harry humret lavt. Og mens de kom seg til sentrum og begynte å sno seg oppover mot Ekebergåsen, fortalte Harry om Killer Queen, dronningen av Ekebergrestauranten, en gang den flotteste funkisbygningen i Oslo. Som nå – etter oppussingen – var blitt det igjen.

«Men på åttitallet var huset så nedslitt at folk egentlig hadde gitt opp hele stedet. Det var blitt en forsoffen danserestaurant hvor man engasjerte ved bordene, forsøksvis uten å velte drinkeglassene. Og så subbet rundt på gulvet og støttet hverandre opp.»

«Jeg skjønner.»

«Jeg og Øystein og Tresko pleide å holde til på toppen av tyskerbunkersene på Nordstrand, drikke øl og vente på at ungdomstida skulle gå over. Da vi var sytten, våga vi oss bort til Ekebergrestauranten, jugde på alderen og kom oss inn. Det skulle ikke så mye juging til, stedet trengte den omsetninga de kunne få. Dansebandet stinka, men de spilte i hvert fall «Nights in White Satin». Og de hadde en attraksjon som var gjest nesten hver kveld. Vi kalte henne bare Killer Queen. En fullrigger av ei dame.»

«*Fullrigger?*» lo Kaja. «*I kikkerten?*»

«Jepp,» sa Harry. «Kom mot deg for fulle seil, råflott og dritskummel. Oppstasa som et tivoli. Med kurver som en berg- og dalbane.»

Kaja lo enda høyere. «Rett og slett den lokale fornøyelsesparken?»

«På sett og vis,» sa Harry. «Men hun gikk på Ekebergrestauranten først og fremst for å bli sett og tilbedt, tror jeg. Og for de gratis drinkene fra avblomstra danseløver, selvfølgelig. Det var aldri noen som så Killer Queen bli med noen av dem hjem. Det var kanskje det som fascinerte oss. Ei dame som hadde måttet gå ned en eller to divisjon i tilbederskare, men likevel på sett og vis holdt stilen.»

«Men så?»

«Øystein og Tresko sa at de spanderte hver sin whisky om jeg torde å be henne opp.»

De svingte over trikkeskinna og opp den siste bratte bakken mot restauranten.

«Og?» sa Kaja.

«Jeg torde.»

«Og så?»

«Vi dansa. Til hun sa at hun var lei av å bli tråkka på tærne

233

og sa vi heller skulle gå oss en tur. Hun gikk først. Det var august, varmt og som du ser er det bare skau rundt her. Med tett løvverk og masse stier til bortgjemte steder. Jeg var full, men likevel så opphissa at jeg visste at hun kom til å høre skjelvinga i stemmen min om jeg sa noe. Så jeg holdt kjeft. Og det var greit, hun sto for snakkinga. Og resten også. Etterpå spurte hun om jeg ville bli med hjem til henne.»

Kaja kniste. «Oi. Og hva skjedde der?»

«Vi tar resten under middagen, vi er fremme.»

De stoppet på parkeringsplassen, steg ut og tok trappa til restauranten. Hovmesteren ønsket dem velkommen ved inngangen til spisesalen og spurte om navnet. Harry svarte at de ikke hadde bestilt.

Hovmesteren greide bare nesten å la være å himle med øynene.

«Fullt de neste to månedene,» snøftet Harry da de gikk ut, etter at han hadde fått kjøpe sigaretter i baren. «Jeg tror jeg likte stedet bedre da vannet lakk rett inn i spisesalen og rottene skreik mot deg fra bak dassene. Vi kom i hvert fall *inn*.»

«La oss røyke,» sa Kaja.

De gikk bort til den lave murkanten hvor skogsiden skrådde ned mot byen. Skyene i vest var farget oransje og rødt, og bilkøene på motorveien glitret som morild i byens svarthet. Det var som om Oslo lå der avventende, voktende under dem, tenkte Harry. Et kamuflert rovdyr. Han kakket fram to sigaretter, tente dem og rakte Kaja den ene.

«Resten av historien,» sa Kaja og inhalerte.

«Hvor var vi?»

«Killer Queen tok deg med hjem.»

«Nei, hun spurte. Og jeg takket høflig nei.»

«Nei? Du juger. Hvorfor det?»

«Det spurte Øystein og Tresko om også da jeg kom tilbake. Jeg svarte at jeg kunne jo ikke stikke av når jeg hadde to kompiser og gratis whisky som venta på meg.»

Kaja lo høyt og blåste røyk på utsikten.

«Men det var selvfølgelig jug,» sa Harry. «Lojalitet hadde

ingenting med det å gjøre. Vennskap betyr ingenting for en mann hvis du gir ham et tilbud som er fristende nok. Ingenting. Sannheten var at jeg ikke torde. Killer Queen ble rett og slett i skumleste laget for meg.»

De satt tause en stund. Lyttet til byens brumming og så på røyken som virvlet vekk.

«Du tenker,» sa Kaja.

«Mm. Jeg tenker på Bellman. Hvor velinformert han har vært. Ikke bare visste han at jeg kom til Norge, men til og med hvilket fly jeg kom med.»

«Han har kanskje kontakter på Politihuset.»

«Mm. Og ved Lyseren i dag sa lensmann Skai til Bellman at Bellman hadde ringt ham angående tauet samme kveld som vi hadde vært ved reperbanen.»

«Ja vel?»

«Men Beate sier at hun ikke sa fra til Bellman om tauet før morgenen etter at vi hadde vært der.» Harry fulgte en glødende tobakkstråd som seilte utfor skrenten.

«Og Bjørn er blitt forfremmet til koordinator for teknisk og taktisk.»

Kaja stirret forskrekket på ham. «Det er ikke mulig, Harry.»

Han svarte ikke.

«Bjørn Holm! At han skal ha holdt Bellman informert om hva vi har holdt på med? Du og Bjørn har jobbet sammen så lenge, dere er jo ... venner!»

Harry trakk på skuldrene. «Jeg tror som sagt ...» Han slapp sigaretten ned på bakken og satte hælen på den, «... at vennskap betyr filla hvis tilbudet bare er fristende nok. Tør du bli med på dagens på Schrøder?»

Jeg drømmer hele tiden nå. Det var sommer og jeg elsket henne. Jeg var så ung og trodde at om man bare ønsket noe høyt nok, så fikk man det.

Adele, du hadde hennes smil, hennes hår og hennes svikefulle hjerte. Og nå står det på nettsiden til Aftenposten at de har funnet deg. Jeg håper du var like stygg på utsiden som du var på innsiden.

Det står også at førstebetjent Harry Hole er satt på saken. Det var han som fanget Snømannen. Kanskje er det håp, kanskje kan politiet redde liv likevel?

Jeg har printet ut et bilde av Adele fra VGs nettside og stiftet det opp på veggen, ved siden av den utrevne siden fra gjesteboka på Håvasshytta. Inkludert mitt, er det bare tre navn igjen der nå.

Kapittel 37
Profil

Dagens på Schrøder var pytt-i-panne, servert med speilegg og rå løk.

«Nydelig,» sa Kaja.

«Kokken er visst edru i dag,» istemte Harry og pekte. «Se.»

Kaja snudde seg og så opp på TV-en Harry pekte på.

«Hei sann!» sa hun.

Mikael Bellmans ansikt fylte skjermen, og Harry signaliserte til Nina at de ville ha lyden opp. Harry studerte hvordan Bellmans munn beveget seg. De myke, nesten feminine trekkene. Det glitret i det brune, intense blikket under de fint formede øyebrynene. De hvite flekkene, som sludd på huden, skjemmet ham ikke, gjorde ham tvert om bare mer spennende å se på, som et eksotisk dyr. Om han ikke som etterforskere flest hadde uregistrert nummer, kom innboksen hans til å være full av kåte og forelskede SMS-er etterpå. Så kom lyden på:

«... på Håvasshytta natt til åttende november. Vi ber altså om at de som var der, melder seg til politiet så fort som mulig.»

Så var det tilbake til nyhetsoppleseren og ny sak.

Harry skjøv tallerkenen fra seg og vinket på kaffe. «Få høre hva du tenker om denne drapsmannen etter at vi fant Adele. Gi meg en profil.»

«Hvorfor det?» sa Kaja og drakk av vannglasset. «Fra og med i morgen jobber vi med andre saker.»

«Bare for moro skyld.»

«Er profilering av seriemordere innenfor din definisjon av moro?»

Harry sugde på en tannpirker. «Jeg veit det er et riktig svar på den der, men jeg kommer ikke på hva det er.»

«Du er syk.»

«Så hvem er han?»

«For det første er det fortsatt en han. Og fortsatt en seriemorder. Jeg tror ikke Adele nødvendigvis var hans første.»

«Hvorfor ikke?»

«Fordi det var så feilfritt at han må ha hatt et kaldt hode. Første gang man dreper, er man ikke så kald. Dessuten gjemte han henne så godt at det var definitivt ikke meningen at vi skulle finne henne. Det betyr at han kan stå bak flere av dem som foreløpig bare er på savnetstatistikken.»

«Bra. Videre.»

«Tja ...»

«Kom igjen. Du sa akkurat at han gjemte Adele Vetlesen godt. Det første av drapsofrene hans som vi kjenner til. Hvordan utvikler drapene seg?»

«Han blir modigere, mer selvsikker. Han slutter å gjemme dem. Charlotte ble funnet bak en bil i skogen og Borgny i en kjeller på et kontorbygg midt i byen.»

«Og Marit Olsen?»

Kaja tenkte seg lenge om. «Det er for outrert. Han har mistet beherskelsen, kontrollen glipper.»

«Eller ...» sa Harry. «Så har han tatt det til neste nivå. Han vil vise alle hvor flink han er, så han begynner å stille ut drapene sine. Drapet på Marit Olsen i Frognerbadet er et høyt skrik om oppmerksomhet, men det er få tegn til manglende kontroll i utførelsen. Tauet han brukte var i verste fall uforsiktig, men ellers etterlot han ingen spor. Uenig?»

Hun tenkte seg om og ristet på hodet.

«Så er det Elias Skog,» sa Harry. «Noe annerledes der?»

«Han torturerer offeret med en langsom død,» sa Kaja. «Sadisten i ham avslører seg.»

«Leopolds eple er også torturinstrument,» sa Harry. «Men

jeg er enig med deg i at det er første gang vi ser sadismen. Samtidig er det bevisst valgt, han avslører, han *blir* ikke avslørt. Det er fortsatt han som har regien og kontrollen.»

Kaffekanne og kopper ble dumpet ned foran dem.

«Men …» sa Kaja.

«Ja?»

«Skurrer det ikke litt at en sadistisk drapsmann forlater åstedet før han får være vitne til offerets virkelige lidelser og endelige død? Ifølge husvertinnen hørte hun jo dunkelydene fra badekaret etter at gjesten hadde gått. Han stakk av fra hele … eh, moroa.»

«Godt poeng. Så hva har vi? En falsk sadist? Og hvorfor feike det?»

«Fordi han vet at vi vil forsøke å lage en profil slik vi gjør nå,» sa Kaja ivrig. «Og så vil vi lete etter ham på de gale stedene.»

«Mm. Kanskje. En sofistikert drapsmann, i så tilfelle.»

«Hva tror du, o gamle, vise?»

Harry skjenket i til dem. «Hvis det virkelig er en seriemorder, synes jeg drapene spriker vel mye.»

Kaja lente seg fram over bordet, og det glitret i de spisse tennene hennes da hun hvisket: «Du tror det *ikke* er en seriemorder?»

«Vel. Jeg savner en signatur. Det er som regel spesielle sider ved drapet som trigger en seriemorder, og derfor visse ting som går igjen i utførselen. Her er det ingen spor av at drapsmannen har foretatt seg noe seksuelt i tilknytning til drapet. Og ingen likhet i drapsmetode, bortsett fra Borgny og Charlotte som sannsynligvis ble drept med Leopolds eple. Åstedene er helt forskjellige, og det samme er ofrene. De er av begge kjønn, har ulik alder, ulik bakgrunn, ulik fysisk framtoning.»

«Men de er jo ikke tilfeldig valgt, de har overnattet på samme hytte samme natt.»

«Nettopp. Og det er det som gjør at jeg ikke føler meg så sikker på at det er en klassisk seriemorder vi står overfor. Eller rettere sagt, ikke en med et klassisk drapsmotiv. For seriemorderen er som regel drapet i seg selv motiv nok. At de for eksempel er prostituerte kvinner, handler som regel ikke om at de er syndere, men at de er lette ofre. Jeg kjenner bare til én seriemorder som har hatt et kriterium for utvelgelse av ofre som handler om ofrene selv.»

«Snømannen.»

«Jeg tror ikke noe på at en seriemorder velger ofrene sine fra en tilfeldig side i en gjestebok på en turisthytte. Og hvis det har skjedd noe på Håvasshytta som har gitt drapsmannen et motiv, snakker vi ikke om klassisk seriedrap. Dessuten er utviklingen mot å vise seg fram for rask for en vanlig seriemorder.»

«Hva mener du?»

«Han har sendt en kvinne til Rwanda og Kongo for å dekke over et drap og samtidig kjøpe mordvåpenet til neste. Etterpå dreper han henne. Han har med andre ord gått til ekstreme anstrengelser for å skjule dette drapet. Ved neste drap noen uker senere gjør han absolutt ingenting. Og ved drapet noen uker etter det igjen er han som en matador som skyver ballestellet opp i trynet på oss mens han vifter med kappen. Det er en personlighetsforandring i fast forward. Det henger ikke sammen.»

«Tror du det kan være flere drapsmenn? Med hver sin metode?»

Harry ristet på hodet. «Det er én likhet. Drapsmannen etterlater ikke spor. Om seriemordere er en sjeldenhet, er en som ikke etterlater spor en hvit hval. Det finnes ikke mer enn én av dem i denne saken.»

«Nei vel, så hva snakker vi om?» Kaja slo ut med armene. «En seriemorder med multippel personlighet?»

«En hvit hval med vinger,» sa Harry. «Nei, jeg veit ikke. Og samme kan det vel være, vi gjør det jo bare for moro. Det er Kripos' sak nå.» Han drakk ut kaffekoppen. «Jeg tar en taxi opp til sjukehuset.»

«Jeg kan kjøre deg.»

«Nei takk, dra hjem og forbered deg på nye, interessante arbeidsoppgaver.»

Kaja sukket tungt. «Det med Bjørn …»

«Nevnes ikke for en sjel,» sa Harry. «Sov godt.»

På Rikshospitalet var Altman på vei ut av farens rom da Harry kom.

«Han sover,» sa pleieren. «Jeg ga ham ti milligram morfin. Du kan alltids sitte der inne, men han våkner neppe på mange timer.»

«Takk,» sa Harry.

«Helt i orden. Jeg hadde selv en mor som … ja, som måtte tåle mer smerte enn hun hadde behøvd.»

«Mm. Røyker du, Altman?»

Harry så av den skyldbetyngde reaksjonen at det gjorde Altman, og inviterte ham med utenfor. De to mennene røykte mens Altman, med fornavn Sigurd, fortalte at det var på grunn av moren han hadde spesialisert seg innenfor anestesi.

«Så når du ga den sprøyten til faren min nå, så …»

«Si det var en tjeneste fra en sønn til en annen,» smilte Altman. «Men for all del, det var klarert med legen, altså. Jeg vil jo gjerne beholde jobben min.»

«Klokt,» sa Harry. «Skulle ønske jeg var like klok.»

De avsluttet sigarettene, og Altman skulle til å gå da Harry spurte: «Siden du er anestesipleier, kan du fortelle meg hvor en person kan tenkes å få tak i ketanomin.

«Oi,» sa Altman. «Det der burde jeg sannsynligvis ikke svare på.»

«Det er greit,» sa Harry og smilte skjevt. «Det gjelder drapssaken jeg jobber med.»

«Aha. Vel. Med mindre du jobber med anestesi, er ketanomin vanskelig å få tak i Norge. Det virker som ei kule, bokstavelig talt, pasienten går rett i bakken. Men bivirkningene med magesår er litt leie. Dessuten er faren for hjertestans stor ved overdosering, det er blitt brukt ved selvmord. Men ikke nå lenger, ketanomin ble forbudt i EU og Norge for flere år siden.»

«Jeg veit det, men hvor ville du dratt for å skaffe ketanomin?»

«Tja. Tidligere Sovjet-stater. Eller Afrika.»

«Kongo, for eksempel?»

«Helt sikkert. Produsenten selger det til dumpingpriser etter forbudet i Europa, og da havner det i fattige land, sånn er det alltid.»

Harry satt ved farens seng og så på den spinkle pyjamaskledte brystkassen som hevet og senket seg. Etter en time reiste han seg og gikk.

Harry ventet med å slå på telefonen til han hadde låst seg inn i huset, satte på «Don't Get Around Much Anymore», en av farens Duke Ellington-plater og hentet fram den brune klumpen. Han så at Gunnar Hagen hadde lagt igjen en talebeskjed, men den hadde han ikke tenkt å høre på siden han visste omtrent hva den gikk ut på. At Bellman hadde vært på ham igjen, at fra nå av fikk de ikke nærme seg drapssaken uansett hvor gode bortforklaringer de hadde i bakhånd. Og at Harry fikk melde seg til vanlig tjeneste om han fortsatt ville ha jobb i politiet. Nå ja, kanskje ikke det siste. Det var på tide å reise. Og reisen skulle starte her, nå, i kveld. Han dro fram lighteren med den ene hånden mens den andre tastet fram de to SMS-ene som ventet. Den første var fra Øystein. Han foreslo en «herrekveld» i snarlig fremtid, og at de inviterte med Tresko som sannsynligvis var den mest bemidlede av de tre. Den andre var fra et nummer Harry ikke kjente. Harry åpnet meldingen.

Jeg ser av Aftenpostens nettside at du tar saken.

Jeg kan hjelpe deg litt på vei. Elias Skog snakket før han ble limt til badekaret.

C.

Harry mistet lighteren som traff glassbordet med et høyt smell, og han kjente hjertet raske på. I drapssaker fikk de alltid en masse henvendelser med tips, råd, gjetninger. Folk som var villige til å sverge på at de hadde sett, hørt eller blitt fortalt, og om politiet bare kunne sette av litt tid og lytte til dem? Ofte

242

var det de samme som gikk igjen, men det var alltid noen nye, forvirrede pratmakere. Harry visste alt at dette ikke var en av dem. Pressen hadde skrevet mye om saken, folk satt med mye informasjon. Men ingen der ute i offentligheten kjente til at Elias Skog var blitt limt fast til badekaret. Eller til Harrys uregistrerte telefonnummer.

Kapittel 38
Varig mén

Harry hadde skrudd ned Duke Ellington og satt med telefonen i hånden. Personen kjente til superlimet. Og Harrys nummer. Burde han sjekke adresse og navn på nummeret, kanskje til og med få personen pågrepet for han risikerte å skremme ham vekk? På den annen side, vedkommende ventet på et svar.

Harry trykket på «ring avsender».

Det durte to ganger før han hørte en dyp stemme:

«Ja?»

«Dette er Harry Hole.»

«Takk for sist, Hole.»

«Mm. Når var det?»

«Husker du ikke? Elias Skogs leilighet. Superlim.»

Harry kjente blodet dunke i halspulsåren, gjøre strupen trangere.

«Jeg var der. Hvem snakker jeg med, og hva gjorde du der?»

Det ble stille ett sekund i den andre enden og Harry trodde et øyeblikk at den andre hadde lagt på. Men så var stemmen der igjen med en langtrukken å:

«Å sorry, jeg signerte kanskje meldinga med bare C?»

«Ja.»

«Jeg pleier det. Det er Colbjørnsen. Førstebetjenten i Stavanger. Jeg fikk telefonnummeret ditt, remember?»

Harry bannet inni seg, oppdaget at han fortsatt holdt pusten og slapp den ut i et langt hves.

«Er du der?»

«Ja da,» sa Harry, grep teskjeen som lå på bordet og skavet løs en bit av opiumklumpen. «Du skreiv at du har noe til meg?»

«Ja, og det har jeg. Men på én betingelse.»

«Som er?»

«At det blir mellom oss.»

«Hvorfor det?»

«Fordi jeg tåler ikke den kødden Bellman som kommer over her og tror han er Guds gave til drapsetterforskningen. At han og forpulte Kripos prøver å få monopol i hele landet. Han kan dra til føkking hell. Problemet er sjefene mine. Jeg får ikke lov til å løfte en finger i den jævla Skog-saken.»

«Så derfor kommer du til meg?»

«Jeg er en enkel gutt fra en provinsby, Hole. Men når jeg ser at Aftenposten skriver at du er satt på saken, skjønner jeg hva som skjer. Jeg skjønner at du er som meg, du vil ikke bare legge deg ned og dø, vil du vel?»

«Vel ...» sa Harry og så på klumpen foran seg.

«Så hvis du kan bruke dette til å ta rotta på den rotta, og det igjen kan føre til at Bellmans planer om the evil empire blir stagga, så vær så god. Jeg venter med å sende Bellman rapporten min til i overmorgen. Du har morgendagen på deg.»

«Hva har du?»

«Jeg har seff snakket med folk i kretsen rundt Skog. Hvilket ikke var så mange siden han var en raring, over snittet intens, og reiste verden rundt mutters aleine. To stykker, for å være nøyaktig. Husvertinna. Og ei jente som vi sporet opp via telefonnumrene han hadde ringt de siste dagene før han ble drept. Hun heter Stine Ølberg og fortalte at hun snakket med Elias samme kvelden som han ble drept. De satt på bussen fra byen, og han hadde sagt at han hadde vært på Håvasshytta samtidig med de drepte jentene det hadde stått om i avisene. At det var rart at ingen hadde oppdaget at de hadde vært på samme hytte, og at han lurte på å gå til politiet med det. Men at han kviet seg, han hadde ikke lyst til å bli innblandet. Og det skjønner jeg, Skog har hatt polititrøbbel før, anmeldt for stalking ved to tilfeller. Riktignok ikke gjort noe ulovlig, han var som sagt bare en intens type. Stine sa at hun hadde vært redd for ham, men at den kvelden var det tvert om han som virket redd.»

«Interessant.»

«Stine hadde latt som hun ikke visste hvem de tre drepte var, og da hadde Elias sagt at han ville fortelle om en annen som var der, en han i hvert fall trodde hun visste hvem var. Og her kommer det virkelig interessante. Mannen er en kjent. I hvert fall B-kjendis.»

«Ja vel?»

«Ifølge Elias Skog var Tony Leike der.»

«Tony Leike. Burde jeg vite hvem det er?»

«Han er sammen med datteren til Anders Galtung, rederen.» Et par avisoppslag blafret forbi Harrys indre blikk.

«Tony Leike er såkalt investor, som vil si at han er blitt rik uten at noen helt skjønner hvordan, bare at det i hvert fall ikke er ved hardt arbeid. Dessuten en ordentlig smukkas. Men det betyr ikke at han er mister nice guy. Og her kommer det virkelig interessante. Fyren har et sheet.»

«*Sheet?*» spurte Harry påtatt uforstående for å antyde hva han mente om Colbjørnsens anglisismer.

«Rulleblad. Tony Leike har en dom for grov vold.»

«Mm. Sjekket dommen?»

«Tony Leike banket opp og lemlestet en Ole S. Hansen den sjette august fra klokka elleve tjue til elleve førtifem. Det skjedde utenfor danselokalet på stedet der Tony bodde hos bestefaren. Tony var atten, Olemann sytten, og det dreide seg selvfølgelig om et kvinnfolk.»

«Mm. Sjalu ungdom som slåss i fylla er ikke akkurat uvanlig. Sa du grov vold?»

«Ja, for det er mer. Etter at Leike hadde slått ned den andre, satte han seg oppå ham og brukte kniven i ansiktet på stakkaren. Gutten fikk varig mén, men ifølge dommen kunne det gått enda verre om det ikke hadde kommet folk til og fått dratt Leike vekk.»

«Men ikke noe mer enn den ene dommen?»

«Tony Leike var kjent for raseriet sitt og var jevnlig i slagsmål. Under rettssaken fortalte et vitne at på ungdomsskolen hadde Leike holdt på å kvele ham med et belte fordi han hadde sagt noe ufordelaktig om faren til Tony.»

«Høres ut som noen skal ta en lang prat med Tony Leike. Veit du hvor han bor?»

«I din by. Holmenveien ... vent ... 172.»

«Akkurat. Vestkanten. Vel. Takk, Colbjørnsen.»

«Ikke noe å takke for. Jo, forresten, det var én ting til. Det kom en mann på bussen like etter Elias. Han gikk av på samme stopp som Elias, og Stine sier at hun så mannen gå etter ham. Men hun kunne ikke gi noen beskrivelse av mannen, han hadde ansiktet skjult av en hatt. Behøver jo ikke å bety noe.»

«Nei.»

«Ellers stoler jeg på deg, Hole.»

«Stoler på hva da?»

«At du gjør det riktige.»

«Mm.»

«Godnatt.»

Harry ble sittende og lytte til Hertugen. Så grep han etter telefonen og lette fram Kajas nummer på kontaktlisten. Han skulle til å trykke på anropsknappen, men nølte. Han var i ferd med å gjøre det igjen. Dra med seg folk i fallet. Harry la fra seg telefonen. Han hadde to valg. Det smarte, som var å ringe Bellman. Og det stupide, som var å gå helt solo.

Harry sukket. Hva var det han innbilte seg? Han hadde ikke noe valg. Så han stakk lighteren i lomma, pakket inn klumpen i sølvpapiret, la det i barskapet, kledte av seg, stilte klokka på seks og la seg. Ikke noe valg. Fange av sitt eget adferdsmønster hvor enhver handling i realiteten er en tvangshandling. Sånn sett var han verken bedre eller verre enn dem han jaktet på.

Og med denne tanken sovnet han med et smil om munnen.

Natta er så velsignet stille, den heler blikket, klarner tanken. Den nye, gamle politimannen. Hole. Jeg må fortelle ham det. Ikke vise ham alt, bare nok til at han forstår. Så han kan stoppe det. Så jeg ikke behøver å gjøre det jeg gjør. Jeg spytter og spytter, men blodet fyller munnen min, igjen og igjen.

Kapittel 39
Relasjonssøk

Harry kom til Politihuset klokka kvart på sju på morgenen. Bortsett fra vakten i resepsjonen var det tomt for mennesker i det store atriet innenfor de tunge inngangsdørene.

Han nikket til Securitas-vakten, dro adgangskortet i leseren ved slusen og tok heisen ned i kjelleren. Derfra småløp han gjennom kulverten og låste seg inn på rommet. Han tente dagens første sigarett, og ringte mobilnummeret mens PC-en ble fyrt opp. Katrine Bratt hørtes søvndrukken ut.

«Jeg vil at du skal kjøre de derre relasjonssøkene dine,» sa Harry. «Mellom en Tony Leike og hvert av drapsofrene. Inkludert Juliana Verni, Leipzig.»

«Det er tomt på hobbyrommet i hvert fall til halv ni,» sa hun. «Jeg går i gang straks. Noe annet?»

Harry nølte. «Kan du sjekke en Jussi Kolkka for meg? Politimann.»

«Hva er det med ham?»

«Det er akkurat det,» sa Harry. «Jeg veit ikke hva det er med ham.»

Harry la fra seg telefonen og satte i gang å jobbe på PC-en.

Tony Leike hadde ganske riktig én dom. Og ifølge registeret hadde han vært i kontakt med politiet ved to andre anledninger. Som Colbjørnsen hadde antydet, dreide det seg om legemsbeskadigelse. I det ene tilfellet var anmeldelsen trukket, i det andre saken henlagt.

Harry googlet Tony og fikk opp flere mindre avissaker, de fleste av dem knyttet til hans forlovede Lene Galtung, men også noen fra finanspressen hvor han ble nevnt som vekselvis investor, aksjespekulant og ignorant sau. Det siste sto i Kapital og refererte til at Leike tilhørte flokken som hermet bjellesauen Kringlen i alt han foretok seg; fra aksje-, hytte- og bilkjøp til valg av riktige utesteder, drinker, kvinner og kontor-, privat- og ferieadresse.

Harry lette gjennom lenkene til han stoppet opp ved en sak i Finansavisen.

«Bingo,» mumlet han.

Tony Leike var tydeligvis på vei til å bli mann for sin egen hatt. Eller hjelm. I alle fall skrev Finansavisen om et gruvepro- sjekt hvor Leike var initiativtager og pådriver. Han var avbil- det sammen med partnerne, to unge menn med sideskill. De var ikke iført de vanlige designerdressene, men kjeledress og arbeidsklær, sittende på en plankestabel foran et helikopter. Tony Leike smilte bredest av dem alle. Han var bredskuldret, langlemmet, mørk i hud og hår, og med en imponerende ørne- nese som sammen med fargene fikk Harry til å tenke at Leike måtte ha minst en dæsj arabisk blod i årene. Men årsaken til Harrys beherskede utbrudd var overskriften:

«KONGEN AV KONGO?»

Harry fortsatte å følge lenkene.

Den kulørte pressen var mer opptatt av det forestående bryl- lupet med Lene Galtung og gjestelista.

Harry så på klokka. Fem over sju. Han ringte Krimvakta.

«Jeg trenger assistanse til en pågripelse i Holmenveien.»

«Arrestasjon?»

Harry visste godt at han ikke hadde nok til å be politijuris- ten om en arrestordre.

«Innhenting til avhør,» sa Harry.

«Jeg syntes du sa pågripelse? Og hva skal du med assistanse hvis det bare …»

«Har du to mann og en bil klar på utsiden av garasjen om fem minutter?»

Harry fikk et snøft til svar som han tolket som et ja. Han tok to trekk av sigaretten, stumpet den, reiste seg, låste døra og gikk. Han var kommet ti meter bort i kulverten da han hørte en svak lyd bak seg som han visste var fasttelefonen som ringte.

Han var kommet ut av heisen og var på vei mot utgangsdøra da han hørte noen rope navnet sitt. Han snudde seg og så Securitas-vakten vinke på ham. Foran disken så Harry ryggen på en sennepsgul ullfrakk.

«Denne mannen spurte etter deg,» sa resepsjonisten.

Ullfrakken snudde seg. Den var av den typen som skal se ut som den er av kasjmir og av og til er det. I dette tilfellet antok Harry at den var det. Fordi den ble fylt ut av brede skuldre på en langlemmet person med mørke øyne, mørkt hår og muligens en dæsj arabisk blod i årene.

«Du er større enn du ser ut på bildet,» sa Tony Leike, viste fram en rad porselenshøyblokker av noen tenner og en utstrakt hånd.

«God kaffe,» sa Tony Leike og så ut som han mente det. Harry så Leikes lange, forvridde fingre rundt kaffekoppen. Leike hadde forklart det med en latter da han hadde rakt Harry hånden. At det ikke var noe smittsomt, bare god gammeldags leddgikt, en arvelig greie som – om ikke annet – gjorde ham til en pålitelig meteorolog. «Men jeg trodde ærlig talt at de ga litt bedre kontorer til førstebetjenter. Litt varmt?»

«Fyrkjelene til fengselet,» sa Harry mens han nippet til sin egen kopp. «Så du leste om saken i Aftenposten i dag morges?»

«Ja. Jeg satt og spiste frokost. Fikk den nesten i halsen, for å være ærlig.»

«Hvorfor det?»

Leike rugget litt i stolen, som en formel 1-kjører i bøttesetet før start: «Jeg håper at det jeg sier kan forbli mellom oss.»

«Hvem er 'oss'?»

«Politiet og meg. Aller helst deg og meg.»

Harry håpet at stemmen hans var nøytral og ikke røpet noen opphisselse. «Og grunnen er?»

Leike trakk pusten. «At jeg ikke vil at det skal bli offentlig at jeg var på Håvasshytta samme natt som stortingsrepresentanten. Marit Olsen. Jeg har for tiden ganske høy mediaprofil på grunn av et forestående bryllup. Det ville vært uheldig om jeg linkes til en drapssak akkurat nå. Pressen ville være på saken, og det ville kunne … virvle opp ting fra min fortid som jeg helst ville skulle forbli begravd og glemt.»

«Ja vel,» sa Harry uskyldig. «Jeg vil selvfølgelig måtte veie flere hensyn mot hverandre og kan derfor ikke love noe. Men dette er ikke et avhør, kun en samtale, og jeg lekker vanligvis ikke slikt til pressen.»

«Og heller ikke til mine … eh, nærmeste?»

«Ikke hvis det ikke er noen grunn til det. Hvis du er redd for at det skal bli kjent at du var her, hvorfor kommer du likevel hit?»

«Dere har jo bedt dem som var der melde seg, så det er vel min samfunnsplikt, er det ikke?» Han så spørrende på Harry. Og skar deretter en grimase. «Satan, jeg ble jo redd! Skjønte jo at de som var på Håvasshytta den kvelden kanskje står for tur. Satte meg i bilen og kjørte ned hit med én gang.»

«Skjedd noe spesielt i det siste som har gjort deg engstelig?»

«Nei.» Tony Leike så tenksomt ut i lufta. «Bortsett fra et innbrudd gjennom kjellerdøra for noen dager siden. Satan, jeg burde skaffe meg alarm, burde jeg ikke?»

«Meldte du det til politiet?»

«Nei, de tok bare en sykkel.»

«Og du tror seriemordere driver med sykkeltyveri på si?»

Leike lo kort og nikket smilende. Ikke det fårete smilet til en som skjemmes over å ha sagt noe tåpelig, tenkte Harry. Men det avvæpnende, vinnende smilet som sier «der fikk du meg, kamerat», den seiersvantes galante gratulasjon.

«Hvorfor spurte du etter meg?»

«Det sto i avisa at du etterforsket saken, så jeg syntes jo det var naturlig. Dessuten håpet jeg som sagt at det kunne være mulig å holde dette mellom bare noen få, derfor gikk jeg rett til toppen.»

«Jeg er ikke toppen, Leike.»

«Ikke? Det så sånn ut i Aftenposten.»

Harry strøk seg over det utstikkende kjevebeinet. Han hadde ikke helt bestemt seg for hva han syntes om Tony Leike. Han var en mann med et velpleiet ytre kombinert med en badboysjarm som fikk Harry til å tenke på en hockeyspiller han hadde sett i en undertøysreklame. Det virket som han ville gi inntrykk av en ubekymret, verdensvant glatthet, men at det var en ekthet, et følelsesmenneske der som ikke lot seg skjule. Eller kanskje var det omvendt; kanskje var det glattheten som var ekte og følelsene som ble spilt.

«Hva gjorde du på Håvasshytta, Leike?»

«Skitur, naturligvis.»

«Alene?»

«Ja. Det hadde vært noen strie dager på jobben, jeg trengte en timeout. Jeg er mye på Ustaoset og Hallingskarvet. Sover på turisthytter. Det er mitt landskap, kan du si.»

«Så hvorfor har du ikke egen hytte der?»

«Der jeg vil ha hytte er det ikke lov å bygge lenger. Nasjonalparkbestemmelser.»

«Hvorfor er ikke forloveden din med? Går ikke hun på ski?»

«Lene? Hun …» Leike tok en slurk av kaffen. Den type slurk folk tar midt i en setning når de trenger en bitte liten tenkepause, tenkte Harry. «Hun var hjemme. Jeg … vi …» Han så på Harry med en lett fortvilet mine som om han ba om hjelp. Harry ga ham ingen.

«Satan. Ikke noe presse, ikke sant?»

Harry svarte ikke.

«Godt nok,» sa Leike som om Harry hadde svart bekreftende. «Jeg trengte å puste litt, komme meg bort. Tenke. Forlovelse, giftermål … det er voksne ting å ta stilling til. Og jeg tenker best alene. Særlig der oppe på vidda.»

«Tenkingen hjalp tydeligvis?»

Leike viste fram emaljeveggen igjen. «Ja.»

«Husker du de andre som var på hytta?»

«Jeg husker som sagt Marit Olsen. Hun og jeg drakk et glass rødvin sammen. Jeg visste ikke at hun var stortingsrepresentant før hun sa det selv.»

«Noen andre?»

«Det satt tre eller fire andre der som jeg så vidt sa hei til. Men jeg kom dit ganske seint, så noen hadde vel lagt seg.»

«Å?»

«Det sto seks par ski i snøen utenfor. Jeg husker det nøyaktig fordi jeg tok dem med inn i gangen på grunn av rasfaren. Jeg husker jeg tenkte at de andre kanskje ikke var så erfarne fjellfolk. Hvis hytta er halvveis begravd i tre meter snø, stiller du dårlig hvis ingen har ski. Jeg var førstemann opp om morgenen, jeg er som regel det, og var av gårde før de andre hadde stått opp.»

«Du sier at du kom seint på kvelden. Du gikk altså aleine på vidda i mørket?»

«Hodelykt, kart og kompass. Turen var ganske spontan, så jeg kom med toget til Ustaoset først på kvelden. Men jeg er som sagt kjent, vant til å orientere meg i ødemarka i mørket. Og været var fint, måneskinn på snø, jeg trengte verken kartet eller lykta.»

«Kan du fortelle noe om hva som skjedde på hytta mens du var der?»

«Det skjedde ingenting. Marit Olsen og jeg snakket om rødvin og så om vanskelighetene med å holde et moderne forhold gående. Det vil si, jeg tror hennes forhold var mer moderne enn mitt.»

«Og hun snakket ikke om at det hadde skjedd noe på hytta?»

«Overhodet ikke.»

«Hva med de andre som var oppe?»

«De satt borte ved peisen, snakket om skiturer og drakk. Øl, kanskje. Eller en eller annen sportsdrikk. To jenter og en fyr, mellom tjue og trettifem, vil jeg tippe.»

«Navn?»

«Vi bare nikket og sa hei. Jeg hadde som sagt dratt opp dit for å være alene, ikke for å skaffe meg nye venner.»

«Utseende?»

«Det er nokså mørkt i ei sånn hytte på kvelden, men om jeg sier at en av dem var lys, den andre mørk, så er det ikke sikkert det er riktig. Jeg husker som sagt ikke engang om de var tre eller fire.»

«Dialekter?»

«En av jentene snakket litt sånn vestlandsk, tror jeg.»

«Stavangerdialekt? Bergen? Sunnmøre?»

«Beklager, jeg er ikke så god på sånt. Kanskje det ikke var Vestlandet, kanskje Sørlandet.»

«OK. Du ville være aleine, men Marit Olsen snakket du altså om forhold med.»

«Det bare ble sånn. Hun kom bort til meg og satte seg. Ikke noen sjenert dame, akkurat. Pratsom. Men tjukk og hyggelig.» Han sa det som om de to tingene hørte naturlig sammen. Og det slo Harry at bildet han hadde sett av Lene Galtung viste en – den nye, norske gjennomsnittsvekta tatt i betraktning – syltynn kvinne.

«Så bortsett fra Marit Olsen kan du altså ikke fortelle oss noe om noen av de andre? Heller ikke om jeg viser deg bilder av dem vi veit var der?»

«Jo,» sa Leike og smilte igjen. «Jeg tror jeg kan det.»

«Ja vel?»

«Da jeg skulle legge meg i en av køyesengene på det ene rommet, måtte jeg jo slå på lyset for å se hvilken som var ledig. Og da så jeg to personer som lå og sov. En mann og en kvinne.»

«Og de mener du at du kan beskrive?»

«Ikke beskrive så godt, kanskje, men jeg er ganske sikker på at jeg ville kjent dem igjen.»

«Å?»

«Man husker liksom ansikter først når man ser dem igjen.»

Harry visste at det Leike sa var riktig. Vitners signalementer var som regel helt på jordet, men ga du dem en line-up, bommet de sjelden.

Harry gikk bort til arkivskapet de hadde trillet tilbake, åpnet de respektive ofrenes mapper og tok ut bildene. Han ga de fem bildene til Leike som bladde igjennom dem.

«Dette er jo Marit Olsen,» sa han og rakte Harry det ene. «Og dette tror jeg er de to jentene som satt ved peisen, men det er jeg ikke sikker på.» Han ga Harry bildene av Borgny og Charlotte. «Dette var muligens gutten.» Elias Skog. «Men det var ingen av disse som lå på soverommet, det er jeg sikker på.»

«Så du er usikker på dem du har sittet med i samme rom en god stund, men sikker på noen du så på i et par sekunder?»

Leike nikket. «De sov, jo.»

«Er sovende lettere å kjenne igjen?»

«Nei, men de ser ikke tilbake på deg, ikke sant? Så du kan se uforstyrret på dem.»

«Mm. I et par sekunder?»

«Kanskje litt lenger.»

Harry la bildene tilbake i mappene.

«Har du noen navn?» sa Leike.

«Navn?»

«Ja. Jeg sto som sagt opp som førstemann og spiste et par brødskiver på brødfjela på kjøkkenet. Gjesteboka lå der inne, og jeg hadde ikke skrevet meg inn. Mens jeg spiste ferdig, åpnet jeg den og studerte navnene på dem som hadde skrevet seg inn kvelden før.»

«Hvorfor det?»

«Hvorfor?» Tony trakk på skuldrene. «Det er ofte de samme menneskene som går mellom turisthyttene. Jeg ville vel se om det var noen jeg kjente.»

«Var det det?»

«Nei. Men hvis du sier noen navn på dem dere vet eller tror var der, så kanskje jeg kan huske om jeg så dem i gjesteboka, ikke sant?»

«Høres rimelig ut, men dessverre har vi ingen navn. Eller adresser.»

«Nei, da så,» sa Leike og begynte å kneppe ullfrakken. «Da er jeg redd at jeg ikke kan være til stor hjelp, gitt. Bortsett fra at dere fikk krysset meg av, da.»

«Mm,» sa Harry. «Når du likevel er her, så har jeg et par andre spørsmål. Hvis du har tid?»

«Jeg er min egen herre,» sa Leike. «Enn så lenge, i hvert fall.»

«Fint. Du sier at du har grums i din fortid. Kan du bare kort fortelle hva det går ut på?»

«Jeg prøvde å drepe en fyr,» sa Leike likefrem.

«Ja vel,» sa Harry og lente seg bakover i stolen. «Hvorfor det?»

«Fordi han angrep meg. Han påsto at jeg hadde rappet dama hans. Sannheten var at hun verken var eller ville være dama hans, og at jeg ikke rapper damer. Det behøver jeg ikke.»

«Mm. Han tok dere på fersk gjerning og slo til henne?»

«Hva mener du?»

«Jeg prøver bare å forstå hva slags situasjon som kan ha ført til at du ville drepe ham. Hvis du mener det bokstavelig da.»

«Han slo *meg*. Og derfor gjorde jeg mitt beste for å drepe ham. Med kniv. Og jeg var på vei til å greie det da et par av kompisene mine dro meg av ham. Jeg ble dømt for grov vold. Som jo er ganske billig for et drapsforsøk.»

«Du er klar over at det du nå sier kan gjøre deg til en draps-mistenkt?»

«I *denne* saken?» Leike så mistroisk på Harry. «Du fleiper nå? Dere har litt mer oversikt enn det, ikke sant?»

«Har du vært villig til å drepe én gang …»

«Jeg har vært villig til å drepe flere ganger, jeg. Antagelig har jeg gjort det også.»

«Antagelig?»

«Det er ikke så lett å se kølsvarte negrer på natta i jungelen. Du skyter mest på måfå.»

«Og det har du gjort?»

«I min syndefulle ungdom, ja. Etter å ha sont den dommen tok jeg USK-kurs i Hæren og dro rett derfra til Sør-Afrika og fikk jobb som merc.»

«Mm. Så du har vært leiesoldat i Sør-Afrika?»

«I tre år. Og Sør-Afrika var bare stedet hvor jeg vervet meg, slåssinga foregikk i landene rundt. Det var alltid en krig, alltid marked for proffer, særlig hvite. Svartingene tror fortsatt at vi er smartere, skjønner du, de stoler mer på hvite offiserer enn sine egne.»

«Du var kanskje i Kongo også da?»

Tony Leikes høyre øyebryn lagde en svart vinkel: «Hvordan det?»

«Var der for en stund tilbake, så jeg lurte bare.»

«Het Zaïre den gangen. Men mesteparten av tiden var vi faen ikke sikre innenfor hvilket lands grenser vi befant oss. Det var bare grønt, grønt og så svart, svart til sola sto opp igjen. Jeg jobbet for et såkalt sikkerhetsselskap for noen diamantgruver. Det var der jeg lærte meg å lese kart og kompass i lyset fra en hodelykt. Kompass kan du forresten drite i der, det er for mye metall i fjella.»

Tony Leike lente seg tilbake i stolen. Avslappet og uredd, noterte Harry.

«Apropos metall,» sa Harry. «Mener jeg har lest at du driver gruvedrift der nede.»

«Stemmer.»

«Hva slags metall?»

«Hørt om koltan?»

Harry nikket langsomt. «Brukes i mobiltelefoner.»

«Nettopp. Og i spillkonsoll. Da mobiltelefonproduksjonen i verden tok av på nittitallet, var jeg og troppen min på et oppdrag nordøst i Kongo. Noen franskmenn og innfødte drev en gruve der, de brukte unger med hakke og spade til å grave ut koltan. Ser ut som vanlig stein, men du bruker det til å framstille tantal som er det stoffet som egentlig brukes. Og jeg skjønte at om jeg bare fikk noen til å finansiere meg, kunne jeg drive ordentlig, moderne gruvedrift der nede og gjøre meg selv og mine partnere til rike menn.»

«Og slik gikk det?»

Tony Leike lo. «Ikke helt. Jeg fikk låne penger, ble skrudd av sleipe partnere og tapte alt. Lånte mer penger, ble skrudd igjen, lånte enda mer og tjente litt.»

«Litt?»

«Noen millioner til å betale gjeld. Men jeg hadde fått et kontaktnett og noen presseoppslag ettersom jeg selvfølgelig solgte bjørnene lenge før de var skutt, som var nok til å bli tatt opp i gjengen der de store pengene ruller. For å bli medlem der teller bare antall sifre i formuen din, ikke om det står pluss eller minus foran.» Leike lo igjen, en hjertelig, rungende latter, og Harry kunne ikke annet enn å dra på smilebåndet.

«Og nå?»

«Nå står vi foran det store varpet, for det er nå koltanen skal høstes. Ja da, jeg har sagt det lenge, men denne gangen er det faktisk tilfelle. Jeg har måttet selge aksjene mine i prosjektet i bytte mot kjøpsopsjoner, slik at jeg kunne betale gjeld. Nå er det fikset, så det gjenstår bare å skaffe penger til å innløse aksjeopsjonene mine så jeg blir fullverdig partner igjen.»

«Mm. Og de pengene?»

«Noen vil se fornuften i å låne meg de pengene mot en liten andel. Avkastningen er enorm, risikoen minimal. Og alle de store investeringene er gjort, inkludert lokale bestikkelser. Vi har til og med ryddet en rullebane inne i jungelen, så vi kan laste direkte om bord i transportfly og få greiene ut via Uganda. Er du formuende, Harry? Jeg kan se om det er muligheter til at du kan få en beta.»

Harry ristet på hodet. «Vært i Stavanger i det siste, Leike?»

«Tja. I sommer.»

«Ikke siden det?»

Leike tenkte seg om og ristet på hodet.

«Du er ikke helt sikker?» spurte Harry.

«Jeg presenterer prosjektet mitt for potensielle investorer, og det betyr jævlig mye reising. Har vel vært i Stavanger tre eller fire ganger i år, men ikke siden i sommer, mener jeg.»

«Hva med Leipzig?»

«Er det nå jeg skal spørre om jeg trenger en advokat, Harry?»

«Jeg vil bare ha deg sjekket ut av saken så fort som mulig, så vi kan konsentrere oss om mer relevante ting.» Harry strøk pekefingeren over neseryggen. «Hvis du ikke vil at media skal få snusen i dette, regner jeg med at du ikke har lyst til å involvere advokat, innkalles til formelle avhør og så videre?»

Leike nikket langsomt. «Du har selvfølgelig rett. Takk for rådet, Harry.»

«Leipzig?»

«Sorry,» sa Leike med oppriktig beklagelse i stemme og ansikt. «Aldri vært der. Burde jeg?»

«Mm. Jeg må også spørre deg hvor du var og hva du gjorde på noen datoer.»

«Kom igjen.»

Harry dikterte de fire drapsdatoene mens Leike skrev dem ned i en skinninnbunden Moleskin-notisbok.

«Skal sjekke med én gang jeg kommer på kontoret,» sa han. «Her har du forresten nummeret mitt.» Han rakte Harry et visittkort med påskriften Tony C. Leike, entreprenør.

«Hva står c-en for?»

«Ja, si det,» sa Leike og reiste seg. «Tony er jo egentlig bare en forkortelse for Anthony, så jeg syntes jeg trengte en initial, jeg. Gir litt mer tyngde, synes du ikke? Tror utlendinger liker det.»

I stedet for å gå gjennom kulverten, tok Harry med Leike opp trappa til fengselet, banket på glassvinduet og en vakt kom og låste dem inn.

«Føles som å være med i en episode av Olsenbanden,» sa Leike da de sto på grusveien utenfor det gamle Botsfengselets relativt ærverdige murer.

«Litt mer diskré sånn,» sa Harry. «Du begynner jo å få et kjent ansikt, og på Politihuset har folk begynt å komme på jobb.»

«Apropos ansikt, jeg ser noen har brekt kjevebeinet ditt.»

«Kan vel ha falt og slått meg.»

Leike ristet smilende på hodet. «Jeg vet en del om brukne kjever. Det der er etter et slag. Ser du bare har latt det gro. Du burde gå og få fikset det, er ikke store jobben.»

«Takk for tipset.»

«Skyldte du dem mye penger?»

«Veit du en del om det også?»

«Ja!» utbrøt Leike og sperret opp øynene. «Dessverre.»

«Mm. En siste ting, Leike …»

«Tony. Eller Tony C.» Leike flæsjet sitt skinnende tygge-verktøy. Som en som ikke har en bekymring i verden, tenkte Harry.

«Tony. Har du noen gang vært ved Lyseren? Innsjøen i Øst...»

«Ja, er du gær'n!» lo Tony. «Leike-gården ligger på Rustad. Jeg var der hos bestefaren min hver sommer. Bodde der også et par år. Fantastisk sted, ikke sant? Hvordan det, forresten?» Smilet hans forsvant brått. «Å satan, det var jo der dere fant den jenta! Litt av et sammentreff, hva?»

«Vel,» sa Harry. «Så usannsynlig er det vel ikke. Lyseren er stor.»

«Sant nok. Men takk igjen, Harry.» Leike rakte ham hån-den. «Og hvis det dukker opp noen navn fra Håvasshytta, eller melder seg noen, bare ring, så kan jeg se om jeg husker dem. Fullt samarbeid, Harry.»

Harry så seg selv riste hånden til en mann han akkurat hadde bestemt seg for hadde drept fem mennesker i løpet av de siste tre månedene.

Det var gått femten minutter siden Leike hadde gått da Katrine Bratt ringte.

«Ja?»

«Negativt på fire av fem,» sa hun.

«Og den femte?»

«Ett treff. Dypt i digitalinformasjonens innerste innvoller.»

«Poetisk.»

«Du vil like det. Den sekstende februar ble Elias Skog opp-ringt fra et nummer som ikke er registrert på noen. Altså et hemmelig telefonnummer. Og det kan jo være grunnen til at dere ...»

«Stavangerpolitiet.»

«... ikke har oppdaget linken før. Men i de innerste innvol-ler ...»

«Det vil si Telenors driftssentrals interne og dypt beskyttede nummerregister?»

261

«Noe sånt. Der dukker navnet til en Tony Leike, Holmenveien 172 opp som regningsmottager for dette hemmelige telefonnummeret.»

«Yess!» sa Harry. «Du er en engel.»

«Dårlig valgt metafor, tror jeg. Ettersom du høres ut som jeg akkurat har sendt en mann i livsvarig fengsel.»

«Vi snakkes.»

«Vent! Ville du ikke høre om Jussi Kolkka.»

«Det hadde jeg nesten glemt. Skyt.»

Hun skjøt.

Kapittel 40
Tilbudet

Harry fant Kaja på Voldsavsnittet, på grønn sone i sjette etasje. Hun lyste opp da hun ble oppmerksom på Harry som sto i døråpningen.

«Alltid åpen dør?» spurte han.

«Alltid. Og du?»

«Lukket. Alltid. Men jeg ser at du som meg, har hivd ut gjestestolen. Smart trekk. Folk er glad i å prate.»

Hun lo. «Fått noe spennende å gjøre?»

«På sett og vis,» sa han, kom innenfor og lente seg mot veggen.

Hun satte begge hendene mot pultkanten og skjøv fra så hun og stolen seilte over gulvet mot arkivskapet. Der åpnet hun en skuff, trakk ut et brev og la foran Harry. «Tenkte du ville vite dette.»

«Hva er det?»

«Snømannen. Advokaten hans har søkt om at han blir overført fra Ullersmo til et ordinært sykehus av helsemessige årsaker.»

Han satte seg ytterst på pultkanten og leste. «Mm. Sklerodermi. Den utvikler seg fort. Ikke for fort håper jeg. Det fortjener han ikke.»

Han kikket opp og så at hun var rystet.

«Min grandtante døde av sklerodermi,» sa hun. «En forferdelig sykdom.»

«Og en forferdelig mann,» sa Harry. «For øvrig er jeg helt enig med dem som sier at evnen til tilgivelse sier noe om kvaliteten på et menneske. Jeg er siste sortering.»

«Jeg mente ikke å kritisere deg.»

«Jeg lover å bli bedre i mitt neste liv,» sa Harry, så ned og gned seg over nakken. «Som hvis hinduene har rett, sannsynligvis blir som barkbille. Men jeg skal bli en *snill* barkbille.»

Han så opp, så at det Rakel kalte hans «fordømte, gutteaktige sjarme» virket sånn noenlunde. «Hør, Kaja, jeg kommer fordi jeg har et tilbud til deg.»

«Å?»

«Ja.» Harry hørte sin egen høytidelige stemme. Stemmen til en mann uten tilgivelsesevne, uten hensyn, uten tanke for annet enn sine egne mål. Og fortsatte med den omvendte overtalelsesteknikken han så altfor ofte lyktes med: «Som jeg vil anbefale deg å si nei til. Jeg har nemlig en tendens til å ødelegge livet til folk jeg involverer meg i.»

Han så til sin forbauselse at hun var blitt blussende rød i ansiktet.

«Men jeg synes ikke det var riktig å gjøre dette uten deg,» fortsatte han. «Ikke nå når vi er så nær.»

«Nær ... hva?» Rødmen hadde forsvunnet.

«Nær pågripelse av den skyldige. Jeg er på vei til politijuristen for å be om en arrestordre.»

«Å ... selvfølgelig.»

«Selvfølgelig?»

«Jeg mener, arrestere hvem?» Hun dro stolen inntil pulten igjen. «For hva?»

«Drapsmannen vår, Kaja.»

«Er det sant?» Han så pupillene hennes utvide seg, langsomt, pulserende. Og visste hva som foregikk inni henne. Blodrusen før nedleggelsen, fellingen av viltet. Arrestasjonen. Den som skulle på CV-en hennes. Hvordan kunne hun motstå?

Harry nikket. «Han heter Tony Leike.»

Fargen var tilbake i kinnene hennes. «Lyder kjent.»

«Han skal gifte seg med datteren til ...»

«Å ja, det er forloveden til datteren til Galtung.» Hun rynket pannen. «Mener du at du har beviser?»

«Indisier. Og sammentreff.»

Han så pupillene hennes trekke seg litt sammen igjen.

«Jeg er sikker på at det er vår mann, Kaja.»

«Overbevis meg,» sa hun, og han hørte sulten. Lysten til å sluke alt rått, til å få et påskudd til å ta sitt livs hittil galeste beslutning. Og han hadde ingen intensjoner om å beskytte henne mot seg selv. For han trengte henne. Hun var mediaperfekt: ung, intelligent, kvinne, ambisiøs. Med et sympatisk ansikt og rulleblad. Kort sagt, hun hadde alt han ikke hadde. En Jeanne d'Arc Justisdepartementet ikke ville tørre å brenne på bålet.

Harry trakk pusten. Så gjenga han samtalen med Tony Leike. I detalj. Uten selv å stusse over at han gjenga det som var blitt sagt ordrett. Det var alltid kollegene hans som hadde syntes den evnen var noe merkverdig.

«Håvasshytta, Kongo og Lyseren,» sa Kaja da han var ferdig. «Han har vært alle de stedene.»

«Ja. Og han er tidligere voldsdømt. Og innrømmer at hans intensjon var å drepe.»

«Sterkt. Men ...»

«Det sterke kommer nå. Han har ringt til Elias Skog. To dager før Skog ble funnet drept.»

Pupillene hennes var svarte soler.

«Vi har ham,» sa hun lavt.

«Betyr det vi-et det jeg antar?»

«Ja.»

Harry sukket. «Du innser risikoen ved å bli med på dette? Selv om jeg har rett når det gjelder Leike, er det ikke sikkert denne pågripelsen og en oppklaring er nok til å tippe maktbalansen i Hagens favør. Og da står du i hundehuset.»

«Hva med deg?» Hun lente seg framover pulten. Det glitret i de små pirajatennene. «Hvorfor synes *du* det er verdt risikoen?»

«Jeg er en avdanka politimann som har lite å tape, Kaja. For meg er det dette eller ingenting. Jeg kan ikke jobbe nark eller

sedelighet, og kommer ikke til å få noe tilbud fra Kripos. Men
for din del er dette sannsynligvis et dårlig valg.»

«Valgene mine er som regel det,» sa hun alvorlig.

«Godt,» sa Harry og reiste seg. «Jeg går og får tak i politiju-
risten. Hold deg klar.»

«Jeg er her, Harry.»

Harry reiste seg og da han snudde seg, så han rett inn i
ansiktet til en mann som tydeligvis hadde stått i døråpningen
en stund.

«Beklager,» sa mannen med et bredt smil. «Jeg skal bare prøve
å få lånt den dama der litt.»

Han nikket mot Kaja med en latter dansende i øynene.

«Vær så god,» sa Harry, ga mannen sin forkortede versjon
av et smil og strenet bortover korridoren.

«Aslak Krongli,» sa Kaja. «Hva bringer en landsens gutt til
store, stygge byen?»

«Det vanlige, antar jeg,» sa lensmannen fra Ustaoset.

«Spenningen, neonlyset og mengdens mumlen?»

Aslak smilte. «Jobb. Og en kvinne. Kan jeg få by deg ut på
en kopp kaffe?»

«Ikke akkurat nå,» sa Kaja. «Ting skjer, så jeg må holde meg
ved fortet. Men jeg kjøper gjerne en kopp til deg oppe i kan-
tina. Den er i toppetasjen, så hvis du går i forveien, rekker jeg
å ta én telefon.»

Han viste henne tommelen og forsvant.

Kaja lukket øynene og trakk pusten langt og skjelvende.

Politiadvokatens kontor var på rød sone i sjette etasje, så Harry
hadde kort vei. Juristen, en ung kvinne som tydeligvis var blitt
ansatt etter at Harry sist hadde frekventert kontoret, så opp
over brillene da han steg inn.

«Trenger blålapp,» sa Harry.

«Og du er?»

«Harry Hole, førstebetjent.»

Han rakte fram ID-kortet selv om han så av den lett hektiske
reaksjonen hennes at hun hadde hørt om ham. Han kunne

bare forestille seg hva og lot det derfor være. Hun på sin side noterte navnet hans på skjemaet for pågripelse og ransaking med overdreven mysing på kortet, som om stavingen var ekstremt komplisert.

«To kryss?» spurte hun.

«Gjerne,» sa Harry.

Hun krysset av for både pågripelse og ransaking og lente seg tilbake i stolen på en måte Harry tippet var etteraping av måten hun hadde sett de mer rutinerte politiadvokatene innta du-har-tretti-sekunder-på-å-overbevise-meg-stillingen på.

Harry visste av erfaring at det første argumentet var det viktigste, det var der politijuristen bestemte seg, så derfor begynte han med at Leike hadde ringt til Elias Skog to dager før drapet. Dette til tross for at Leike i samtalen med Harry hadde framstilt det som om han ikke kjente Skog eller hadde snakket med ham på Håvasshytta. Argument to var voldsdommen som Leike selv tilsto var et drapsforsøk, og Harry kunne allerede da se at blålappen var i boks. Han sukret derfor saken med sammentreffene med Kongo og Lyseren uten å gå for mye i detalj.

Hun tok av seg brillene.

«Jeg er i utgangspunktet positiv,» sa hun. «Men jeg trenger å tenke litt på det.»

Harry bannet inni seg. En mer erfaren jurist hadde gitt ham blålappen der og da, men hun var vel så fersk at hun ikke torde uten å konsultere en av de andre. Det burde stått «under opplæring» på døra hennes, så han kunne gått til en av de andre, nå var det for seint.

«Det haster,» sa Harry.

«Hvorfor det?»

Hun tok ham der. Harry gjorde en bevegelse med hånden i lufta av den typen som skal si alt, men ikke sier noe.

«Jeg skal ta en beslutning straks jeg har spist lunsj …» Hun gjorde et poeng av å kikke ned på skjemaet. «… Hole. Jeg legger eventuelt blålappen i posthylla di.»

Harry bet tennene sammen for å være sikker på at han ikke ytret noe overilt. For han visste at hun gjorde det helt riktige.

Selvfølgelig overkompenserte hun for det faktum at hun var ung, uerfaren og kvinne i et mannsdominert miljø. Men hun viste vilje til å sette seg i respekt, demonstrerte ved første anledning at dampveivalsteknikk ikke fungerte på henne. Bra. Han hadde lyst til å ta av henne brillene og knekke dem.

«Kan du ringe meg på internnummeret mitt når du har bestemt deg?» sa han. «Jeg har for tiden kontor et godt stykke unna posthyllene.»

«Greit,» sa hun nådig.

Harry var i kulverten, omtrent femti meter fra kontoret, da han hørte det gå i døra. En skikkelse kom ut, låste skyndsomt etter seg, snudde seg og begynte å gå raskt mot Harry. Og stivnet til da han fikk øye på ham.

«Skvatt du, Bjørn?» sa Harry lavt.

Avstanden mellom dem var fortsatt over tjue meter, men veggene kastet lyden mot Bjørn Holm.

«Litt,» sa totningen og rettet på den fargerike rastalua som dekket det røde håret. «Du lister deg jo innpå folk.»

«Mm. Og du?»

«Hå med meg?»

«Hva gjør du her? Trodde du hadde nok å gjøre på Kripos. Du har jo fått ny, fin jobb, hører jeg.» Harry stoppet to meter fra Holm som så tydelig forvirret ut.

«Fin og fin,» sa Holm. «Je får jo itte jobbe med det je helst vil da.»

«Som er?»

«Det krimtekniske, vel. Du kjinner jo meg.»

«Gjør jeg?»

«Hæ?» Holm rynket pannen. «Koordinering av taktisk og teknisk, hå er det liksom? Å gi beskjeder, å innkalle til møter, å sende ut rapporter.»

«Det er en forfremmelse,» sa Harry. «En start på noe bra, tror du ikke?»

Holm snøftet. «Veit du å je trur? Je trur Bellman har plassert meg der for å holde meg ute av loopen, sørge for at je itte får førstehåndsinformasjon om noe. Fordi hæn har mistanke om at hvis je hadde skaffe meg slik info, er det itte sikkert hæn hadde fått den før deg.»

«Men der tar han jo feil,» sa Harry og stilte seg rett foran krimteknikeren.

Bjørn Holm blunket to ganger. «Hå faen er det, Harry?»

«Ja, hva faen er det?» Harry hørte raseriet gjøre stemmen hans trang og metallisk. «Hva faen gjorde du på kontoret, Bjørn? Alt stæsjet ditt er ute derfra nå.»

«Gjorde?» sa Bjørn. «Hente denne vel.» Han holdt høyre hånd opp. Den klemte rundt en bok. «Du sa du skulle legge 'a i resepsjonen, huser du?»

Hank Williams, The Biography.

Harry kjente skamrødmen skylle opp i ansiktet.

«Mm.»

«Mm,» hermet Bjørn.

«Jeg hadde den med på flyttelasset,» sa Harry. «Men vi snudde halvveis i kulverten og flytta tilbake. Så glemte jeg hele greia.»

«OK. Kæn je gå nå?»

Harry trådte til side, og hørte Bjørn trampe bannende nedover kulverten.

Han låste seg inn på kontoret.

Dumpet ned i stolen.

Så seg rundt.

Notatblokken. Han bladde i den. Han hadde ikke notert noe fra samtalen, ingenting som kunne avsløre Tony Leike som en mistenkt. Harry åpnet skuffene i skrivebordet for å se om det så ut som noen hadde lett igjennom dem. Alt så urørt ut. Kunne Harry likevel ha tatt feil? Kunne han håpe at Holm likevel ikke lekket til Mikael Bellman?

Harry så på klokka. Håpet den nye politijuristen spiste fort. Han slo inn en tilfeldig tast på PC-en og skjermen våknet til liv. Den viste fremdeles siden med hans siste Google-søk. I søkefeltet lyste navnet mot ham: Tony Leike.

Kapittel 41
Blålapp

«Altså,» sa Aslak Krongli og dreide kaffekoppen rundt. Kaja syntes den så ut som et eggeglass i den store hånden hans. Hun hadde satt seg tvers overfor ham ved bordet nærmest vinduet. Politihusets kantine lå i toppetasjen og var av typen standard, norsk, det vil si stor, lys og ren, men ikke så trivelig at folk ble fristet til å sitte lenger enn nødvendig. Rommets største pluss var utsikten over byen, men den lot ikke til å interessere Krongli stort.

«Jeg sjekket gjestebøkene på de andre selvbetjente hyttene i området,» fortsatte han. «Den eneste personen som hadde skrevet i notatfeltet at vedkommende hadde tenkt å tilbringe den aktuelle natta på Håvasshytta, var Charlotte Lolles og Iska Peller som var på Tunvegghytta natta før.»

«Og de vet vi jo allerede om,» sa Kaja.

«Ja. Så jeg har egentlig bare to ting som kanskje kan være av interesse for deg.»

«Og det er?»

«Jeg snakket på telefonen med et eldre ektepar som var på Tunvegghytta samme natt som Lolles og Peller. De sa at det på kvelden hadde dukket opp en kar som stakk innom, tok en matbit, skiftet skjorte og fortsatte mot sørvest. Selv om det var blitt mørkt. Og den eneste hytta i den retningen er Håvasshytta.»

«Og denne personen …»

«De hadde knapt sett ham. Virket som han ikke ville bli sett heller, han hadde ikke tatt av finlandshetten eller de gammeldagse slalåmbrillene, selv ikke da han skifta skjorte. Kona sa at hun tenkte han måtte ha blitt alvorlig skada en gang.»

«Hvorfor det?»

«Hun husket bare at hun hadde tenkt tanken, ikke hvorfor. Uansett, han kan jo ha skiftet retning etter at han var ute av syne, og gått til en annen hytte.»

«Selvfølgelig,» sa Kaja og så på klokka.

«Har dere fått noen respons på den oppfordringen til å melde seg til politiet, forresten?»

«Nei,» sa Kaja.

«Du ser ut som du mener 'ja'.»

Kaja så fort opp på Aslak Krongli som reagerte med å rekke hendene opp foran seg: «Dum bonde i byen! Beklager, det der har jeg ikke noe med.»

«Helt i orden,» sa Kaja.

De kikket ned i hver sin kaffekopp.

«Du sa det var to ting jeg kunne ha interesse av,» sa Kaja. «Hva er den andre?»

«Jeg veit jeg kommer til å angre på at jeg sier dette,» sa Krongli. Den stille latteren var tilbake i øynene hans.

Kaja skjønte i samme øyeblikk hvilken retning det kom til å ta og visste at han hadde rett; han kom til å angre.

«Jeg bor på Plaza i natt og lurte på om du kunne tenke deg å spise sammen med meg der i kveld.»

Hun kunne se på ansiktsuttrykket hans at hennes eget ikke var så vanskelig å lese.

«Jeg kjenner ingen andre i denna byen,» sa han og vred munnen i en grimase som kanskje skulle være et avvæpnende smil. «Bortsett fra eksdama, og hu tør jeg ikke ringe.»

«Hadde vært hyggelig …» begynte Kaja og gjorde en liten pause. Pluskvamperfektum. Hun så at Aslak Krongli angret allerede.

«… men jeg er dessverre opptatt i kveld.»

«Helt i orden, dette er jo kort varsel,» smilte Krongli og

271

tredde fingrene inn i det viltre, krøllete håret sitt. «Hva med i morgen?»

«Jeg ... eh, har det travelt nå om dagen, Aslak.»

Lensmannen nikket som til seg selv. «Selvfølgelig. Selvfølgelig er du opptatt. Han som var inne hos deg da jeg kom, det er kanskje grunnen?»

«Nei, det er andre som sjefer over meg nå.»

«Det var ikke sjefer jeg tenkte på.»

«Å?»

«Du sa du var forelsket i en politimann. Og det virket jo som han der hadde ganske lett for å overtale deg. Lettere enn meg i hvert fall.»

«Nei nei, er du gal, det var jo ikke han! Jeg ... ja, drakk visst litt mye vin den kvelden.» Kaja hørte sin egen fjollete latter og kjente blodet stige oppover halsen.

«Ja ja,» sa Krongli og drakk koppen ut. «Jeg får komme meg ut i den store, kalde byen. Det er vel museer som skal sees og barer som skal besøkes.»

«Ja, du får benytte anledningen.»

Han hevet et øyebryn og blikket hans strigråt og gaplo. Slik Evens hadde gjort på slutten.

Kaja fulgte ham ned. Da han ga henne hånden, glapp det ut av henne:

«Ring meg heller om det blir for ensomt, så skal jeg se om jeg kommer fra.»

Hun tolket smilet hans som takknemlighet for at hun ga ham anledning til å takke nei til et tilbud eller i hvert fall la være å benytte seg av det.

Da Kaja sto i heisen opp igjen til sjette, kom hun til å tenke det han hadde sagt, «... *overtalte deg ganske lett*». Hvor lenge hadde han egentlig stått der ved døra og hørt på dem?

Klokka ett ringte telefonen foran Kaja.

Det var Harry. «Da fikk jeg endelig blålappen. Klar?»

Hun kjente hjertet banke litt fortere. «Ja.»

«Vest?»

«Vest og våpen.»

«Våpen står Delta for. De er klare i en bil utenfor garasjen, det er bare å komme ned. Og ta med blålappen fra hylla mi er du snill.»

«OK.»

Ti minutter senere kjørte de i en av Deltagruppas blå tolvsetere vestover gjennom Oslo sentrum. Kaja lyttet til Harry som forklarte at han en halv time tidligere hadde ringt Leike på kontorfellesskapet der han leide plass, at de hadde forklart at han jobbet hjemmefra i dag. Harry hadde ringt Leikes fasttelefon i Holmenveien, fått svar av Tony Leike og hadde lagt på. Harry hadde spesielt bedt om Milano som operasjonsleder, en mørk, tett mann med massive øyebryn, men som til tross for navnet ikke hadde en dråpe italiensk blod i årene.

De passerte gjennom Ibsentunnelen, og rektangler av reflektert lys gled over hjelmene og visirene til de åtte politimennene som så ut som de var i dyp meditasjon.

Kaja og Harry satt i det bakerste setet. Harry hadde en svart jakke med POLITI skrevet i store, gule bokstaver foran og bak, og hadde tatt fram tjenesterevolveren for å sjekke at det satt patroner i alle kamrene.

«Åtte mann fra Delta og saftmikser,» sa Kaja og refererte til blålyset som sveivet rundt på taket av bilen. «Du er sikker på at det ikke er litt voldsomt?»

«Det *skal* være voldsomt,» sa Harry. «Skal vi få oppmerksomhet rundt hvem som foretok denne pågripelsen, så trenger vi litt høyere partyfaktor enn vanlig.»

«Lekket det til pressen?»

Harry så på henne.

«Hvis du vil ha oppmerksomhet, mener jeg,» sa hun. «Tenk deg kjendisen Leike bli arrestert for Marit Olsen-drapet, de hadde skippa en prinsessefødsel for å få det.»

«Og hva om forloveden hans er der?» sa Harry. «Eller moren? Skal de i avisa og på direkte-TV også?» Han ga revolveren en kjapp sving slik at tønna klikket på plass.

«Hva skal vi med høy partyfaktor da?»

273

«Pressen kommer etterpå,» sa Harry. «De spør naboene, forbipasserende, oss. De får vite hvilket grandiost show det var. Det holder. Ingen uskyldige involvert, og vi får førstesida vår.»

Hun kikket stjålent på ham da skyggene i neste tunnel gled over dem. De kjørte over Majorstua og opp Slemdalsveien, passerte Vinderen, og hun så ham stirre ut av sidevinduet, på trikkeperrongen, med et plaget, nakent uttrykk i ansiktet. Hun fikk lyst til å legge en hånd over hans, si noe, hva som helst, noe som kunne ta bort det uttrykket. Hun så på hånden hans. Den holdt rundt revolveren, knuget den, som om den var alt han hadde. Det kunne ikke fortsette slik, noe kom til å briste. Hadde allerede bristet.

De steg og steg, byen lå under dem. De svingte over trikkeskinnene, kom over i samme øyeblikk som det begynte å blinke bak dem og bommen ble senket.

De var i Holmenveien.

«Hvem er det som blir med meg til døra, Milano?» ropte Harry framover til passasjersetet.

«Delta nummer tre og fire,» ropte Milano tilbake, snudde seg og pekte på en mann som hadde et stort tretall skrevet med kritt på brystet og ryggen på kjeledressen sin.

«OK,» sa Harry. «Og resten?»

«To mann på hver side av huset. Prosedyre Dyke 1-4-5.»

Kaja visste at det var en kode for hvordan de rykket fram, at metoden var lånt fra amerikansk fotball, og at hensikten var å kommunisere hurtig og å gjøre den uforståelig for motparten i tilfelle de greide å komme seg inn på radiofrekvensene Delta brukte. De stoppet en par husnumre fra Leikes. Seks av mennene sjekket MP-5-ene sine og hoppet ut. Kaja så dem rykke fram gjennom digre nabohager med brunt, vissent gress, nakne epletrær og de høye hekkene de foretrakk her på Vestkanten. Kaja så på klokka. Det var gått førti sekunder da radioen til Milano knitret: «Alle på plass.»

Sjåføren slapp clutchen, og de kjørte sakte fram til huset.

Tony Leikes relativt nyanskafne villa var gul, én-etasjes, imponerende stor, men adressen var mer prangende enn arkitekturen, som lå et sted midt mellom funkis og trekasse, så vidt Kaja kunne bedømme.

De stoppet på tvers av de to garasjedørene i enden av en singelbelagt vei som førte opp til inngangsdøra. For en del år tilbake, under et gisseldrama i Vestfold der Delta hadde omringet et hus, hadde gisseltakerne kommet seg unna ved å rusle inn i garasjen som var forbundet til huset med en gang, vri tenningsnøkkelen om på huseierens bil og rett og slett trille ut og vekk med veldig bevæpnede politifolk som veldig måpende tilskuere.

«Hold deg bak oss og følg med,» sa Harry til Kaja. «Neste gang er det din tur.»

De steg ut, og Harry begynte straks å gå opp mot huset med de to andre politimennene ett skritt bak og til siden slik at de dannet et triangel. Kaja hadde hørt på stemmen hans at pulsen var høyere. Nå så hun det på kroppsspråket hans også, på anspentheten i nakken, på den overdrevent myke måten han beveget seg på.

De gikk opp på trappa. Harry ringte på. De to andre hadde stilt seg på hver sin side av døra med ryggen mot veggen.

Kaja telte. Harry hadde fortalt henne i bilen at i FBI sa instruksen at du måtte ringe eller banke på, rope «politi!» og «vennligst åpne!», gjenta dette og så vente ti sekunder før du kunne ta deg inn på egen hånd. Norsk politi hadde ingen så spesifikk instruks, men det betydde ikke at det ikke fantes regler.

Denne formiddagen i Holmenveien kom imidlertid ingen av dem til anvendelse.

Døra ble revet opp, og Kaja gikk automatisk et skritt bakover da hun så rastalua i døråpningen, så Harrys skulder bevege seg og hørte lyden av knyttneve som treffer kjøtt.

Kapittel 42
Beavis

Bevegelsen var automatisk, Harry greide rett og slett ikke å stoppe den.

Da krimtekniker Bjørn Holms lett måneaktige ansikt dukket opp i Tony Leikes døråpning og Harry så andre krimteknikere i full gang med ransaking bak ham og han i løpet av ett sekund skjønte hva som hadde skjedd, svartnet det.

Han kjente bare støtet forplante seg langs armen opp i skulderen og smerten i knokene. Da han åpnet øynene igjen, sto Bjørn Holm på knærne inne i gangen, og blodet veltet ut fra nesa, over munnen og dryppet fra haka.

De to politimennene fra Delta hadde hoppet fram og holdt våpnene sine rettet mot Holm, men var tydelig i villrede. Sannsynligvis hadde de sett både den velkjente rastalua hans før og skjønte at de andre hvitkledte var del av en åstedsgruppe.

«Meld fra at situasjonen er under kontroll,» sa Harry til mannen med tretallet på brystet. «Og at den mistenkte er arrestert. Av Mikael Bellman.»

Harry satt nedsunket i stolen, med beina strukket ut slik at de rakk helt fram til Gunnar Hagens skrivebord.

«Det er såre enkelt, sjef. Bellman fikk vite at vi var i ferd med å skulle pågripe Tony Leike. Faen, de har jo det nasjonale statsadvokatembedet tvers over gata, i samme bygget som Krimteknisk. Han kunne bare rusle over og få en blålapp av en av statsadvokatene, var sannsynligvis gjort unna på to minutter. Mens jeg venta i to forpulte timer!»

«Du trenger ikke rope,» sa Hagen.

«*Du* trenger ikke, men *jeg* gjør det!» ropte Harry og slo i armlenet. «Faen! Faen!»

«Vær glad til at Holm ikke vil anmelde deg. Hvorfor slo du til *ham* forresten? Er det han som var lekkasjen?»

«Var det noe mer, sjef?»

Hagen så på førstebetjenten sin. Så ristet han på hodet. «Ta deg fri et par dager, Harry.»

Truls Berntsen var blitt kalt så mye i oppveksten. De fleste av klengenavnene var glemt nå. Men han hadde fått et navn etter videregående tidlig på på nittitallet som hadde festet seg: Beavis. Han der tegneserieidioten på MTV. Lyst hår, underbitt og gryntelatter. OK, så lo han kanskje slik. Hadde gjort det helt fra barneskolen, særlig når noen fikk juling. Særlig når han sjøl fikk juling. Han hadde lest i et tegneserieblad at fyren som lagde Beavis og Butt-Head het Jugde, han husket ikke fornavnet. Men denne Judge-fyren sa i hvert fall at han forestilte seg at faren til Beavis var en fyllik som slo sønnen. Truls Berntsen husker at han bare hadde slengt fra seg bladet på butikkgulvet og gått ut mens han lo gryntelatteren.

Han hadde to onkler som begge var politifolk, og hadde greid opptakskravene på Politihøyskolen med et kusehår og to anbefalinger. Og tatt eksamen med et nødvræl og minst én hjelpende hånd fra fyren på pulten ved siden av. Skulle bare mangle, de hadde vært kompiser fra de var små. Eller kompiser og kompiser. Skulle han være ærlig, så hadde Mikael Bellman vært sjefen hans fra de var tolv år gamle og de møttes på den store tomta de holdt på å sprenge ut på Manglerud. Bellman hadde tatt ham på fersken mens han prøvde å sette fyr på en død rotte. Og hadde vist ham hvor mye mer moro det var å stappe en dynamittkubbe inn i kjeften på rotta. Truls hadde til og med fått tenne på. Og siden den dagen hadde han fulgt Mikael Bellman hvor han gikk. Når han fikk lov. Mikael fikset alle de tingene Truls ikke gjorde. Skolen, gymtimene, hvordan du snakka slik at ingen kødda med deg. Han hadde til og med jenter, en av dem var ett år eldre og hadde pupper som Mikael fikk kna så mye han ville. Det var bare én ting Truls var bedre til: å ta juling. Mikael trakk seg alltid når noen av de større gutta ikke tålte at yppetrynet hadde finta dem ut drittslengeteknisk, og de kom mot dem med knytta never. Da skjøv Mikael Truls foran seg. For Truls kunne ta juling. Han hadde treninga hjemmefra. De kunne banke ham til blodet rant, men han sto der fortsatt, med gryntelatteren sin som bare gjorde dem enda mer rasende. Men han kunne ikke la være, han bare måtte le. Han visste at etterpå ville han få et anerkjennende klapp på skulderen av Mikael, og hvis det var søndag ville Mikael kanskje si at Julle og Te-Ve skulle kjøre om kapp igjen. Så ville de stille seg på broa nedenfor Ryenkrysset, kjenne lukten av solstekt asfalt og høre Kawa 1000-motorene ruse mens de to heiagjengene ropte og skreik. Og så ville motorsyklene til Julle og Te-Ve komme susende nedover den søndagstomme motorveien, passere under dem og videre nedover mot tunnelen og Bryn, og de ville kanskje – hvis Mikael var i godt humør og moren til Truls hadde vakt på Aker sykehus – gå og spise søndagsmiddag hjemme hos fru Bellman.

En gang Mikael hadde ringt på hos dem, hadde faren ropt til Truls at det var Jesus som var kommet for å hente disippelen sin.

De hadde aldri krangla. Det vil si, Truls hadde aldri tatt igjen hvis Mikael var i dårlig humør og slengte dritt. Ikke engang på den festen der Mikael hadde kalt ham Beavis og alle hadde ledd, og Truls instinktivt hadde skjønt at navnet kom til å feste seg. Bare én gang hadde Truls tatt igjen. Den gangen Mikael hadde kalt faren hans en av fyllikene fra Kadok-fabrikken. Da hadde Truls reist seg og gått mot Mikael med neven hevet. Mikael hadde krøpet sammen med en arm over hodet, leende bedt ham slappe av, at det bare var en fleip og unnskyld, da. Men etterpå var det Truls som hadde vært lei seg og bedt om unnskyldning.

En dag hadde Mikael og Truls gått inn på en av bensinstasjonene hvor de visste at Julle og Te-Ve stjal bensin. Julle og Te-Ve bare fylte opp tankene på Kawaene fra de selvbetjente pumpene mens damene deres satt bakpå med hver sin olajakke knyttet rundt livet slik at jakkene liksom tilfeldig hang ned over nummerskiltet. Så hivde gutta seg på syklene sine og ga full gass.

Mikael oppga fullt navn og adresse på Julle og Te-Ve, men på bare én av jentene, kjæresten til Te-Ve. Stasjonseieren hadde sett skeptisk ut, lurt på om han ikke hadde sett Truls på et av overvåkningskameraene, han lignet i hvert fall guttungen som hadde stjålet en jerrykanne med bensin rett før den tomme arbeidsbrakka oppe på Manglerud-tomta var blitt tent på. Mikael hadde sagt at han ikke ønsket noen dusør for opplysningene, bare at de skyldige ble stilt til ansvar. At han regnet med at også stasjonseieren kjente sitt samfunnsansvar. Den voksne mannen hadde nikket, litt forbløffet. Mikael hadde den virkningen på folk. Da de gikk derfra, sa Mikael at etter videregående ville han søke Politihøyskolen og at Beavis burde tenke på å gjøre det samme, han hadde jo til og med politifolk i slekta.

Like etterpå var Mikael blitt sammen med Ulla, og de hadde sett litt mindre til hverandre. Men etter videregående og Politiskolen, hadde de fått ansettelse på samme politistasjon på Stovner, ordentlig østkant med gjengkriminalitet, husbråk og til og med et og annet drap. Etter ett år var Mikael gift med Ulla og blitt sjefen til Truls, eller Beavis som han var blitt kalt fra cirka dag tre, og fremtiden hadde sett grei ut for Truls og strålende for Mikael. Helt til en tosk av en fyr, en sivil vikar på lønningskontoret, hadde beskyldt Bellman for å ha knust kjeven hans etter julebordet. Han hadde ikke noe bevis, og Truls visste positivt at Mikael ikke hadde gjort det. Men med alt bråket søkte Mikael seg likegodt ut, fikk jobb i Europol, flytta til hovedkontoret i Haag, hvor han nokså fort også der ble ei stjerne.

Da Mikael kom tilbake til Norge og Kripos, var noe av det andre han gjorde å ringe Truls og si: «Beavis, er du klar for å sprenge rotter igjen?»

Det første han hadde gjort, var å ansette Jussi.

Jussi Kolkka var spesialist i et halvt dusin kampteknikker med sånne navn du glemmer før de er ferdig uttalt. Han hadde jobbet for Europol i fire år, og før det vært politimann i Helsinki. Jussi Kolkka hadde måttet slutte i Europol fordi han hadde gått over streken under etterforskningen av en serie voldtekter på tenåringsjenter i Sør-Europa. Kolkka hadde visstnok banket opp en overgriper så grundig at selv advokaten hans hadde hatt problemer med å kjenne ham igjen. Men ikke med å true Europol med søksmål. Truls hadde prøvd å få Jussi til å fortelle de deilige detaljene, men han hadde bare stirret taust på ham. Greit nok, Truls var heller ingen pratmaker. Og han hadde merka seg at jo mindre du prater, desto større sjanser for at folk undervurderte deg. Noe som ikke bestandig var så dumt. Uansett. I kveld hadde de grunn til å feire. Mikael, ham selv, Jussi og Kripos hadde vunnet. Og siden Mikael ikke var her, fikk de selv ta styringa.

«Hold kjeft!» ropte Truls og pekte på TV-en som hang på veggen over baren på Justisen. Og hørte sin egen nervøse gryntelatter da kollegene faktisk gjorde som han sa. Det ble stille rundt bordene og bardisken. Alle stirret på nyhetsankeret som så rett i kameraet og forkynte det de hadde ventet på:

«Kripos arresterte i dag en mann mistenkt for i alt fem drap, blant dem drapet på Marit Olsen.»

Jubelen brøt løs, ølseidler ble svingt og overdøvet fortsettelsen helt til en mørk stemme med finsk-svensk aksent buldret: «Håll käften!»

Kripos-folkene adlød og rettet oppmerksomheten mot Mikael Bellman, som sto utenfor bygget deres på Bryn med en lodden mikrofon stukket opp i ansiktet.

«Vedkommende er mistenkt, vil bli avhørt av Kripos og deretter framstilt for varetektsfengsling,» sa Mikael Bellman.

«Vil det si at du mener at politiet dermed har løst denne saken?»

«Å finne den skyldige og å få vedkommende dømt er to

forskjellige ting,» sa Bellman med et bitte lite smil i munnvikene. «Men etterforskningen vår her på Kripos avdekket såpass mange indisier og sammentreff at vi mente det var riktig å gå til pågripelse med én gang ettersom det var fare for både gjentagelse og bevisforspillelse.»

«Den arresterte er en mann i trettiårene. Kan dere si noe mer om ham?»

«Han har en tidligere dom for vold, det er det jeg kan si.»

«På Internett verserer det rykter om identiteten til vedkommende. At det er en kjent investor som blant annet er forlovet med datteren til en kjent reder. Kan du bekrefte disse ryktene, Bellman?»

«Jeg tror jeg verken skal bekrefte eller avkrefte annet enn at vi i Kripos har godt håp om at denne saken går mot en snarlig oppklaring.»

Reporteren snudde seg mot kamera for en outro, men ble overdøvet av klappsalvene på Justisen.

Truls bestilte en øl til mens en av etterforskerne steg opp på en stol og utbasunerte at Voldsavsnittet kunne få suge pikken hans, i hvert fall den ytterste delen, om de ba pynt. Latteren runget i det stinne, svetteluktende lokalet.

I det samme gikk døra opp, og i speilet kunne Truls se en skikkelse fylle døråpningen.

Han kjente en merkelig opphisselse ved synet, en sitrende forvissning om at noe skulle skje, at noen ville komme til skade.

Det var Harry Hole.

Høy, bredskuldret, mager i ansiktet og med de rødskutte øynene liggende dypt i soklene. Han bare sto der. Og likevel – uten at noen ropte at det skulle holdes kjeft – spredte stillheten seg forfra og bakover på Justisen, helt til det hørtes en siste hysjing på to snakkesalige krimteknikere. Da stillheten endelig var total, snakket Hole:

«Så dere feirer at dere har greid å stjele jobben vi alt hadde gjort?»

Ordene kom lavt, nesten hviskende og likevel runget hver stavelse i lokalet.

«Dere feirer at dere har en sjef som er villig til å gå over lik – både de som har stabla seg opp der ute og de som snart skal bæres ut fra sjette etasje på Politihuset – bare for å få lov til å være solkongen av føkking Bryn. Vel. Her er en hundrelapp.»

Truls kunne se Hole holde opp en seddel.

«Den skal dere slippe å stjele. Her – kjøp dere øl, tilgivelse, en dildo til Bellmans threesome ...»

Han krøllet hundrelappen sammen og hev den bort på gulvet. Ut av øyekroken kunne Truls se at Jussi alt var i bevegelse.

«... eller en tyster til.»

Hole tok et støtteskritt til siden og først nå skjønte Truls at fyren – til tross for at han snakket tydelig som en prest – var full som en alke.

I neste øyeblikk gjorde Hole en halv piruett da Jussi Kolkkas høyre svingslag traff ham på venstre hake, og så et dypt, nesten galant bukk da finnens venstre knyttneve begravde seg i hans solar plexus. Truls ante at Hole om noen sekunder – når han hadde fått litt luft tilbake i lungene – kom til å spy. Her inne. Og Jussi tenkte tydeligvis det samme, at utenfor var bedre. Det var merkelig å se hvordan den butte, nesten klosseformede finnen løftet foten høyt og mykt som en ballerina, satte den mot Harrys skulder og skjøv ganske forsiktig fra slik at den sammenkrøkte politimannen vippet bakover og ut av den samme døråpningen han hadde kommet inn gjennom.

De fulleste og yngste hylte av latter, mens Truls gryntet. Et par av de eldre skrek opp, og en av dem ropte at Kolkka for faen fikk oppføre seg. Men ingen av dem foretok seg noe. Truls visste hvorfor. Alle her inne husket historien. Harry hadde dratt uniformen gjennom søla, driti i reiret, tatt livet av en av deres beste menn.

Jussi marsjet mot bardisken, uttrykksløs, som om han hadde vært ute med søpla. Truls knegget og gryntet. Han kom aldri til å forstå seg på finner og samer og eskimoer og hva faen de var.

Lenger bak i lokalet hadde en fyr reist seg og styrte mot

utgangsdøra. Truls hadde ikke sett ham på Kripos før, men han hadde oppsynet til en politimann under det mørke, krøllete håret.

«Si fra hvis du trenger hjelp me'n, lensmann,» ropte noen fra bordet hans.

Først tre minutter senere, da Celine Dion var skrudd opp igjen og praten gikk, våget Truls seg ut på gulvet, satte skosålen på hundrelappen og dro den med seg inn til bardisken.

Harry fikk luft i lungene. Og spydde. Én gang, to ganger. Så sank han sammen igjen. Asfalten var så kald at den sved i siden tvers gjennom skjorta, og samtidig så tung at den var som han bar den og ikke omvendt. På innsiden av øyelokkene hans danset blodrøde flekker og svarte, buktende ormer.

«Hole?»

Harry hørte stemmen, men visste at om han viste at han var ved bevissthet, var det fritt fram for spark. Så han holdt øynene lukket.

«Hole?» Stemmen var kommet nærmere og han kjente en hånd på skulderen.

Harry visste også at alkoholen ville redusere hurtigheten, treffsikkerheten og avstandsbedømmelsen, men han gjorde det likevel. Han åpnet øynene, vred seg rundt og slo mot strupehodet. Så sank han sammen igjen.

Han hadde bommet med nesten en halv meter.

«Jeg skal skaffe deg en drosje,» sa stemmen.

«Ikke faen,» stønnet Harry. «Kom deg vekk, jævla rotte.»

«Jeg er ikke i Kripos,» sa stemmen. «Jeg heter Krongli. Lensmann på Ustaoset.»

Harry snudde seg og så opp på ham.

«Jeg er bare litt full,» sa Harry hest og prøvde å puste rolig slik at smertene i magen ikke skulle få ham til å spy igjen. «Det er ikke så farlig.»

«Jeg er litt full jeg òg,» smilte Krongli og la den ene armen til Harry rundt skulderen sin. «Og skal jeg være ærlig, så aner jeg ikke hvor man får tak i taxi. Kommer du deg på beina?»

Harry satte ett og så to bein under seg, blunket et par ganger og slo fast at han i alle fall befant seg i vertikalen igjen. Og i halv omfavnelse med en lensmann fra Ustaoset.

«Hvor sover du i natt?» spurte Krongli.

Harry kikket skrått bort på lensmannen: «Hjemme. Og helst aleine, hvis det er greit for deg.»

I det samme svingte en politibil opp foran dem, og sidevinduet gled ned. Harry hørte slutten av en latter og så en rolig stemme:

«Harry Hole, Voldsavsnittet?»

«Meg,» sukket Harry.

«Vi fikk akkurat en telefon fra en av etterforskerne i Kripos med henstilling om å komme hit og bringe deg trygt og sikkert hjem.»

«Så få opp døra da!»

Harry satte seg inn i baksetet, la hodet mot nakkestøtten, lukket øynene, kjente alt straks begynne å snurre, men foretrakk det framfor å se de to i forsetene stirre på ham. Krongli ba dem ringe ham på et nummer når «Harry» var vel hjemme. Hva faen var det som fikk den fyren til å innbille seg at han var kompisen hans? Harry hørte sidevinduet dure opp, og så den behagelige stemmen fra forsetet igjen:

«Hvor bor du, Hole?»

«Kjør rett fram,» sa Harry. «Vi skal besøke noen.»

Da Harry kjente bilen sette seg i bevegelse, åpnet han øynene, snudde seg og så Aslak Krongli stå igjen på fortauet i Møllergata.

Kapittel 43
Husbesøk

Kaja lå på siden og stirret inn i soveromsmørket. Hun hadde hørt det gå i porten og nå skritt i grusen utenfor. Hun holdt pusten og ventet. Så ringte det på. Hun gled ut av senga, inn i morgenkåpen og bort til vinduet. Det ringte på igjen. Hun gløttet på gardinene. Og sukket.

«Full politimann,» sa hun høyt ut i rommet.

Hun stakk føttene i tøflene og subbet ut i gangen og bort til døra. Åpnet den og stilte seg i åpningen med korslagte armer.

«Hei der, schnuppa,» snøvlet politimannen. Kaja lurte på om det skulle være en parodi på full-mann-sketsjen. Eller om det var den sørgelige originalen.

«Hva bringer deg hit så sent?» sa Kaja.

«Deg. Slipper jeg inn?»

«Nei.»

«Men du sa jeg kunne ta kontakt om det ble for ensomt. Og det *ble* for ensomt.»

«Aslak Krongli,» sa hun. «Jeg har lagt meg. Dra til hotellet ditt nå. Vi kan ta en kaffe i morgen formiddag.»

«Jeg trenger en kaffe nå, tror jeg. Ti minutter, så ringer vi etter en taxi, hva? Vi kan snakke om drap og seriemordere så lenge. Hva sier du?»

«Beklager,» sa hun. «Jeg er ikke alene.»

Krongli rettet seg brått opp, med en bevegelse som fikk Kaja til å mistenke at han ikke var så full som han først hadde virket:

«Jaså. Er han her, han politimannen du sa du er så opphengt i?»

«Kanskje det.»

«Er de der hans?» sa lensmannen langsomt og sparket til de store skoene som sto ved siden av dørmatta.

Kaja svarte ikke. Det var noe i Kronglis stemme, nei, bak stemmen, noe hun ikke hadde hørt der før. Som en lavfrekvent, knapt hørbar knurring.

«Eller har du bare satt ut de skoene for å skremme?» Gråt og latter i blikket. «Det er ingen her, er det vel, Kaja?»

«Hør, Aslak …»

«Han politimannen du snakker om, han Harry Hole, gikk nemlig på en smell tidligere i kveld. Dukka opp på Justisen full som en dupp, yppa til juling og fikk det. En patruljebil kom for å kjøre ham hjem. Så da ble visst du ledig i kveld likevel, eller hva?»

Hjertet hennes slo fortere, hun frøs ikke lenger under slåbroken.

«Kanskje de kjørte ham hit i stedet,» sa hun og hørte at stemmen hennes også var annerledes nå.

«Nei, de ringte meg og fortalte at de hadde kjørt ham langt pokker i vold oppi åsen hvor han skulle besøke noen. Da de oppdaget at det var på Rikshospitalet og sterkt fraråda det, hadde han bare hoppa av på rødt lys. Jeg liker kaffen sterk, greit?»

Det var kommet et intenst skinn i øynene hans, det samme som Even pleide å få når han ikke var frisk.

«Aslak, gå nå. Det er taxier i Kirkeveien.»

Hånden hans skjøt ut, og før hun rakk å reagere hadde han grepet henne rundt armen og skjøvet henne inn i gangen. Hun prøvde å komme seg løs, men han la en arm rundt henne, holdt henne.

«Skal du være akkurat som henne?» hveste stemmen hans ved øret hennes. «Glippe unna, stikke av? Være slik dere alle er, jævla …»

Hun stønnet og vred på seg, men han var sterk.

286

«Kaja!»

Stemmen kom fra soverommet hvor døra sto åpen. En bestemt, bydende mannsstemme som Krongli under andre omstendigheter kanskje ville kjent igjen. I og med at han hadde hørt den på Justisen bare en time tidligere.

«Hva er det som foregår, Kaja?»

Krongli hadde alt sluppet henne og stirret på henne, storøyet og med åpen munn.

«Ingenting,» sa Kaja uten å slippe Krongli med blikket. «Bare en full bonde fra Ustaoset som er på vei hjem.»

Krongli rygget stumt mot utgangsdøra, åpnet. Smatt ut og slamret den igjen bak seg. Kaja gikk bort til døra, låste og la pannen mot det kalde treverket. Hun hadde lyst til å gråte. Ikke av redsel eller sjokk. Men av fortvilelse. Av at alt rundt henne raste. Av at alt hun hadde trodd var rent og riktig, endelig hadde begynt å stå fram i sitt virkelige lys. At det hadde gjort det lenge, men at hun ikke hadde *villet* se. For det var sant som Even hadde sagt: ingen er som de virker, og det meste, bortsett fra det oppriktige sviket, er løgn og bedrag. Og den dagen vi oppdager at vi selv ikke er annerledes, er den dagen vi ikke har lyst til å leve lenger.

«Kommer du, Kaja?»

«Ja.»

Kaja skjøv seg vekk fra døra hun hadde så lyst til å løpe ut av. Gikk inn på soverommet. Månelyset falt inn mellom gardinene og på senga, på champagneflasken han hadde tatt med for å feire, på hans nakne, veltrente overkropp, på ansiktet som hun en gang hadde syntes var det vakreste på denne jord. De hvite pigmentflekkene i ansiktshuden skimret som selvlysende maling. Som om det glødet inni ham.

Kapittel 44
Ankeret

Kaja ble stående i døråpningen til soverommet og se på ham. Mikael Bellman. For dem der ute: en dyktig, ambisiøs overbetjent, lykkelig gift trebarnsfar og snart leder for det nye Kripos gigantus som ville lede all drapsetterforskning i Norge. For henne, Kaja Solness: en mann hun var blitt forelsket i med én gang hun hadde møtt ham, som hadde forført henne etter alle kunstens regler pluss et par ureglementerte. Han hadde hatt lett spill, men det var ikke hans feil, det var hennes. Stort sett. Hva var det Harry hadde sagt? «Han er gift og sier at han vil gå fra kona og ungene for din skyld, men gjør det aldri?»

Bang på spikerhodet. Selvfølgelig. Så banale er vi. Vi tror fordi vi vil tro. På guder fordi det døyver angsten for døden. På kjærligheten fordi det forskjønner forestillingen om livet. På det gifte menn sier fordi det er det gifte menn sier.

Hun visste hva Mikael kom til å si. Og så sa han det:

«Jeg må snart hjem. Hun kommer til å lure.»

«Jeg vet det,» sukket Kaja og lot som vanlig være å stille spørsmålet som alltid poppet opp når han sa det: Hvorfor ikke la henne slutte å lure? Hvorfor ikke gjøre som du har sagt så lenge? Og det var her det nye spørsmålet hadde begynt å poppe opp: Og hvorfor er jeg ikke lenger så sikker på om jeg *vil* at han skal gjøre det?

Harry støttet seg oppover rekkverket i trappa opp til Hematologisk avdeling på Rikshospitalet. Han var våt av svette, gjennomfrossen, og tennene klapret som en totakters motor. Og han var full. Full igjen. Full av Jim Beam, full av faenskap, full av seg sjøl, full av dritt. Han sjanglet inn gjennom korridoren, han skimtet alt døra til farens rom i enden.

Hodet på en sykepleier stakk ut fra et vaktrom, så på ham og forsvant igjen. Harry hadde femti meter igjen til døra da sykepleieren pluss en flintskallet mannlig pleier kom skliende ut i korridoren og avskar ham.

«Vi oppbevarer ikke medisiner her på avdelingen,» sa den flintskallede.

«Det du sier der er ikke bare en grov løgn,» sa Harry og prøvde å kontrollere balansen og tennenes hakking. «Men en grov fornærmelse. Jeg er ikke junkie, men en pårørende som er her for å besøke faren sin. Så vennligst flytt dere.»

«Unnskyld,» sa den kvinnelige pleieren som virket noe beroliget av Harrys klare diksjon. «Men du lukter som et bryggeri, og vi kan ikke tillate ...»

«Bryggeri er øl,» sa Harry. «Jim Beam er bourbon. Hvilket skulle tilsi at jeg lukter som et *destilleri*, frøken. Det er ...»

«Uansett,» sa den mannlige pleieren og grep Harry ved albuen. Og slapp den like fort da hans egen hånd ble vridd rundt. Pleieren stønnet og skar en grimase av smerte før Harry slapp ham igjen. Harry sto rett opp og ned og så på ham.

«Ring politiet, Gerd,» sa pleieren lavt uten å slippe Harry med blikket.

«Hvis det er greit, tar jeg det herfra,» sa en stemme med antydning til lesping bak dem. Det var Sigurd Altman. Han kom gående med en perm under armen og et vennlig smil om munnen: «Har du anledning til å bli med meg dit vi oppbevarer narkotikaen, Harry?»

Harry svaiet to ganger fram og tilbake. Fokuserte på den lille, spinkle mannen med de runde brillene. Så nikket han.

«Denne vei,» sa Altman som alt hadde begynt å gå.

Altmans kontor var strengt tatt et kott. Det var uten vindu, uten merkbar ventilasjon, men med en pult og PC, en feltseng han forklarte var for de nattvaktene hvor han kunne sove og vekkes etter behov. Og et låsbart garderobeskap Harry antok inneholdt muligheter for kjemisk på- og avkobling.

«Altman,» sa Harry, som satt på sengekanten og smattet høyt som om han hadde fått lim på leppene. «Uvanlig navn. Vet bare om én som heter det.»

«Robert,» sa Sigurd Altman, som satt i den eneste stolen i rommet. «Jeg likte ikke den jeg var, i den lille bygda jeg vokste opp i. Så snart jeg kom meg vekk, søkte jeg om å få bytte ut et alt for vanlig sen-navn. Jeg begrunnet søknaden som sant var med at Robert Altman var favorittregissøren min. Og saksbehandleren må ha vært fyllesjuk den dagen, for det gikk igjennom. Vi kan alle ha godt av å gjenfødes innimellom.»

«*The Player*,» sa Harry.

«*Gosford Park*,» sa Altman.

«*Short Cuts*.»

«Ah, et mesterverk.»

«God, men overvurdert. For mange temaer. Arrangementet gjør handlingen unødvendig komplisert.»

«Livet er komplisert. Mennesker er kompliserte. Se den en gang til, Harry.»

«Mm.»

«Hvordan går det? Noen fremgang i den Marit Olsen-saken?»

«Fremgang,» sa Harry. «Fyren som gjorde det, ble pågrepet i dag.»

«Jøss. Ja, da forstår jeg jo at du feirer.» Altman presset haka inn mot brystet og kikket over brillene. «Jeg må innrømme at mitt håp er at jeg kan fortelle mine eventuelle barnebarn at det var opplysningen jeg ga deg om ketanomin som løste saken?»

«Det må du gjerne, men det var en telefon til et av ofrene som avslørte ham.»

«Stakkars.»

«Stakkars hvem?»

«Stakkars alle sammen, går jeg ut fra. Så hvorfor hastet det slik med å se faren din akkurat nå i natt?»

Harry la hånden foran munnen og rapet lydløst.

«Det er en grunn,» sa Altman. «Uansett hvor ruset du er, så er det alltid en grunn. På den annen side er den grunnen selvfølgelig ikke noe jeg har noe med, så jeg burde kanskje klappe igj...»

«Er du noen gang blitt spurt om å gi dødshjelp?»

Altman trakk på skuldrene. «Noen ganger, ja. Som anestesipleier er jeg jo en nærliggende person å be. Hvordan det?»

«Faren min har bedt meg.»

Altman nikket langsomt. «Det er en tung byrde å legge på et annet menneske. Er det derfor du kom hit nå? For å få det overstått?»

Harrys blikk hadde alt vandret rundt rommet for å se om det var noe alkoholholdig der å drikke på. Nå tok det en runde til. «Jeg kom for å be om tilgivelse. For at jeg ikke kan gjøre det for ham.»

«Du trenger neppe tilgivelse for det. Å ta liv er ikke noe man kan forlange av noen, aller minst sin egen sønn.»

Harry la hodet i hendene. Det kjentes hardt og tungt som en bowlingkule.

«Jeg har gjort det en gang før,» sa han.

Altmans stemme lød mer forundret enn egentlig sjokkert: «Gitt dødshjelp?»

«Nei,» sa Harry. «Nektet dødshjelp. Til min verste fiende. Han har en uhelbredelig, dødelig og svært smertefull sykdom. Han kveles langsomt av egen krympende hud.»

«Sklerodermi,» sa Altman.

«Da jeg pågrep ham, prøvde han å få meg til å skyte ham. Vi var alene oppe i et tårn, bare han og jeg. Han hadde drept et ukjent antall mennesker og skada meg og folk jeg er glad i. Varig mén. Jeg hadde revolveren min pekende rett på ham. Bare oss. Selvforsvar. Jeg risikerte ikke en dritt ved å skyte ham.»

«Men du ville heller at han skulle lide,» sa Altman. «Døden var en for lettvint utvei.»

«Ja.»

«Og nå føler du at du gjør det samme med din egen far, du lar ham lide heller enn å få dø.»

Harry gned nakken. «Det er ikke fordi jeg holder meg med prinsipper om livets ukrenkelighet eller noe sånt bullshit. Det er ren og skjær unnfallenhet. Feighet er det. Faen, du har ikke noe å drikke på her, Altman?»

Sigurd Altman ristet på hodet. Harry var ikke sikker på om det var som svar på det siste spørsmålet eller det andre han hadde sagt. Kanskje begge deler.

«Du kan ikke bare diskvalifisere dine egne følelser slik, Harry. Du prøver å hoppe bukk over at du som alle andre styres av forestillinger om rett og galt. Intellektet ditt har kanskje ikke alle argumentene for de forestillingene, men likevel ligger de dypt, dypt forankret i deg. Rett og galt. Kanskje er det ting du ble fortalt av foreldrene dine i barndommen, et eventyr med moral som bestemor leste, noe på skolen du opplevde som urettferdig og tenkte ordentlig igjennom. Summen av alle de halvglemte tingene.» Altman lente seg fram. «'Dypt forankret' er faktisk et ganske godt uttrykk. For det sier at du ser kanskje ikke ankeret der nede i dypet, men at du like fordømt ikke kommer deg av flekken, at det er det du driver rundt, det er der du er hjemme. Prøv å akseptere det, Harry. Aksepter ankeret.»

Harry stirret ned på sine egne foldede hender. «Smertene han har …»

«Fysiske smerter er ikke det verste for et menneske å leve med,» sa Altman. «Tro meg, jeg ser det daglig. Ikke døden, heller. Ikke engang frykten for døden.»

«Hva er det verste da?»

«Ydmykelse. Å fratas ære og verdighet. Å avkles, å støtes ut av flokken. Det er den verste straffen, det er å begrave et menneske levende. Og den eneste trøsten er at vedkommende vil gå relativt raskt til grunne.»

«Mm.» Harry så lenge på Altman. «Kanskje du har noe i det skapet der som kan lette litt på stemningen her?»

Kapittel 45
Avhør

Mikael Bellman hadde drømt om fritt fall igjen. Soloklatring i El Chorro, taket som glipper, fjellveggen som raser foran øynene, bakken som akselererer mot ham. Vekkerklokka som ringer i siste liten. Han tørket vekk eggeplomme fra munnviken og så opp på Ulla som sto rett bak ham og fylte koppen hans med kaffe fra presskanna. Hun hadde lært seg det å vite akkurat når han var ferdig med å spise, og at det var da og ikke ett sekund før han ville ha kaffen, rykende varm, skjenket i den blå koppen. Og det var bare én av grunnene til at han satte pris på henne. En annen var at hun holdt seg i såpass bra form at hun fortsatt tiltrakk seg blikk i selskapene de oftere og oftere ble invitert i. Ulla hadde tross alt vært Mangleruds ubestridte skjønnhetsdronning da de var blitt sammen, han atten år, hun nitten. En tredje at Ulla uten å lage noe stort poeng av det hadde satt sin egen drøm om utdannelse til side slik at han hadde kunnet prioritere jobben sin. Men de tre viktigste grunnene satt rundt bordet og kranglet om hvem som skulle ha plastfiguren i cornflakes-esken, og hvem som skulle sitte foran i dag når hun kjørte dem til skolen. To jenter, én gutt. Tre perfekte grunner til å verdsette kvinnen og hennes geners kompatibilitet med hans.

«Blir du sen i kveld også?» sa hun og strøk ham stjålent over håret. Han visste at hun elsket håret hans.

«Det kan bli lange avhør,» sa han. «Vi begynner på den

mistenkte i dag.» Han visste at avisene utover dagen kom til å offentliggjøre det de alt visste: at den arresterte var Tony Leike, men han hadde gjort det til et prinsipp å overholde taushetsplikten også hjemme. Det rettferdiggjorde dessuten at han med jevne mellomrom kunne forklare overtiden med: «Det kan jeg ikke snakke om, kjære.»

«Hvorfor avhørte dere ikke ham i går?» spurte hun mens hun la påsmurte brødskiver i barnas matbokser.

«Vi måtte samle mer fakta. Og bli ferdige med ransakingen av huset hans.»

«Fant dere noe?»

«Jeg kan nok ikke være så spesifikk, kjære,» sa han og ga henne det beklagende taushetspliktblikket. For å slippe å avsløre det faktum at hun faktisk satte fingeren på et ømt punkt. Bjørn Holm og de andre krimteknikerne hadde ikke funnet noe under ransakingen som umiddelbart kunne knyttes til noen av drapssakene. Men det var heldigvis av underordnet betydning foreløpig.

«Det gjør ikke noe om han mørnes i en varetektscelle over natta,» sa Bellman. «Det gjør ham bare mer mottagelig når vi starter. Og starten på et avhør er jo alltid det viktigste.»

«Er det?» sa hun, og han kunne høre at hun prøvde å virke interessert.

«Jeg må stikke.» Han reiste seg og kysset henne på kinnet. Jo, han satte virkelig pris på henne. Tanken på å skulle gi avkall på henne og barna, på det som var både reisverket og infrastrukturen som muliggjorde karrieresatsingen, klassereisen, var selvsagt absurd. Å følge hjertets impuls, å kaste alt på båten for en forelskelse eller hva det var, var utopisk, en drøm han kunne snakke og tenke høyt om med Kaja som tilhører, naturligvis. Men når det først skulle drømmes, foretrakk Mikael Bellman drømmer som var større enn som så.

Han inspiserte fortennene i speilet i gangen og sjekket at silkeslipset satt som det skulle. Pressen kom garantert til å være samlet ved inngangen til Politihuset.

Hvor lenge kom han til å få beholde Kaja? Han syntes han

hadde merket tvil hos henne i går kveld. Og en manglende entusiasme i elskoven. Men han visste også at så lenge han stilet mot toppen slik han hadde gjort til nå, ville han kontrollere henne. Ikke fordi Kaja var en gullgraver med klare mål for hva han som toppsjef kunne få å si for hennes egen karriere. Det var ikke intellekt, men ren biologi. Kvinner kunne være så moderne de ville, men når det kom til å underkaste seg alfahannen var de fortsatt på apenivå. Men om hun nå likevel hadde begynt å tvile fordi hun skjønte at han aldri kom til å gi avkall på sin kone for hennes skyld, så var det kanskje på tide å gi henne en oppmuntring. Han hadde tross alt bruk for at hun fôret ham med innsideinformasjon fra Voldsavsnittet en liten stund til, til alle løse tråder var nøstet opp, til dette slaget var over. Og krigen vunnet.

Han gikk bort til vinduet mens han kneppet igjen frakken. Huset de hadde overtatt etter foreldrene hans lå på Manglerud, ikke byens beste strøk om du spurte dem som bodde borte på vestkanten. Men de som hadde vokst opp her, hadde en tendens til å bli, det var en bydel med sjel. Og var hans bydel. Med utsikt ned til resten av byen. Som også snart skulle bli hans.

«De kommer nå,» sa konstabelen. Han sto i døråpningen til et av de nye avhørsrommene med video som de hadde innredet på Kripos.

«OK,» sa Mikael Bellman.

Noen avhørsledere likte å få den mistenkte plassert i rommet først, få vedkommende til å vente, til å skjønne hvem det var som bestemte. For så å gjøre stor entré og gå beinhardt ut mens de hadde mistenkte på sitt mest defensive og sårbare. Bellman foretrakk å sitte klar når den mistenkte kom. Markere revir, fortelle hvem det var som eide rommet. Han kunne fortsatt la den mistenkte vente ved å bla og lese i papirene, kjenne nervøsiteten til den andre stige og så – når tiden var inne – løfte blikket og fyre løs. Men dette var de fine detaljer i avhørsteknikk. Som han selvfølgelig var åpen for å diskutere med andre kompetente avhørsledere. Han kontrollerte igjen at det røde

lyset for opptak var på. Å begynne å fikle med teknikken etter
at den mistenkte hadde kommet, kunne spolere hele den inn-
ledende statusmarkeringen.

Gjennom vinduet så han at Beavis og Kolkka kom inn på
kontoret vegg-i-vegg. Mellom dem gikk Tony Leike som de
hadde brakt fra arresten på Politihuset.

Bellman trakk pusten. Jo, han hadde litt høyere puls nå. En
blanding av angrepslyst og nervøsitet. Tony Leike hadde avslått
tilbudet om å ha advokat til stede. I utgangspunktet var det
selvfølgelig en fordel for Kripos, det ga dem større spillerom.
Men samtidig var det et signal om at Leike mente han hadde lite
å frykte. Stakkar. Han visste jo ikke at Bellman hadde bevis på
at Leike hadde ringt Elias Skog rett før han ble drept. En per-
son Leike selv hadde påstått han ikke engang visste navnet på.

Bellman så ned i papirene og hørte at Leike steg inn i rom-
met. At Beavis lukket døra bak ham slik han hadde instruert
ham om.

«Sitt ned,» sa Bellman uten å se opp.

Han hørte Leike gjøre som han fikk beskjed om.

Bellman stanset ved et tilfeldig papir og dro en pekefinger
fram og tilbake over underleppen mens han telte sakte inni seg,
fra en og oppover. Stillheten dirret i det lille, lukkede rommet.
En, to, tre. Han og kollegene var blitt sendt på kurs i den nye
avhørsmetoden de var pålagt å bruke, såkalt *investigative inter-
viewing*, hvor poenget ifølge disse livsfjerne akademikertypene
var åpenhet, dialog og tillit. Fire, fem, seks. Bellman hadde still-
tiende lyttet, modellen var tross alt valgt på høyeste hold, men
hva slags typer var det egentlig disse folkene trodde Kripos satt
og avhørte? Sarte, men imøtekommende sjeler som kom til å
fortelle deg alt du ville om du bare ga dem en skulder å gråte
på? De påsto at metoden politiet hadde brukt til nå, den tradi-
sjonelle, amerikanske nitrinnsmodellen til FBI, var menneske-
fiendtlig, manipulativ, at den fikk uskyldige til å tilstå ting de
ikke hadde gjort og derfor var kontraproduktiv. Sju, åtte, ni.
OK, så si at det satt en og annen lettpåvirkelig kylling i buret,
men hva var det mot alle de glisende kjeltringene som kom til

å rusle ut derfra mens de lo seg i hjel av «åpenhet, dialog og tillit»?

Ti.

Bellman satte fingertuppene mot hverandre og løftet blik-ket.

«Vi vet at du ringte Elias Skog her fra Oslo, og at du to dager senere var i Stavanger. Og at du da drepte ham. Dette er de fakta vi har, men det jeg lurer på er hvorfor. Eller hadde du ikke noe motiv, Leike?»

Det var trinn én i FBI-agentene Inbaud, Reid og Buckleys ni-trinns avhørsmodell: konfrontasjonen, forsøket på å bruke sjokkeffekten til å få inn knock-out-slaget med én gang, påstan-den om at de vet alt allerede, at det ikke er noen vits i å nekte. For det handlet kun om én ting: tilståelse. I dette tilfellet kom-binerte Bellman trinn én med en annen avhørsteknikk: å lenke et faktum til et eller flere ikke-faktum. I dette tilfellet lenket han den uomtvistelige datoen for telefonoppringningen til at Leike hadde vært i Stavanger og at han var drapsmannen. Ved å høre bevisene for den første påstanden, ville Leike automatisk tro at de også hadde direkte beviser på de andre. Og at disse fakta var så enkle og ugjendrivelige at de kunne hoppe rett til det som gjensto å få svar på: hvorfor?

Bellman så Leike svelge, så ham forsøke å blotte de hvite, stabbesteinstore tennene til et smil, så forvirringen i øynene og visste at de alt hadde vunnet.

«Jeg har ikke ringt noen Elias Skog,» sa Leike.

Bellman sukket. «Vil du at jeg skal vise deg protokollen fra Telenors driftssentral?»

Leike trakk på skuldrene. «Jeg har ikke ringt. Jeg mistet en mobiltelefon en tid tilbake. Kanskje noen har ringt han derre Skog fra den.»

«Ikke prøv å være smart, Leike. Vi snakker om fra din *fast-telefon.*»

«Jeg har ikke ringt ham, sier jeg.»

«Jeg hører det. Ifølge adresseregisteret bor du alene?»

«Ja. Det vil si …»

JO NESBØ

«Din forlovede sover over iblant. Og noen ganger står du opp før henne og drar på jobb mens hun fortsatt er i leiligheten?»

«Det hender. Men jeg er oftere hos henne.»

«Hei sann, har rederjenta til Galtung et fetere krypinn enn deg, Leike?»

«Kanskje det. Koseligere, i hvert fall.»

Bellman la armene i kors og smilte. «Uansett, hvis ikke det er du som har ringt Skog fra huset ditt, må det være henne. Jeg gir deg fem sekunder på å begynne å snakke fornuft til oss, Leike. Om fem sekunder får en patruljebil i Oslos gater en ordre om å kjøre for fulle sirener til det koseligere krypinnet hennes, sette på henne håndjern, bringe henne hit, la henne ringe faren sin og fortelle at du har gitt henne skylden for å ringe Skog. Slik at Anders Galtung kan skaffe datteren sin Norges verste kobbel hardtbitende advokater og du har skaffet deg en virkelig motstander. Fire, tre.»

Leike trakk på skuldrene igjen. «Hvis du mener det der er nok til å få ut en arrestasjonsordre på en ung jente med skinnende blankt rulleblad, så vær så god. Men jeg tror kanskje ikke det er jeg som skaffer meg en motstander da.»

Bellman betraktet Leike. Hadde han undervurdert ham likevel? Han var vanskeligere å lese nå. De var uansett ferdige med trinn én. Uten tilståelse. Greit nok, det var åtte igjen. Trinn to i ni-trinnsmodellen var å sympatisere med mistenkte gjennom å normalisere handlingen. Men det fordret at han kjente motivet, at han hadde noe han kunne normalisere. Motivet for å ta livet av alle gjestene som tilfeldigvis hadde overnattet samtidig på en turisthytte, var ikke åpenbart, utover det åpenbare at de fleste motivene hos seriemordere gjemmer seg på steder i sinnet de fleste av oss aldri besøker. I forberedelsene hadde derfor Bellman bestemt seg for å bare sveipe innom sympatitrinnet før han hoppet rett til motivasjonstrinnet: å gi den mistenkte en grunn til å tilstå.

«Poenget mitt, Leike, er at jeg ikke er din motstander. Jeg er bare en person som vil forstå hvorfor du gjør det du gjør.

298

Hva som driver deg. Du er åpenbart en dyktig og intelligent person, bare se hva du har fått til i forretningslivet. Jeg er fascinert av det, av mennesker som setter seg mål og forfølger dem uavhengig av hva andre måtte mene om det. Mennesker som skiller seg ut fra den middelmådige mengden. Jeg tør til og med si at jeg kjenner meg selv igjen i akkurat det. Kan hende forstår jeg deg bedre enn du tror, Tony.»

Bellman hadde fått en etterforsker til å ringe en av Leikes børskompiser for å få vite om Leike foretrakk fornavnet sitt uttalt «Tåoni», «Tåni» eller «Tånni». Svaret var «Tåni». Bellman kombinerte riktig uttale med å fange Leikes blikk og å forsøke å holde på det.

«Nå skal jeg si noe jeg egentlig ikke burde fortelle, Tony. Og det er at vi på grunn av en del interne forhold har uvanlig dårlig tid på denne saken, og derfor gjerne vil ha en tilståelse. Normalt ville vi ikke tilbudt noen deal på tilståelse til en mistenkt som vi har såpass sterke beviser mot som deg, men det vil framskynde saksgangen. Og for den tilståelsen – som vi altså ikke engang trenger for å få deg dømt – vil jeg tilby deg en strafferabatt som er betydelig. Jeg er dessverre begrenset av lovverket når det gjelder å tilby deg en konkret strafferabatt, men la det være sagt mellom deg og meg nå at den vil være *be-tydelig*. Greit, Tony? Det er et løfte. Og nå er den på teip.» Han pekte på det røde lyset på bordet mellom dem.

Leike så lenge og tenksomt på Bellman. Så åpnet han munnen. «De to som hentet meg, fortalte at du heter Bellman.»

«Kall meg Mikael, Tony.»

«De sa også at du var en svært intelligent mann. Tøff, men til å stole på.»

«Jeg tror du vil erfare at det er tilfelle, ja.»

«Du sa betydelig, ikke sant?»

«Du har mitt ord.» Bellman kjente pulsøkningen.

«Greit,» sa Leike.

«Fint,» sa Mikael Bellman lett og berørte så vidt underleppen med tommel og pekefinger. «Skal vi begynne med begynnelsen?»

«Gjerne,» sa Leike og tok fram en papirlapp fra baklomma som Truls og Jussi tydeligvis hadde latt ham beholde. «Jeg fikk datoene og klokkeslettene av Harry Hole, så det skulle være fort gjort. Det var altså Borgny Stem-Myhre som døde et sted mellom klokka tjueto og tjuetre den sekstende desember i Oslo.»

«Stemmer,» sa Bellman og kjente en begynnende jubel i hjertet.

«Jeg sjekket kalenderen. På det tidspunktet befant jeg meg i Skien i Peer Gynt-salen i Ibsenhuset, hvor jeg snakket om koltanprosjektet mitt. Dette kan bekreftes av utleier og cirka hundre og tjue potensielle investorer som var til stede. Jeg går ut fra at dere kjenner til at det tar rundt to timer å kjøre dit. Den neste var Charlotte Lolles mellom ... skal vi se ... det står klokka tjuetre og midnatt den tredje januar. På det tidspunktet var jeg på en middag med noen mindre investorer i Hamar. To timer med bil fra Oslo. Jeg tok for øvrig toget, og jeg forsøkte å finne igjen togbilletten, men uten hell, dessverre.»

Han smilte beklagende til Bellman som hadde sluttet å puste. Og Leikes stabbesteinstenner syntes så vidt mellom leppene da han avsluttet:

«Men jeg håper at i hvert fall *noen* av de tolv vitnene som var til stede under middagen, kan betraktes som pålitelige.»

«Så sa han at han muligens kunne siktes for drapet på Marit Olsen, for selv om han hadde vært hjemme sammen med forloveden, hadde han faktisk vært ute alene i to timer på en skitur i lysløypene i Sørkedalen den kvelden.»

Mikael Bellman ristet på hodet og stakk hendene enda dypere i frakkelommene mens han betraktet «Syk pike».

«Så sent som da Marit Olsen døde?» spurte Kaja, la hodet litt på skakke og så på munnen til den bleke og antagelig døende piken. Hun pleide å konsentrere seg om én ting hver gang de møttes her på Munch-museet. Én gang kunne det være øynene, en annen gang landskapet i bakgrunnen, sola eller rett og slett Edvard Munchs signatur.

«Han sa at verken han eller denne Galtung-jenta ...»

«Lene,» sa Kaja.

«... husket akkurat når, men at det kan ha vært ganske sent, han pleide det fordi han liker å ha løypene for seg selv.»

«Så Tony Leike kan ha vært i Frognerparken i stedet. Hvis han har vært i Sørkedalen, må han ha passert bomringen ut og inn igjen. Hvis han har elektronisk betalingsbrikke i frontvinduet, registreres automatisk tidspunktet. Og da kan ...»

Hun hadde snudd seg og stoppet brått da hun møtte hans kalde blikk.

«... men det har dere selvfølgelig alt sjekket,» sa hun.

«Vi behøvde ikke,» sa Mikael. «Han har ikke betalingsbrikke, han stopper og betaler cash ved hver passering. Og da registreres ikke bilen.»

Hun nikket. De ruslet videre til neste bilde, stilte seg bak noen japanere som kaklende pekte og gestikulerte. Fordelen med å møtes på Munch-museet på hverdager – bortsett fra at det lå mellom Kripos på Bryn og Politihuset på Grønland – var at det var et av disse turiststedene i Oslo hvor du er garantert å aldri møte kolleger, naboer og kjente.

«Hva sa Leike om Elias Skog og Stavanger?» spurte Kaja.

Mikael ristet på hodet igjen. «Han sa at han sikkert kunne siktes for det også. Siden han hadde sovet alene hjemme den natta, og dermed ikke hadde noe alibi. Så jeg spurte om han hadde møtt på jobb neste dag, og da svarte han at han ikke husket, men at han antok at han hadde møtt opp der klokka sju som vanlig. Og at jeg kunne sjekke med resepsjonisten for kontorfellesskapet deres om jeg mente det var viktig. Det gjorde jeg, og det viste seg at Leike hadde booket et av møterommene klokka kvart over ni. Og da jeg snakket med et par av de investortypene på kontoret, viste det seg at to av dem hadde vært på det møtet sammen med Leike. Hvis han gikk fra leiligheten til Elias Skog klokka tre om natta, må han ha tatt fly for å rekke det. Og navnet hans er ikke registrert på noen passasjerlister.»

«Det betyr lite, han kan ha reist under falskt navn og ID.

Og dessuten har vi fortsatt telefonoppringningen hans til Skog. Hvordan forklarte han den?»

«Han prøvde ikke engang, han bare nektet,» snøftet Bellman. «Hva er det egentlig folk skal ha det til er så bra med 'Livets dans'. Det har jo ikke engang ordentlige ansikter. Ser ut som zombier, spør du meg.»

Kaja studerte de dansende på maleriet. «Kanskje de er det,» sa hun.

«Zombier?» Bellman lo kort. «Mener du det?»

«Mennesker som går rundt, som danser, men føler seg døde innvendige, begravd, i forråtnelse. Absolutt.»

«Interessant teori, Solness.»

Hun hatet det når han brukte etternavnet hennes, noe han som regel gjorde når han var sint eller bare fant det på sin plass å minne om sin intellektuelle overlegenhet. Som hun hadde latt ham gjøre siden det tydeligvis var viktig for ham. Og kan hende var tilfelle også. Var ikke det noe av det som hadde fått henne til å falle så pladask for ham, hans åpenbare intelligens? Hun kunne ikke huske det så tydelig lenger.

«Jeg må tilbake på jobb,» sa hun.

«Og gjøre hva?» sa Mikael og kikket bort på sikkerhetsvakten som sto og gjespet bak tauet innerst i rommet. «Telle binders og vente på avviklingen av avsnittet? Du skjønner at du har gitt meg et kjempeproblem med denne Leike?»

«Har *jeg*?» utbrøt hun vantro.

«Demp deg, kjære. Det var du som ringte og tipset meg om hva Harry hadde funnet ut om Leike. At han var i ferd med å pågripe ham. Jeg stolte på deg. Jeg stolte så mye på deg at jeg arresterte Leike på dine tips og etterpå praktisk talt fortalte pressen at saken var i boks. Og nå har denne jævla dritten eksplodert i trynet på oss. Fyren har vanntett alibi for minst to av drapene, kjære, vi kommer til å måtte slippe ham i løpet av dagen. Svigerfar Galtung sitter garantert og vurderer saksøking og advokater fra helvete allerede, og justisministeren kommer til å ville vite hvordan i helvete denne tabben kunne skje. Og det hodet som ligger på blokken akkurat nå er ikke ditt, Holes

302

eller Hagens, men mitt, Solness. Skjønner du det? Bare mitt. Og det må vi gjøre noe med. *Du* må gjøre noe med det.»

«Og hva skulle det være?»

«Ikke mye, bare en liten ting, så fikser vi resten. Jeg vil at du skal ta med Harry ut en tur. I kveld.»

«Ut? Jeg?»

«Han liker deg.»

«Hva får deg til å tro det?»

«Har jeg ikke fortalt at jeg så dere sitte og røyke på terrassen?»

Kaja ble blek. «Du kom sent, men du sa ikke noe om at du hadde sett oss.»

«Dere var så opptatt av hverandre at dere ikke merket at jeg kom kjørende, så jeg parkerte og så på dere. Han liker deg, kjære. Nå vil jeg at du skal ta ham med et sted, bare for et par timer.»

«Hvorfor det?»

Mikael Bellman smilte. «Han sitter for mye hjemme. Eller ligger. Hagen skulle aldri gitt ham fri, sånne folk som Hole tåler ikke det. Og vi vil ikke at han skal drikke seg i hjel der oppe på Oppsal, vil vi vel? Ta ham med ut på middag et sted. Kino. En øl. Bare sørg for at han ikke er hjemme mellom åtte og ti. Og vær forsiktig. Jeg vet ikke om han er skarp eller bare paranoid, men han kikket veldig nøye på bilen min den kvelden da han gikk fra deg. Greit?»

Kaja svarte ikke. Mikaels smil var det smilet hun kunne gå og drømme om i de lange periodene han ikke var der, da jobb og familieforpliktelser hindret ham i å treffe henne. Så hvorfor fikk det samme smilet nå til å kjennes ut som magen skulle vrenge seg?

«Du ... du har ikke tenkt å ...»

«Jeg har tenkt å gjøre det jeg må,» sa Mikael og så på armbåndsuret.

«Som er?»

Han trakk på skuldrene. «Hva tror du? Skifte ut hodet på blokken, vel.»

«Ikke be meg om dette, Mikael.»

«Men jeg ber deg ikke, kjære. Jeg beordrer deg.»

Stemmen hennes var knapt hørbar: «Og hvis … hvis jeg skulle si nei?»

«Så knuser jeg ikke bare Hole, men deg også.»

Lyset fra taket falt på pigmentflekkene hans. Så vakker, tenkte hun. Noen burde male ham.

Marionettene danser som de skal nå. Harry Hole fant ut at jeg ringte til Elias Skog. Jeg liker ham. Jeg tror kanskje vi kunne vært venner om vi hadde møttes da vi var barn eller ungdom. Vi har et par ting felles. Som intelligens. Han er den eneste av etterforskerne som synes å evne å se bak tingenes slør. Det betyr selvfølgelig også at jeg må være forsiktig med ham. Jeg gleder meg til fortsettelsen. Som et barn.

DEL V

Kapittel 46
Rød bille

Harry åpnet øynene og stirret på en diger, firkantet, rød bille som kom krypende mot ham mellom de to tomme flaskene mens den malte som en katt. Den holdt opp, så malte den igjen, hakket seg ytterligere fem centimeter mot ham langs salongbordets glassflate mens den lagde et lite spor i asken. Han strakte ut hånden, grep den og la den mot øret. Hørte sin egen stemme lyde som et steinknuseri: «Hold opp å ringe meg, Øystein.»

«Harry ...»

«Hvem faen er dette?»

«Det er Kaja. Hva gjør du?»

Han så på displayet for å forsikre seg om at stemmen snakket sant. «Hviler.» Han kjente magen forberedte seg på å kvitte seg med innholdet. Igjen.

«Hvor da?»

«På sofaen. Jeg legger på nå hvis det ikke er viktig.»

«Vil det si at du er hjemme på Oppsal?»

«Vel. La meg se. Tapeten stemmer i hvert fall. Du, jeg må stikke nå.»

Harry kastet telefonen ned i fotenden av sofaen, kom seg på beina, bukket slik at han fikk tyngdepunktet foran seg og vaklet fremover mens han brukte hodet som peileantenne og rambukk. Det ledet ham inn på kjøkkenet uten nevneverdige sammenstøt, og han fikk satt hendene på hver side av utslagsvasken før spyspruten sto ut av munnen.

Da han åpnet øynene igjen, så han at asjettstativet fremdeles sto i vasken. Det tynne, gulgrønne oppkastet rant nedover en enslig tallerken på høykant. Harry skrudde på kranen. En av fordelene med å være alkis tilbake på spritvogna, er at dag to slutter spyet ditt å tette igjen sluket.

Harry drakk litt vann rett fra springen. Ikke mye. En annen fordel den erfarne alkoholiker har, er at han vet hva magen tåler.

Han gikk tilbake til stua, bredbeint som om han hadde gjort i buksa. Noe han forresten ennå ikke hadde sjekket. Han la seg på sofaen og hørte en lav kvekking nede fra fotenden. En liten stemme fra et miniatyrmenneske ropte navnet hans. Han famlet mellom føttene og la den røde mobiltelefonen inntil øret igjen.

«Hva gjelder det?»

Han lurte på hva han skulle gjøre med gallen som brant som lava i halsen, harke den opp eller svelge den ned. Eller la den brenne, slik han fortjente.

Han lyttet mens hun forklarte at hun ville se ham. Om han ville møte henne på Ekebergrestauranten? For eksempel nå. Eller om en time.

Harry så på de to tomme Jim Beam-flaskene på salongbordet og deretter på klokka. Sju. Polet var stengt. Restaurantbar.

«Nå,» sa han.

Han la på, og telefonen ringte igjen. Han så på displayet og trykket på svarknappen: «Hei, Øystein.»

«*Nå* svarer du! Faen, Harry, du må ikke skremme meg, jeg begynte å lure på om du hadde tatt en Hendrix.»

«Kan du kjøre meg til Ekebergrestauranten?»

«Hva faen tror du jeg er, en jævlig taxisjåfør?»

Atten minutter senere sto Øysteins bil foran trappa til Holes hus og med nedrullet vindu som han leende ropte ut av: «Trenger du hjælp til å låse den jævla husdøra eller, din fyllik?»

«Middag?» sa Øystein mens de kjørte over Nordstrand. «*For å pule eller fordi dere har pult?*»

«Slapp av. Vi jobber sammen.»

«Nettopp. Som ekskona sa: 'Man begjærer det man ser hver dag.' Hun hadde vel lest det i et ukeblad. Bare at hun mente ikke meg, men den jævla rotta på nabokontoret.»

«Du har ikke vært gift, Øystein.»

«Kunne vært. Typen gikk med lusekofte og slips *og* snakka nynorsk. Ikke dialekt, men føkking Ivar Aasen-nynorsk, jeg kødder ikke. Kan du tenke deg hvordan det er å ligge aleine og tenke at akkurat nå blir could-have-been-kona di knulla på en kontorpult, se for deg ei lusekofte med ei naken, hvit bonderompe under som jobber på, helt til den stopper og liksom suger inn rompekinna og typen gauler: EG KJEM!»

Øystein så bort på Harry, men fikk ingen reaksjon.

«Faen, Harry, dette er stor humor. Er du *så* full?»

Kaja satt ved vindusbordet i dype tanker og så utover byen da en lav kremting fikk henne til å snu seg. Det var hovmesteren, han hadde det beklagende det-står-i-menyen-men-kjøkkenet-sier-vi-ikke-har-det-blikket, og hadde bøyd seg dypt ned mot henne, men snakket så dempet at hun likevel knapt hørte ham:

«Jeg beklager å måtte si at Deres selskap er kommet.» Før han rødmende rettet seg selv: «Jeg mener, jeg beklager at vi ikke kunne la ham komme inn. Han er en smule ... animert, er jeg redd. Og vår policy når det ...»

«Helt i orden,» sa Kaja og reiste seg. «Hvor er han?»

«Han står utenfor og venter. Jeg er redd han fikk kjøpt en drink i baren på vei inn, og at han tok den med ut. Kanskje De kunne være behjelpelig med å få den drinken inn igjen. Vi kan miste skjenkebevillingen på slikt, vet De.»

«Selvfølgelig, bare skaff meg kåpen min er du snill,» sa Kaja, som gikk fort gjennom restauranten med hovmesteren nervøst trippende etter seg.

Da hun kom ut, så hun Harry. Han sto og svaiet borte ved den lave murkanten foran skråningen, der de hadde stått sist.

Hun stilte seg ved siden av ham. Et tomt glass sto på muren.

«Det er visst ikke meningen at vi skal få spist på denne restauranten,» sa hun. «Noen forslag?»

Han trakk på skuldrene og drakk en slurk fra en lommelerke. «Baren på Savoy. Hvis du ikke er for sulten.»

Hun trakk kåpen tettere rundt seg. «Jeg er ikke så sulten egentlig. Hva med å vise meg litt rundt, dette er jo området du vokste opp i, og jeg har bil. Du kunne vise meg bunkersene dere pleide å være på.»

«Kaldt og stygt,» sa Harry. «Stinker piss og våt aske.»

«Vi kunne røyke,» sa hun. «Og se på utsikten. Har du noe bedre å gjøre?»

En cruisebåt, opplyst som et juletre, gled sakte og lydløst gjennom mørket inn mot byen på fjorden under dem. De satt rett på den fuktige betongen på toppen av bunkersene, men verken Harry eller Kaja kjente kulda som krøp inn i kroppene deres. Kaja nippet til lommelerka Harry hadde sendt henne.

«Rødvin på lommelerke,» sa hun.

«Det var alt som var igjen i fatter'ns barskap. Det var uansett bare reserveproviant. Mannlig favorittskuespiller da?»

«Din tur til å begynne,» sa hun og tok en større slurk.

«Robert De Niro.»

Hun skar en grimase. «*Analyze This? Meet the Fockers?*»

«Jeg sverget evig troskap etter *Taxi Driver* og *The Deer Hunter*. Men, ja, det har kostet. Hva med deg?»

«John Malkovich.»

«Mm. Bra. Hvorfor?»

Hun tenkte seg om. «Jeg tror det er det kultiverte ondskapsfulle. Ikke noe jeg liker som egenskap, men jeg elsker måten han viser det på.»

«Og så har han feminin munn.»

«Er det bra?»

«Jepp. Alle de beste mannlige skuespillerne har feminin munn. Og/eller lys, feminin stemme. Kevin Spacey, Philip Seymour Hoffman,» Harry tok fram sigarettpakken og bød henne.

«Bare hvis du tenner for meg,» sa hun. «De guttene der er jo ikke akkurat overmaskuline da.»

«Mickey Rourke. Damestemme. Damemunn. James Woods. Kyssemunn som en obskøn rose.»

«Men ikke lys stemme.»

«Brekestemme. Sau. Hunndyr.»

Kaja lo og tok imot den tente sigaretten. «Kom igjen. Machogutta på film har dype, hese stemmer. Ta Bruce Willis.»

«Ja, ta Bruce Willis. Hes er riktig. Men dyp? *Hardly.*» Harry knep øynene sammen og hvisket i falsett mot byen: «*'From up here it doesn't look like you're in charge of jack shit.'*»

Kaja sprutet ut i latter, sigaretten fór ut av munnen og danset nedover murveggen og inn i krattskogen mens gnistene føk.

«Dårlig?»

«Sensasjonelt dårlig,» hikstet hun. «Søren også, nå fikk du meg til å glemme den machoskuespilleren med feminin stemme som *jeg* skulle si.»

Harry trakk på skuldrene. «Du kommer nok på det.»

«Even og jeg hadde også et sånt sted som dette,» sa Kaja og tok imot en ny sigarett, holdt den mellom tommel og pekefinger som om det var en spiker hun skulle slå inn. «Et sted for oss selv som vi trodde ingen andre visste om, hvor vi kunne gjemme oss og fortelle hverandre hemmeligheter.»

«Har du lyst til å fortelle meg om det?»

«Hva da?»

«Broren din. Hva som skjedde.»

«Han døde.»

«Det veit jeg. Jeg tenkte du ville fortelle resten.»

«Og hva er resten?»

«Tja. Hvorfor du har kanonisert ham, for eksempel.»

«Har jeg?»

«Har du ikke?»

Hun så lenge på ham.

«Vin,» sa hun.

Harry rakte henne lommelerka, og hun tok en grådig slurk.

«Han la igjen en lapp,» sa hun. «Even var så følsom og sår-

311

bar. I perioder kunne han være bare smil og latter, det var som det veltet solskinn inn der han kom. Om du hadde problemer, var det som de forsvant når han kom, som ... ja, som dugg for sola. Og i de svarte periodene var det omvendt. Alle ble stille rundt ham, det var som om det lå en uforløst tragedie i lufta og du kunne høre det i tausheten hans. Mollmusikk. Vakkert og forferdelig på én gang, skjønner du? Men samtidig var det som noe av solskinnet hadde magasinert seg i blikket hans, for øynene fortsatte å le. Det var uhyggelig.»

Hun skuttet seg.

«Det var i sommerferien, en solskinnsdag, en slik bare Even kunne lage. Vi var i sommerhuset vårt på Tjøme, og jeg hadde stått opp og gått rett på butikken og kjøpt jordbær. Da jeg kom tilbake, var frokosten klar og mamma ropte opp i annen etasje at Even skulle komme ned. Men han svarte ikke. Vi regnet med at han sov, han lå av og til til langt utpå dagen. Jeg gikk opp for å hente noe på rommet mitt og ga døra hans et lite bank og sa 'jordbær' idet jeg passerte den. Jeg lyttet fortsatt etter svar da jeg åpnet døra til mitt eget rom. Når du går inn på ditt eget rom, ser du deg ikke om, du ser bare dit du skal, på nattbordet hvor du vet at boka du skal hente ligger, eller på vinduskarmen og boksen med fiskeslukene. Jeg så ham ikke med én gang, merket bare at det var noe med lyset i rommet som ikke var riktig. Så jeg kikket til siden og så først bare de nakne føttene hans. Jeg kunne de føttene inn og ut, han pleide å betale meg én krone for at jeg skulle kile dem, han elsket det. Min første tanke var at han fløy, at han endelig hadde lært seg det. Blikket mitt fortsatte oppover, han hadde på seg den lyseblå genseren jeg hadde strikket til ham. Han hadde hengt seg i taklampa med en skjøteledning. Han må ha ventet til han hørte at jeg sto opp og gikk, og så gått inn på rommet mitt. Jeg ville løpe ut, men jeg greide ikke å røre meg, det var som beina mine var støpt fast til gulvet. Så jeg sto der og stirret på ham, og han hang så nær, og jeg ropte på mamma, jeg gjorde alle de tingene som til sammen skal bli et rop, men likevel kom det ikke en lyd ut av munnen min.»

Kaja bøyde hodet og kakket av sigaretten. Trakk pusten skjelvende:

«Resten husker jeg bare bruddstykker av. De ga meg medisin, beroligende. Da jeg kom til hektene tre dager senere, hadde de alt begravd ham. De sa at det var like greit at jeg ikke var der, at påkjenningen kunne blitt for stor. Jeg ble syk like etterpå og lå med feber store deler av sommeren. Jeg har alltid syntes at det var litt for raskt, den begravelsen, som om det var noe skammelig ved måten han hadde dødd på, synes ikke du?»

«Mm. Du sa han hadde skrevet en lapp?»

Kaja så utover fjorden. «Den lå på nattbordet mitt. Han skrev at han var ulykkelig forelsket i en pike han aldri kunne få, at han ikke ønsket å leve og ba om unnskyldning for all smerten han påførte oss, og at han visste at vi var glad i ham.»

«Mm.»

«Jeg var vel litt forbauset. Even hadde aldri fortalt meg at det var en pike, og han pleide å fortelle meg det meste. Hadde det ikke vært for Roar …»

«Roar?»

«Ja. Jeg hadde fått min første kjæreste den sommeren. Han var så snill og tålmodig, besøkte meg nesten hver dag da jeg var syk og hørte meg fortelle om Even.»

«Om hvilket overjordisk fantastisk menneske han hadde vært.»

«Du skjønte det.»

Harry trakk på skuldrene. «Jeg gjorde det samme da moren min døde. Øystein var ikke så tålmodig som Roar. Han spurte rett ut om jeg holdt på å grunnlegge en ny religion.»

Kaja lo lavt og sugde på sigaretten. «Jeg tror Roar etter hvert følte at minnet om Even fortrengte alt og alle, ham selv inkludert. Det ble et kortvarig forhold.»

«Mm. Men Even var der fortsatt.»

Hun nikket. «Bak hver eneste dør jeg åpnet.»

«Det er derfor, ikke sant?»

Hun nikket igjen. «Da jeg kom hjem fra sykehuset den sommeren og skulle gå inn på rommet mitt, klarte jeg ikke å åpne døra. Jeg greide det ganske enkelt ikke. Fordi jeg visste at om jeg gjorde det, så kom han til å henge der igjen. Og det kom til å være min skyld.»

«Det er alltid vår skyld, er det ikke?»

«Alltid.»

«Og ingen kan snakke oss fra å tro at det er slik, ikke engang vi selv.» Harry knipset sigarettsneipen ut i mørket. Tente en ny.

Båten under dem hadde glidd inn til kaia.

Et vindkast plystret hult og dystert gjennom skyteskårene.

«Hvorfor gråter du?» spurte han lavt.

«Fordi det *er* min skyld,» hvisket hun med tårene trillende nedover kinnene. «Alt er min skyld. Du har visst det hele tiden, har du ikke?»

Harry inhalerte. Tok ut sigaretten og blåste røyk på gloen. «Ikke hele tiden.»

«Siden når?»

«Siden jeg så ansiktet til Bjørn Holm i døråpningen der ute i Holmenveien.

Bjørn Holm er en god krimtekniker, men ingen De Niro. Og han så oppriktig overrasket ut.»

«Var det alt?»

«Det var nok. Jeg skjønte av det ansiktsuttrykket at han ikke ante at jeg var på sporet av Leike. Ergo hadde han ikke funnet det ut på PC-en min, og det var ikke han som hadde fortalt det videre til Bellman. Og hvis det ikke var Holm som var muldvarpen, kunne det bare være én annen person.»

Hun nikket og tørket bort tårene. «Hvorfor har du ikke sagt noe? Gjort noe? Halshugd meg?»

«Hva skulle hensikten være? Jeg antok at du hadde en god grunn.»

Hun ristet på hodet og lot tårene renne.

«Jeg veit ikke hva han lovet deg,» sa Harry. «Jeg tipper en toppstilling i det nye, allmektige Kripos. Og at jeg hadde rett da jeg sa at typen du er opphengt i er gift og sier at han vil gå fra kona og ungene for din skyld, men aldri gjør det.»

Hun hulket stille, med halsen bøyd som om hodet var blitt for tungt. Som en regntung blomst, tenkte Harry.

«Det jeg ikke forstår er hvorfor du ville treffe meg i kveld,» sa han og så misbilligende på sigaretten. Kanskje han burde skifte merke. «Jeg tenkte først at det var fordi du ville fortelle meg at det var du som var muldvarpen, men jeg skjønte fort at det ikke var det. Venter vi på noen, er det noe som skal skje? Jeg mener, jeg er satt ut av spill, hva mer skade kan jeg gjøre dere nå?»

Hun så på klokka. Snufset. «Kan vi kjøre hjem til deg, Harry?»

«Hvorfor det? Venter det noen på oss der?»

Hun nikket.

Harry tømte resten av lerka.

Døra var brutt opp. Treflisene på trappa tydet på at den var bendet opp med et kubein. Intet raffinement, ikke noe forsøk på list og lempe. Politiinnbrudd.

Harry snudde seg på trappa og så på Kaja som hadde steget ut av bilen og sto med korslagte armer. Så gikk han inn.

Stua var mørklagt, det eneste lyset kom fra barskapet som sto åpent. Men det var nok til at han kjente igjen personen som satt i skyggene ved vinduet.

«Overbetjent Bellman,» sa Harry. «Du sitter i min fars lenestol.»

«Jeg tillot meg det,» sa Bellman. «Siden sofaen luktet såpass spesielt. Selv bikkja skydde den.»

«Kan jeg by deg på noe?» Harry nikket mot barskapet og satte seg i sofaen. «Eller fant du noe på egen hånd?»

Harry kunne skimte at overbetjenten ristet på hodet. «Ikke jeg. Men bikkja gjorde det.»

«Mm. Jeg tar det for gitt at du har skaffet ransakingsordre, men jeg er nysgjerrig på grunnlaget.»

«Et anonymt tips om at du skal ha smuglet narkotika inn i landet via uskyldig tredjeperson, og at det muligens befant seg her.»

«Og det gjorde det?»

«Narkbikkja fant noe, en klump med en gulbrun substans pakket inn i sølvpapir. Ligner ikke noe av det vi pleier å beslaglegge her i landet, så foreløpig er det uklart akkurat hva det dreier seg om. Men vi vurderer å analysere det.»

«Vurderer?»

«Det *kan* være opium, og det *kan* være en klump med plastilina eller leire. Det kommer an på.»

«Kommer an på hva?»

«På deg, Harry. Og meg.»

«Ja vel?»

«Hvis du takker ja til å gjøre oss en tjeneste, kan det hende at jeg vil helle til den oppfatning at det dreier seg om plastilina, og takker nei til analyse. En leder må prioritere ressursbruken, ikke sant?»

«Det er du som er lederen. Hva slags tjeneste?»

«Du er en mann som ikke behøver omskrivninger, Hole, så du skal få det i klartekst. Jeg vil at du skal påta deg jobben som syndebukk.»

Harry så at det var en ring av brunt ytterst i bunnen av den ene Jim Beam-flaska på salongbordet, men motsto fristelsen til å sette den mot munnen.

«Vi har akkurat måttet løslate Tony Leike ettersom han har vanntett alibi for minst to av drapene. Alt vi har på ham er en oppringning til et av drapsofrene. Vi har vært en smule offensive i forhold til pressen. Sammen med Leike og hans tilkommende svigerfar vil de kunne gjøre det hett for oss. Vi må slippe en pressemelding i kveld. Og i den pressemeldingen skal det stå at pågripelsen ble utført på grunnlag av den blålappen du, den kontroversielle Harry Hole, fikk manipulert den stakkars, sylferske politijuristen på Politihuset til å gi deg. At dette har vært et sololøp du, og bare du, har kjørt, og at du påtar deg hele ansvaret. At Kripos befatning med saken er at de har ant uråd etter pågripelsen, har grepet inn og i samtale med Leike brakt på det rene hva som er fakta i saken. Og deretter øyeblikkelig løslatt ham. Du skal være med og undertegne pressemeldingen og aldri mer uttale deg om saken, ikke ett ord. Forstått?»

Harry vurderte slanten i flaska en gang til. «Mm. En streng bestilling. Tror du pressen vil sluke den historien etter at du først sto med henda over hodet og tok æren for arrestasjonen?»

«Jeg påtok meg ansvaret, vil det hete i pressemeldingen. At jeg valgte å fronte arrestasjonen så jeg som mitt lederansvar selv om vi ante at en politimann hadde begått en feil. Men at når Harry Hole senere insisterte på å få stå fram, lot jeg ham gjøre det både siden han er en erfaren førstebetjent og ikke engang jobber for Kripos.»

«Og min motivasjon skal være at hvis jeg ikke undertegner, tiltales jeg for narkotikasmugling og besittelse?»

Bellman satte fingertuppene mot hverandre og vippet i stolen.

«Korrekt. Men viktigere for motivasjonen er det kanskje at jeg kan sørge for at du varetektsfengsles med én gang. Synd, siden jeg vet at du gjerne ville vært hos din far på sykehuset som jeg forstår ikke har så lenge igjen. Virkelig triste greier.»

Harry lente seg tilbake i sofaen. Han visste han burde være forbannet. At den gamle – den yngre – Harry ville vært det. Men denne Harry hadde mest lyst til å grave seg ned i den spy- og svettestinkende sofaen, lukke øynene og håpe at de ville gå, dra, Bellman, Kaja, skyggene borte ved vinduet. Men hjernen fortsatte sin automatiske, tillærte resonnering.

«Uavhengig av meg,» hørte han seg selv si. «Hvorfor skulle Leike støtte den versjonen? Han veit at det var Kripos som arresterte ham, som avhørte ham.»

Harry visste svaret alt før Bellman ga ham det:

«Fordi Leike vet at det alltid vil hvile en ubehagelig mistankens skygge over en som er blitt arrestert. Ekstra ubehagelig for en som Leike som akkurat nå prøver å vinne investorers tillit, selvfølgelig. Den beste måten å kvitte seg med skyggen på er å støtte en versjon som sier at pågripelsen skyldtes en løs kanon, et useriøst element i politiet som har gått amok solo. Enig?»

Harry nikket.

«Dessuten gjelder det etaten ...» begynte Bellman.

«Jeg beskytter hele politietaten ved å påta meg selv hele skylden,» sa Harry.

Bellman smilte: «Jeg har hele tiden visst at du er en relativt intelligent mann, Hole. Betyr det at vi har kommet til en forståelse?»

Harry tenkte. Hvis Bellman gikk nå, kunne han finne ut om det virkelig var noen dråper whisky igjen på den flaska. Han nikket.

«Her er pressemeldingen. Jeg vil ha ditt navn der nede.» Bellman skjøv et ark med en penn oppå over salongbordet. Det var for mørkt til å lese. Det spilte ingen rolle. Harry signerte.

«Godt,» sa Bellman, grep arket og reiste seg. Lyset fra en av gatelampene utenfor falt på ansiktet hans og fikk krigsmalingen til å lyse. «Dette er til det beste for oss totalt sett. Tenk på det, Harry. Og få deg litt hvile.»

Seierherrens nådige omsorg, tenkte Harry, lukket øynene og kjente søvnen ønske ham velkommen. Så åpnet han øynene igjen, kom seg møysommelig på beina og fulgte etter Bellman ut på trappa. Kaja sto fortsatt ved siden av bilen sin med korslagte armer.

Harry så Bellman nikke underforstått til Kaja som trakk på skuldrene til svar. Så ham krysse gata, sette seg inn i en bil som var den samme han hadde sett stå i Lyder Sagens gate den kvelden, så ham starte opp og kjøre bort. Kaja hadde stilt seg ved foten av trappa. Stemmen hennes var fortsatt ru av gråt:

«Hvorfor slo du til Bjørn Holm?»

Harry snudde seg for å gå inn, men hun var raskere, tok trappa i to steg, kom seg mellom ham og døra og sperret veien. Pusten hennes var rask og varm mot ansiktet hans:

«Først da du skjønte at han var uskyldig, slo du. Hvorfor?»

«Gå nå, Kaja.»

«Jeg går ikke!»

Harry så på henne. Visste at det var noe han ikke kunne forklare. Hvor uventet vondt det hadde gjort da han innså sammenhengen. Vondt nok til at han bare hadde slått, slått det

318

der forundrede, uskyldige måneansiktet, hans eget speilbilde av naiv godtroenhet.

«Hva vil du vite?» spurte han og hørte metallet, kjente raseriet krype inn i stemmen. «Jeg trodde virkelig på deg, Kaja. Så jeg får bare gratulere. Gratulerer med en jobb vel utført. Kan du flytte deg nå?»

Han så tårene velle opp i øynene hennes igjen. Så tok hun et skritt til siden, og han vaklet inn og slengte igjen døra bak seg. Ble stående i gangen i det lydløse vakuumet etter smellet, den brå stillheten, tomheten, det deilige intet.

Kapittel 47
Mørkredd

Olav Hole glippet med øynene mot mørket.

«Er det deg, Harry?»

«Ja.»

«Det er natt, er det ikke?»

«Jo. Natt.»

«Hvordan er det med deg?»

«Jeg lever.»

«La meg slå på lyset ...»

«Behøves ikke. Jeg skal bare fortelle deg noe.»

«Jeg kjenner igjen den tonen. Jeg er ikke sikker på om jeg vil høre.»

«Du vil uansett lese om det i avisa i morgen.»

«Og du har en annen versjon du vil fortelle meg?»

«Nei. Jeg ville bare være først.»

«Har du drukket, Harry?»

«Vil du høre?»

«Din bestefar drakk. Jeg elsket ham. Full som edru. Det er ikke mange som kan si det om en forfyllet far. Nei, jeg vil ikke høre.»

«Mm.»

«Og det kan jeg godt si til deg også. Jeg elsket deg. Alltid. Full som edru. Det var ikke engang vanskelig. Selv om du alltid var stridbar. Du lå i krig med de fleste, ikke minst deg selv. Men å elske deg er det letteste jeg har gjort, Harry.»

«Pappa …»

«Det er ikke tid til å snakke om uviktige ting, Harry. Jeg vet ikke om jeg har fortalt deg dette, det føles sånn, men av og til tenker vi ting så mye og ofte at vi bare tror de er sagt høyt. Jeg var alltid stolt av deg, Harry. Fortalte jeg deg det ofte nok?»

«Jeg …»

«Ja?» Olav Hole lyttet ut i mørket. «Gråter du, sønn? Det er greit. Vet du hva som gjorde meg stoltest? Jeg har aldri fortalt deg dette, men en av lærerne på skolen din ringte oss en gang mens du gikk i ungdomsskolen. De fortalte at du hadde havnet i slåsskamp i skolegården igjen. Med to av de store guttene i klassetrinnet over deg, at denne gangen var det gått galt, de hadde måttet sende deg til legevakta for å sy leppa og trekke en løs tann. Kan du huske at jeg trakk deg i ukelønn? Uansett, senere fortalte Øystein meg om den slåsskampen. At du føk på dem fordi de hadde fylt ryggsekken til Tresko med vann fra fontenen i skolegården. Hvis jeg ikke husker feil, likte du ikke engang Tresko noe særlig. Øystein sa at grunnen til at du var blitt så skadet var at du ikke hadde gitt deg, men reist deg gang på gang og til slutt var så blodig at de store guttene var blitt fælne og hadde gått sin vei.»

Olav Hole lo stille. «Jeg syntes ikke jeg kunne si det til deg den gangen, det ville jo være å oppfordre til mer slåssing. Men jeg var så stolt at jeg kunne grine. Du var så modig, Harry. Du var mørkredd, men du gikk i mørket. Og jeg var verdens stolteste pappa. Fikk jeg noen gang sagt det, Harry? Harry? Er du der?»

Fri. Champagneflasken knuste mot veggen, og boblene rant nedover tapetet som kokende hjernemasse, over bildene, utklippene, over utskriften fra nettet med bildet av Harry Hole som tar på seg skylden. Fri. Fri fra skyld, fri til å sende verden til helvete igjen. Jeg tråkker på glasskårne, tråkker dem ned i gulvet, hører det knase. Og jeg er barbeint. Jeg sklir i mitt eget blod. Ler så jeg hyler. Fri. Fri!

Kapittel 48
Hypotese

Lederen for drapsavsnittet ved Sydney South politidistrikt, Neil McCormack, strøk sin tynnslitte hårmanke mens han studerte den bebrillede kvinnen på den andre siden av avhørsbordet. Hun hadde kommet direkte fra forlaget hvor hun jobbet. Drakten hennes var enkel og skrukkete, men det var noe med Iska Peller som likevel fikk ham til å anta at den var dyr, at den bare ikke var beregnet på å imponere enkle sjeler som ham selv. Men boligadressen tydet på at hun ikke var spesielt rik. Bristol var ikke det mest fasjonable strøket i Sydney. Hun virket voksen og fornuftig. Definitivt ikke av typen som vil dramatisere, overdrive, ha oppmerksomhet for oppmerksomhetens skyld. Dessuten var det de som hadde innkalt henne, ikke hun som hadde kommet til Sydney-politiet. Han så på klokka. McCormack hadde en avtale med sønnen om å seile i ettermiddag, de skulle møtes ute ved Watson Bay, der båten lå. Derfor hadde han håpet at dette skulle ta kort tid. Og det hadde sett greit ut inntil denne siste opplysningen.

«Frøken Peller,» sa McCormack, lente seg tilbake og foldet hendene over sin imponerende halvklodemage. «Hvorfor har De ikke fortalt noen om dette tidligere?»

Hun trakk på skuldrene: «Hvorfor skulle jeg det? Ingen har spurt, og jeg kan heller ikke se at det har noen relevans for drapet på Charlotte. Jeg forteller det nå bare fordi du spør meg slik i detalj. Jeg trodde det var det som skjedde på hytta dere var interessert i, ikke en slik ... episode som kom etterpå. Og det var det det var. En liten episode, fort overstått, fort glemt. Idioter som ham finnes overalt, som enkeltperson kan man ikke ta jobben på seg med å forfølge hvert eneste kryp av arten.»

McCormack brummet. Hun hadde selvfølgelig rett. Og heller ikke han følte for å forfølge saken. Det ble alltid så mye mer trøbbel, ubehageligheter og ikke minst jobb når personen det dreide seg om hadde en yrkestittel som begynte eller sluttet med ordet «politi». Han så ut av vinduet. Sola glitret i vannet i Port Jackson og på Manly-siden, hvor det fortsatt steg røyk opp til tross for at det var over en uke siden sesongens siste bushbrann var blitt slukket. Røyken drev mot sør. En fin, varm nordavind. Perfekt for seiling. McCormack hadde likt Harry Hole. Eller Holy som han hadde kalt nordmannen. Han hadde gjort en glimrende jobb da han hjalp dem med den store klovnedrapssaken. Men den tårnhøye, lyse nordmannen hadde hørtes sliten ut på telefonen. McCormack håpet virkelig at Holy ikke var i ferd med å kullseile igjen.

«La oss ta det fra begynnelsen, frøken Peller.»

Mikael Bellman kom inn i møterom Odin og hørte samtalene straks opphøre. Han gikk raskt fram til talerstolen, la notatene foran seg, koblet PC-en til USB-inngangen og stilte seg bredbeint midt på gulvet. Etterforskningsgruppa telte trettiseks personer, det tredobbelte av hva som var vanlig i en drapssak. De hadde jobbet såpass lenge uten resultater at han hadde måttet piffe opp moralen et par ganger, men i det store og hele hadde de stått på som helter. Derfor hadde Bellman ikke bare unnet seg selv, men også folkene sine det som hadde sett ut som deres store triumf: arrestasjonen av Tony Leike.

«Dere har lest avisene i dag,» begynte han og så utover forsamlingen.

Han hadde reddet stumpene. Forsidene på to av de tre største avisene var preget av det samme bildet: Tony Leike på vei inn i en bil utenfor Politihuset. Den tredje hadde et bilde av Harry

Hole, et arkivfoto fra et TV-talkshow hvor han hadde snakket om Snømannen.

«Som dere ser tar førstebetjent Hole på seg ansvaret. Som rett og rimelig er.»

Han hørte veggene kaste ordene tilbake mot ham og møtte deres tause, morgentrøtte blikk. Eller var det en annen form for trøtthet? I så fall måtte den bekjempes. For det hadde tilspisset seg nå. Kripos-sjefen hadde vært innom og sagt at departementet hadde ringt og stilt spørsmål. Timeglasset rant.

«Vi har altså ikke lenger noen hovedmistenkt,» sa han. «Men de gode nyhetene er at vi har nye ledetråder. Og de går alle fra Håvasshytta på Ustaoset.»

Han steg bort til PC-en, slo på en tast, og første side av Power-Point-presentasjonen han hadde forberedt i natt lyste opp.

En halv time senere hadde han gått igjennom alle fakta de hadde, med navn, tidspunkter og antatte ruter.

«Spørsmålet,» sa han og slo av PC-en. «Er hva slags drap dette dreier seg om. Jeg tror vi nå kan utelukke det typiske seriedrapet. Ofrene er ikke tilfeldig valgt innenfor en demografisk gruppe, men knytter seg til et spesifikt sted på et spesifikt tidspunkt. Altså er det grunn til å tro at vi også snakker om et spesifikt motiv som kanskje til og med kan oppfattes som rasjonelt. I så tilfelle gjør det oppgaven adskillig lettere for oss: finn motivet og vi har drapsmannen.»

Bellman så flere av etterforskerne nikke.

«Problemet er at det ikke finnes vitner som kan fortelle oss noe. Den eneste vi vet er i live, Iska Peller, lå syk på et soverom for seg selv hele dagen og hele natta. De andre er enten døde eller har ikke meldt seg. Vi vet for eksempel at Adele Vetlesen reiste sammen med en fyr hun nylig hadde truffet, men ingen i hennes bekjentskapskrets synes å vite noe om mannen, så vi får anta at det var kortvarig. Vi ser på hvilke menn hun har hatt kontakt med på telefon og nettet, men det tar litt tid å komme seg igjennom alle sammen. Og så lenge vi ikke har vitner, må vi lage vårt eget startpunkt. Vi trenger hypoteser om motiv. Hva er motivet for å drepe minst fire mennesker?»

«Sjalusi eller stemmer i hodet,» smalt det fra bak i rommet.
«All erfaring tilsier det.»

«Enig. Hvem kan tenkes å ha stemmer i hodet som befaler dem å drepe?»

«Alle med en psykiatrisk sykejournal,» sang en stemme på finnmarksk bokmål.

«Og alle uten,» svarte en annen stemme.

«Greit. Hvem kan tenkes å ha vært sjalu?»

«Kjæreste eller ektefelle til en av dem som var der.»

«Og hvem gjelder det?» sa Bellman.

«Men vi har jo alt sjekket de dreptes kjæresters alibier og eventuelle motiver,» sa en annen. «Det er det første vi gjør. Og enten hadde de ikke kjærester, eller så sjekket vi dem ut av saken.»

Mikael Bellman visste godt at de bare ga gass mens hjula spant rundt i det samme hjulsporet de hadde sittet fast i en stund, men det viktige nå var at de var villige til å gjøre akkurat det: gi gass. For han var ikke i tvil om at Håvasshytta var en planke som kunne stikkes under hjulet og få dem løs.

«Vi sjekket ikke *alle* kjærester og ektemenn ut av saken,» sa Bellman og vippet på hælene. «Vi syntes bare ikke han var mistenkelig. Hvem er det som ikke hadde noe alibi for tidspunktet for drapet på sin kone?»

«Rasmus Olsen!»

«Korrekt. Og da jeg var innom Stortinget og snakket med Rasmus Olsen, innrømmet han at det hadde vært det han kalte 'en liten sjalusigreie' for noen måneder siden. Ei dame som Rasmus hadde flørtet med. Og at Marit Olsen dro til Håvasshytta et par dager for å tenke. Det kan stemme med tidspunktet for Håvasshytta. Kanskje hun gjorde mer enn å tenke. Kanskje hun hevnet seg. Og her er en opplysning. Den angjeldende natta da ofrene var på Håvasshytta, befant ikke Rasmus Olsen seg i Oslo, for han var booket inn på hotellet på Ustaoset. Hva gjorde Rasmus i området hvis hans kone var på Håvasshytta? Og tilbrakte han natta på hotellet eller en drøy skitur derfra?»

Blikkene foran ham var ikke lenger tunge og trette, tvert om, han var i ferd med å tenne lys i dem. Han ventet på svar. En så stor etterforskningsgruppe var normalt ikke den mest effektive til å drive denne typen improvisert gjettelek i, men de hadde jobbet såpass lenge sammen på denne saken at alle i rommet hadde fått sine kilevinker, fått sine skråsikre tips og fantasifulle hypoteser tilbakevist og egoene høvlet ned.

En av de unge hivde seg utpå: «Han kan ha kommet uanmeldt til hytta på kvelden og tatt henne på fersk gjerning. Type sett det og sneket seg bort igjen. Planlagt hele greia i ro og fred.»

«Kanskje,» sa Bellman, gikk bort til talerstolen og holdt opp et notat. «Argument én for en slik teori: Jeg fikk akkurat denne fra driftsentralen til Telenor. Den viser at Rasmus Olsen snakket på telefonen med sin kone en gang på morgenen. Så la oss anta at han visste hvilken hytte hun var på vei til. Argument to for hypotesen er denne værrapporten som viser at det var månelyst og klar sikt hele kvelden og natta, så han kan fint ha gått dit på ski slik Tony Leike gjorde. Argument én mot hypotesen: Hvorfor drepe andre enn sin kone og hennes eventuelle partner?»

«Kanskje hun hadde mer enn én,» ropte en av de kvinnelige etterforskerne, en kortvokst, storbystet sak Bellman regnet for å være såpass lesbisk at han hadde lekt med tanken å invitere henne opp til Kaja en kveld. Selvfølgelig bare en tanke. «Kanskje det var en håul føkking orgie der oppe.»

Latteren runget. Godt, stemningen var alt lettere.

«Kanskje han ikke så hvem hun hadde sex med, ikke engang om det var kvinne eller mann, bare at det var noen under lakenet,» sa en annen. «Og så helgarderte han.»

Mer latter.

«Hold opp, vi har ikke tid til det vrøvlet,» ropte Eskildsen, en av de rutinerte, som ingen visste akkurat hvor lenge hadde vært drapsetterforsker. Det ble stille i rommet. «Husker noen av dere skårunger den saken de løste nede på Voldsavsnittet for noen år siden, den gangen alle trodde det var en seriemorder løs i Oslo,» fortsatte Eskildsen. «Da de fant drapsmannen, viste det seg at han bare hadde motiv for å drepe nummer tre i rekken av lik. Men fordi han visste at han ville bli mistenkt om det bare var hun som ble drept, drepte han de andre for å kamuflere det som et sinnssykt seriedrap.»

«Fy faen,» hauket den unge. «Greide Voldsavsnittet virkelig å løse en sak? Må ha vært vådeskudd.»

Unggutten så seg flirende rundt og ble langsomt rød i maska da responsen uteble. For alle med en viss fartstid som drapsetterforsker husket den saken. Etterforskningen ble brukt som case på politiskolene i hele Norden. Den var legendarisk. Akkurat som han som hadde løst den.

«Harry Hole.»

«*It's Neil McCormack, Holy. How are you? And where are you?*»

McCormack syntes tydelig Harry svarte «i koma», men gikk ut ifra at han uttalte navnet på et norsk sted.

«*I talked to Iska Peller.* Hun hadde som du sa ikke stort å fortelle fra den aktuelle natta, men kvelden etterpå derimot ...»

«Ja?»

«Hun og hennes venninne Charlotte ble altså hentet på hytta av den lokale politimannen og installert hjemme hos ham. Det viste seg at mens frøken Peller prøvde å sove influensaen av, tok politimannen og venninnen et glass ute i stua, hvorpå politimannen på en nokså bestemt, fysisk måte skal ha forsøkt å forføre Charlotte. Såpass fysisk at hun ropte på hjelp, frøken Peller våknet, sto opp og gikk ut i stua hvor politimannen allerede hadde fått venninnens skibukser ned på knærne. Han avbrøt forsøket, og frøken Peller og venninnen bestemte seg for å dra derfra til togstasjonen for å ta inn på hotell på et sted jeg er redd jeg ikke ...»

«Geilo.»

«Takk.»

«Du sier forsøk på å forføre, Neil, men du mener voldtektsforsøk?»

«Nei. Jeg måtte gå noen runder med frøken Peller før vi

landet på en presis formulering. Hun sa at venninnens beskrivelse var at politimannen hadde dratt buksene hennes ned mot hennes vilje, men at han ikke hadde berørt henne intimt.»

«Men ...»

«Vi kan muligens anta at det var hensikten, men vi vet ikke. Poenget er at det ennå ikke hadde skjedd noe direkte straffbart. Frøken Peller var enig i dette, de hadde da heller ikke brydd seg med å anmelde saken, bare reist derfra. Politimannen hadde til og med fått en eller annen bygdeoriginal til å skysse dem alle tre til togstasjonen og hadde hjulpet dem om bord. Ifølge frøken Peller virket politimannen temmelig uberørt av saken, han var mer opptatt av å få venninnens telefonnummer enn av å unnskylde seg. Som om det bare var en helt vanlig mann-møter-kvinne-greie.»

«Mm. Noe mer?»

«Nei, Harry. Bortsett fra at vi har gitt henne politibeskyttelse slik du foreslo. Full døgnservice, mat og nødvendigheter levert på døra. Hun kan bare nyte sola. Om sola skinner på Bristol da.»

«Takk skal du ha, Neil. Om noe ...»

«... dukker opp, så ringer jeg. Og vice versa.»

«Selvfølgelig. *Take care*.»

Sier du, tenkte McCormack, la på og så ut på den blå ettermiddagshimmelen. Dagene var litt lengre nå på sommeren, han kunne fremdeles rekke halvannen times seiling før det ble mørkt.

Harry sto opp og gikk inn i dusjen. Sto stille og lot glohett vann renne nedover kroppen i tjue minutter. Så gikk han ut, tørket den ømme, rødprikkete huden og kledte på seg. Så på mobiltelefonen at den hadde mottatt atten anrop mens han hadde sovet. Så de hadde greid å få tak i nummeret hans. Han kjente igjen de første sifrene til Norges tre største aviser og de to viktigste TV-kanaler siden de alle hadde sentralbordnumre med nuller og like sifre i. Slutten av tallrekkene var mer arbitrære og ledet ganske sikkert til kommentarhungrige journalister. Men blikket hans hadde stoppet ved ett av numrene uten at han visste hvorfor. Fordi det var noen bites der oppe i hjernen som hadde moro av å memorere tall, kanskje. Eller fordi de første sifferene fortalte ham at det var fra Stavanger. Han bladde bakover i samtaleloggen og fant igjen nummeret fra to dager tidligere. Colbjørnsen.

Harry ringte tilbake og klemte telefonen mellom skulderen og kinnet mens han knyttet bootsene og registrerte at det var på tide å kjøpe nye. Jernbeslaget som gjorde at du ubekymret kunne tråkke på spiker, sto ut av sålen.

«Fy faen, Harry. De har virkelig hengt deg i avisene i dag. Ordentlig butchering. Hva sier sjefen din?»

Colbjørnsen hørtes fyllesjuk ut. Eller bare sjuk.

«Jeg veit ikke,» sa Harry. «Jeg har ikke snakka med ham.»

«Voldsavsnittet skjærer jo for så vidt klar, det er du personlig som får hele skylda. Var det sjefen din som fikk deg til å take one for the team?»

«Nei.»

Spørsmålet kom etter en lengre stillhet: «Ikke ... ikke Bellman, vel?»

«Hva vil du, Colbjørnsen?»

«Faen heller, Harry. Jeg har drevet a *somewhat* illegal solo-etterforskning, akkurat som deg. Så først må jeg vite om vi fortsatt er på lag eller ikke.»

«Jeg har ikke noe lag, Colbjørnsen.»

«Greit, jeg hører at du fortsatt er på laget vårt. Taperlaget.»

«Jeg er på vei ut.»

«Right on. Jeg tok en ny prat med Stine Ølberg, hun som Elias Skog var så opptatt av.»

«Ja?»

«Det viser seg at Elias Skog fortalte henne mer om hva som foregikk på hytta den natta enn jeg hadde fått med meg i første avhøret.»

«Jeg har begynt å få troen på annengangs avhør,» sa Harry.

«Hæ?»

«Ingenting. Få høre.»

329

Kapittel 49
Bombay Garden

«Bombay Garden» var et slikt utested som tilsynelatende ikke hadde livets rett, men som i motsetning til sine mer trendy konkurrenter likevel holder ut, år etter år. Beliggenheten på Oslos sentrale østkant var elendig der den lå i en sidegate midt mellom et tidligere trelastlager og et nedlagt fabrikklokale som nå var et friteater. Skjenkebevillingen hadde kommet og gått etter utallige brudd på bestemmelsene, det samme med retten til å servere mat. Mattilsynet hadde ved en anledning funnet en gnagertype på kjøkkenet de ikke hadde klart å artsbestemme utover at den hadde et visst slektskap med *Rattus norvegicus*. I rapportens kommentarfelt hadde tilsynets representant sluppet seg løs og omtalt kjøkkenet som et «åsted» hvor «drap av mest grisete sort utvilsomt hadde funnet sted». Spillautomatene langs veggene kastet en del av seg, men ble med jevne mellomrom utsatt for tyveri. Det forholdt seg heller ikke slik at stedets vietnamesiske eiere brukte stedet til hvitvasking av narkopenger slik noen mistenkte dem for. Grunnen til at Bombay Garden holdt hodet over vann, var å finne lenger inne i lokalene, bak to stengte dører. Der lå en såkalt privat klubb, og for å komme inn dit måtte man søke om medlemskap. Det ville i praksis si at man signerte på et søknadspapir hos vietnameseren i bardisken i restauranten, fikk medlemskapet innvilget på stedet og betalte hundre kroner i årsavgift. Deretter ble du fulgt inn og fikk døra låst bak deg.

Da sto du i et røykfylt rom – ettersom røykeloven ikke gjelder private klubber – og foran deg sto en oval veddeløpsbane i miniatyr på fire ganger to meter. Selve løpebanen var dekket med grønn filt med sju spor i. I sporene rykket sju flate metallhester festet på hver sin spile rykkvis framover. Farten til hver hest til enhver tid var bestemt av en datamaskin som surret og gikk under bordet, og var – så langt noen hadde erfart – fullstendig tilfeldig og rettferdig. Det vil si, dataprogrammet ga enkelte av hestene noe større sannsynlighet for høyere fart, noe som var reflektert i oddsene og dermed eventuell utbetaling. Rundt banen satt klubbens medlemmer, noen gjengangere, andre nyslåtte, i behagelige svingstoler i skinn mens de røykte, drakk stedets øl til medlemspris og heiet på hesten eller kombinasjonen de hadde satt penger på.

Siden klubben opererte i en juridisk gråsone hva angikk gamblingloven, var reglene at med tolv eller flere medlemmer til stede, var innsats per medlem begrenset til hundre kroner per løp. Var det under tolv medlemmer i lokalet, sa klubbens statutter at det ble regnet som en avgrenset vennegjeng som brukte klubbens lokaler til å møtes, at i en liten privat sammenkomst kunne man ikke hindre voksne mennesker i å inngå private veddemål, og at beløpene som ble satt var en sak mellom dem som var til stede. Av den grunn var det påfallende ofte nøyaktig elleve personer til stede i det innerste lokalet til Bombay Garden. Hvor hagen kom inn i bildet, var det for øvrig ingen som visste.

Klokka fjorten ti ble en mann med klubbens ferskeste medlemskap, temmelig nøyaktig førti sekunder gammelt, låst inn i rommet hvor han slo fast at de eneste til stede foruten ham selv, var et medlem som satt i en av svingstolene med ryggen til og en mann av antagelig vietnamesisk opprinnelse som tydeligvis administrerte løpene og innsatsene, han hadde i alle fall på seg en slik vest som croupierer bruker.

Ryggen i svingstolen var bred og fylte ut flanellsskjorta. Sorte krøller hang ned på snippen.

«Vinner du, Krongli?» spurte Harry og satte seg på stolen ved siden av lensmannen.

Lensmannens krølltopphode vred seg til siden. «Harry!» ropte han, oppriktig glad i stemme og ansikt. «Hvordan fant du meg?»

«Hvorfor tror du at jeg leter etter deg? Kanskje jeg går her fast.»

Krongli lo og så på hestene som rykket fram oppover langsiden med hver sin tinnjockey på ryggen. «Niks. Jeg er her hver gang jeg er i Oslo-byen, og jeg har aldri sett deg.»

«OK. Noen fortalte meg at jeg sannsynligvis fant deg her.»

«Faen, har jeg rykte? Det passer seg kanskje ikke helt for en politimann å gå her, selv om det er innafor det som er legalt.»

«Apropos innafor legalt,» sa Harry og ristet på hodet til croupieren som spørrende pekte på ølkranen. «Det var det jeg ville snakke med deg om.»

«Snakk i vei,» sa Krongli og stirret konsentrert på banen hvor blå hest i ytterste spor ledet, men nå var på vei mot en drøy yttersving.

«Iska Peller, den australske dama som du hentet på Håvasshytta, sier at du antastet venninnen hennes. Charlotte Lolles.»

Harry så ikke antydning til forandring i Kronglis konsentrerte ansiktsuttrykk. Harry ventet. Til slutt så Krongli opp.

«Vil du at jeg skal si noe om det?»

«Bare hvis du vil,» sa Harry.

«Jeg tolker det som at *du* vil. 'Antastet' er feil ord. Vi fløret litt. Kysset. Jeg ville gå videre. Hun syntes det var nok. Jeg bedrev en smule konstruktiv overtalelse, slik kvinner gjerne forventer av en mann, det ligger tross alt i rollespillet mellom kjønnene. Men ikke noe mer enn det.»

«Det stemmer ikke med det Iska Peller sier at Charlotte fortalte henne. Tror du Peller lyver?»

«Nei.»

«Nei?»

«Men jeg tror så gjerne at Charlotte ville gi en litt annen versjon til sin venninne. Katolske piker vil jo gjerne framstå som litt mer dydige enn de er.»

«De bestemte seg for å overnatte på Geilo i stedet for hos deg. Selv om Peller var syk.»

«Det var hun Australia-dama som insisterte på at de skulle dra. Jeg veit jo ikke hva som var greia mellom de to jentene, sånne venninneforhold er jo ofte innvikla greier. Jeg tipper forresten at hun Peller ikke har guttekjæreste.» Han løftet det halvtømte ølglasset foran seg. «Hvor vil du med dette, Harry?»

«Det er litt rart at du ikke sa noe til Kaja Solness om at du hadde truffet Charlotte Lolles da Kaja var på Ustaoset.»

«Og det er litt rart at du fremdeles jobber med denne saken. Trodde det var Kripos' bord, særlig etter avisoppslagene i dag.» Krongli konsentrerte seg om hestene igjen. Ut av svingen hadde gul hest i tredje spor en tinnhestelengdes ledelse.

«Ja,» sa Harry. «Men voldtektssaker er fremdeles Voldsavsnittets bord.»

«Voldtekt? Er du blitt edru ennå, Harry?»

«Vel.» Harry halte fram sigarettpakken fra bukselomma. «Jeg er mer edru enn jeg håper du var, Krongli.» Han stakk en bøyd sigarett mellom leppene. «Alle de gangene du banka opp og voldtok eksdama di der oppe på Ustaoset.»

Krongli snudde seg mot Harry og veltet ølglasset med albuen. Ølet trakk ned i den grønne filten, fuktflekken krøp som Wehrmacht over et Europa-kart.

«Jeg kommer rett fra skolen der hun jobber,» fortsatte Harry og tente sigaretten. «Det var hun som fortalte meg at jeg sannsynligvis fant deg her. Hun fortalte også at den gangen hun dro fra deg og Ustaoset, var det mer flukt enn flytting. At du ...»

Lenger kom ikke Harry. Krongli var rask, dreide stolen hans rundt med foten og var over ham bakfra før Harry rakk å reagere. Harry kjente taket rundt hånden, visste hva som kom, visste det fordi dette var noe de praktiserte fra første år på høyskolen: politigrepet. Og likevel var han ett sekund for sen, to døgns drikking for treg, førti år for dum. Krongli brakk armen og håndleddet hans bakover slik at han stupte framover og satte tinningen i filten foran seg. Siden med den ødelagte kjeven på. Harry skrek av smerte, og et øyeblikk svartnet det helt. Så var han tilbake hos smertene og gjorde et vilt forsøk på å vri seg løs. Harry var sterk, hadde alltid vært det, men kjente med én gang at han var sjanseløs mot Krongli. Den kraftige lensmannens pust var varm og fuktig mot ansiktet hans:

«Du burde ikke ha gjort det, Harry. Du burde ikke ha snakket med den hora. Hun sier hva som helst. Gjør hva som helst. Viste hun deg fitta? Gjorde hun det, Harry?»

Det knaste inni hodet til Harry da Krongli økte trykket. En gul og en grønn hest sto og stanget mot henholdsvis pannen og neseryggen hans idet Harry løftet høyrefoten og tråkket ned. Hardt. Han hørte Kronglien skrike, vred seg ut av taket, snudde seg og slo. Ikke med neven, han hadde ødelagt nok knoker på slikt tull, men med albuen. Den traff Krongli der Harry hadde lært at effekten var størst, ikke midt på hakespissen, men litt på siden. Kronglien vaklet bakover, falt over en lav svingstol og landet på gulvet med føttene pekende opp i været. Harry registrerte at stoffet på Kronglis Converse-sko på høyre fot hadde en blodig flenge etter møtet med jernbeslaget under en støvel som definitivt burde vært kassert. Han registrerte også at sigaretten faktisk fremdeles hang mellom hans egne lepper. Og – ut av øyekroken – at rød hest i første spor red inn til klar seier.

Harry bøyde seg ned, grep Krongli i kragen, dro ham opp og dumpet ham ned i stolen. Tok et trekk av sigaretten, magadrag, kjente det svi og varme lungene.

«Jeg er enig i at denne voldtektssaken min ikke står spesielt sterkt,» sa han. «I alle fall all den tid verken Charlotte Lolles eller din kone har gått til anmeldelse. Derfor må jeg som etterforsker prøve å finne mer, ikke sant? Og det er der jeg kommer tilbake til Håvasshytta.»

«Hva faen er det du snakker om?» Krongli hørtes ut som han hadde pådratt seg en akutt og kraftig forkjølelse.

«Det er denne jenta i Stavanger som Elias Skog betrodde seg til samme kveld som han ble drept. De satt på en buss mens Elias fortalte at den natta på Håvasshytta hadde han vært vitne til noe han i ettertid hadde tenkt kanskje var en voldtekt.»

«Elias?»

«Elias, ja. Han sover visstnok lett. Utpå natta våknet han av lyder utenfor soveromsvinduet og kikka ut. Det var månelyst, og han så to personer i skyggen under takmønet på utedassen. Dama sto vendt mot ham med mannen bak seg slik at Elias ikke så ansiktet hans. Elias oppfattet dem som relativt innstilt på å knulle hverandre, dama så ut som hun bedreiv magedans og mannen hadde lagt hånden over munnen hennes, tydeligvis for at hun ikke skulle vekke noen. Og da mannen hadde trukket henne inn på doen, hadde Elias – litt skuffa over at han ikke hadde fått se fullt live show – lagt seg til å sove igjen. Det var først da han hadde lest om drapene at han hadde begynt å tenke annerledes på det. At dama kanskje hadde vridd på seg for å komme løs. At hånden foran munnen hennes var der for å kvele ropene om hjelp.» Harry tok et nytt drag. «Var det deg, Krongli? Var du der?»

Krongli gned seg på haka.

«Alibi?» spurte Harry lett.

«Jeg sov aleine hjemme. Sa Elias Skog hvem dama var?»

«Nei. Og fyren så han som sagt ikke.»

«Det var ikke meg. Og du lever farlig, Hole.»

«Skal jeg ta det som en trussel eller en kompliment?»

Krongli svarte ikke. Men det var latter i øynene hans, gul og kald.

Harry stumpet sigaretten og reiste seg. «Eksdama di viste meg forresten ingenting. Vi satt på lærerværelset. Noe sier meg at hun er redd for å være aleine i samme rom som en mann. Så da har du vel oppnådd noe, Krongli?»

«Husk å se deg over skuldra, Hole.»

Harry snudde seg. Croupieren virket helt uanfektet av opptrinnet og hadde allerede stilt opp hestene til nytt løp.

«Vil du satse?» spurte han smilende på gebrokkent norsk.

Harry ristet på hodet. «Sorry, har ikke noe å satse med.»

«Desto mer å vinne,» sa croupieren.

Harry lot det synke inn på vei ut og konkluderte med at det enten var en språklig misforståelse eller hans egen logikk som ikke strakk til. Eller bare nok et dårlig asiatiske ordtak.

Kapittel 50
Bestikkelsen

Mikael Bellman ventet.

Dette var det beste. Sekundene mens han ventet på at hun skulle åpne. Spent på om – og samtidig viss på at – hun igjen skulle overgå forventningene hans. For hver gang han så henne, gikk det opp for ham at han hadde glemt hvor vakker hun var. Hver gang døra gikk opp, var det som om han måtte ha et par sekunder for å ta inn all skjønnheten. Å la bekreftelsen synke inn. Bekreftelsen på at hun i utvalget av menn som ville ha henne – i praksis enhver seende mann av noenlunde heteroseksuell legning – hadde valgt ham. Bekreftelsen på at han var flokklederen, alfahannen, hannen med førsterett til å pare seg med hunnene. Ja, så banalt og vulgært kunne det sies. Å være alfahann var ikke noe man aspirerte til, men var født til. Ikke nødvendigvis det enkleste og mest behagelige liv for en mann, men var man kallet, kunne man ikke motsette seg det.

Døra gikk opp.

Hun hadde på seg den hvite, høyhalsete genseren og hadde satt opp håret. Hun så trett ut, øynene virket mindre enn vanlig. Og likevel hadde hun den elegansen, klassen som selv hans egen kone bare kunne drømme om. Hun sa hei, at hun satt på verandaen, vendte ham ryggen og gikk innover i huset. Han gikk etter, tok med seg øl fra kjøleskapet og satte seg i en av de latterlig store, tunge stolene på verandaen.

«Hvorfor sitter du her ute,» snøftet han. «Du kommer til å pådra deg lungebetennelse.»

337

«Eller lungekreft,» sa hun, løftet den halvrøykte sigaretten fra kanten av askebegeret og plukket opp boka hun leste. Han leste på omslaget. *Ham on Rye.* Charles ... Han myste. Bukowski? Som i auksjonshuset?

«Jeg har gode nyheter,» sa han. «Vi har ikke bare forhindret en liten katastrofe, vi har snudd hele Leike-insidenten til vår fordel. Justisdepartementet ringte i dag.» Bellman la beina på bordet og så på ølflaskeetiketten. «De ville takke for at jeg så resolutt hadde grepet inn og fått løslatt Leike. De var svært bekymret for hva Galtung og advokatkobbelet hans hadde kunnet finne på om Kripos ikke hadde handlet så fort. Og de ville ha en forsikring om at jeg personlig hadde hendene på rattet, og at ingen utenom Kripos fikk mulighet til å rote det til.»

Han satte ølflasken til munnen og drakk. Satte den hardt fra seg på bordet. «Eller hva synes du, Bukowski?»

Hun senket boka og møtte blikket hans.

«Du burde være litt interessert,» sa han. «Dette gjelder deg også, vet du. Hva tror du om saken, kjære? Kom igjen. Du er drapsetterforsker.»

«Mikael ...»

«Tony Leike er en voldsmann, og vi lot oss finte ut av det. Fordi vi vet at voldsmenn er uforbederlige. Evnen og viljen til å drepe er ikke alle mennesker forunt, den er medfødt eller dyrket fram. Men når du først har drapsmannen i deg, er han pokker så vanskelig å få ut igjen. Kanskje drapsmannen i denne saken vet at vi vet det? Vet at om han serverte oss Tony Leike, så ville vi gå i spinn og hyle i kor 'hey, saken er jo opplagt, det er fyren med voldstendensene!', Og derfor brøt han seg inn i leiligheten til Tony Leike og ringte til Elias Skog. For å slippe at vi skulle lete etter noen av de andre som var på Håvasshytta.»

«Telefonen fra huset til Leike var før noen utenfor politiets rekker visste at vi hadde oppdaget sammenhengen med Håvasshytta.»

«Hva så? Han regnet vel med at det bare var et tidsspørsmål før vi fant det ut. Pokker heller, vi burde funnet det ut lenge før!» Bellman grep ølflasken igjen.

«Så hvem er drapsmannen?»

«Den sjuende mannen på Håvasshytta,» sa Mikael Bellman. «Kavaleren som Adele Vetlesen tok med seg, men som ingen vet hvem er.»

«Ingen?»

«Jeg har hatt over tretti mann på jobben. Vi har gått igjennom Adeles leilighet. Null skriftlige kilder. Ingen dagbøker, kort eller brev, knapt nok mailer eller SMS-er. De vi har identifisert av Adeles mannlige bekjente, er avhørt og sjekket ut av saken. Også de kvinnelige. Og ingen av dem har sett eller snakket med ham som hun var med opp til Håvasshytta. Uten at noen av dem synes det var rart, hun skiftet visst partnere like ofte som truser, og pleide ikke å annonsere det. Det eneste vi fikk fram, var at Adele skal ha sagt til en venninne at det var et par turn-ons og turn-offs med denne hyttekavaleren. Turn-on var at han hadde hadde bedt henne komme til et nattlig stevnemøte på en tom fabrikk kledd som sykepleier.»

«Hvis det var turn-on, vil jeg gjerne slippe å høre hva turn-off var.»

«Turn-off var visst at når han snakket, fikk det Adele til å tenke på samboeren sin. Venninnen ante ikke hva Adele mente med det.»

«Samboeren er ikke samboer,» sa Kaja og gjespet. «Geir Bruun er homse. Hvis denne sjuende mannen prøvde å legge skylden for drapene på Tony Leike, må han ha visst at Leike hadde et rulleblad.»

«Voldsdommen er selvfølgelig offentlig tilgjengelig informasjon. Også hvor den skjedde, nemlig i Ytre Enebakk kommune. Leike holdt på å bli morder mens han bodde hos bestefaren sin ved Lyseren. Hvis du som drapsmann ville rette politiets søkelys mot Leike, hvor ville du dumpet liket av Adele Vetlesen? Selvfølgelig på et sted som politiet kan linke til en person og en voldsdom de allerede har i registrene sine. Derfor valgte han Lyseren.» Mikael Bellman stoppet. «Si meg, kjeder jeg deg?»

«Nei.»

«Du ser så uinteressert ut.»

«Jeg ... har mye annet å tenke på.»

«Når begynte du å røyke? Jeg har forresten en plan for hvordan vi skal finne den sjuende mannen.»

Kaja så lenge på ham.

Bellman sukket: «Skal du ikke spørre meg hvordan, kjære?»

«Hvordan?»

«Ved å bruke samme taktikk som ham.»

«Som er?»

«Å sette fokus på en uskyldig person.»

«Er ikke det taktikken du alltid bruker?»

Mikael Bellman så fort opp. Noe begynte å demre for ham. Noe om det å være alfahann.

Han la planen fram for henne. Fortalte henne hvordan han skulle få lokket fram den sjuende mannen.

Etterpå skalv han av kulde og raseri. Han visste ikke hva som gjorde ham mest rasende. Det faktum at hun overhodet ikke responderte, verken negativt eller positivt. Eller at hun satt der og røykte og så ut som saken var henne fullstendig uvedkommende. Skjønte hun ikke at hans karriere, hans sjakktrekk i nettopp disse skjebnedøgnene, ville være avgjørende også for hennes fremtid? Om hun ikke kunne påregne å bli noen ny fru Bellman, kunne hun i hvert fall stige i gradene under hans beskyttelse, gitt at hun var lojal og fortsatte å levere. Eller kanskje skyldtes raseriet spørsmålet hun hadde stilt. At det gjaldt *ham*. Den andre. Den gamle, avfeldige alfahannen.

Hun hadde spurt om opiumen. Spurt om han virkelig ville brukt den om Hole ikke hadde bøyd seg for kravet om å påta seg skylden for arrestasjonen av Leike.

«Selvfølgelig,» sa Bellman og prøvde å se ansiktet hennes, men det var for mørkt. «Hvorfor skulle jeg ikke det? Han har smuglet narko.»

«Jeg tenker ikke på ham. Jeg tenker på om du ville satt politietaten i vanry.»

Han ristet på hodet. «Vi kan ikke la oss bestikke av sånne hensyn.»

Latteren hennes lød tørr i møtet med den kompakte kvelds-kulda. «Du bestakk da vitterlig ham.»

«Han er bestikkelig,» sa Bellman og tømte resten av ølflasken i én slurk. «Det er forskjellen på ham og meg. Si meg, Kaja, er det noe du prøver å fortelle meg?»

Hun åpnet munnen. Ville si det. Skulle si det. Men i det samme ringte telefonen hans. Hun så ham gripe ned i lomma mens han gjorde det han pleide å gjøre, formet leppene til en trutmunn. Som ikke betydde et kyss, men at hun skulle holde kjeft. I tilfelle det var hans kone, hans sjef eller hvilken som helst annen som helst ikke burde vite at han kom hit og knullet en kollega fra Voldsavsnittet og som ga ham all den etterret-ning han trengte for å utmanøvrere den konkurrerende enhe-ten for drapsetterforskning. Faen ta Mikael Bellman. Faen ta Kaja Solness. Og først og framst, faen ta …

«Han er borte,» sa Mikael Bellman og la telefonen tilbake i lomma.

«Hvem?»

«Tony Leike.»

Kapittel 51
Brev

Hei, Tony.

Du har lurt lenge på hvem jeg kan være nå. Så lenge at jeg synes det kan være på tide å røpe det. Jeg var på Håvasshytta den natta, men du så meg ikke. Ingen så meg, jeg var usynlig som et gjenferd. Men du kjenner meg. Kjenner meg så altfor godt. Og nå kommer jeg for å ta deg. Den eneste som kan stoppe meg nå, er deg. Alle andre er døde. Det er bare du og jeg igjen, Tony. Slår hjertet ditt litt fortere nå? Griper hånden etter kniven? Skjærer du blindt i mørket, svimmel av redsel for at livet ditt skal tas fra deg?

Kapittel 52
Besøk

Noe hadde vekket ham. En lyd. Det var aldri lyder her ute, ingen han ikke kjente, og de våknet han ikke av. Han sto opp, satte fotbladene mot det kalde gulvet og kikket ut gjennom vinduet. Hans landskap. Noen kalte dette ødemark, hva nå enn det betydde. For det var aldri øde, det var alltid noe. Som nå. Et dyr? Eller kunne det være ham? Gjenferdet? Det var noe der ute, det var sikkert. Han så mot døra. Den var lukket med lås og slå på innsiden. Rifla sto ute i stabburet. Han grøsset i den tykke, røde flanellsskjorta han både gikk og sov i her oppe. Det var så tomt i stua. Så tomt der ute. Så tomt i verden. Men ikke øde. Det var de to, de to som var igjen.

Harry drømte. Om en heis med tenner, om en kvinne med en cocktailpinne mellom cochenillerøde lepper, en klovn med sitt eget leende hode under armen, en hvit brud til alters med en snømann, en stjerne tegnet i støvet på en TV-skjerm, en énarmet ungpike på et stupebrett i Bangkok, den søte lukten av urinalkuler, profilen av en menneskekropp som tegner seg mot innsidene av den blå plasten i en vannseng, et kompressorbor og blod som spruter opp i ansiktet hans, varmt og dødgivende. Alkohol hadde vært kors, hvitløk og vievann mot spøkelser, men i natt hadde det vært fullmåne og jomfublod, og nå vrimlet de fram fra de mørkeste kroker og dypeste graver

343

og slengte ham mellom seg i dansen, voldsommere, villere enn noen gang til hjerterytmen av dødsangst og brannalarmen som uopphørlig skingret her i helvete. Så ble det brått stille. Helt stille. Det var her igjen. Det fylte munnen hans. Han fikk ikke puste. Det var kaldt og stummende mørkt og han greide ikke å røre seg, han ...

Harry rykket til og blunket forvirret mot mørket. Et ekko hang igjen mellom veggene. Ekko av hva? Han grep revolveren som lå på nattbordet, satte fotbladene mot det kalde gulvet og gikk ned trappa, inn i stua. Tomt. Det lyste fortsatt i det tomme barskapet. Det hadde stått en ensom flaske Martell konjakk der. Faren hadde alltid vært forsiktig med alkohol, han visste hva slags gener han var bærer av, og konjakken var til å by besøkende. Det hadde ikke vært mange besøkende. Den støvete, halvfulle flasken hadde gått med i flodbølgen sammen med kaptein Jim Beam og matros Harry Hole. Harry satte seg i lenestolen, fingret med hullet i stoffet på armlenet. Han lukket øynene og så det for seg, hvordan han skjenket glasset halvfullt. De dype klukkene fra flasken, glitringen i det gyllenbrune. Lukten, sitringen idet han satt glasset mot leppene og kjente kroppen panikkslagen stritte imot. Så tømte han innholdet inn i munnen.

Det var som et slag mot tinningen.

Harry sperret opp øynene. Det var blitt helt stille igjen.

Og like brått var den der igjen.

Den drillet seg gjennom øregangen. Brannalarmen i helvete. Den samme som hadde vekket ham. Dørklokka. Harry så på klokka. Halv ett.

Han gikk ut i entreen, slo på utelyset, så en profil på utsiden av det ruglete glasset, holdt revolveren i høyre hånd mens han grep låsvrideren med venstre tommel og pekefinger og svingte døra opp på vidt gap.

I måneskinnet kunne han se skispor som gikk over tunet. De var ikke hans egne skispor. Og gjenferd lagde ikke skispor, gjorde de?

De gikk rundt huset, til baksiden.

Det slo ham i det samme at vinduet til soverommet sto åpent, at han burde ... Han holdt pusten brått. Det var som om noen sluttet å puste samtidig som ham selv. Ikke noen, noe. Et dyr.

Han snudde seg. Åpnet munnen. Hjertet hadde sluttet å slå. Hvordan kunne det ha beveget seg så fort og lydløst, hvordan kunne det ha kommet så ... nært?

Kaja stirret storøyet på ham.

«Kan jeg komme inn?» spurte hun.

Hun hadde på seg en altfor stor regnfrakk, håret sto til alle kanter, ansiktet blekt og dratt. Han blunket hardt et par ganger for å sjekke om han fremdeles drømte. Han hadde aldri sett henne vakrere.

Harry prøvde å spy så stille han kunne. Han hadde ikke smakt sprit på over ett døgn, og magen var et følsomt vanedyr som gjorde opprør både mot plutselig drikking og plutselig avhold. Han skylte ned, drakk forsiktig et tannglass vann og gikk tilbake til kjøkkenet. Kaffekjelen rumlet på komfyren og Kaja satt på en av kjøkkenstolene og så opp på ham.

«Så Tony Leike er borte,» sa han.

Hun nikket. «Mikael hadde gitt beskjed om å få tak i ham. Men ingen greide å finne ham, han var ikke hjemme, ikke på kontoret og hadde ikke lagt igjen noen beskjeder. Ingen Leike på passasjerlistene til fly og båter det siste døgnet. Til slutt fikk en av etterforskerne tak i Lene Galtung. Hun mener at han kan ha dratt til fjells. For å tenke, pleier visst det. I tilfelle har han tatt toget, for bilen står i garasjen hans.»

«Ustaoset,» sa Harry. «Han sa at det var landskapet hans.»

«Han har i hvert fall ikke tatt inn på hotellet.»

«Mm.»

«De tror han er i fare.»

«De?»

«Bellman. Kripos.»

«Jeg trodde det var ditt 'vi'. Hvorfor skulle Bellman ha tak i Tony Leike, forresten?»

Hun lukket øynene. «Mikael hadde lagt en plan. For å lokke fram drapsmannen.»

«Ja vel?»

«Drapsmannen prøver å ta livet av alle som var på Håfjellhytta den natta. Han ville derfor overtale Tony Leike til å være lokkedue ved å bli med på et arrangert opplegg. Få Leike til å stille opp på et intervju med en avis hvor han fortalte om den strie tiden, og at han nå ville slappe av alene på et definert sted som han røpet i avisen.»

«Hvor Kripos ville rigge opp en felle.»

«Ja.»

«Men nå har den planen skåret seg. Og det er derfor du er her?»

Hun så på ham uten å blunke. «Vi har én person igjen som vi kan bruke som lokkedue.»

«Iska Peller? Hun er i Australia.»

«Og Bellman vet at hun er under politibeskyttelse og at du har vært i kontakt med henne og en viss McCormack. Bellman vil at du skal overtale henne til å komme hit for å være lokkedue.»

«Hvorfor skulle jeg si ja til det?»

Hun så ned på hendene sine. «Det vet du. Samme pressmiddel som sist.»

«Mm. Når var det du oppdaget at det var opium i den sigarettkartongen?»

«Da jeg skulle legge kartongen opp i hattehylla på soverommet. Du har rett, det lukter kraftig. Og jeg husket lukten fra herberget ditt. Jeg åpnet kartongen og så at seglet på den nederste sigarettpakken var brutt. Og fant klumpen inni. Jeg sa fra til Mikael. Han ga meg beskjed om bare å gi deg kartongen når du spurte etter den.»

«Det gjorde det kanskje lettere for deg å forråde meg. Å vite at jeg hadde brukt deg.»

Hun ristet langsomt på hodet. «Nei, Harry. Det gjorde det ikke lettere. Det burde kanskje ha gjort det, men ...»

«Men?»

Hun trakk på skuldrene. «Å overbringe denne beskjeden er den siste tjenesten jeg gjør for Mikael.»

«Å?»

«Etterpå kommer jeg til å fortelle ham at jeg ikke vil treffe ham mer.»

Rumlingen i kaffekjelen stilnet.

«Jeg burde gjort det for lenge siden,» sa hun. «Jeg har ikke tenkt å be deg tilgi meg for det jeg har gjort, Harry, det er for mye å be om. Men jeg tenkte jeg ville fortelle deg det ansikt til ansikt, så du kan forstå. Det er egentlig derfor jeg kjørte opp til deg nå. For å fortelle at jeg gjorde det av dum, dum forelskelse. Kjærligheten gjorde meg bestikkelig. Og jeg trodde ikke jeg var bestikkelig.» Hun støttet pannen i hendene. «Jeg bedro deg, Harry. Jeg vet ikke hva jeg skal si. Annet enn at bedraget mot meg selv føles enda verre.»

«Vi er alle bestikkelige,» sa Harry. «Vi forlanger bare ulik pris. Og ulik valuta. Din er kjærlighet. Min er bedøvelse. Og vet du hva ...»

Kaffekjelen sang igjen, en oktav lysere denne gangen.

«... jeg tror det gjør deg til et bedre menneske enn meg. Kaffe?»

Han snudde seg helt rundt og stirret på skikkelsen. Den sto rett foran ham, urørlig, som om den hadde stått lenge, som om den var hans egen skygge. Det var så stille, alt han hørte var sin egen pust. Så ante han en bevegelse, noe som ble løftet i mørket, hørte en lav plystring i lufta, og i det samme slo en merkelig tanke ham. At skikkelsen var nettopp det, hans egen skygge. At han ...

Det var som tanken stammet, som en forrykkelse i tiden, som billedforbindelsen et øyeblikk var blitt brutt.

Han stirret forbauset framfor seg og kjente en varm svette-dråpe renne nedover pannen. Han snakket, men ordene var meningsløse, som om det var blitt en feil på koblingen mellom hjernen og munnen. Igjen hørte han den lave plystringen. Så var lyden borte. All lyd, ikke engang sin egen pust kunne han høre. Og han oppdaget at han sto på knærne og at telefonen lå på gulvet ved siden av ham. Foran ham gikk en stripe hvitt månelys over de grove gulvbordene, men den forsvant da svettedråpen nådde neseryggen, rant ned i øyne og blindet ham. Og han skjønte at det ikke var svette.

Det tredje slaget kjentes som en istapp som ble kjørt ned gjennom hodet, halsen og inn i kroppen. Alt frøs.

Jeg vil ikke dø, tenkte han og prøvde å løfte armen beskyttende over hodet, men da han ikke var i stand til å bevege et eneste lem, skjønte han at han var lam.

Det fjerde slaget registrerte han ikke, men av lukten av treverk sluttet han at han nå lå med ansiktet mot gulvet. Han blunket flere ganger og fikk tilbake synet på det ene øyet. Rett foran seg så han et par skistøvler. Og sakte kom lydene tilbake; hans egen hivende pust, den andres rolige, blodet som dryppet fra nesetippen og ned på gulvbordene. Den andres stemme var bare en hvisking, men ordene lød som om de ble skreket i øret på ham: «Da er vi bare én.»

Da klokka i stua slo to, satt de fremdeles på kjøkkenet og snakket sammen.

«Den sjuende mannen,» sa Harry og skjenket i mer kaffe. «Lukk øynene. Hvordan ser du ham for deg? Fort, ikke tenk.»

«Han er full av hat,» sa Kaja. «Sint. Ubalansert, ubehagelig. En sånn fyr som sånne damer som Adele dulter borti, sjekker ut og kaster fra seg. Han har bunker med pornoblader og filmer hjemme.»

«Hvorfor tror du det?»

«Jeg vet ikke. Siden han ba Adele stille opp på en tom fabrikk i sykepleieruniform.»

«Fortsett.»

«Han er feminin.»

«Hvordan da?»

«Tja. Lys stemme. Adele har sagt at han minnet henne om homsesamboeren sin når han snakket.» Hun løftet koppen til munnen og smilte. «Eller kanskje han er filmskuespiller. Med lys stemme og kyssemunn. Jeg har forresten ennå ikke kommet på navnet på den machoskuespilleren med feminin stemme.»

Harry løftet sin kopp som til en skål. «Hva med det jeg fortalte deg at Elias Skog så utenfor hytta om natta. Hvem var de? Var det en voldtekt han var vitne til?»

«Det var i hvert fall ikke Marit Olsen,» sa Kaja.

«Mm. Hvorfor ikke?»

«Fordi hun var den eneste tjukke dama som var der, så Elias Skog ville ha kjent henne igjen og derfor brukt navnet hennes da han fortalte om det.»

«Samme slutning som jeg har kommet til. Men var det voldtekt, tror du?»

«Det høres jo sånn ut. Han la hånden over munnen hennes, kvalte ropene hennes, trakk henne innenfor døra på utedoen, hva ellers skulle det være?»

«Men hvorfor trodde ikke Elias Skog at det var voldtekt med én gang?»

«Jeg vet ikke. Fordi det var noe med måten … måten de sto på, kroppsspråket.»

«Nettopp. Det ubevisste oppfatter mye mer enn det bevisst reflekterende. Han var så sikker på at det var frivillig sex at han rett og slett la seg til å sove igjen. Det var først lenge etterpå, da han leste om drapene og tenkte tilbake på en halvt glemt scene at han fikk ideen om voldtekt.»

«En lek,» sa Kaja. «Som kunne minne om voldtekt. Hvem gjør det? Ikke en mann og en kvinne som akkurat har møtt hverandre på en turisthytte og sneket seg ut for å bli litt bedre kjent. Man må være litt tryggere på hverandre.»

«Så det er to som har vært sammen før,» sa Harry. «Hvilket så vidt vi vet kun kan være …»

«Adele og den ukjente. Den sjuende mannen.»

«Enten det, eller så dukket det opp noen andre der den natta.» Harry kakket aske av sigaretten.

«Toalettet?» sa Kaja.

«Innerst i gangen til venstre.»

Han så sigarettrøyken sno seg opp i lampeskjermen over bordet. Ventet. Han hadde ikke hørt døra gå opp. Han reiste seg og gikk etter henne.

Hun sto i gangen og stirret på døra. I det sparsommelige lyset kunne han se henne svelge, så det blinke i en våt, spiss tann. Han la en hånd høyt på ryggen hennes og selv der, gjennom klærne, kunne han kjenne hjertet hennes slå. «Er det greit om jeg åpner?»

«Du må tro jeg er mentalt syk,» sa hun.

«Det er vi alle. Nå åpner jeg. Greit?»

Hun nikket og han åpnet.

Harry satt ved kjøkkenbordet da hun kom tilbake. Hun hadde tatt på seg regnfrakken.

«Jeg må nesten dra hjem nå.»

Harry nikket og fulgte henne ut i entreen. Så på mens hun sto bøyd og dro på seg støvlene.

«Det skjer bare når jeg er trett,» sa hun. «Det med dører.»

«Jeg veit det,» sa Harry. «Jeg har det likedan med heiser.»

«Å?»

«Ja.»

«Fortell.»

«En annen gang, kanskje. Hvem veit, kanskje vi sees igjen.»

Hun ble taus. Brukte lang tid på å trekke opp glidelåsene på støvlene. Så reiste hun seg brått, sto så nær at han kjente lukten av henne følge med, som et ekko.

«Fortell meg nå,» sa hun med noe vilt i blikket som han ikke greide å tyde.

«Vel,» sa han og kjente det prikke i fingertuppene, som om han hadde vært kald og holdt på å få varmen igjen. «Da vi var små, hadde lillesøsteren min veldig langt hår. Vi hadde besøkt mor på sykehuset, skulle ta heisen ned. Far ventet nede, han orket ikke sykehus. Søs sto for nær murveggen og håret hektet seg fast mellom heisen og veggen. Og jeg ble så skrekkslagen at jeg ikke greide å røre meg. Jeg så hvordan hun ble løftet etter håret.»

«Hvordan gikk det?» sa hun.

De sto litt for nære, tenkte han. De sto på hverandres grenseoppgang. Og de visste at de sto der. Han trakk pusten:

«Hun mistet en del hår. Det grodde ut igjen. Jeg ... mistet noe annet. Som ikke grodde igjen.»

«Du synes du sviktet.»

«Det er et faktum at jeg sviktet.»

«Hvor gammel var du?»

«Gammel nok til å svikte.» Han smilte. «Begynner å bli nok selvmedlidenhet for én natt, synes du ikke? Faren min likte at du neide.»

Kaja lo lavt. «God natt.» Hun neide.

Han gikk et langt skritt ut til siden og åpnet ytterdøra for henne. «Godnatt.»

Hun gikk ut på trappa og snudde seg.

«Harry?»

«Ja?»

«Ble du ikke ensom der i Hong Kong?»

«Ensom?»

«Jeg så på deg da du sov. Du så så ... alene ut.»

«Jo,» sa han. «Jeg var ensom. Godnatt.»

De ble stående et halvt sekund for lenge. Fem tiendedels sekund tidligere og hun ville ha vært på vei ned trappa, han på vei tilbake til kjøkkenet.

Fingrene hennes la seg rundt nakken hans, trakk hodet hans ned mens hun løftet seg opp på tærne. Øynene hennes gled ut av fokus, ble en glitrende sjø før hun lukket dem. Leppene hennes var halvåpne da de møtte hans. Hun holdt ham sånn og han rørte seg ikke, kjente bare det søte dolkestøtet i magen, som et rush av morfin.

Hun slapp ham.

«Sov godt, Harry.»

Han nikket bare.

351

Hun snudde seg og gikk ned trappa. Han gikk inn, lukket døra stille bak seg.

Han ryddet bort koppene, skylte kaffekjelen og hadde satt den bort da dørklokka ringte.

Han gikk ut og åpnet.

«Jeg glemte noe,» sa hun.

«Hva da?» sa han.

Hun løftet hånden, strøk den over pannen hans. «Hvordan du ser ut.»

Han dro henne inntil seg. Huden hennes. Lukten. Han falt, et deilig svimlende fall.

«Jeg vil ha deg,» hvisket hun. «Jeg vil elske med deg.»

«Og jeg med deg.»

De slapp hverandre. Så på hverandre. Det hadde falt som en plutselig høytidelighet mellom dem, og et øyeblikk slo det ham at hun angret. At han selv angret. At det var for mye, for fort. At det var for mye andre ting, for mye slagg, for mye bagasje, for mange gode grunner. Men hun tok likevel hånden hans, nesten fryktsom, hvisket et «kom» og gikk foran ham opp trappa.

Soverommet var kaldt og luktet foreldre. Han slo på lyset.

Den store dobbeltsenga var redd opp med to dyner og puter.

Harry hjalp henne med å skifte på sengetøyet.

«Hvilken var hans side?» spurte hun.

«Denne,» sa Harry og pekte.

«Og han fortsatte å sove der etter at hun var borte,» sa hun som til seg selv. «For alle tilfellers skyld.»

De kledte av seg uten å se på hverandre. Krøp under dyna og møtte hverandre der.

Først lå de bare inntil hverandre, kysset hverandre, utforskende, forsiktig som for ikke å ødelegge før man visste hvordan det virket. Lyttet til hverandres pust og suset av ensomme biler utenfor. Så ble kyssene grådigere, berøringene dristigere, og han hørte pusten hennes frese hissig mot øret sitt.

«Er du redd?» spurte han.

«Nei,» stønnet hun, tok et fast tak rundt det stive lemmet

hans, løftet hoftene og ville styre ham inn, men han fjernet hånden hennes og styrte seg selv.

Det kom ikke en lyd, bare et gisp da han trengte inn i henne. Han lukket øynene, lå urørlig og bare kjente etter. Så begynte han forsiktig å bevege seg. Åpnet øynene, fikk tak i blikket hennes. Hun så ut som hun skulle til å gråte.

«Kyss meg,» hvisket hun.

Tungen hennes kveilet seg rundt hans, glatt på undersiden, ru på oversiden. Fortere og dypere, saktere og dypere. Hun dyttet ham over på siden uten å slippe taket på tungen hans og satte seg oppå ham. Kjønnet hennes presset mot magemusklene hans hver gang hun kom ned på ham. Så slapp tungen hennes hans, og hun la hodet bakover og stønnet hest. To ganger, en dyp, dyrisk lyd som steg, ble til en høy tone i det hun gikk tom for luft og ble stille igjen. Halsen hennes ble tykk av skriket som ikke kom. Han løftet hånden, la to fingre mot pulsåren som dirret blått under halshuden hennes.

Og så skrek hun, som i smerte, som i raseri, som en befridd. Harry kjente det stramme til i pungfestet og kom. Det var fullkomment, så uutholdelig fullkomment at han løftet hånden for å slå knyttneven i veggen bak seg. Og som om han hadde gitt henne en dødelig injeksjon, sank hun sammen oppå ham.

De ble liggende slik, lemmene tilfeldig spredt, som falne. Harry kjente blodsuset i ørene og velværet bølge gjennom kroppen. Det, og noe han kunne banne på var lykke.

Han sovnet og våknet av at hun kom opp i senga igjen og krøp tett inntil ham. Hun hadde på seg en av farens undertrøyer. Hun kysset ham, mumlet noe og var borte, pusten hennes lett og rolig. Harry stirret i taket. Og lot tankene kverne, visste at det ikke nyttet å stritte imot.

Det hadde vært så bra. Det hadde ikke vært så bra siden ... siden ...

Rullegardinen var ikke dratt ned, og klokka halv seks begynte kjegler av lys fra bilene på veien utenfor å drive over taket mens Oslo våknet og slepte seg av gårde til arbeid. Han så på henne en gang til. Og så var han også borte.

Kapittel 53
Heelhook

Da Harry våknet, var klokka ni, rommet badet i dagslys, og det lå ingen ved siden av ham. Og fire beskjeder på telefonen.

Den første var fra Kaja som sa at hun satt i bilen på vei hjem for å skifte til jobben. Og takket ham for ... han hørte ikke hva, bare en lys latter før hun la på.

Den andre var fra Gunnar Hagen som lurte på hvorfor Harry ikke hadde svart på noen av oppringningene hans, at pressen var på ham på grunn av denne grunnløse pågripelsen av Tony Leike.

Den tredje var fra Günther som repeterte morsomheten med Harry Klein og sa at politiet i Leipzig ikke hadde funnet Juliana Vernis pass og derfor ikke kunne bekrefte hvorvidt det hadde et stempel fra Kigali.

Den fjerde var fra Mikael Bellman som ganske enkelt ba Harry innfinne seg på Kripos klokka to, at han gikk ut ifra at Solness hadde instruert ham.

Harry sto opp. Han kjente seg bra. Bedre enn bra. Kanskje fantastisk. Han kjente etter. OK, fantastisk var å overdrive.

Harry gikk nedenunder, tok fram en pakke knekkebrød og tok den viktige telefonen først.

«Du snakker med Søs Hole.» Stemmen hennes lød så høytidelig at han måtte smile.

«Og du snakker med Harry Hole,» sa han.

«Harry!» Hun hylte navnet hans to ganger til.

354

«Hei, Søs.»

«Pappa sa du var hjemme! Hvorfor har du ikke ringt før?»

«Jeg var ikke klar, Søs. Nå er jeg klar. Er du?»

«Jeg er alltid klar, Harry. Det vet du jo.»

«Ja, det veit jeg. Lunsj i byen før vi besøker pappa? Jeg spanderer.»

«Ja! Du høres så glad ut, Harry. Er det Rakel, har du snakket med henne? Jeg snakket med henne i går. Hva var den lyden? Harry?»

«Bare knekkebrødene som raste ut av pakken og ut på gulvet. Hva ville hun?»

«Spørre om pappa. Hun hadde fått høre at han var syk.»

«Var det alt?»

«Ja. Nei. Hun sa at Oleg hadde det bra.»

Harry svelget. «Fint. La oss snakkes snart da.»

«Ikke glem det. Jeg er så glad for at du er hjemme, Harry! Jeg har så mye å fortelle!»

Harry la fra seg telefonen på kjøkkenbenken og bøyde seg for å plukke opp knekkebrødene da telefonen summet igjen. Søs hadde det med å huske ting hun skulle sagt etter at de hadde lagt på. Han rettet seg opp.

«Hva er det?»

Dyp kremting. Så en stemme som presenterte seg som Abel. Navnet var kjent, og Harry lette automatisk gjennom hukommelsen. Der lå mappene fra gamle drapssaker sirlig ordnet med data som aldri syntes å bli slettet: navn, ansikter, husnumre, datoer, lyden av en stemme, en bils farge og årsmodell. Men han kunne plutselig ha glemt navnet på naboer som hadde bodd tre år i samme oppgang, eller når Oleg hadde bursdag. De kalte det etterforskerhukommelse.

Harry lyttet uten å avbryte.

«Jeg forstår,» sa han til slutt. «Takk for at du ringte.»

Han brøt forbindelsen og slo et nytt nummer.

«Kripos,» svarte en trett resepsjoniststemme. «Du prøver å ringe Mikael Bellman.»

«Ja. Hole fra Voldsavsnittet. Hvor er Bellman?»

Resepsjonisten opplyste hvor overbetjenten befant seg.

«Logisk,» sa Harry.

«Hva behager?» gjespet hun.

«Det er jo det han driver med, er det ikke?»

Harry lot telefonen gli ned i lomma. Stirret ut av kjøkken-vinduet. Knekkebrødene knaste under føttene da han gikk.

«Skøyen Klatresenter» sto det på glasset i døra som vendte mot parkeringsplassen. Harry dyttet opp døra og gikk inn. På vei ned trappene måtte han stoppe for en opprømt skoleklasse på vei ut. Han kippet av seg bootsene ved et skostativ i bunnen av trappa. I det store klatrerommet var et halvt dusin mennesker i aktivitet mellom de ti meter høye veggene. Skjønt vegger, de lignet mer de kunstige fjellsidene i pappmaché i Tarzan-filmene Harry og Øystein hadde sett på Symra kino i barndommen. Bortsett fra at disse var pepret med fargesprakende gripetak og bolter med slynger og karabinkroker. En diskré eim av såpe og fotsvette steg opp fra de blå mattene på gulvet som Harry gikk over. Han stoppet ved siden av en hjulbeint, tettbygd mann som stirret konsentrert opp på overhenget over dem. Fra klat-reselen hans gikk et rep opp til en mann som akkurat nå hang og pendlet etter én arm åtte meter over dem. Ytterst i pendelen svingte han opp en fot, tredde hælen inn under et rosa, pære-formet tak, fikk den andre foten på en bit struktur og klippet tauet inn på toppankeret i én elegant, sveipende bevegelse.

«Got you!» ropte han, la seg bakover i tauet og satte beina mot veggen.

«Fin heelhook,» sa Harry. «Sjefen din er en liten posør, hva?»

Jussi Kolkka verken svarte eller verdiget Harry et blikk, trakk bare ut spaken på taubremsen.

«De sa oppe på kontoret at du var her,» sa Harry til mannen som ble låret ned mot dem.

«Fast tid hver uke,» sa Bellman. «Et av de få frynsegoder som politimann er å få trene litt i arbeidstida. Hvordan er det med deg, Harry? Du ser i hvert fall deffa ut. Mye muskler per kilo, tenker jeg. Ideelt for klatring, vet du.»

«For små ambisjoner,» sa Harry.

Bellman landet bredbeint, halte ned litt tau så han fikk løs-net åttetallsknuten.

«Den skjønte jeg ikke.»

«Jeg ser ikke vitsen med å klatre så høyt. Jeg buldrer litt på noen bergknatter innimellom.»

«Buldring,» snøftet Bellman, løsnet selen og tråkket ut av den. «Du vet at det gjør vondere å falle fra to meter uten tau enn fra tretti meter med?»

«Ja,» sa Harry og smilte skjevt. «Det veit jeg.»

Bellman satte seg på en av trebenkene, vrengte av seg de ballettskolignende klatretøflene og gned føttene mens Kolkka dro ned tauet og begynte å kveile det opp. «Du fikk meldingen min?»

«Ja.»

«Så hva er hastverket, vi sees vel klokka to?»

«Det var det jeg ville klargjøre med deg, Bellman.»

«Klargjøre?»

«Før vi møter de andre. At vi har avtalt på hvilke premisser jeg blir med på laget.»

«*Laget?*» Bellman lo. «Hva er det du snakker om, Harry?»

«Vil du at jeg skal være tydeligere? Du behøver ikke meg for å ringe Australia og få overtalt ei dame til å komme hit og agere lokkedue, det greier du fint sjøl. Det du spør om er *hjelp*.»

«Harry! Ærlig talt, nå ...»

«Du ser sliten ut, Bellman. Du har begynt å merke det, har du ikke? Du syntes presset eskalerte etter Marit Olsen.» Harry satte seg på benken ved siden av overbetjenten. Selv sittende var han nesten ti centimeter høyere. «Feeding frenzy i pressen hver jævla dag. Umulig å gå forbi et avisstativ eller slå på en TV uten å bli minnet om Saken. Saken du ikke har løst. Saken sjefene maser om hele tida. Saken som krever en pressekonfer-anse om dagen hvor gribbene skriker spørsmål i nebbene på hverandre. Og nå har mannen du selv løslot forsvunnet i løse lufta. Journalistgribbene strømmer til, noen av dem kakler alt på svensk, dansk og til og med engelsk. Jeg har vært der du er nå, Bellman. Snart snakker de føkking fransk. For det er Saken du *må* løse, Bellman. Og Saken står i stampe.»

Bellman svarte ikke, men kjevemuskulaturen hans jobbet. Kolkka hadde pakket ned tauet i sekken og kom mot dem, men Bellman vinket ham bort. Finnen snudde og vagget mot utgangen som en lydig terrier.

«Hva vil du, Harry?»

«Jeg tilbyr deg å få det overstått her på tomannshånd i stedet for der oppe under et møte.»

«Du vil at jeg skal *be* deg om hjelp?»

Harry så Bellmans ansiktsfarge bli en anelse dypere.

«Hva slags forhandlingsposisjon er det egentlig du innbiller deg at du har, Harry?»

«Vel. Jeg innbiller meg at den er bedre enn på lenge.»

«Der tar du feil.»

«Kaja Solness vil ikke jobbe for deg. Bjørn Holm har du alt forfremmet, og om du sender ham tilbake til åstedsetterforskning er han bare glad til. Den eneste du kan skade nå er meg, Bellman.»

«Har du glemt at jeg kan sperre deg inne så du ikke får treffe faren din før han dør?»

Harry ristet på hodet. «Det er ikke noen å treffe lenger, Bellman.»

Mikael Bellman hevet forbauset et øyebryn.

«De ringte fra sykehuset i dag morges,» sa Harry. «Faren min falt i koma i natt. Legen hans, Abel, sier at han ikke kommer til å våkne igjen. Det jeg måtte ha usnakka med faren min, forblir usnakka.»

Kapittel 54
Tulipan

Bellman så taust på Harry. Det vil si, de dådyrbrune øynene var vendt mot Harry, men blikket var i revers, vendt innover. Harry visste at det pågikk et komitémøte der inne, et møte med adskillig dissens, syntes det som. Bellman løsnet langsomt snoren med kalkposen som hang rundt midjen, som for å vinne tid. Tid til å tenke. Så stappet han kalkposen ned i ryggsekken med en sint bevegelse.

«Hvis – og bare *hvis* – jeg ba deg om hjelp uten å ha noe å presse deg med,» sa han. «Hvorfor i all verden skulle du gjøre det?»

«Jeg veit ikke.»

Bellman stoppet pakkingen og så opp: «Du vet ikke?»

«Vel. Det er i hvert fall ikke av kjærlighet til deg, Bellman.» Harry trakk pusten. Fingret med sigarettpakken. «La oss si det sånn at selv de som tror seg hjemløse, iblant oppdager at de har et hjem. Et sted man kunne tenke seg å begraves en dag. Og veit du hvor jeg vil begraves, Bellman? I parken foran Politihuset. Ikke fordi jeg elsker politiet eller har vært noen tilhenger av det man kaller 'korpsånd'. Tvert om, jeg har spytta på politifolks feige lojalitet til korpset, det der incestuøse kameraderiet som bare skyldes at folk tenker at de selv kan ha bruk for en tjeneste en regnværsdag. En kollega som kan hevne deg, gi deg et befriende vitneutsagn eller om nødvendig et blindt øye. Jeg hater alt det der.»

Harry snudde seg mot Bellman.

«Men politiet er det eneste jeg har. Det er stammen min. Og jobben min er å oppklare drap. Enten det er for Kripos eller Voldsavsnittet. Kan du begripe noe slikt, Bellman?»

Mikael Bellman klemte underleppen mellom tommel og pekefinger.

Harry nikket mot veggen. «Hva var det du klatret der, Bellman. Sju pluss?»

«Åtte min. On sight.»

«Det er hardt. Og jeg tipper du synes dette er enda hardere. Men det er slik jeg må ha det.»

Bellman kremtet. «Greit. Greit, Harry.» Han dro snorene på sekken hardt igjen. «Vil du hjelpe oss?»

Harry stakk sigarettpakken tilbake i lomma og bøyde hodet. «Selvfølgelig.»

«Jeg må forhøre meg med sjefen din om det er greit først.»

«Behøves ikke,» sa Harry og reiste seg. «Jeg har alt informert ham om at jeg jobber sammen med dere herfra. Sees klokka to.»

Iska Peller kikket ut av vinduet i den toetasjes murbygningen, på rekken av helt identiske hus på den andre siden av gata. Det kunne vært fra en hvilken som helst gate i en hvilken som helst by i England, men var altså den lille bydelen Bristol i Sydney, Australia. En kald sønnavind hadde blåst opp. Ettermiddagsvarmen ville slippe taket med en gang sola gikk ned.

Hun hørte en bikkje gjø og tungtrafikken på motorveien to kvartaler unna.

Mannen og kvinnen i bilen på den andre siden av gata var byttet ut, nå satt det to menn der. De drakk sakte av hvert sitt pappkrus med lokk på. Langsomt, fordi det ikke finnes en grunn i verden til å drikke kaffe fort når du har en åtte timers vakt foran deg hvor det ikke skal skje noe som helst. Gir ned, brems metabolismen, gjør som aboriginerne: gå inn i den sløve, innelukkede tilstanden som er deres ventemodus og hvor de kan være i time etter time, dag etter dag om nødvendig. Hun prøvde å se for seg hvordan disse langsomme kaffedrikkerne kunne være til hjelp om noe virkelig *skulle* skje.

«Jeg beklager,» sa hun i telefonen og prøvde å dempe dirringen i stemmen som det undertrykte raseriet forårsaket. «Jeg skulle gjerne hjulpet dere å finne den som drepte Charlotte, men det du foreslår er helt uaktuelt.» Så tok sinnet overhånd likevel: «At dere kan spørre! Jeg er lokkedue nok som det er her. Ti ville hester kunne ikke dratt meg til Norge igjen. Det er dere som er politi, dere er betalt for å fange det monsteret, hvorfor kan ikke *dere* være åte?»

Hun brøt forbindelsen og kastet telefonen fra seg. Den traff sitteputen på lenestolen hvor en av kattene hennes skvatt opp og smatt ut på kjøkkenet. Hun skjulte ansiktet i hendene og lot gråten komme igjen. Kjære Charlotte. Hennes kjære, kjære, elskede Charlotte.

Hun hadde aldri vært redd for mørket før, nå tenkte hun ikke på annet; at snart ville sola gå ned, natta komme, ubønnhørlig og igjen og igjen.

Telefonen spilte åpningstonene på en Antony & The Johnsons-låt, og displayet lyste opp borte på sitteputen. Hun gikk bort og så på den. Kjente nakkehårene reise seg. Innringerens nummer startet med pluss førtisju. Fra Norge igjen.

Hun løftet telefonen til øret.

«Ja?»

«Det er meg igjen.»

Hun sukket lettet. Det var bare politimannen.

«Om du ikke vil komme hit fysisk, lurer jeg på om vi i alle fall kan få låne navnet ditt?»

Kaja så på mannen som bøyde seg ned i den rødhårete kvinnens fang, på henne som bøyde ansiktet ned mot hans blottede nakke.

«Hva ser du?» spurte Mikael. Stemmen hans kastet ekko mellom museets vegger.

«Hun kysser ham,» sa Kaja og gikk et skritt lenger fra maleriet. «Eller trøster ham.»

JO NESBØ

«Hun biter ham og suger blodet hans,» sa Mikael.

«Hvorfor tror du det?»

«Det er en grunn til at Munch har kalt det 'Vampyr'. Alt klart?»

«Ja, jeg tar toget til Ustaoset om en time.»

«Hvorfor ville du møtes her nå?»

Kaja trakk pusten. «Jeg ville fortelle deg at vi ikke kan treffes mer.»

Mikael Bellman vippet på hælene. «Kjærlighet og smerte.»

«Hva?»

«Det var det Munch opprinnelig kalte det bildet. Harry instruerte deg om detaljene i planen vår?»

«Ja. Hørte du hva jeg sa?»

«Takk, Solness, jeg hører utmerket. Om jeg ikke husker feil, har du sagt det der et par ganger før. Jeg foreslår at du tenker deg om.»

«Jeg har tenkt ferdig, Mikael.»

Han strøk en hånd over slipsknuten. «Har du vært sammen med ham?»

Hun fór sammen. «Hvem?»

Bellman lo lavt.

Kaja så ikke etter ham, hadde blikket stivt festet på kvinnens ansikt mens hun hørte skrittene hans fjerne seg.

Lyset sivet inn mellom grå stålpersienner, og Harry varmet hendene sine på et hvitt kaffekrus med Kripos skrevet i blå bokstaver. Møterommet lignet til forveksling det han hadde tilbrakt så mange timer av sitt liv i på Voldsavsnittet. Lyst, påkostet og likevel spartansk på den kjølig moderne måten som ikke er tilsiktet minimalisme, bare en viss sjelløshet. Et rom som oppfordrer til effektivitet, så man kan komme seg til helvete ut derfra.

De åtte personene i rommet utgjorde det Bellman hadde forklart var den indre kjernen av etterforskningsgruppa. Harry kjente bare to av dem: Bjørn Holm og en robust og jordnær, men ikke særlig fantasifull kvinnelig etterforsker som ble kalt

362

Pelikanen, og som en gang hadde jobbet på Voldsavsnittet. Bellman hadde introdusert Harry for alle, inkludert Ærdal, en mann iført hornbriller og en brun dress av en konfeksjonstype som brakte tankene hen til DDR. Han satt for seg selv nederst ved bordet og renset neglene med en Swiss Army-kniv. Harry tippet på bakgrunn fra militær etterretning. De hadde avlagt rapporter. Som alle støttet Harrys antagelse, at saken sto i stampe. Han merket den defensive holdningen, særlig på rapporten om søket etter Tony Leike. Vedkommende fortalte om hvilke passasjerlister som var blitt sjekket med hvilke selskaper med negativt svar, om hvilke instanser i hvilket telefonselskap som hadde fortalt dem at ingen av basestasjonene deres hadde fanget opp signaler fra Leikes mobiltelefon. Han fortalte at ingen av hotellene i byen hadde noen innlosjert under navnet Leike, men at selvfølgelig hadde Kapteinen (selv Harry kjente til Hotel Bristols selvutnevnte og overivrige politiinformant og resepsjonist) ringt og fortalt at han hadde sett en person som lignet Tony Leike. Den ansvarlige etterforskeren redegjorde i det hele tatt på et imponerende detaljnivå om alt som var blitt gjort, uten å merke at det bare framsto som et forsvar for resultatet. Null. Nada.

Bellman satt ved enden av bordet med korslagte bein og fortsatt knivskarp press i buksene. Han takket for rapportene og gjorde en mer formell presentasjon av Harry ved å lese raskt fra en slags CV med uteksamineringsår fra Politihøyskolen, FBI-kurset om seriedrap i Chicago, saken med klovnemorderen i Sydney, opprykket til førstebetjent og selvfølgelig Snømannen-saken.

«Harry er altså en del av dette teamet fra og med i dag,» sa Bellman. «Han rapporterer til meg.»

«Og er underlagt kun deg også?» buldret Pelikanen. Harry husket at det var nettopp det hun nå gjorde som hadde gitt henne tilnavnet, måten hun presset haka og det lange, nebbaktige nesegrevet ned mot den lange, tynne halsen når hun kikket på deg over brillene. Skeptisk og glupsk på én gang, som om hun vurderte om hun ønsket deg på menyen.

«Han er ikke direkte underlagt noen,» sa Bellman. «Han har en fri rolle i teamet. La oss tenke på førstebetjent Hole som en konsulent. Eller hva, Harry?»

«Hvorfor ikke?» sa Harry. «En overbetalt, overvurdert fyr som tror han veit noe dere ikke veit.»

Forsiktig humring rundt bordet. Harry vekslet blikk med Bjørn Holm, som ga ham et oppmuntrende nikk.

«Bortsett fra at akkurat i dette tilfellet gjør han faktisk det,» sa Mikael Bellman.

«Du har snakket med Iska Peller, Harry.»

«Ja,» sa Harry. «Men før det vil jeg gjerne høre mer om planen dere hadde lagt om å bruke henne som lokkedue.»

Pelikanen kremtet: «Den er ikke utarbeidet i detalj. Foreløpig tenker vi bare at vi vil få henne til Norge, offentliggjøre at hun er plassert på et sted hvor det er åpenbart for drapsmannen at hun er et lett bytte. Og så sitte i bakhold og håpe at han sluker agnet.»

«Mm,» sa Harry. «Enkelt.»

«Det viser seg som regel at det er det enkle som fungerer,» sa Swiss-Army-mannen i DDR-dressen og konsentrerte seg om pekefingerneglen.

«Enig,» sa Harry. «Men i dette tilfellet vil ikke lokkeduene stille opp. Iska Peller har sagt nei.»

Det lød stønn og oppgitte sukk.

«Så jeg vil foreslå at vi prøver noe enda enklere,» sa Harry. «Iska Peller spurte hvorfor ikke vi som er betalt for å fange monsteret, kunne være åte selv.»

Han så rundt bordet. Han hadde i hvert fall oppmerksomheten deres. Å overbevise dem ville bli verre.

«Vi har nemlig en fordel i forhold til drapsmannen. Vi forutsetter at han har den utrevne siden fra gjesteboka på Håvasshytta, så han har navnet på Iska Peller. Men han veit ikke hvordan Iska Peller ser ut. Selv om vi antar at drapsmannen var på Håvasshytta den natta, så kom Iska og Charlotte Lolles dit først. Og Iska var syk og tilbrakte dagen og natta aleine på et soverom hun delte med kun Charlotte. Hun oppholdt seg der til alle de andre var dratt. Vi kan med andre ord sette opp et lite teaterstykke hvor en av våre egne kan spille rollen som Iska Peller uten at drapsmannen kan avsløre det.»

Et nytt, sveipende blikk rundt bordet. Skepsisen lå tjukt utenpå de uttrykksløse ansiktene.

«Og hvordan hadde du tenkt å få folk til å komme til denne teateroppsetningen?» spurte Ærdal og klappet sammen kniven.

«Ved at Kripos gjør det dere er best på,» sa Harry.

Stillhet.

«Og det er?» spurte Pelikanen til slutt.

«Pressekonferanse,» sa Harry.

Tausheten i rommet var ruvende. Helt til en latter begynte. Mikael Bellmans. De så forbauset på sjefen sin. Og skjønte at Harry Holes plan var blitt sanksjonert på forhånd.

«Altså …» begynte Harry.

Etter møtet trakk Harry Bjørn Holm til side.

«Vondt i nesa fortsatt?» spurte Harry.

«Prøver du å be om unnskyldning?»

«Nei.»

«Je … nei, du var heldig at nesa itte brakk, Harry.»

«Kunne blitt en forandring til det bedre, veit du.»

«Skal du be om unnskyldning eller itte?»

«Unnskyld, Bjørn.»

«Greit. Og det betyr vel at du skal be om ei tjeneste?»

«Ja.»

«Og det er?»

«Jeg lurer på om dere har vært i Drammen og sjekket klærne til Adele for DNA. Hun traff jo denne fyren hun var på Håvasshytta med et par ganger.»

«Vi har gått gjennom garderoben hennes, men problemet er at klæa har vørti vaske, brukt og sikkert vøri i kontakt med mange andre sia den gongen.»

«Mm. Hun var ingen skigåer så vidt jeg har skjønt. Sjekket dere skiklærne hennes?»

«Hu hadde itte noen.»

«Hva med denne sykepleieruniformen? Den ble kanskje bare brukt den ene gangen og kan fortsatt ha sædflekker på seg.»

«Hadde itte det hæll.»

«Ingen frekk minikjole og kyse med rødt kors?»

«Niks. Det hang ei lyseblå sjukehusbukse og overdel der, men itte noe å få tenning ta akkurat.»

«Mm. Kanskje hun ikke fikk tak i minikjolevarianten. Eller ikke gadd. Kan dere gå over de sykehusklærne for meg?»

Holm sukket. «Vi gikk som sagt over ælle klæa på stedet, og det som kunne vaskes var vaske. Itte så mye som en flekk eller et hårstrå.»

«Kan du ta den med inn til laboratoriet? Sjekke den ordentlig?»

«Harry …»

«Takk, Bjørn. Og jeg kødda bare, du har tipp-topp snyteskaft. Virkelig.»

Klokka var blitt fire da Harry hentet Søs i en bil fra Kripos som Bellman hadde latt ham disponere inntil videre. De kjørte opp til Rikshospitalet og snakket med doktor Abel. Harry oversatte det Søs ikke fikk med seg, og hun gråt en skvett. Så gikk de og så på faren som var blitt flyttet til et annet rom. Søs trykket farens hånd og hvisket navnet hans gang på gang, som for å vekke ham varsomt fra søvnen.

Sigurd Altman kom innom, la en hånd på skulderen til Harry, ikke for lenge, og sa noen ord, ikke for mange.

Etter å ha satt av Søs ved den lille leiligheten ved Sognsvann, kjørte Harry ned til sentrum hvor han fortsatte å kjøre, snirklet seg fram gjennom énveiskjørte gater, oppgravde gater, blinde gater. Han kjørte gjennom horestrøk, shoppingstrøk, dopstrøk, og det var ikke før han hadde kommet fram og byen lå under ham at han ble klar over at han hadde vært på vei til tyskerbunkersene. Han ringte Øystein som dukket opp ti minutter senere, parkerte taxien ved siden av hans egen bil, satte døra på gløtt, skrudde opp musikken, kom opp og satte seg på murkanten ved siden av Harry.

«Koma,» sa Harry. «Er ikke sikkert det er så verst. Har du en sigarett?»

De satt og hørte på Joy Division. «Transmission.» Ian Curtis. Øystein hadde alltid likt sangere som døde unge.

«Synd jeg aldri rakk å få snakka me'n etter at'n ble sjuk,» sa Øystein og tok et magadrag.

«Det hadde du ikke gjort uansett hvor lang tid det hadde tatt,» sa Harry.

«Nei, det får være trøsta.»

Harry lo. Øystein kikket skrått bort på ham, smilte, liksom usikker på om det var lov til å le når fedre lå for døden.

«Hva skal du gjøre nå?» sa Øystein. «Ei lita fyllekule for å markere? Jeg kan ringe Tresko og …»

«Nei,» sa Harry og stumpet sigaretten. «Jeg skal jobbe.»

«Mer død og fordervelse heller enn et lite glass?»

«Du kan stikke innom fader'n og si 'ha det' det mens han fortsatt puster, veit du.»

Øystein skuttet seg. «Sjukehus gir meg spader. Dessuten hører han ikke en dritt, gjør han?»

«Det var ikke ham jeg tenkte på, Øystein.»

Øystein knep øynene sammen mot røyken. «Det lille jeg fikk av oppdragelse, det fikk jeg av faren din, Harry. Veit du det? Min egen var faen ikke verdt en fluedritt. Drar opp dit i morra, jeg.»

«Fint for deg, det.»

Han stirret opp på mannen over seg. Så munnen hans bevege seg, hørte ordene som kom ut, men noe må ha blitt skadet, han greide ikke å sette dem sammen til noe fornuftig. Alt han skjønte, var at tiden var kommet. Hevnen. At han skulle få betale. Og at det på sett og vis var en lettelse.

Han satt på gulvet med ryggen mot den store, runde jernovnen. Armene var bendt bakover og rundt ovnen, hendene bundet sammen med to skiremmer. Av og til kastet han opp, sannsynligvis på grunn av hjernerystelsen. Blodet hadde stoppet og følelsen i kroppen kommet tilbake, men over synet lå det en tåke som kom og gikk. Likevel var han ikke i tvil. Stemmen. Det var stemmen til et gjenferd.

«Du skal dø ganske snart,» hvisket den. «Slik hun gjorde. Men det er fortsatt noe å vinne. Du skal nemlig få bestemme hvordan. Det er dessverre bare to alternativer. Leopolds eple ...»

Mannen holdt fram en metallkule perforert med hull og med en liten metallsnor hengende ut av én av dem.

«Tre av pikene fikk smake. Ingen av dem likte det spesielt. Men det er smertefritt og raskt. Og krever bare at du svarer på dette ene spørsmålet. Hvordan? Og hvem andre vet? Hvem har du samarbeidet med? Tro meg, eplet er å foretrekke framfor alternativet. Som du som en intelligent mann nok har skjønt hva er ...»

Mannen reiste seg, slo to overdrevent langsomme floker og smilte bredt. Den hviskende stemmen var alt som brøt stillheten:

«Det er litt kaldt her inne, synes du ikke?»

Så hørte han den skrapende lyden etterfulgt av en lav fresing. Han stirret på fyrstikken. På den stø, gule, tulipanformede flammen.

Kapittel 55
Turkis

Kvelden kom, stjerneklar og bitende kald.

Harry parkerte bilen i bakken utenfor adressen han hadde fått i Voksenkollen. I en gate som besto av velvoksne, påkostede villaer skilte denne seg klart ut. Bygningen var som hentet ut av folkeeventyrene, en kongsgård med svartbeiset tømmer, overdimensjonerte tresøyler i inngangspartiet og gress på taket. Rundt tunet lå to andre bygninger pluss en Disney-versjon av et stabbur. Harry tvilte på at skipsreder Anders Galtung hadde et kjøleskap som ikke var stort nok.

Harry ringte på ved porten, merket seg et kamera oppe på muren og sa navnet sitt da en kvinnestemme ba om det. Han gikk opp en flombelyst oppkjørsel med grus som hørtes ut som den spiste på det som var igjen av støvelsålene hans.

En middelaldrende kvinne i forkle og med turkise øyne tok imot ham ved døra og fulgte ham inn til en mennesketom stue. Hun gjorde det med en så finstemt blanding av verdighet, overlegenhet og profesjonell vennlighet at selv etter at hun hadde forlatt Harry med et «kaffe eller te?», var han i tvil om dette var fru Galtung, familiens tjener eller begge deler.

Da de internasjonale eventyrene kom til Norge, fantes ikke konger og adel, slik at i de norske versjonene ble kongen framstilt som en storbonde i hermelin. Og det var akkurat det Harry så da Anders Galtung kom inn i stua: en fet, blid og lett svettende storbonde i lusekofte. Men etter å ha håndhilst på Harry ble smilet erstattet av en bekymret mine, bedre tilpasset situasjonen. Spørsmålet hans ble etterfulgt av tung pesing: «Noe nytt?»

«Ingenting, er jeg redd.»

«Tony har det visst med å forsvinne, har jeg skjønt på min datter.»

Harry syntes å merke at det var med en viss møye Galtung uttalte fornavnet på sin tilkommende svigersønn. Rederen dumpet tungt ned i en rosemalt stol vis-à-vis Harry.

«Har dere ... eller rettere sagt *du* noen teori, Galtung?»

«Teori?» Anders Galtung ristet på hodet så kjakene slang. «Jeg kjenner ham ikke godt nok til å teoretisere. Til fjells, til Afrika, hva vet jeg?»

«Mm. Jeg kom jo egentlig hit for å snakke med din datter ...»

«Lene er straks her,» avbrøt Galtung ham. «Jeg ville bare forhøre meg først.»

«Forhøre deg om hva?»

«Om det jeg sa, om det var noe nytt. Og ... og om dere er sikre på at mannen har rent mel i posen.»

Harry merket seg at «Tony» var byttet ut med «mannen» og skjønte at hans første magefølelse stemte: svigerfar var ikke begeistret for sin datters valg.

«Er du, Galtung?»

«Jeg? Jeg skulle tro jeg viser tillit. Jeg er tross alt i ferd med å investere et betydelig beløp i dette Kongo-prosjektet hans. *Meget* betydelig beløp.»

«Så det er prinsessa *og* halve kongeriket til en fillete Espen Askeladd som akkurat har banka på døra?»

I to sekunder var det taust i stua mens Galtung bare betraktet Harry.

«Kanskje det,» sa han.

«Og kanskje det er din datter som øver et visst press på deg for å investere. For prosjektet er temmelig avhengig av de pengene, er det ikke?»

Galtung slo ut med hendene. «Jeg er skipsreder. Risiko er hva jeg lever av.»

«Og kan dø av.»

«To sider av samme sak. I risikomarkeder er den enes brød alltid en annens død. Til nå er det de andre som har dødd, og jeg håper det vil fortsette slik.»

«At andre dør?»

«Rederiet er en familiebedrift, og hvis Leike skal bli familie, bør vi sørge for ...» Han holdt inne da stuedøra gikk opp. Hun var en høy, blond pike med farens grove trekk og morens turkise øyne, men uten farens bramfrie storbondethet eller morens verdige overlegenhet. Hun gikk med krummet rygg som for å redusere høyden, for ikke å stikke seg ut, og hun så mer på skoene enn på Harry da hun håndhilste og presenterte seg som Lene Gabrielle Galtung.

Hun hadde lite å si. Og enda mindre å spørre om. Det så ut som hun dukket seg under farens blikk hver gang hun svarte på Harrys spørsmål, og Harry lurte på om hans antagelse om at hun hadde presset sin far til å investere, kanskje var feil.

Tjue minutter senere takket Harry, reiste seg, og som på et usynlig signal var hun der igjen, kvinnen med de turkise øynene.

Da hun åpnet ytterdøra for ham, kulda slo inn og Harry stoppet for å kneppe frakken, så han på henne:

«Hvor tror du Tony Leike er, fru Galtung?»

«Jeg tror ingenting,» sa hun.

Kanskje svarte hun litt for fort, kanskje var det en trekning i øyekroken, kanskje var det bare Harrys intense ønske om å finne noe, et eller annet, men han følte seg ikke overbevist om at hun snakket sant. Men det andre hun sa, etterlot ingen tvil:

«Og jeg er ikke fru Galtung. Hun er ovenpå.»

Mikael Bellman rettet på mikrofonen foran seg og så ut på forsamlingen. Det ble hvisket, men alle hadde blikkene mot podiet for ikke å gå glipp av noe. I det tettpakkede rommet gjenkjente han journalisten fra Stavanger Aftenblad og Roger Gjendem fra Aftenposten. Ved siden av seg hørte han Ninni, som vanlig iført en nypresset uniform. Noen tellet ned sekundene til starten, det var vanlig på pressekonferanser som radio eller TV direkteoverførte. Så skrallet Ninnis stemme i høyttalerne:

«Velkommen, alle sammen. Vi har innkalt til denne pressekonferansen for å oppdatere dere på hva vi gjør. Eventuelle spørsmål ...»

Lav humring.

«... tar vi til slutt. Jeg gir ordet til etterforskningslederen, overbetjent Mikael Bellman.»

Bellman kremtet. Absolutt alle hadde møtt opp. TV-kanalene hadde fått lov til å plassere sine mikrofoner på bordet på podiet.

«Takk. La meg starte med en show-stopper. Jeg ser på oppmøtet og ansiktene deres at det er mulig vi har spent forventningene litt vel høyt i innkallelsen. Det kommer ikke noen kunngjøring om noe endelig gjennombrudd i etterforskningen.» Bellman så skuffelsen i ansiktene og hørte et og annet oppgitt stønn. «Vi gjør dette for å etterkomme ønsket dere har ytret om å bli mer fortløpende orientert. Beklager altså om dere hadde viktigere ting fore i dag.»

Bellman smilte skjevt, hørte et par av journalistene le og visste han alt var tilgitt.

Mikael Bellman ga dem hovedlinjene i hvor de sto. Det vil si, han gjentok de få suksesshistoriene de hadde, som at tauet var blitt sporet til en reperbane ved Lyseren og at de hadde funnet et nytt drapsoffer, Adele Vetlesen, og om drapsvåpenet som var brukt ved to av drapene; et såkalt Leopolds eple. Gammelt nytt. Han så en av journalistene kvele en gjesp. Mikael Bellman så ned på papiret foran seg. På manus. For det var det det var, manus for et lite stykke dramatikk, skrevet ned ord for ord. Nøye overveid og gjennomgått. Ikke for mye, ikke for lite, agnet skulle lukte, men ikke stinke.

«Til slutt litt om vitner,» begynte han og så pressekorpset sette seg høyere opp i stolene. «Som dere vet har vi bedt de som var på Håvasshytta samme natt som drapsofrene om å melde seg. Og det har meldt seg en person ved navn Iska Peller. Hun kommer med fly fra Sydney i kveld, og hun vil dra opp til Håvasshytta sammen med en av våre etterforskere i morgen. Der vil de rekonstruere den aktuelle kvelden så langt det lar seg gjøre.»

Normalt ville de selvfølgelig aldri nevnt navnet til vitnet, men det var viktig her for at den de egentlig snakket til – drapsmannen – skulle skjønne at politiet faktisk hadde funnet en person fra gjestelista. Bellman hadde ikke lagt spesielt trykk på ordet «en» da han sa «en etterforsker», men det var det som var beskjeden. Bare de to, vitnet og en vanlig etterforsker. På en hytte. Langt fra folk.

«Vi håper selvfølgelig at frøken Peller kan gi oss en beskrivelse av de andre gjestene som var der den kvelden.»

De hadde hatt en lang diskusjon om ordvalget. De ville plante at vitnet kunne felle morderen. Samtidig hadde Harry ment at det var viktig at det ikke vekket for mye mistanke at vitnet bare reiste sammen med én etterforsker, og at den summariske innledningen «til slutt litt om vitner» og så det avdramatiserende «håper selvfølgelig», signaliserte at politiet foreløpig ikke betraktet dette som et viktig vitne som ergo krevde et større sikkerhetsopplegg. Forhåpentligvis ville drapsmannen være av en annen oppfatning.

«Hva tror dere hun kan ha sett? Og kan du stave navnet til vitnet?»

Det var rogalendingen. Ninni lente seg fram for å minne om at spørsmålsrunden kom til slutt, men Mikael ristet avvergende på hodet.

«Vi får se hva hun husker når hun kommer tilbake fra Håvasshytta,» sa Bellman og lente seg fram mot mikrofonen med NRK-logoen på. Statskanalen. Landsdekkende. «Hun drar opp dit med en av våre mest rutinerte etterforskere og blir der ett døgn.»

Han så på Harry Hole som sto bak i lokalet, så ham nikke forsiktig. Han hadde fått inn poenget. Ett døgn. Tjuefire timer. Agnet var dandert og servert. Bellman lot blikket gli videre. Fant Pelikanen. Hun var den eneste som hadde protestert, som mente at det var uhørt at de i det hele tatt vurderte å bevisst lede pressen bak lyset. Han hadde bedt gruppa ta en pause, og hadde tatt en prat med henne på tomannshånd. Etterpå hadde hun sluttet seg til flertallet. Ninni åpnet for spørsmål. Det ble liv i forsamlingen, men Mikael Bellman slappet av og gjorde seg klar for tåkesvarene, de svevende formuleringene og det alltid nyttige «det kan vi ikke gå inn på i denne fasen av etterforskningen».

Han frøs på beina, frøs så de var helt følelsesløse. Hvordan kunne det ha seg? Når resten av kroppen brant. Han hadde skreket så han ikke hadde stemme igjen, strupen var tørr, uttørket, opprevet, et åpent sår med blod svidd til rødt støv. Det luktet brent hår og flesk. Ovnen hadde svidd seg tvers gjennom flanellsskjorta og inn i ryggen hans, og mens han skrek og skrek, hadde de smeltet sammen. Smeltet ham som om han var en tinnsoldat. Da han kjente at smertene og varmen hadde begynt å ete inn i bevisstheten, at han endelig var i ferd med å gli inn i en besvimelse, hadde han våknet med et rykk. Mannen hadde helt en bøtte kaldt vann over ham. Den øyeblikkelige lindringen hadde fått ham til å begynne å gråte igjen. Så hadde han hørt fresingen av kokende vann mellom ryggen og ovnen og smertene vendte tilbake med fornyet styrke.

«Mer vann?»

Han så opp. Mannen sto over ham med en ny bøtte. Tåka foran øynene gled bort, og i et par sekunder så han ham helt tydelig. Flammelyset fra luftehullene på ovnen danset på ansiktet hans, fikk svetteperlene i pannen hans til å glitre.

«Det er såre enkelt. Alt jeg behøver å vite er hvem. Er det noen i politiet? Er det en av dem som var på Håvasshytta den natta?»

Han hulket det fram: «Hvilken natt?»

«Du vet hvilken natt. De er døde nesten alle nå. Kom igjen.»

«Jeg vet ikke. Jeg har ikke noe med dette å gjøre, du må tro meg. Vann. Vær så snill. Vær så ...»

«... snill? Snill som i ... snill?»

Lukten. Lukten av ham selv som brant. Ordene han støtte fram var bare en hes hvisking: «Det var ... bare meg.»

Myk latter. «Smart. Du prøver å få det til å høres ut som du er villig til å si alt for å slippe smertene. Slik at jeg skal tro deg når du ikke greier å hoste opp et navn på hvem du samarbeider med. Men jeg vet du tåler mer. Du er av det seige slaget.»

«Charlotte ...»

Mannen svingte ildraken. Han kjente ikke engang slaget. Det svartnet bare i et deilig langt sekund. Så var han tilbake i smertehelvetet.

«Hun er død!» brølte mannen. «Kom på noe bedre.»

«Jeg mente hun andre,» sa han og prøvde å få hjernen til å fungere. Han husket det jo, han hadde god husk, hvorfor sviktet hukommelsen ham nå? Var han virkelig så skadet. «Hun er australsk ...»

«Du juger!»

Han kjente øynene gli igjen. En ny dusj med vann. Et øyeblikks klarhet.

Stemmen: «Hvem? Hvordan?»

«Drep meg! Nåde! Jeg ... du vet jeg ikke beskytter noen. Herre Jesus, hvorfor skulle jeg det?»

«Jeg vet ingenting.»

«Så hvorfor ikke bare drepe meg? Jeg drepte henne. Hører du? Gjør det! Hevnen er din.»

Mannen satte fra seg bøtta, dumpet seg ned i stolen, bøyde seg framover med albuene på armlenene og haka hvilende på knyttnevene, og svarte langsomt som om han ikke hadde hørt det han sa, men tenkte på noe annet: «Vet du, jeg har drømt om dette i så mange år. Og nå, når vi er her ... jeg hadde håpet det skulle smake bedre.»

Mannen slo ham med ildraken en gang til. La hodet på skakke og så på ham. Med en gretten mine stakk mannen ildraken prøvende inn i siden på ham.

«Kanskje jeg mangler fantasi? Kanskje denne retten mangler det rette krydderet?»

Noe fikk mannen til å snu seg. Mot radioen. Den sto lavt på.

Han gikk bort til den, skrudde opp. Nyhetssending. Stemmer i et stort rom. Som sa noe om Håvasshytta. Et vitne. Rekonstruere. Han frøs sånn, beina var ikke der lenger. Han lukket øynene og ba igjen til sin Gud. Ikke om å bli befridd fra smertene slik han hadde gjort til nå. Han ba om tilgivelse, om at Jesu blod skulle rense ham for all synd, at noen andre skulle bære alt han hadde gjort. Han hadde tatt liv. Ja, han hadde det. Han ba om at han skulle bades i tilgivelsens blod. Og så få dø.

DEL VI

Kapittel 56
Lokkedue

Lyshelvete. Selv med solbriller på sved Harrys øyne. Det var som å stirre på et hav av diamanter, frenetisk funklende lys, sola skinte på snøen som skinte på sola. Harry trakk seg litt tilbake fra vinduet selv om han visste at sett utenfra var rutene svarte, ugjennomtrengelige speil. Han så på klokka. De hadde ankommet Håvasshytta i natt. Jussi Kolkka hadde installert seg på hytta sammen med Harry og Kaja, de andre hadde gravd seg ned i snøen i to firemannsgjenger i hvert sin ende av dalen, slik at det var omtrent tre kilometer mellom dem.

Det var tre grunner til at de hadde valgt Håvasshytta til å legge ut agnet. For det første fordi det var tilforlatelig at de var der. For det andre at drapsmannen forhåpentligvis syntes han kjente stedet såpass godt at han følte seg trygg på å slå til. For det tredje fordi det var en perfekt felle. Dalsøkket hytta lå i hadde kun adkomst fra nordøst og sør. I øst var fjellet for bratt på østsiden og i vest var det så mange stup og revner at du måtte være lommekjent for å finne fram.

Harry løftet kikkerten og prøvd å få øye på de andre, men alt han så var hvitt. Og lys. Han hadde snakket med Mikael Bellman som lå i sør, og Milano som lå i nord. Vanligvis ville de brukt mobiltelefonene sine, men det eneste nettet som hadde dekning her oppe i den ubebodde fjellheimen, var Telenors. Den tidligere statlige, monopolistiske teleoperatøren hadde hatt kapital til å bygge basestasjoner på hver forblåste fjell-

379

knatt, men siden flere av politifolkene, deriblant Harry, abon-
nerte hos andre teleoperatører, brukte de walkietalkie. For at de
skulle få tak i ham i tilfelle det skjedde noe på Rikshospitalet,
hadde Harry lagt inn beskjed på svareren sin før han dro om
at han var utenfor dekningsområde, men oppgitt nummeret
til Milanos Telenor-telefon.

Bellman påsto at de slett ikke hadde frosset i natt, at kom-
binasjonen av soveposer, varmereflekterende liggeunderlag og
parafinovner var så effektiv at de hadde måttet foreta lettelser
i antrekket. Og at nå dryppet smeltevannet fra taket i snøhu-
lene de hadde skavet ut i fjellsiden.

Pressekonferansen hadde vært så behørig dekket på TV,
radio og i avisene at man måtte være direkte uinteressert i saken
for ikke å få med seg at vitnet Iska Peller og en politimann
var på vei til Håvasshytta. Med jevne mellomrom gikk Kolkka
og Kaja ut og gestikulerte og pekte mot hytta, veien de hadde
kommet og utedoen. Kaja i rollen som Iska Peller, Kolkka som
den enslige etterforskeren som hjalp henne å rekonstruerte den
skjebnesvangre nattas forløp. Harry holdt seg i skjul inne i stua,
hvor han også hadde satt skiene og stavene sine slik at bare de to
andres ski kunne sees på utsiden der de sto stukket ned i snøen.

Harry fulgte et vindkast som ploget over den nakne vidda
og virvlet opp lett nysnø som hadde falt oppå skaren i natt.
Snøen ble skjøvet mot fjelltopper, stup, skrenter, ujevnheter
i landskapet hvor den dannet stivnede bølgeformer og store
skavler, som den som stakk ut som en hattebrem fra toppen
av fjellsiden på baksiden av hytta.

Harry visste at det selvfølgelig ikke var sikkert at mannen de
jaktet på i det hele tatt ville vise seg. Det kunne være at Iska
Peller av en eller annen grunn ikke sto på dødslista, at han ikke
syntes anledningen var den rette, at han hadde andre planer for
Iska. Eller at han luktet lunta. Og det kunne være mer banale
grunner. Bortreist, syk ...

Likevel. Om Harry hadde talt alle gangene intuisjonen hans
hadde ledet han feil, ville tallet fortalt ham at han burde gi opp
intuisjonen som metode og guide. Men han talte ikke. Han

talte i stedet alle gangene intuisjonen hadde fortalt ham noe han ikke visste at han alt visste. Og nå fortalte den at draps- mannen var på vei mot Håvasshytta.

Harry så på klokka igjen. De hadde gitt ham tjue timer. Det spraket og spratt i granveden bak den finmaskede glofangeren på den overdimensjonerte peisen. Kaja hadde lagt seg for å hvile på det ene soverommet, mens Kolkka satt ved salongbordet og oljet en demontert Weilert P11. Harry kjente igjen den tyske pistolen på at den ikke hadde noe siktekorn. Weilert-pistolen var spesiallagd for nærkampsituasjoner hvor man raskt måtte få pistolen ut av hylsteret, beltet eller lomma, og med et rent løp var risikoen mindre for at det hektet seg opp i noe. I slike situasjoner var da også siktekorn overflødig; man rettet pistolen mot objektet og skjøt, man *siktet* ikke. Reservepistolen, en SIG Sauer, lå montert og ladd ved siden av. Harry kjente skulder- hylsteret til sin egen Smith & Wesson .38 gnage mot ribbeina.

De hadde landet med helikopter om natta ved Neddalvan- net noen kilometer unna og hadde tatt seg resten av veien hit på ski. Under andre omstendigheter kunne Harry muligens ha sett skjønnheten i ei snøkledd vidde badet i månelys. I polar- lyset som spilte på himmelen. Eller i Kajas nesten salige ansikt der de gled gjennom den hvite stillheten som gjennom et even- tyr, i en lydløshet så fullstendig at han hadde følelse av at den skrapende lyden av skiene deres bar kilometer innover vidda. Men det var for mye som sto på spill, for lite han hadde råd til å tape til at han hadde øye for annet enn jobben, jakten.

Det var Harry selv som hadde castet Kolkka i rollen som «en etterforsker». Ikke fordi Harry hadde glemt Justisen, men om ting ikke gikk som planlagt, kunne de få bruk for finnens nærkampkompetanse. Ideelt sett ville drapsmannen prøve seg på dagtid og ville bli tatt av en av de to gruppene som lå ute i snøen. Men hvis han kom på natta uten å bli sett før han var ved hytta, måtte de tre i hytta takle situasjonen på egen hånd.

Kaja og Kolkka sov på hvert sitt soverom, Harry i stua. Mor- genen hadde forløpt uten unødvendig prat, selv Kaja hadde vært taus. Konsentrert.

I speilbildet i vinduet så han Kolkka sette sammen pistolen, løfte den, sikte på bakhodet hans og avfyre et tørt skudd. Tjue timer igjen. Harry håpet drapsmannen ville skynde seg.

Mens Bjørn Holm tok de lyseblå sykehusklærne ut av Adeles garderobeskap, følte han Geir Bruuns blikk i ryggen fra døråpningen.

«Kan du ikke likegodt ta med alt?» sa Bruun. «Så slipper jeg styret med å få det kastet. Hvor har du forresten han kollegaen din, Harry?»

«Hæn er på skitur på fjellet,» sa Holm tålmodig og la plaggene hver for seg i plastposer som han hadde med.

«Jaså? Interessant, han slo meg ikke som en sånn skigutt. Hvor da?»

«Det kæn je itte si. Apropos ski, hå hadde Adele på seg da 'a var på Håvasshytta. Hu har jo ingen skiklær her.»

«Hun lånte av meg, selvfølgelig.»

«Hu lånte skiklær ta *deg*?»

«Du høres så forbauset ut.»

«Du slo meg vel itte som en slik … skigutt.» Holm merket at ordene hans hørtes antydende ut på en måte som ikke hadde vært tilsiktet, og kjente han ble glovarm i nakken.

Bruun lo lavt og svingte på seg i døråpningen. «Riktig, jeg er en sånn … klesgutt.»

Holm kremtet og la – uten at han visste hvorfor – stemmen dypere: «Kæn je få ta en titt?»

«Oi sann,» lespet Bruun og så ut som han storkoste seg over Holms utilpassethet. «Kom, skal vi gå og se hva jeg har.»

«Halv fem,» sa Kaja og sendte for andre gang gryta med lapskaus videre til Harry. Hendene deres berørte ikke hverandre. Ikke blikkene. Og ikke ordene. Natta de hadde hatt sammen på Oppsal var like fjern som en to dager gammel drøm. «Ifølge manus skal jeg nå stå på sørsiden og røyke en sigarett.»

Harry nikket og sendte gryta videre til Kolkka som skrapte den tom før han begynte å skuffe innpå.

«OK,» sa Harry. «Kolkka, tar du vestvinduet? Sola ligger lavt nå, så se etter glimt i kikkertglass.»

«Inte förrän jag har ätit,» sa Kolkka langsomt og med ettertrykk og skjøv enda en fullastet gaffel inn i munnen.

Harry hevet et øyebryn. Så bort på Kaja og signaliserte at hun skulle gå.

Da hun var ute av døra, satte Harry seg ved vinduet og lot blikket gli langs vidda og fjellkammene. «Så Bellman ansatte deg da ingen andre ville ha deg.» Han sa det lavt, men stillheten i stua var så total at han kunne ha hvisket.

Det gikk noen sekunder uten svar. Harry antok at Kolkka bearbeidet det faktum at Harry hadde snakket til ham om et personlig anliggende.

«Jeg kjenner til det ryktet som ble satt ut etter at du fikk sparken i Europol. At du hadde banket opp en tidligere dømt voldtektsmann under avhør. Stemmer, ikke sant?»

«Det är min business,» sa Kolkka og løftet gaffelen mot munnen. «Men det kan väl hända att han inte visade mej tillräcktligt respekt.»

«Mm. Det interessante var jo at ryktet ble satt ut av Europol selv. Fordi det var et rykte som gjorde ting litt lettere for dem. Og for deg, antar jeg. Og selvfølgelig for foreldrene og advokatene til jenta du avhørte.»

Harry hørte tyggingen bak ham stoppe helt opp.

«Slik at de fikk erstatningen sin i all stillhet uten å måtte trekke deg og Europol inn i en rettssal. Jenta slapp å sitte i vitneboksen og fortelle om da du var på rommet hennes, at du hadde spurt henne ut om venninnen som var blitt voldtatt, at du var blitt så opphisset av svarene at du hadde begynt å beføle henne. Femten år gammel, ifølge Europols interne notat.»

Harry kunne høre Kolkka puste tungt.

«La oss anta at Bellman også leste det notatet,» fortsatte Harry. «Fikk adgang til det via kontakter og omveier. Som meg. At han ventet litt før han kontaktet deg. Ventet til sinnet var gått ut av deg, til all lufta var ute, til du var på felgen. Og da plukket han deg opp. Ga deg tilbake en jobb og noe av den stoltheten du hadde mistet. Og visste at du ville betale ham tilbake med lojalitet. Han kjøper mens markedet er på bånn, Kolkka. Det er slik han bygger livgarden sin.»

Harry snudde seg mot Jussi Kolkka. Finnens ansikt var hvitt.

«Du er kjøpt, men knapt nok betalt, Jussi. Slaver som deg får ingen respekt, ikke fra *massa* Bellman og ikke fra meg. Faen, du har ikke engang din egen respekt, mann.»

Kolkkas gaffel falt ned på tallerkenen med en nesten øredøvende, klirrende lyd. Han reiste seg, grep innenfor jakka og dro fram pistolen. Han skrittet bort til Harry, lente seg over ham. Harry rørte seg ikke, så bare rolig opp.

«Så hvordan skal du finne igjen respekten, Jussi? Skyte meg?»

Finnens pupiller skalv av raseri.

«Eller komme deg til hælvete på jobb?» Harry så ut på vidda igjen.

Hørte Kolkkas tunge prusting. Ventet. Hørte ham snu. Hørte ham fjerne seg. Hørte ham sette seg ved vinduet mot vest.

Det skrapte i radioen. Harry grep mikrofonen.

«Ja?»

«Det blir snart mørkt.» Det var Bellmans stemme. «Han kommer ikke.»

«Fortsett å holde utkikk.»

«Etter hva? Det har skyet over og uten måneskinn kommer vi ikke til å se en …»

«Ser ikke vi, ser ikke han heller,» sa Harry. «Så se etter lyset fra en hodelykt.»

Mannen hadde slått av hodelykta. Han behøvde ikke lys, han visste hvor skisporet han fulgte førte. Til turisthytta. Og han ville venne seg til mørket, ville ha store, lysfølsomme pupiller før han kom fram. Der var den, den svarte tømmerveggen med svarte vinduer. Som om ingen var hjemme. Det knirket i nysnøen da mannen sparket fra og gled framover de siste meterne. Han stoppet og lyttet til stillheten et par sekunder før han lydløst spente av seg skiene. Han dro fram den store, tunge samekniven med det båtformede, skrekkinnjagende knivbladet og det gule, glattlakkerte skjeftet av tre. Den var like godt egnet til å kappe greiner til bål som å skjære opp en rein. Eller kutte struper.

Mannen åpnet døra så stille han kunne og gikk inn i gangen. Ble stående og lytte ved døra til stua. Stillhet. For stille? Han trykket ned klinken og slengte døra opp, mens han selv sto ved siden av døråpningen med ryggen mot veggen. Så – for å gjøre målet så kortvarig og lite som mulig – steg han fort og krumbøyd inn i mørket i stua med kniven foran seg.

Han skimtet skikkelsen til den døde som satt på gulvet med hengende hode og armer som fortsatt omfavnet ovnen.

Han stakk kniven tilbake i sliren og slo på lyset ved sofaen. Han hadde ikke tenkt over det før nå, at sofaen var lik den på Håvasshytta, at Turistforeningen sikkert fikk kvantumsrabatt. Men sofatrekket var gammelt, hytta hadde vært stengt i flere år, den lå for farlig til, det hadde vært ulykker med folk som hadde gått seg utfor stup i dårlig vær i forsøk på å finne hytta.

Hodet til den døde ved jernovnen løftet seg langsomt.

«Beklager å buse inn slik.» Han sjekket at kjettingene som holdt den dødes hender låst rundt ovnen, satt som de skulle.

Så begynte han å pakke ut av sekken. Han hadde dratt lua dypt ned, gått fort inn og ut igjen av dagligvarehandelen på Ustaoset. Kjeks. Brød. Avisene. Som hadde mer om pressekonferansen. Og dette vitnet på Håvasshytta.

«Iska Peller,» sa han høyt. «Australsk. Hun er på Håvasshytta. Hva tror du? Kan hun ha sett noe?»

Den andres stemmebånd greide bare så vidt å flytte nok luft til at det ble lyd: «Politiet. Politi på Håvasshytta.»

«Jeg vet det. Det står i avisa. Én etterforsker.»

«De er der. Politiet har leid hytta.»

«Å?» Han så på den andre. Hadde politiet satt opp en felle? Og prøvde dette svinet som satt foran ham å *hjelpe* ham, å redde ham fra å tråkke i den? Tanken gjorde ham rasende. Men denne kvinnen må likevel ha sett noe, de ville vel ikke ha hentet henne hele veien fra Australia ellers? Han grep etter ildraken.

«Faen som du lukter. Har du driti på deg?»

Hodet til den døde falt ned på brystet igjen. Den døde hadde tydeligvis flyttet inn her. Det lå noen personlige eiendeler i skuffene. Et brev. Noe verktøy. Noen gamle familiebilder. Passet. Som om den døde var på flukt, trodde han skulle komme seg et annet sted. Annet enn ned dit, ned til flammene hvor han skulle pines for sine synder. Selv om han hadde begynt å tenke at kanskje var det ikke den døde som sto bak all jævelskapen likevel. Det er tross alt grenser for hva et menneske tåler av smerte før det begynner å snakke.

Han sjekket telefonen igjen. Ingen dekning, helvete!

Og for en stank. Stabburet. Fikk henge ham til tørk der. Det var det man gjorde med røkt kjøtt.

Kaja hadde lagt seg på soverommet og forhåpentligvis fått seg litt søvn før det var hennes vakt.

Kolkka helte traktekaffe først i sin egen og så i Harrys kopp.

«Takk,» sa Harry og stirret ut i mørket.

«Träskidor,» sa Kolkka som hadde stilt seg ved peisen og så på Harrys ski.

«Min fars,» sa Harry. Han hadde funnet skiutstyret i kjelleren på Oppsal. Stavene var nye, og lagd i en eller annen metallegering som syntes å veie mindre enn luft. Harry hadde et øyeblikk tenkt at den hule stammen kanskje var fylt med helium. Men skiene var de samme, gamle, brede fjellskiene.

«Da jeg var liten, dro vi til bestefars hytte på Lesja hver påske. Det var denne fjelltoppen faren min alltid ville opp på. Så han sa til søsteren min og meg at det lå en kiosk der oppe, at de solgte Pepsi-Cola som var Søs' favoritt. Så om vi bare orket den siste bakken, så ...»

Kolkka nikket og strøk en hånd over baksiden av de hvite skiene. Harry tok en slurk av den nytraktede kaffen:

«Søs greide alltid å glemme fra påske til påske at det var den samme, gamle bløffen. Og jeg ønsket bestandig at jeg også hadde greid det. Men jeg var belemret med å huske alt faren min innprentet meg. Fjellvettreglene, hvordan man brukte naturen som kompass, hvordan man overlevde i snøskred. Norske kongerekker, de kinesiske dynastiene og amerikanske presidenter.»

«Det är bra skidor,» sa Kolkka.

«Litt for korte.»

Kolkka satte seg ved vinduet i den andre enden av rommet. «Ja, det tror man nog aldrig ska hända. At ens faders skidor ska bli för korta for en.»

Harry ventet. Ventet. Så kom det.

«Jag tyckte hon var så fin,» sa Kolkka. «Och jag trodde hon tyckte om mej. Löjligt. Men jag kände bara på hennes bröst. Hon gjorde inget motstånd. Hon var väl rädd.»

Harry greide å stagge trangen til å reise seg og gå ut av rommet.

«Det er rätt,» sa Kolkka. «Man är lojal mot den som lyft en upp från sophaugen. Även om du ser att han har bruk for dig. Vad annat kan man göra? Man måste välja sida.»

Da Harry skjønte at ordkranen var stengt igjen, reiste han seg og gikk ut på kjøkkenet. Han gikk gjennom alle skapene i et fåfengt forsøk på å finne det han visste ikke var her, en slags desperat avledningsmanøver fra ham som sto og skrek i hodet hans: «Én drink, bare én.»

Han hadde fått en sjanse. Én. Gjenferdet hadde løsnet kjettingen, løftet ham opp, bannet om drittstanken og støttet ham ut på badet hvor han hadde dumpet ham på gulvet i dusjen og skrudd på vannet. Gjenferdet hadde stått der en stund og sett på ham mens han prøvde å ringe fra mobiltelefonen. Bannet over dekningen, og gått ut i stua hvor han hørte ham prøve igjen.

Han ville gråte. Han hadde flyktet opp hit, gjemt seg her for at ingen skulle finne ham. Installert seg i den stengte turisthytta, tatt med det han trengte. Trodd han var trygg her inne blant stupene. Trygg for gjenferdet. Han gråt ikke. For mens vannet trakk gjennom klærne, bløtte opp restene av den røde filtskjorta som var klistret til ryggen, gikk det opp for ham at dette var sjansen hans. Hans egen mobiltelefon lå i lomma på buksa hans som lå sammenbrettet på stolen ved siden av vasken.

Han prøvde å komme seg opp, men beina ville ikke. Gjorde ikke noe, det var bare en meter bort til stolen. Han la de svartsvidde armene mot gulvet, trosset smertene og dro seg fram, hørte brannblemmene sprekke, kjente lukten slå opp, men på to tak var han fremme, lette igjennom lommene, fisket ut telefonen. Den var på og viste full dekning. Kontaktregisteret. Han hadde lagt inn nummeret til politifyren, mest for at han skulle se det på displayet hvis politifyren ringte ham.

Han trykket ned anropsknappen. Det hørtes ut som telefonen trakk pusten i den lille evigheten mellom hvert ringesignal. Én sjanse. Dusjen bråket nok til at mannen ikke ville høre ham snakke. Der! Han hørte politifyrens stemme. Han avbrøt ham med sin hese hvisking, men stemmen fortsatte uforstyrret. Og det gikk opp for ham at han snakket til en telefonsvarer. Han ventet på at stemmen skulle bli ferdig, knuget telefonen, kjente huden på hånden sprekke, men slapp ikke. Kunne ikke slippe. Måtte legge igjen beskjed om ... bli ferdig, da for helvete, få pipelyden!

Han hadde ikke hørt ham komme, dusjen hadde overdøvet de lette skrittene. Telefonen ble nappet ut av hånden hans, og han rakk å se skistøvelen komme.

Da han kom til bevissthet igjen, sto mannen og kikket interessert på telefonen hans.

«Så du har dekning?»

Mannen gikk ut av badet mens han tastet, så overdøvet suset fra dusjen alt. Men ikke lenge etter kom han tilbake.

«Vi skal ut og reise sammen. Du og jeg.» Mannen virket plutselig i godt humør. Han holdt et pass i den ene hånden. Hans pass. I den andre hånden holdt han tangen fra verktøyskrinet.

«Gap opp.»

Han svelget. Herre Jesus, forbarm deg.

«Gap opp, sa jeg!»

«Nåde. Jeg sverger, jeg har fortalt alt jeg ...» Han fikk ikke sagt mer for en hånd hadde grepet ham rundt halsen og stoppet lufttilførselen. Han kjempet mot en stund. Så kom endelig tårene. Og så gapte han.

Kapittel 57
Torden

Bjørn Holm og Beate Lønn sto ved den store stålbenken på laboratoriet og stirret på de marineblå skibuksene som lå foran dem under det skarpe lampelyset.

«Det der er definitivt en sædflekk,» sa Beate.

«Eller ei sædstripe,» sa Bjørn Holm. «Sjå på dramerka.»

«For lite for en ejakulasjon. Ser ut som en erigert, våt penis er blitt skjøvet over baken til den som hadde på seg buksene. Du sa at Bruun sannsynligvis var homoseksuell?»

«Ja, men hæn sier at 'n itte har brukt dom sia 'n lånte dom til Adele.»

«Da vil jeg si at vi har sædmerke typisk for en voldtekt. Det er bare å sende til DNA-analyse, Bjørn.»

«Enig. Hå trur du om dette?» Holm pekte på de lyseblå sykehusbuksene, på to utgnidde flekker rett under begge baklommene.

«Hva er det?»

«Noe som itte går ta i vask, i hvert fall. Det er et nonylfenolbasert stoff som kalles PSG. Det brukes blant anna i bilpleiemidler.»

«Hun har tydeligvis sittet på det.»

«Itte bære sitti, det er kømmi djupt inn i fibra, hu har gnidd det inn. Hardt. Slik.» Han svingte hoftene fram og tilbake.

«Ja vel. Noen teori om hvorfor?»

Hun tok av seg brillene og så på Holm mens munnen hans

vred seg til forskjellige former for å uttale uttrykkene hjernen kom opp med og like fort forkastet.

«Tørrjokking?» spurte Beate.

«Ja,» sa Holm lettet.

«Ja vel. Og hvor og når sitter en kvinne som ikke jobber på sykehus, i sykehusklær og tørrjokker oppå PSG?»

«Enkelt,» sa Bjørn Holm. «På et nattlig stevnemøte på en nedlagt PSG-fabrikk.»

Skyene trakk til side, og de badet igjen i det blå trollyset hvor alt, selv skyggene, var fosforiserende, fastfrosset som til et stillbilde.

Kolkka hadde lagt seg, men Harry antok at finnen lå der inne på soverommet med åpne øyne og resten av sansene i helspenn.

Kaja satt ved vinduet med haka i hånden og så ut. Hun var kledd i den hvite genseren ettersom de bare hadde på de elektriske ovnene. De var blitt enige om at det kunne se mistenkelig ut hvis det røyk fra pipa tjuefire timer i døgnet når det angivelig bare var to personer der.

«Savner du noen gang stjernehimmelen over Hong Kong, så se utenfor nå,» sa Kaja.

«Jeg kan ikke huske noen stjernehimmel,» sa Harry og tente en sigarett.

«Er det ikke noe ved Hong Kong du savner?»

«Li Yuans glassnudler,» sa Harry. «Hver dag.»

«Er du forelsket i meg?» Hun hadde senket stemmen bare litt og så oppmerksomt på ham mens hun trakk en strikk rundt håret.

Harry kjente etter. «Ikke nå.»

Hun lo med et forbauset ansiktsuttrykk. «Ikke nå? Hva betyr det?»

«At den delen av meg er skrudd av så lenge vi er her.»

Hun ristet på hodet. «Du er skadet, Hole.»

«Om akkurat det,» sa Harry og smilte skjevt, «… hersker det liten tvil.»

«Og hva når denne jobben er over om ...» Hun så på klokka. «Ti timer?»

«Da blir jeg kanskje forelska i deg igjen,» sa Harry og la hånden sin på bordet ved siden av hennes. «Om ikke før.»

Hun så på hendene deres. Så hvor mye større hans var. Hvor mye mer delikat formet hennes var. Hvor mye blekere og knudrete hans var, med tykke blodårer som snodde seg over håndbaken.

«Så du kan bli forelsket før jobben er ferdig likevel, altså?» Hun la sin hånd oppå hans.

«Jeg mente at jobben kan være over før det har gått ...» Hun trakk hånden sin til seg.

Harry så forbauset på henne. «Jeg mente bare ...»

«Hør!»

Harry holdt pusten og lyttet. Men hørte ingenting.

«Hva var det?»

«Hørtes ut som en bil,» sa Kaja og speidet ut. «Hva sier du?»

«Jeg sier neppe,» sa Harry. «Det er over en mil til nærmeste vinteråpne vei. Hva med et helikopter? Eller en snøscooter?»

«Eller hva med mitt eget overaktive hode?» sukket Kaja. «Lyden er borte. Og når jeg tenker meg om, var den kanskje heller aldri der. Beklager, men man blir lett oversensitiv når man er litt redd og ...»

«Nei,» sa Harry og trakk revolveren opp av skulderhylsteret. «Passe redd, passe sensitiv. Beskriv hva du hørte.» Harry reiste seg og gikk bort til det andre vinduet.

«Ingenting, sier jeg jo!»

Harry skjøv vinduet opp på gløtt. «Din hørsel er bedre enn min. Lytt for oss.»

De satt og lyttet til stillheten. Minuttene gikk.

«Harry ...»

«Hysj.»

«Kom og sett deg her igjen, Harry.»

«Han er her,» sa Harry, halvhøyt som om han snakket til seg selv. «Han er her nå.»

«Harry, nå er det du som er oversensi...»

Det lød et dumpt drønn. Lyden var lav, dyp og liksom rund og langsom, uten attakk, som fjern torden. Men Harry visste at det sjelden tordnet fra klar himmel ved minus sju grader.

Han holdt pusten.

Og så hørte han det. En ny buldring, annerledes enn drønnet, men også denne lavfrekvent, som lydbølgene fra en basshøyttaler, lydbølger som flytter luft, som kjennes i magen. Harry hadde hørt den lyden bare én gang før, men han visste han kom til å huske den resten av livet.

«Ras!» ropte Harry og løp mot Kolkkas soveromsdør som vendte mot fjellsiden. «Ras!»

Døra til soverommet gikk opp og der sto Kolkka, lys våken. De kunne kjenne grunnen riste. Det var et stort ras. Men uansett om hytta hadde hatt grunnmur og kjeller, visste Harry at de aldri ville rukket å komme seg dit. For bak Kolkka kom glassbitene av det som hadde vært vinduet fykende, presset inn av lufta som store ras skyver foran seg.

«Ta hånden min!» ropte Harry over buldringen og strakte hendene ut, en mot Kaja og en mot Kolkka. Han så dem storme mot seg idet lufta ble dratt ut av hytta, som om raset hadde pustet, først ut og nå inn. Han kjente Kolkkas hånd klemme hardt rundt sin egen og ventet på Kajas. Så traff snøveggen hytta.

Kapittel 58
Snø

Det var øredøvende stille og stummende mørkt. Harry prøvde
å bevege seg. Umulig. Det var som kroppen var lagt i gips, han
greide ikke røre på et eneste lem. Riktignok hadde han auto-
matisk gjort som faren hadde sagt; holdt en hånd foran ansik-
tet slik at det var blitt en åpen lomme der. Men han visste ikke
om det var luft i den. For Harry greide ikke å puste. Og hadde
akkurat skjønt hva det var. Panserhjerte. Det Olav Hole hadde
forklart at skjedde når brystkassen og mellomgulvet ble pres-
set så hardt sammen av snøen at lungene ikke greide å bevege
seg. Som betydde at du bare hadde det oksygenet som alt var i
blodet, omtrent en liter, og at med vanlig forbruk, rundt 0,25
liter i minuttet, ville du dø i løpet av fire minutter. Panikken
kom; han måtte ha luft, måtte puste! Harry spente kroppen,
men snøen var som en kvelerslange som bare strammet gre-
pet. Han visste han måtte jage panikken, måtte greie å tenke.
Tenke nå. Verden utenfor hadde opphørt å eksistere; tid, tyng-
dekraft, temperatur, det fantes ikke. Harry hadde ingen idé
om hva som var opp og ned eller hvor lenge han hadde vært i
snøen. En annen av farens læresetninger virvlet gjennom hjer-
nen. At for å orientere deg om hvilken vei du ligger, skal du
skyve spytt ut av munnen og kjenne hvilken vei det renner på
ansiktet. Han dro tunga langs ganen. Visste det var frykten,
adrenalinet som hadde tørket den ut. Han gapte og brukte
fingrene på hånden foran ansiktet til å pirke litt snø inn i den

åpne munnen. Tygget, gapte igjen og lot smeltevannet renne ut. Han fikk øyeblikkelig panikk og rykket til da neseborene ble fylt med vann. Lukket munnen og blåste vannet ut igjen. Blåste ut det som var igjen av luft i lungene. Han skulle snart dø.

Vannet hadde fortalt ham at han lå opp ned, rykket hadde fortalt ham at det gikk an å bevege seg litt likevel. Han prøvde et nytt rykk, strammet hele kroppen i en spasme, kjente snøen gi litt etter. Litt. Nok til å slippe løs fra panserhjertets kveletak? Han trakk luft. Fikk litt luft. Ikke nok. Hjernen måtte allerede ha underskudd på oksygen, likevel husket den klart farens ord fra påskene der oppe på Lesja. At inne i et ras hvor du får pustet litt, dør du ikke av mangel på luft, men av for mye CO_2 i blodet. Den andre hånden hadde støtt mot noe, noe hardt, noe som kjentes som en netting. Olav Hole: «Under snøen er du som en hai, du dør om du ikke får beveget deg. Selv om snøen er løs nok til at noe luft kommer gjennom, vil varmen fra pusten og kroppen din fort danne et lag av is rundt deg som gjør at luft ikke kommer inn og det giftige karbondioksidet i din egen pust ikke kommer ut. Du lager rett og slett din egen iskiste. Skjønner du?»

«Jada, pappa, men slapp litt av. Dette er Lesja, ikke Himalaya.»

Morens latter fra kjøkkenet.

Harry visste at hytta var fylt med snø. At over ham var et tak. Og over der igjen sannsynligvis mer snø. Det var ingen vei ut. Tiden tikket ut. Det sluttet her.

Han hadde bedt om at han ikke skulle våkne igjen. At neste gang han gled inn i bevisstløsheten skulle bli den siste. Han hang opp ned. Hodet dunket som det ville sprenges, det måtte være alt blodet som fylte det.

Det var lyden av snøscooter som hadde vekket ham.

Han prøvde å ikke bevege seg. Han hadde gjort det til å begynne med, rykket til, spent kroppen, forsøkt å komme seg fri. Men han hadde gitt opp forsøket ganske fort. Ikke på grunn av kjøttkrokene i leggene, han hadde forlengst mistet følelsen i beina. Det var lyden. Lyden av revnende kjøtt og sener og muskler som røyk og sprakk når han rykket og vred på seg så det sang i kjettingen som festet i stabburtaket.

Han stirret inn i det brustne blikket på en hjort som hang etter bakbeina og så ut som den var fanget i et stup med geviret foran seg. Han hadde tyvskutt det. Med den samme rifla han hadde drept henne med.

Han hørte den klagende knirkingen av skritt i snøen utenfor. Døra gikk opp, månelys falt inn. Så var han der igjen. Gjenferdet. Og det merkelige var at det var først nå, når han så ham opp ned, at han ble sikker.

«Det er virkelig deg,» hvisket han. Det var så underlig å snakke uten fortenner. «Det er virkelig deg. Er det ikke?»

Mannen gikk rundt ham, løsnet de bakbundne hendene hans.

«K – kan du tilgi meg, gutten min?»

«Er du klar til å reise?»

«Du har drept dem alle, har du ikke?»

«Jo,» sa han. «Da drar vi.»

Harry gravde med høyre hånd. Mot den venstre, den som var presset mot en netting som han ikke visste hva var. En del av hjernen hans fortalte at han var fanget, at det var en håpløs kamp mot sekundene, at for hvert åndedrag var han ett nærmere døden. At alt han gjorde var å forlenge lidelsene, utsette det uunngåelige. Den andre stemmen sa at han ville heller dø desperat enn apatisk.

Han hadde greid å grave seg fram til den andre hånden og strøk hånden over nettingen. Stemte begge hendene mot og prøvde å dytte, men nettingen lot seg ikke rikke. Han kjente at han alt pustet tyngre, at snøen var blitt glattere, at graven hans var i ferd med å ispansres. Svimmelheten kom og forsvant. Bare ett sekund, men han visste at det var første varsel om at han pustet forgiftet luft. At snart ville døsigheten komme, og hjernen ville lukkes, rom for rom som et hotell på vei inn i lavsesongen. Og det var da Harry kjente det, noe han aldri hadde kjent før, ikke engang sine verste netter på Chungking Mansion; en overveldende ensomhet. Det var ikke vissheten om at han skulle dø som plutselig tømte ham for all vilje, men at han skulle dø her, uten noen, uten dem han elsket, uten far, Søs, Oleg, Rakel ...

Søvnigheten kom. Harry sluttet å grave. Selv om han visste at dette var døden. En forførerisk, lokkende død som tok ham i favn. Hvorfor protestere, hvorfor stritte i mot, hvorfor velge smerte når han i stedet kunne gi seg hen? Hvorfor velge annerledes nå enn han alltid hadde gjort? Harry lukket øynene.

Vent.

Nettingen.

Det måtte være glofangeren foran peisen. Peisen. Pipeløpet. Av stein. Hvis det var noe som hadde stått imot raset, ett sted hvor snømassene kunne tenkes ikke å ha trengt inn, måtte det være i pipeløpet.

Harry dyttet til nettingen igjen. Den rikket seg ikke en millimeter. Fingrene hans krafset mot nettingen. Kraftløst, resignert.

Det var bestemt. Det var slik det skulle ende. Hans CO_2-infiserte hjerne ante en logikk i det, men ikke helt hvilken. Men han aksepterte det. Lot den søte, varme søvnen komme. Bedøvelsen. Friheten.

Fingrene hans gled langs nettingen. Fant noe hardt, solid. Skitupper. Farens ski. Han gjorde ingen motstand mot tanken. At det var litt mindre ensomt slik, med hånden om farens ski. At de sammen, i takt, skulle gå inn i døden. Ta den siste bratte bakken.

Mikael Bellman stirret på det som lå foran dem. Eller rettere sagt, på det som *ikke* lå foran dem. For den var ikke der lenger. Hytta var borte. Fra snøhula hadde den sett ut som en liten tegning på et stort, hvitt ark. Det var før drønnet og den fjerne brakingen som hadde vekket ham. Da han endelig hadde fått opp kikkerten var det stille igjen, bare et fjernt, forsinket ekko som ble kastet tilbake fra Hallingskarvet. Han hadde stirret og stirret gjennom kikkerten, latt den flakke over fjellsiden der borte. Det var som om noen bare hadde brukt viskelær på arket. Ingen tegning, bare fredelig og uskyldig hvitt. Det var ikke til å fatte. En hel hytte begravd? De hadde hivd på seg skiene og brukt åtte minutter bort til rasstedet. Eller åtte minutter og atten sekunder. Han hadde notert seg tidene. Han var politimann.

«Faen, rasstedet er jo en *kvadratkilometer*,» hørte han en stemme rope bak seg, så de spinkle, gule lysstripene fra lommelyktene deres fare over snøen.

Det spraket på walkie-talkien. «Redningssentralen sier helikopteret er her om tretti minutter. Over.»

For lenge, tenkte Bellman. Hva var det han hadde lest; etter en halv time er sjansen for å overleve under snøen én til tre. Og når helikopteret kom hit, hva faen skulle de egentlig gjøre? Stikke de derre sondepinnene sine i snøen etter restene av en hytte? «Takk, over og ut.»

Ærdal kom opp på siden av ham: «Flaks! Det er to lavinehunder på Ål. De kjører dem opp til Ustaoset nå. Lensmannen på Ustaoset, Krongli, er ikke hjemme, han tar i hvert fall ikke telefonen, men det var en kar på hotellet som har snøscooter og kan frakte dem hit.» Han slo floker.

Bellman stirret på snøen under dem. Kaja var der nede et sted. «Hvor ofte var det de sa at det gikk ras her?»

«Hvert tiende år,» sa Ærdal.

Bellman vippet på hælene. Milano dirigerte de andre som tråkket rundt mens de perforerte snøen med staver og ski.

«Lavinehundene?» spurte han.

«Førti minutter.»

Bellman nikket. Visste at de lavinehundene ikke ville bety noe fra eller til. Når de var kommet ville det være over én time siden raset gikk.

Sjansene for overlevelse ville være under ti prosent allerede før de startet. Etter halvannen time ville den praktisk talt være null.

Reisen hadde begynt. Han kjørte snøscooter. Det var som både mørket og lyset kom mot ham, som om den diamantbestrødde himmelen åpnet seg og ønsket ham velkommen inn. Han visste at bak ham i snøen sto mannen, gjenferdet, og siktet på den oppbrente, forkullede og bylledekte ryggen hans gjennom kikkertsiktet på et gevær. Men ingen kule kunne innhente ham nå, han var fri, han var på vei dit han skulle, dit han alltid hadde vært på vei. Til samme sted hvor hun hadde dratt og langs samme rute. Han var ikke lenger bundet, og om han hadde vært i stand til å bevege armer og bein, ville han bare reist seg opp på sadelen, vridd på gassen og kommet seg enda fortere fram. Han jublet idet han tok av mot stjernehimmelen.

Kapittel 59
Begravelsen

Harry sank ned gjennom lag av drømmer, minner og halv-tenkte tanker. Alt var vel. Bortsett fra én stemme som messet på samme setningen, om og om igjen. Farens stemme:

«... til du var så blodig at de store gutta var blitt fælne og hadde gått sin vei.»

Han prøvde å skyve den unna, å lytte til en av de andre stemmene. Men også den tilhørte Olav Hole:

«Du var mørkredd, men du gikk i mørket.»

Faen. Faen, faen.

Harry åpnet øynene mot mørket. Vrikket og vred på seg i snøens kalde jerngrep. Prøvde å sparke fra. Begynte å grave foran nettingen. Fikk litt mer rom. Fingrene fant kanten på glofange-ren. Han skulle ikke dø, Olav Hole fikk gå i forveien, såpass til far fikk han faen meg være! Hendene gikk som skovler nå som de hadde fått plass til å bevege seg. Han fikk begge hendene på innsiden av glofangeren og dro den mot seg. Derr! Den flyt-tet på seg. Han dro igjen. Og kjente det. Luft. Askestinkende, tung. Men luft like fullt. Enn så lenge. Han dyttet snøen vekk. Stakk hendene inn, fingrene fant noe som kjentes som isopor som han skjønte var halvbrente vedkubber. Glofangeren hadde stått imot raset, peisen var fri for snø! Han fortsatte å grave.

Noen minutter, eller kanskje var det bare sekunder, senere, lå han sammenkrøpet inne i den overdimensjonerte peisen og gulpet inn luft og hostet aske.

Og det gikk opp for ham at til nå hadde han bare tenkt på én ting; seg selv.

Han skjøv armen rundt hjørnet på peismurene, der farens ski var. Rotet rundt i snøen til han fant det han lette etter. En av stavene. Han klemte sammen trinsen og dro den til seg. Den glatte, lette og stive metallstaven gled lett gjennom snøen. Han fikk staven inn i peisen, plasserte den mellom beina, klemte sammen skistøvlene og flerret trinsen av. Han hadde nå et spyd på litt over halvannen meter.

Kaja og Kolkka kunne ikke være langt unna der han selv hadde ligget. Han lagde et imaginært rutenett slik de gjorde på åsted som skulle saumfares for spor og begynte å stikke. Han jobbet fort, stakk med stor kraft, men det var en kalkulert risiko. I verste fall traff han et øye eller stakk hull på en hals, men det var kun i beste fall at de fortsatt pustet. Han stakk litt til venstre for der han selv trodde han måtte ha befunnet seg da han kjente stavspissen støte mot noe som fjæret. Han trakk staven litt tilbake, stakk forsiktig og kjente den fjære igjen. Da han skulle trekke den til seg, kjente han at staven satt fast. Han lettet grepet og kjente staven bli trukket fra ham. Noen holdt rundt stavspissen og dro den fram og tilbake for å signalisere at det var liv! Harry trakk til seg staven, hardere denne gang, men den andre holdt fast med en forbløffende kraft. Harry trengte staven, den ville være i veien når han begynte å grave, så han stakk hånden inn i håndleddsremmen og selv da måtte han bruke all kraft for å få staven løs.

Harry ble liggende og lure på hvorfor han ikke alt hadde lagt fra seg staven og begynt å grave. Så skjønte han hvorfor. Nølte ett sekund til. Så begynte han å stikke staven inn i snøen igjen, denne gangen til høyre for der han selv hadde vært. På det fjerde stikket fikk han kontakt. Den samme fjærende følelsen. Magen? Han holdt lett om staven for å kjenne om han kunne merke noen heving eller senking, åndedrett, men det var ingen bevegelse.

Valget burde vært lett. Det var kortest vei til den første og der hadde det vært tegn til liv. Redde det som reddes kan. Harry sto alt på knærne og grov som en gal. Mot den siste.

Fingrene var følelsesløse da de kom fram til kroppen, og han måtte bruke håndbaken for å kjenne at det var ullstoffet i en genser. Genseren. Den hvite. Han fikk tak i en skulder, dyttet til side mer snø, fikk en arm løs og dro den livløse kroppen ned gjennom gangen i snøen. Håret hennes falt mot ansiktet hans, det hadde fortsatt lukten av Kaja. Han fikk buksert hodet og halve overkroppen hennes ned på peisgulvet og prøvde å kjenne etter puls på halsen, men fingertuppene hans var som fylt med sement. Han la ansiktet ned mot hennes, men merket ingen åndedrett. Han åpnet munnen hennes, kjente at tunga ikke lå i veien, inhalerte og pustet inn i munnen hennes. Kom opp etter frisk luft, betvang hosterefleksen da han dro inn aske-partikler og pustet inn i henne. En tredje gang. Han talte; fire, fem, seks, sju. Han kjente alt begynne å snurre, tenkte at han var tilbake ved peisen på hytta på Lesja nå, den lille gutten som blåste på glørne for å få liv igjen i flammene og faren som lo da guttungen vaklet vekk, svimmel og besvimelsen nær. Men han måtte fortsette, han visste at sannsynligheten for å vekke liv i henne minket for hvert sekund.

Da han lente seg ned for det tolvte pustet kjente han det; en varm strøm mot ansiktet. Han holdt pusten, ventet, torde ikke tro det var sant. Den varme strømmen forsvant. Men så var den der igjen. Hun pustet! I samme øyeblikk trakk krop-pen hennes seg sammen, og hun begynte å hoste. Så hørte han stemmen hennes, svak: «Er det deg, Harry?»

«Ja.»

«Hvor ... jeg kan ikke se.»

«Det er greit, vi er i peisen.»

Pause.

«Hva gjør du?»

«Jeg graver etter Jussi.»

Da Harry fikk hodet til Kolkka ut av snøen foran peisen, ante han ikke hvor lang tid som var gått. Bare at det for Jussi Kolkkas del ikke var noe igjen av den. Han hadde tent en fyrstikk og rukket å se finnens store, tomt stirrende øyne før flammen slukket.

«Han er død,» sa Harry.

«Kan du ikke prøve munn-til-munn ...»

«Nei,» sa Harry.

«Hva nå?» hvisket Kaja svakt, kraftløst.

«Vi må ut,» sa Harry og fant hånden hennes. Klemte den.

«Kan vi ikke bare vente her til de finner oss?»

«Nei,» sa han.

«Fyrstikken,» sa hun.

Harry svarte ikke.

«Den slukket med en gang,» sa Kaja. «Det er ikke luft her heller. Hele hytta ligger under snø. Det er derfor du ikke vil forsøke å gjenopplive ham. Det er ikke nok luft til oss to en gang. Harry ...»

Harry hadde reist seg, forsøkte å presse seg opp gjennom pipeløpet, men det var for trangt, skuldrene kilte seg fast. Han huket seg ned igjen, knakk av begge endene på staven slik at den ble et hult metallrør, holdt den opp i pipeløpet og reiste seg igjen, denne gangen med hendene over hodet. Det gikk så vidt. Klaustrofobien hogg i, men forsvant i samme sekund, som om kroppen skjønte at irrasjonelle fobier var en luksus den ikke kunne tillate seg nå. Han presset ryggen mot den ene siden av pipeløpet og brukte beina til å skyve seg oppover. Det sved i lårmusklene, han pustet tungt og svimmelheten var kommet tilbake. Men han fortsatte; én fot opp, presse, neste fot opp ... Det var varmere jo høyere han kom, og han visste at det betydde at den varme lufta som steg opp ikke slapp ut. Og det gikk opp for ham at om de hadde fyrt i peisen da raset kom, hadde de nå for lengst vært døde av kullosforgiftning. At det hadde kunnet kalles hell i uhell. Om det ikke hadde vært for at raset ikke var et uhell. Det drønnet de hadde hørt ...

Staven traff noe over ham. Han klatret opp. Kjente med den ledige hånden. Det var en jernrist. En slik de satte på toppen av pipeløpet for at ekorn og andre dyr ikke skulle komme seg inn i hytta. Han dro fingeren langs kanten. Den var støpt fast. Faen!

Kajas svake stemme nådde ham. «Jeg er svimmel, Harry.» «Pust dypt.»

Han skjøv staven gjennom det finmaskete nettet i jernrista. Det var ikke snø på andre siden!

Han enset knapt melkesyren som brant i lårene, skjøv ivrig staven videre. Og kjente skuffelsen da staven støtte mot noe hardt. Pipehette. Han burde ha husket at hytta hadde en sånn sjarmerende svart metallhatt mot regn og snø på toppen av pipa. Han følte seg fram til han fikk staven på skrått ut under kanten på pipehetta og kjente massiv, hardpakket snø, hardere enn inni hytta. Men det kunne også være fordi snøen nå presset seg inn i åpningen på den hule staven. For hver centimeter av staven han dyttet inn i snøen ba han om at han måtte kjenne det, det plutselige opphøret av motstand som betydde at han hadde brutt gjennom snøhelvete. Som betydde at han kunne blåse snøen ut av dette sugerøret, få inn luft, frisk, livgivende luft. Få dyttet opp Kaja og gitt henne samme injeksjonen av antidød. Men gjennombruddet kom aldri. Han hadde staven presset helt opp til jernrista og ingenting hadde skjedd. Han prøvde likevel, sugde alt han kunne, fikk tørr, kald snø i kjeften og så var det tett. Han greide ikke å holde presset mot sidene lenger og falt. Ropte, satte bein og armer ut, kjente huden skrelles av hendene, men rutsjet videre. Han traff kroppen under seg med begge beina.

«Hvordan gikk det?» spurte Harry og presset seg opp i pipa igjen.

«Greit,» sa Kaja og stønnet lavt. «Og du? Dårlige nyheter?»

«Ja,» sa Harry og presset seg ned ved siden av henne.

«Hva da? Du er ikke forelsket i meg nå heller?»

Harry lo lavt og trakk henne inntil seg: «Jo, nå er jeg det.»

Han kjente varme tårer på kinnene hennes da hun hvisket. «Skal vi gifte oss da?»

«Ja, det skal vi,» sa Harry og visste at det var giften i hjernen som snakket nå.

Hun lo lavt. «Til døden skiller oss ad.»

Han kjente varmen fra kroppen hennes. Og noe hardt. Hoftehylsteret hennes med tjenesterevolveren. Han slapp henne, famlet seg fram til Kolkka. Han syntes han alt kunne kjenne at ansiktet til Kolkka hadde begynt å få den marmoraktige kulden og stivheten. Han skjøv hånden inn i snøen langs den dødes hals, boret seg ned til brystet.

«Hva er det du gjør?» mumlet hun slapt.

«Jeg tar Jussis pistol.»

Han hørte at hun sluttet å puste et øyeblikk. Kjente hånden hennes på ryggen, usikkert famlende, som et lite dyr som hadde mistet orienteringsevnen. «Nei,» hvisket hun. «Ikke gjør det ... ikke slik ... la oss heller bare sovne ... Even.»

Det var som Harry trodde, Jussi Kolkka hadde lagt seg i senga med skulderhylsteret på. Han fikk opp knappen som holdt pistolen på plass, fikk hånden rundt skjeftet, dro pistolen ut av snøen. Han strøk en finger over løpet. Ikke noe korn, det var Weilert-pistolen. Han reiste seg, for fort, kjente besvimelsen komme, tenkte på å ta seg for. Så svartnet alt.

Bellman sto og så ned i det snart fire meter dype hullet da han hørte den støtvise flapp-flapp-dunkingen fra redningshelikopteret nærme seg, som en teppebanker på superspeed. Folkene hans brukte ryggsekkene til å frakte opp snøen, heiste det opp med sammenbundne buksebelter.

«Vinduet!» hørte han mannen i gropa gaule.

«Knus!» ropte Milano tilbake.

Det singlet i glass.

«Å herre min satan ...» hørte han. Og visste at påkallelsen varslet dårlig nytt.

«Hiv ned en stav ....»

Bellman ventet i taushet. Så kom det:

«Snø. Forpult snø. Til taket.»

Bellman hørte bikkjeglam. Og prøvde å regne ut hvor mange timer det ville ta å tømme hytta for snø. Rettelse; døgn.

Harry våknet av en voldsom smerte i kjeven og kjente noe varmt renne nedover pannen og mellom øynene. Han skjønte at han måtte ha slått hodet og det utstående kjevebruddstedet mot steinen da han falt, at det var det som hadde vekket ham. Det merkelige var at han fortsatt sto og fortsatt holdt pistolen i hånden. Han prøvde å trekke luft som ikke var der. Han visste ikke om han hadde nok til et siste forsøk, men hva så? Det var enkelt; han hadde ikke noe annet å gjøre. Så han stakk pistolen i lomma og begynte gispende å forsere pipeløpet. Stemte beina ut til sidene da han var kommet opp, famlet over jernristen og fant enden av metallstaven som fortsatt var tredd opp i snøen. Staven var svakt kjegleformet med størst åpning i Harrys ende hvor han resolutt skjøv pistolløpet inn. To tredjedeler inn på pistolløpet kilte det seg fast. Som betydde også at løpet var helt parallellt med staven, som en halvannen meter lyddemper. En kule ville ikke trenge gjennom over halvannen meter med snø, men hva om det bare manglet *litt* før staven var gjennom snøen?

Han lente seg på pistolen så ikke rekylen skulle få den til å løsne og skyte skjevt. Så trakk han av. Og trakk av. Og trakk av. Det kjentes som trommehinnene skulle sprenges i det hermetisk lukkete rommet. Etter fire skudd stoppet han, la leppene rundt åpningen i staven og sugde inn.

Sugde inn ... luft.

Et øyeblikk var han så forbløffet at han holdt på å falle ned igjen. Harry sugde igjen, forsiktig, for ikke å ødelegge tunnelen i snøen som kulene måtte ha laget. Et og annet snøkorn kom fallende og la seg la seg under tungen. Luft. Det smakte som en rund, mild whisky med is.

Kapittel 60
Nisser og dverge

Roger Gjendem løp oppover Karl Johans gate hvor butikkene var i ferd med å åpne. På Egertorget kikket han opp og så at viserne på det røde Freia-uret viste tre minutter på ti. Han økte farten.

Han var blitt hasteinnkalt til Bent Nordbø, deres avgåtte og på alle måter legendariske sjefredaktør, nå styremedlem og tempelvokter.

Han tok til høyre opp Akersgata hvor alle de store avisene hadde klumpet seg sammen den gangen papirutgaven var konge på journalisthaugen. Han svingte til venstre mot Tinghuset, til høyre opp Apotekergata og steg andpusten inn på Stopp Pressen! Det virket som man ikke helt hadde greid å bestemme seg om stilen skulle være sportspub eller tradisjonell engelsk pub. Kanskje begge deler ettersom målet var at alle typer journalister skulle føle seg hjemme her. På veggene hang pressebilder som viste hva som hadde opptatt, rystet, gledet og forferdet nasjonen de siste tjue årene. Det handlet mest om sport, kjendiser og naturkatastrofer. Pluss en del politikere som falt i de to siste kategoriene.

Siden stedet lå i tøffelavstand fra de to gjenværende avishusene i Akersgata – VG og Dagbladet – var Stopp Pressen! nærmest å regne som en utvidet kantine for disse, men foreløpig var det bare to mennesker å se der inne. Barkeeperen bak disken og en mann som satt ved bordet innerst i lokalet, under en hylle med Gyldendals bokklassikere og en gammel radio som åpenbart var ment å gi stedet en viss patina.

Mannen under hyllen var Bent Nordbø. Han hadde John Gielguds arrogante oppsyn, John Majors panoramabriller og Larry Kings bukseseler. Og han leste i en ekte papiravis. Roger hadde hørt at Nordbø kun leste New York Times, The Financial Times, The Guardian, China Daily, Süddeutsche Zeitung, El País og Le Monde, men at de leste han til gjengjeld hver dag. Han kunne dog finne på å bla i Pravda og slovenske Dnevnik, men han hevdet at «østeuropeiske språk er så tunge for øyet».

Gjendem stoppet foran bordet og kremtet. Bent Nordbø leste ferdig de siste linjene av artikkelen om meksikanske innvandreres revitalisering av tidligere kondemnable strøk av Bronx, kastet et blikk over siden for å forvisse seg om at det ikke var noe annet der som interesserte ham. Så tok han de enorme brillene av, nappet tørkleet ut av brystlomma på tweedjakka og så opp på den nervøse, fortsatt andpustne mannen som hadde tatt oppstilling ved bordet hans.

«Roger Gjendem, antar jeg.»

«Ja.»

Nordbø brettet avisa sammen. Gjendem var også blitt fortalt at når mannen åpnet den igjen, kunne du regne samtalen som over. Nordbø la hodet litt på skakke og påbegynte det ikke ubetydelige arbeidet med å pusse brilleglassene.

«Du har jobbet med krimsaker i mange år, du kjenner godt til folkene i KRIPOS og Voldsavsnittet, ikke sant?»

«Eh ... jo.»

«Mikael Bellman, hva vet du om ham?»

Harry knep igjen øynene mot sola som flommet inn i rommet. Han hadde akkurat våknet og brukte de første sekundene på å riste av seg drømmene og rekonstruere virkeligheten.

De hadde hørt skuddene hans.

Og avdekket staven på første spadetaket.

Etterpå hadde de fortalt at det de var reddest for mens de gravde seg ned mot pipa, var å bli skutt.

Hodet hans verket som etter en ukes sprituttørking. Harry svingte beina ut av senga og så seg rundt i rommet han hadde fått tildelt på Ustaoset høyfjellshotell.

Kaja og Kolkka var blitt fraktet med helikopteret til Oslo og Rikshospitalet. Harry hadde nektet å bli med. Først da han løy, sa at han hadde hatt plenty med luft hele tiden og var i toppform, hadde de latt ham bli igjen.

Harry stakk hodet under kranen på badet og drakk. «Vann er aldri helt galt og ofte ganske bra.» Hvem var det som pleide å si det? Rakel når hun ville at Oleg skulle drikke ut ved middagsbordet. Han slo på mobiltelefonen som ikke hadde vært på siden han dro til Håvasshytta. Her på Ustaoset hadde den dekning, viste displayet. Som også viste at det lå en beskjed på telefonsvareren og ventet. Harry spilte den av, men det var bare ett sekund med harking eller latter før forbindelsen ble brutt. Harry sjekket innringerens nummer. Et mobiltelefonnummer, kunne være hvem som helst. Det var noe vagt kjent med det, men det var i hvert fall ikke fra Rikshospitalet. Vedkommende ringte vel igjen om det var viktig.

I frokostsalen satt Mikael Bellman i ensom majestet med en kopp kaffe foran seg. Foran ham lå avisene sammenbrettet, ferdiglest. Harry behøvde ikke kikke på dem for å vite at det var mer av det samme. Mer om Saken, mer om politiets hjelpeløshet, mer press. Men dagens utgave hadde neppe rukket å få med seg dødsfallet til Jussi Kolkka.

«Kaja har det bra,» sa Bellman.

«Mm. Hvor er de andre?»

«Tok morgentoget til Oslo.»

«Men ikke du?»

«Tenkte jeg skulle vente på deg. Hva tror du?»

«Om hva?»

«Om raset. Bare noe som skjedde?»

«Aner ikke.»

«Ikke? Hørte du drønnet før raset startet?»

«Kan ha vært snøskavlen på toppen som falt ned og traff fjellsiden. Som så satte i gang raset.»

«Synes du det hørtes slik ut?»

«Jeg veit ikke hvordan det skal høres ut. En lyd som satte i gang raset, i hvert fall.»

Bellman ristet på hodet. «Til og med erfarne fjellfolk tror på den der myten om at lydbølger kan utløse skred. Jeg klatret med en skredekspert i Alpene som fortalte meg at folk der nede fortsatt tror at rasene der under annen verdenskrig ble utløst av kanonsmell. Sannheten er at kun når snøen blir truffet direkte av et sprenglegeme, kan det starte et skred.»

«Mm. Slik at?»

«Vet du hva dette er?» Bellman holdt en liten bit blankt metall mellom peke- og tommelfingeren.

«Nei,» sa Harry og signaliserte til kelneren som holdt på å rydde ut frokostbuffeten at han ville ha en kopp kaffe.

«'Nisser og dverge bygger i berge'.» nynnet Bellman.

«Pass.»

«Du skuffer, Harry. Men OK, kanskje jeg har et forsprang. Jeg vokste opp på Manglerud på syttitallet, i en drabantby under utvidelse. De grov ut tomter rundt oss på alle sider. Mitt barndoms soundtrack var lyden av dynamittladninger som gikk av. Etter at arbeiderne hadde gått, gikk jeg rundt og fant biter av ledninger med rød plast, små biter av papir fra kubbene. Kaja fortalte meg at de har en spesiell måte å fiske på her oppe, at dynamittkubber er mer vanlig enn hjemmebrent. Ikke si at du ikke har tenkt tanken.»

«OK,» sa Harry. «Det er en bit av fenghetten. Når og hvor fant du den?»

«Etter at dere var fraktet ut i går natt. Jeg og et par av karene foretok et lite søk der raset hadde startet.»

«Noen spor?» Harry tok imot kaffekoppen fra kelneren med et «takk».

«Nei. Det er såpass utsatt der oppe at vinden hadde feid igjen det som eventuelt hadde vært av skispor. Men Kaja mente hun kanskje hadde hørt en snøscooter.»

«Såvidt. Og det gikk en stund fra hun hørte den til raset kom. Han kan ha parkert snøscooteren før han kom helt fram slik at vi ikke skulle høre den.»

«Jeg har tenkt samme tanken.»

«Og hva nå?» Harry tok en prøvende slurk.

«Søk etter scooterspor.»

«Den lokale lensmannen ...»

«Ingen vet hvor han er. Men jeg har skaffet en snøscooter, kart, klatretau, taubrems, isøks, kost. Så ikke kos ihjæl den kaffekoppen, det er meldt snø på ettermiddagen.»

For å komme seg til toppen av rasstedet hadde den danske hotellsjefen forklart at de måtte kjøre i en lang bue vest for Håvasshytta, men ikke for langt mot nordvest hvor de kom inn i landskapet kalt Kjeften. Navnet hadde den fått på grunn av de huggtannformete steinblokkene som lå strødd utover. Plutselige kløfter og stup var skåret inn i viddelandskapet og gjorde det til et livsfarlig sted å ferdes i dårlig vær om man ikke var lokalkjent.

Klokka var rundt tolv da Harry og Bellman så nedover fjellsiden hvor de kunne skimte den framgravde pipa i bunnen av dalen.

Skyer hadde allerede seilt inn fra vest. Harry myste mot nordvest. Uten sol ble skygger og konturer visket ut.

«Den må ha kommet derfra,» sa Harry. «Ellers hadde vi hørt den uansett.»

«Kjeften,» sa Bellman.

To timer senere, etter å ha krysset landskapet fra sør mot nord i krabbefart uten å finne snøscooterspor, rastet de. Satt ved siden av hverandre på snøscootersetet og drakk fra termosen Bellman hadde med. Det hadde begynt å snø lett.

«Jeg fant en gang en ubrukt dynamittkubbe i byggefeltet på Manglerud,» sa Bellman. «Jeg var femten år. På Manglerud var det tre ting ungdommer kunne drive med. Sport, gospel eller dop. Jeg var ikke interessert i noen av delene. I hvert fall ikke å sitte på vinduslista foran postkontoret på senteret og vente på at livet skulle ta meg fra hasj via lim og heroin til grava. Slik det gikk for fire av gutta i klassen min.»

Harry merket seg hvordan a-endelsene fra Manglerud hadde sneket seg inn.

«Jeg hata alt det der,» sa Bellman. «Så mitt første steg på veien til politiyrket var å ta med den kubben bak Manglerud kirke der hasjgjengen hadde jordsjobangen sin.»

«Jordsjobang?»

«De hadde gravd et hull i bakken hvor de satte en avbrukket ølflaske opp ned med en rist inni hvor hasjen lå og ulma og osa. De hadde gravd ned plastslanger under jorda som gikk fra hullet og stakk opp av bakken halvannen meter unna. Så lå de rundt på gresset rundt sjobangen og sugde på hvert sitt plastrør. Jeg vet ikke hvorfor ...»

«For å kjøle ned røyken,» humret Harry. «Du får mer rus på mindre stoff. Ikke dårlig av hasjhuer, det der. Jeg har visst undervurdert Manglerud.»

«Uansett, jeg dro ut et av plastrørerene og stakk kubben inn i stedet.»

«Du sprengte sjobangen?»

Bellman nikket, og Harry lo.

«Det regna jord i et halvt minutt,» smilte Bellman.

De ble stille. Vinden huiet lavt og hest.

«Jeg ville vel egentlig si takk,» sa Bellman og så ned i pappkruset. «For at du fikk ut Kaja i tide.»

Harry trakk på skuldrene. Kaja. Bellman visste at Harry visste om dem. Hvordan? Og betydde det at Bellman visste om Kaja og ham selv også?

«Jeg hadde ikke noe annet å drive med der nede,» sa Harry.

«Jo, det hadde du. Jeg så på liket av Jussi før de fløy det bort.»

Harry svarte ikke, myste bare mot snøfillene som hadde begynt å falle tettere.

«Liket hadde et sår på siden av halsen. Og flere i begge håndflatene. Som etter en stavspiss. Du fant ham først, ikke sant?»

«Kanskje det,» sa Harry.

«For det såret i halsen hadde blødd friskt. Hjertet må ha slått mens han fikk det såret, Harry. Slått temmelig hardt også. Det burde vært mulig å rekke å grave ut en så levende mann i tide. Men du prioriterte Kaja, gjorde du ikke?»

«Vel,» sa Harry. «Jeg tror Kolkka hadde rett.» Han tømte resten av kaffekoppen i snøen. «Man måste välja side.»

De fant snøscootersporet klokka tre, én kilometer unna ras-stedet, mellom to digre tannformete steinblokker hvor vinden ikke slapp til.

«Ser ut som han parkerte her,» sa Harry og pekte langs kanten av sporet etter kammene på gummibeltet. «Scooteren har fått tid til å synke ned i snøen.» Han dro fingeren langs en stripe midt i sporet etter den venstre meien mens Bellman kostet vekk den lette, tørre føykesnøen langs sporet.

«Jepp,» sa han og pekte. «Han har snudd her og kjørt videre mot nordvest.»

«Vi nærmer oss stupene og det snør tettere,» sa Harry, så opp på himmelen og tok fram telefonen. «Vi må ringe hotellet og be dem sende en guide på scooter. Faen!»

«Hva?»

«Ingen dekning. Vi får komme oss tilbake til hotellet.»

Harry så på displayet. Der sto fremdeles meldingen med det vagt kjente nummeret på den som hadde lagt igjen den lyden på telefonsvaren hans. De tre siste sifrene, hvor i helvete var det han hadde dem fra? Og plutselig kicket den inn. Etterfors-kerhukommelsen. Telefonnummeret lå i mappen for «tidligere mistenkte», og var preget inn på et visittkort.

Med påskriften Tony C. Leike, Entreprenør. Harry løftet langsomt blikket og så på Bellman.

«Leike lever.»

«Hva?»

«I hvert fall telefonen hans. Han har prøvd å ringe meg mens vi var på Håvasshytta.»

Bellman så tilbake på Harry uten å blunke. Snøfnugg samlet

413

seg på de lange øyevippene og pigmentflekkene syntes å blusse opp. Stemmen hans var lav, nesten hviskende: «Det er god sikt, synes du ikke, Harry? Og ingen snø i lufta.»

«Jævlig god sikt,» sa Harry. «Og ikke et jævla snøkorn.»

Han hoppet på i fart.

De beveget seg rykkvis gjennom landskapet, hundre meter om gangen. Peilet inn scooterens sannsynlige rute og kjørte fram dit, brukte kosten, peilet retningen, rykket fram. Streken i det venstre meiesporet, sannsynligvis etter en skade, gjorde at de kunne være sikre på at de fulgte riktig scooterspor. Noen steder, i små dalsøkk eller på forblåste koller, lå sporet opp i dagen og de kunne gå raskt fram. Men ikke for raskt, Harry hadde allerede ropt ut advarsler om stup to ganger og det hadde vært alt for nære på. Klokka begynte å nærme seg fire. Bellman skrudde frontlyset av og på, alt ettersom det var litt opplett i snødrevet. Harry kikket på kartet. Han visste ikke akkurat hvor de var, bare at de kom lenger og lenger fra Ustaoset. Og at dagslyset snart vil forsvinne. En tredjedel av Harry hadde så smått begynt å bekymre seg for tilbaketuren. Som bare betydde at han ga faen med to tredjedels flertall.

Klokka halv fem mistet de sporet.

Snødrevet var så tett at de knapt så noe.

«Dette er galskap,» ropte Harry over motorbrølet. «Hvorfor venter vi ikke til i morgen?»

Bellman snudde seg mot ham og smilte til svar.

Klokka fem fant de sporet igjen.

De stoppet og steg av.

«Fører den veien,» sa Bellman og gikk tilbake til scooteren. «Kom!»

«Vent,» sa Harry.

«Hvorfor det? Kom igjen, det blir snart mørkt.»

«Da du ropte nå, hørte du ikke ekko?»

«Når du sier det.» Bellman stoppet. «En fjellvegg?»

«Det er ingen fjellvegger på kartet,» sa Harry og snudde seg i samme retning som sporene pekte.

414

«Kløft!» brølte han. Og fikk svar. Svært raskt svar. Han snudde seg mot Bellman igjen.

«Jeg tror scooteren som har satt disse sporene er i alvorlig trøbbel.»

«Hva jeg vet om Bellman,» gjentok Roger Gjendem for å gi seg selv tid. «Han har jo ord på seg for å være svært dyktig og ekstremt profesjonell.» Hva var det den legendariske redaktør Nordbø egentlig var ute etter? «Han kan alt, gjør alt riktig,» fortsatte Gjendem. «Lærer fort, vet etter hvert også hvordan man skal behandle oss i pressen. En sånn *whiz kid.* Eh, om du skjønner ...»

«Jeg er nogenlunde familiær med uttrykket, ja,» sa Bent Nordbø med et syrlig smil mens høyre tommel og pekefinger gnikket og gnikket lommetørkleet mot brilleglasset. «Men jeg er i grunnen mer interessert i om det finnes noen rykter.»

«Rykter?» sa Gjendem og merket ikke tilbakefallet til en gammel uvane med å la munnen bli stående åpen etter at han hadde snakket.

«Jeg håper virkelig du kjenner til begrepet, Gjendem. Ettersom det er det du og arbeidsgiveren din lever av. Nå?»

Gjendem nølte: «Rykter og rykter.»

Nordbø himlet med øynene: «Spekulasjoner. Oppspinn. Direkte løgn. Jeg er ikke fin på det, Gjendem. Vreng sladresekken, blottlegg skadefryden.»

«N – negative ting altså?»

Nordbø sukket tungt. «Kjære Gjendem. Hører du ofte rykter om folks edruelighet, generøsitet i pengesaker, trofasthet mot ektefelle og ikke-psykopatiske lederstil? Kan det være fordi ryktets funksjon er å glede oss andre ved at det setter oss i et relativt bedre lys?» Nordbø var ferdig med det ene brilleglasset og begynte pussearbeidet på det andre.

«Det er et veldig, veldig løst rykte,» sa Gjendem og føyde fort til: «Og jeg vet positivt om andre med samme rykte på seg som definitivt ikke er det.»

«Som tidligere redaktør vil jeg anbefale å stryke enten positivt eller definitivt, smør på flesk,» sa Nordbø. «Definitivt ikke er *hva*?»

«Eh. Sjalu.»

«Er vi ikke alle sjalu?»

«Voldelig sjalu.»

«Han har slått kona?»

«Nei, jeg tror ikke han har lagt hånd på henne. Eller hatt grunn til det. De som har kikket en gang for mye på henne, derimot ...»

Kapittel 61
Fallhøyde

Harry og Bellman lå på magen på kanten, der scootersporet forsvant. De stirret ned. Svarte, stupbratte fjellsider skar seg nedover og forsvant under dem i snødrevet som var blitt enda tettere.

«Ser du noe?» spurte Bellman.

«Snø,» sa Harry og rakte ham kikkerten.

«Scooteren er der.» Bellman reiste seg og begynte å gå tilbake til snøscooteren. «Vi klatrer ned.»

«Vi?»

«Du.»

«Jeg? Trodde det var du som var fjellklatreren her, Bellman.»

«Korrekt,» sa Bellman som alt hadde begynt å spenne på seg klatreselen. «Derfor er det logisk at jeg betjener tau og taubrems. Tauet er sytti meter. Jeg firer deg ned så langt det går. Greit?»

Seks minutter senere sto Harry på kanten med ryggen mot avgrunnen, kikkerten rundt halsen og en rykende sigarett i munnviken.

«Nervøs?» smilte Bellman.

«Niks,» sa Harry. «Dritredd.»

Bellman sjekket at tauet løp rent fra taubremsen, rundt den smale trestammen bak dem og til Harrys klatresele.

Harry lukket øynene, pustet inn og konsentrerte seg om å lene seg bakover, å overstyre kroppens evolusjonsmessig betingete protest dannet av millioner av års erfaring om at arten ikke kan videreføres om man tråkker utfor stup.

Hjernen vant over kroppen med minst mulige margin.

De første metrene av nedfiringen kunne han stå med beina inn mot fjellveggen, men etter hvert som den ble overhengende ble han hengende i løse lufta. Tauet kom ut rykkvis, men elastisiteten i det dempet klatreselens stramming mot korsryggen og lårene. Så kom tauet jevnere, og etter en stund mistet han toppen av syne og var alene, svevende mellom de hvite snøfnuggene og de svarte fjellveggene.

Han lente seg til siden og kikket under seg. Og der, tjue meter under seg, skimtet han svarte steinspisser som stakk opp av snøen. En bratt ur. Og blant alt det hvite og svarte; noe gult.

«Jeg ser scooteren!» ropte Harry og ekkoet ble kastet mellom fjellveggene. Den lå opp ned, med meiene i været. Gitt at han selv og tauet ikke var påvirket av vinden, lå scooteren omtrent tre meter ut fra loddelinjen fra stupet og ned. Over sytti meter ned. Scooteren må ergo ha hatt usedvanlig lav fart da den kjørte utfor.

Tauet strammet brått.

«Lenger ned!» ropte Harry.

Det malmfulle svaret ovenfra hørtes ut som det kom fra en prekestol: «Det er ikke mer tau.»

Harry stirret ned på scooteren. Noe som stakk fram fra under scooteren på venstre side. En naken arm. Svart, oppblåst, som en pølse som har ligget for lenge på grillen. En hvit hånd mot en svart stein. Han prøvde å fokusere, å få øynene til å se bedre. Åpen håndflate, altså høyre hånd. Fingrene. Forvridde, krokete. Harrys hjerne spolte bakover. Hva var det Tony Leike hadde sagt om sykdommen sin? Ikke smittsomt, bare arvelig. Leddgikt.

Harry så på klokka. Etterforskerrefleksen. Den døde funnet klokka sytten femtifire. Mørket hadde begynt å falle mellom fjellveggene nede i steinura.

«Opp!» ropte Harry.

Ingenting skjedde.

«Bellman?»

Ikke noe svar.

En vindkast dreide Harry rundt i tauet. Svarte steiner. Tjue meter. Og plutselig, uten forvarsel, kjente han at hjertet hamret og han grep automatisk hardt rundt tauet med begge hender som for å forsikre seg om at det fortsatt var der. Kaja. Bellman visste.

Harry trakk pusten dypt tre ganger før han ropte igjen:

«Det mørkner, det blåser opp og jeg fryser ballene av meg, Bellman. På tide å komme seg i hus.»

Fortsatt ikke noe svar. Harry lukket øynene. Var han redd? Redd for at en tilsynelatende rasjonelt tenkende kollega skulle ta livet av ham nærmest ved et innfall, på grunn av tilfeldige, gunstige omstendigheter? Visst faen var han redd. For det var ikke noe innfall. Ikke noe tilfeldig ved at Bellman var blitt igjen for å ta med Harry ut i ødemarka. Eller? Han trakk pusten. Bellman kunne lett arrangere det slik at det så ut som en ulykke. Klatre ned etterpå og fjerne selen og tauet, si at Harry hadde gått utfor stupet i snødrevet. Halsen hans hadde tørket opp. Dette skjedde ikke. Ikke grave seg ut av et jævla snøras bare for tolv timer senere å bli droppet ned i en steinur. Av en politimann. Det skjedde faen ikke, det ...

Trykket fra selen var borte. Han falt. Fritt. Fort.

«Ryktet sier at Bellman skal ha mishandlet en kollega,» sa Gjendem. «Bare fordi fyren hadde danset et par ganger for mye med henne på politiets julebord. Fyren ville anmelde en knust kjeve og et kraniebrudd, men hadde ingen bevis, han hadde hatt på seg hette. Men alle visste at det var Bellman. Trøbbel tårnet seg opp, så han søkte seg til Europol for å komme seg vekk.»

«Tror du noe på disse ryktene, Gjendem?»

Roger trakk på skuldrene. «Det kan i hvert fall se ut som Bellman har en viss .., eh, toleranse for den type overtramp. Vi kikker på bakgrunnen til Jussi Kolkka i forbindelse med raset på Håvasshytta. Han har slått ned en voldtektsfyr i avhør. Og Truls Berntsen, Bellmans sidekick, er heller ikke mors beste barn.»

«Godt. Denne duellen mellom KRIPOS og Voldsavsnittet om å få det nasjonale hovedansvaret for drapsetterforskning, jeg vil at du skal dekke den. Jeg vil at du skal kaste ut noen brannfakler. Gjerne om psykopatisk lederstil. Det er alt. Så får vi se hvordan justisministeren reagerer.»

Uten noen gester eller ord til avrunding satte Bent Nordbø på seg de nypussete vindusrutene sine, brettet ut avisen og begynte å lese.

Harry rakk ikke å tenke. Ikke noe. Og ikke så han noe liv passere revy, ansiktene til mennesker hadde burde sagt at han elsket eller noe lys han følte en trang til å gå mot. Muligens fordi man ikke rekker slikt når man faller fem meter. Klatreselen strammet mot skrittet og korsryggen, men elastisiteten i tauet gjorde oppbremsingen myk.

Så kjente han at han begynte å heises oppover igjen. Vinden blåste snø inn i ansiktet.

«Hva faen skjedde?» spurte Harry da han femten minutter senere sto på kløftkanten og svaiet i vindkastene mens han løsnet tauet fra klatreselen.

«Ble du redd nå?» smilte Bellman.

I stedet for å legge tauet fra seg, surret Harry tauet noen runder rundt høyre hånd. Sjekket at han hadde slakk nok i tauet til å svinge. En kort uppercut mot hakespissen. Tauet gjorde at hånden ville kunne brukes i morgen også, ikke som da han slo Bjørn Holm og gikk to dager med verkende knoker.

Han gikk et skritt mot Bellman. Så overbetjentens overraskede ansiktsuttrykk da han så tauet rundt Harrys neve, så ham rygge, vakle, falle bakover i snøen.

«Ikke! Jeg ... jeg måtte bare slå en knute på enden av tauet så det ikke gled gjennom taubremsen ...».

Harry fortsatte mot ham, og Bellman – som hadde krøpet sammen i snøen – løftet automatisk armen opp foran ansiktet:

«Harry! Det ... det kom et vindkast og jeg skled ...»

Harry stoppet, så forbauset på Bellman. Så fortsatte han forbi den skjelvende overbetjenten, tråkket gjennom snøen.

Den isnende vinden blåste gjennom yttertøy, undertøy, gjennom hud, kjøtt, muskler og rett inn på skjelettet. Harry grep en skistav som var stroppet fast til scooteren, så seg om etter noe tøy han kunne binde i toppen på det, men fant ikke noe og det var uaktuelt å oppgi noe av det han hadde på seg. Så kjørte han staven ned i snøen for å markere funnstedet. Gudene visste hvor lang tid de ville bruke på å finne det igjen. Så trykket han inn knappen på den elektriske starteren. Fant bryteren for lysene, slo dem på. Og Harry så det med én gang. Så det på snøen som blåste horisontalt inn i lyskjeglene og dannet en hvit, ugjennomtrengelig vegg: At de aldri ville komme seg ut av denne labyrinten og til Ustaoset.

Kapittel 62
Transit

Kim Erik Lokker var den yngste teknikeren på Krimteknisk. Følgelig fikk han ofte jobber av mindre krimteknisk karakter. Som å kjøre til Drammen. Bjørn Holm hadde nevnt at Bruun var homse av den mer flørtete typen, men at Kim Erik bare skulle levere klærne, så kunne han dra.

Da GPS-damen i bilen erklærte at «*you have arrived at your destination*», befant han seg utenfor en eldre bygård. Han parkerte og spaserte gjennom åpne dører og opp til tredje etasje, til døra med navnene på en enkel papirlapp klistret fast med to teipbiter: GEIR BRUUN/ADELE VETLESEN.

Kim Erik trykket på ringeklokka en gang til, og hørte omsider lyden av noen som kom trampende gjennom gangen.

Døra svingte innover. Mannen hadde bare et håndkle rundt livet. Han var usedvanlig hvit, og den blanke issen var våt og skinnende av svette.

«Geir Bruun? H – håper jeg ikke forstyrrer,» sa Kim Erik Lokker og holdt plastposen foran seg på strak arm.

«Ingen fare, jeg puler bare,» sa han med den affekterte stemmen Bjørn Holm hadde etterapet. «Hva er dette?»

«Klærne vi fikk låne. Vi blir nødt til å beholde skibuksa inntil videre, er jeg redd.»

«Ja vel?»

Kim Erik hørte døra bak Geir Bruun gå opp. Og en ytterst kvinnelig stemme kvitre: «Hva er det, elskling?»

«Bare en som skal levere noe.»

En skikkelse kom smygende opp bak Geir Bruun. Hun hadde ikke engang brydd seg om håndkle, og Kim Erik rakk å slå fast at det lille vesenet var hundre prosent kvinne.

«Hei der,» kvitret hun over skulderen til Geir Bruun. «Hvis det ikke var noe mer, vil jeg gjerne ha ham tilbake.» Hun løftet et yndig, lite fotblad og sparket fra. Dørglasset ristet og skrallet lenge etter at døra hadde slamret igjen.

Harry hadde stoppet scooteren og stirret inn i snødrevet.

Det hadde vært noe der.

Bellman hadde lagt armene sine rundt livet hans og hodet inntil ryggtavla for å komme i ly av vinden.

Harry ventet. Stirret.

Der var det igjen.

En hytte. Laftet tømmer. Og et stabbur.

Så var det borte igjen, visket ut av snøen, som om det aldri hadde vært der. Men Harry hadde retningen.

Så hvorfor ga han ikke bare gass og kom seg bort mot det, reddet seg, hvorfor nølte han? Han visste ikke. Men det var noe med hytta, noe han hadde sanset i løpet av de sekundene det hadde vist seg for ham. Noe med de svarte vinduene, følelsen av å se på noe som var uendelig forlatt og likevel bebodd. Noe som ikke var bra. Og som gjorde at han bare ga forsiktig gass for ikke å overdøve vinden.

Kapittel 63
Stabburet

Harry puttet en vedkubbe til inn i jernovnen.

Bellman satt ved stuebordet og hakket tenner. Pigmentflekkene hans hadde et blåaktig skinn. De hadde hamret på døra og ropt i den hylende vinden en stund før de hadde slått inn glasset i et vindu som ledet inn på et tomt soverom. Et soverom med en uoppredd seng og lukt som hadde fått Harry til å tenke at noen svært nylig hadde sovet der. Det var bare så vidt han ikke kjente etter om senga fortsatt var varm. Og selv om stua uansett ville ha føltes varm så kalde som de var, stakk Harry hånden inn i jernovnen for å kjenne om det kunne være glør under den svarte asken. Men det var ingen.

Bellman flyttet seg nærmere ovnen. «Så du noe annet enn scooteren der nede i ura?»

Det var de første ordene han hadde ytret etter at han hadde kommet løpende og ropt at Harry ikke måtte kjøre fra ham, og slengt seg bakpå scooteren.

«En arm,» sa Harry.

«Hvem sin arm?»

«Hvordan skulle jeg vite det?»

Harry reiste seg og gikk ut på badet. Sjekket toalettsakene. Det lille som fantes av det. Håndsåpe og en barberhøvel. Ingen tannbørste. Én person, en mann. Som enten ikke pusset tennene eller var dratt på reise. Gulvet var fuktig, selv langs vegglistene, som om noen nylig hadde spylt det. Noe fanget blik-

424

ket hans. Han satte seg på huk. Halvt skjult av vegglista lå noe brunt og svart. Småstein? Harry plukket den opp, så på den. I alle fall ikke lavastein. Han puttet den i lomma.

I skuffene på kjøkkenet fant han kokekaffe og brød. Han klemte på brødet. Relativt ferskt. I kjøleskapet sto et glass med syltetøy, smør og to øl. Harry var så sulten av han syntes han kunne kjenne lukten av stekt flesk. Han lette gjennom skapene. Ingenting. Faen, levde fyren av brød med syltetøy? Han fant en pakke med kjeks oppå en stabel med tallerkener. Samme type tallerkener som de hadde hatt på Håvasshytta. Samme møblene også. Kunne dette være en turisthytte? Harry stoppet. Han ikke bare syntes, han *kjente* lukten av stekt – rettelse *brent* – flesk.

Han gikk ut i stua igjen.

«Kjenner du det?» spurte han.

«Hva da?»

«Lukta,» sa Harry og satte seg på huk ved siden av jernovnen. Ved siden av ovnsluken, på relieffet av en hjort, røk det fra tre svarte, uidentifiserbare biter som var brent fast til støpejernet.

«Fant du noe mat?» spurte Bellman.

«Mat og mat,» sa Harry tenksomt.

«Det er et stabbur på den andre siden av tunet. Kanskje ...»

«I stedet for å 'kanskje' burde du kanskje gå og sjekke?»

Bellman nikket, reiste seg og gikk ut.

Harry gikk bort til et skrivebord for å se om det lå noe der han kunne bruke til å skrape bort de fastbrente bitene. Han dro ut den øverste skuffen i skuffeseksjonen.Tom. Harry dro ut de andre, alle var tomme. Bortsett fra et ark som lå i den nederste. Han tok det opp. Det var ikke et ark, men et foto-grafi med fronten ned. Det første som slo Harry var at det var merkelig å ha et familiebilde liggende på en turisthytte. Bildet var tatt på sommeren, foran et lite våningshus på en gård. En kvinne og en mann satt på en trapp og en gutt sto mellom dem. Kvinnen i blå kjole, skaut, usminket og med et trett smil. Mannen med munnen knepet igjen til en streng mine og det alvorlige, lukkete ansiktsuttrykket hos sjenerte, norske menn som ser ut som de skjuler en mørk hemmelighet. Men det var gutten i midten som fanget Harrys oppmerksomhet. Han lignet moren, hadde hennes brede, åpne smil og en mild penhet i blikket og over pannen. Men han lignet noen annen også. De store, hvite tennene ...

Harry gikk bort til ovnen, han hadde brått begynt å fryse igjen. Den osende fleskerøyken ... Han lukket øynene og konsentrerte seg om å puste dypt og rolig gjennom nesa et par ganger, men kjente likevel kvalmen komme.

I det samme trampet Bellman inn med et bredt smil om munnen: «Håper du liker hjort.»

Harry våknet og lurte på hva som hadde vekket ham. Var det en lyd? Eller fraværet av lyd? For det gikk opp for ham at det var helt stille i stua, at det hadde sluttet å blåse utenfor. Han hivde av seg ullteppet og sto opp fra sofaen.

Han gikk bort til vinduet og kikket utenfor. Det var som om noen hadde svingt en tryllestav over landskapet. Det som for seks timer siden hadde vært hard, nådeløs ødemark fremsto nå som mykt, moderlig, nesten vakkert i det trolske måneskinnet. Det gikk opp for Harry at han så etter spor i snøen. At det *var* en lyd han hadde hørt. Det kunne ha vært hva som helst. En fugl. Et dyr. Han lyttet og hørte lett snorking fra bak den ene soveromsdøra. Så det var ikke Bellman som hadde stått opp. Blikket hans fulgte fotsporene som gikk fra huset til stabburet. Eller fra stabburet til huset? Eller begge deler, det var flere. Kunne det være Bellmans fra seks timer tilbake? Når hadde det sluttet å snø?

Harry dro på seg støvlene, gikk ut og så bortover mot utedoen. Ingen spor dit. Han snudde ryggen mot stabburet og pisset mot husveggen. Hvorfor gjorde menn det, hvorfor måtte de pisse *på* noe? Restene av et revirmarkeringsinstinkt? Eller ... Det gikk opp for Harry at det var ikke det han pisset på, det var det han vendte ryggen mot. Stabburet. Som om han mistenkte seg observert derfra. Han kneppet opp, snudde seg og så på den spydspissformete bygningen. Så begynte han å gå mot den. Grep spaden idet han passerte den nedsnødde scooteren. Planen hadde vært å gå rett inn, men i stedet ble han stående foran den enkle steintrappa opp til den lave døra. Lyttet. Ingenting. Hva faen var det han drev med, det var ingen her. Han gikk opp på trappa, prøvde å løfte hånden mot håndtaket, men den ville ikke. Hva faen var det som skjedde? Hjertet hans slo så hardt i brystet at det gjorde vondt, som om det ville sprenge seg ut. Han svettet og kroppen nektet å følge ordre. Og det gikk langsomt opp for Harry at dette var akkurat slik han hadde hørt det beskrevet. Anfall av panikkangst. Det var raseriet som kom ham til unnsetning. Han sparker opp døra med voldsom kraft og styrtet inn i mørket. Det luktet stramt av fett, røkt kjøtt og størknet blod. Noe beveget seg i stripen av månelys og det blinket i et par øyne. Harry svingte spaden. Og traff. Hørte den døde lyden av kjøtt, kjente det gi etter. Døra bak ham gled opp igjen, og månelyset strømmet inn. Harry stirret på den døde hjorten som hang og svingte foran ham. På de andre dyreskrottene. Han slapp spaden og sank ned på knærne. Så kom det, alt på én gang. Veggen som revnet, snøen som spiste ham levende, panikken for ikke å få puste, det lange gispet av ren, hvit redsel i fallet mot de svarte steinene. Så ensomt. For de var alle dratt. Faren lå i en respiratormaskin, i transit. Og Rakel og Oleg var silhuetter i motlys på en flyplass, også i transit. Harry ville tilbake. Tilbake til det dryppende rommet. De solide, fuktige veggene. Den utsvettete madrassen og den søte røyken som sendte ham dit de var. Transit. Harry bøyde hodet og kjente varme tårer strømme nedover ansiktet.

Jeg har printet ut et bilde av Jussi Kolkka fra Dagbladets nettside og stiftet det opp på veggen ved siden av de andre. Det var ikke ett ord på nyhetene om Harry Hole og de andre politifolkene som var der. Eller Iska Peller, for den saks skyld. Var det en bløff? De prøver i hvert fall. Og nå en død politimann. De kommer til å prøve hardere. De MÅ prøve hardere. Hører du, Hole? Ikke? Du burde gjøre det, jeg er så nær at jeg kan hviske det i øret ditt.

DEL VII

Kapittel 64
Tilstand

Olav Holes tilstand var uforandret, hadde doktor Abel sagt.

Harry satt ved farens seng og så på det uforandrede mens en hjertemaskin spilte en plipp-plopp-sang med hakk i. Sigurd Altman kom inn, hilste og noterte tall fra maskindisplayet på en blokk.

«Jeg er egentlig her for å besøke en Kaja Solness,» sa Harry og reiste seg. «Men jeg veit ikke hvilken avdeling hun ligger på. Kunne du ...»

«Kollegaen din som kom med redningshelikopteret forrige natt? Hun er på akuttavdelingen. Bare til de har fått svar på prøvene, hun hadde vært litt vel lenge under snøen. Da de sa Håvasshytta, trodde jeg hun måtte være dette vitnet fra Sydney som politiet snakket om på radioen.»

«Ikke tro alt du hører, Altman. Da Kaja lå i snøen, var den australske damens oppholdssted Bristol. Varmt og trygt med egne vakter og full roomservice.»

«Vent.» Altman myste på Harry. «Var du også under snøen?»

«Hvorfor tror du det?»

«Det støtteskrittet du akkurat tok. Svimmel?»

Harry trakk på skuldrene.

«Forvirret?»

«Konstant,» sa Harry.

Altman smilte. «Du har fått i deg litt for mye CO_2. Kroppen kvitter seg med det ganske fort når du får surstoff, men

431

du burde ta en blodprøve så vi får sjekket karbondioksidtryk-ket.»

«Nei takk,» svarte Harry. «Hvordan går det med han her?» Han nikket mot senga.

«Hva sier legen?»

«Uforandret. Jeg spør deg.»

«Jeg er ikke lege, Harry.»

«Og derfor behøver du heller ikke svare som en. Gi meg et estimat.»

«Jeg kan ikke …»

«Det blir mellom oss.»

Sigurd Altman så på Harry. Skulle til å si noe. Ombestemte seg. Bet seg i underleppen. «Dager,» sa han.

«Ikke engang uker?»

Altman svarte ikke.

«Takk, Sigurd,» sa Harry og gikk mot døra.

Kajas ansikt var blekt og vakkert mot putetrekket. Som en blomst i et herbarium, tenkte Harry. Hånden hennes var liten og kald i hans. På nattbordet lå dagens Aftenposten med over-skriften om raset på Håvasshytta. Den beskrev det tragiske raset og siterte Mikael Bellman som fortalte at det var et stort tap at betjent Kolkka som var på Håvasshytta for å bistå Iska Peller, hadde omkommet. Men at han var glad for at vitnet var blitt reddet og nå befant seg i sikkerhet.

«Så raset ble utløst av dynamitt?» sa Kaja.

«Ingen tvil,» svarte Harry.

«Så du og Mikael samarbeidet bra der oppe?»

«Ja visst.» Harry snudde seg vekk for at hostekulen ikke skulle treffe henne.

«Hørte dere fant en scooter under et stup der oppe. Med et mulig lik under.»

«Ja. Bellman ble igjen på Ustaoset for å finne igjen funnste-det sammen med lensmannskontoret.»

«Krongli?»

«Nei, han var det ingen som visste hvor var. Men lensmannsbetjenten virket som en stødig kar. Roy Stille. Men de får en liten jobb. Vi ante knapt hvor vi var, alt er snødd ned og føyket igjen, og i det terrenget ...» Harry ristet på hodet.

«Noen idé om hvem liket er?»

Harry trakk på skuldrene. «Det skal mye gjøres om det ikke er Tony Leike.»

Kaja vred hodet på puta. «Å?»

«Jeg har ikke sagt det til noen ennå, men jeg så fingrene på liket.»

«Hva med dem?»

«De var forvridde. Tony Leike hadde leddgikt.»

«Tror du det var han som utløste raset? Og så kjørte utfor stupet i mørket?»

Harry ristet på hodet. «Tony fortalte meg at han var lommekjent der oppe, at det var hans landskap. Det var klarvær, og scooteren hadde lav fart, den lå bare tre meter fra loddlinja der den kjørte utfor. Og han hadde en forbrent arm som ikke skyldtes dynamitt. Og scooteren hadde ikke brent.»

«Hva ...»

«Jeg tror Tony Leike ble torturert, drept og så dumpet sammen med scooteren for at vi ikke skulle finne den.»

Kaja skar en grimase.

Harry gned lillefingeren. Han lurte på om den kunne ha fått en forfrysning. «Hva synes du om denne Krongli?»

«Krongli?» Kaja tygde på det. «Hvis det er tilfelle at han prøvde å voldta Charlotte Lolles, burde han jo aldri vært politimann.»

«Han banket kona også.»

«Forundrer meg ikke.»

«Ikke?»

«Nei.»

Han så på henne. «Er det noe du ikke forteller meg?»

Kaja trakk på skuldrene. «Han er en kollega, og jeg tenkte det bare var fylla, ikke noe å spre. Men ja, jeg har fått et glimt av den siden hos ham. Han kom opp til meg og mente på en nokså hardhendt måte at vi burde hygge oss.»

«Men?»

«Mikael var der.»

Harry kjente det rykke til et sted.

Kaja skjøv seg høyere opp i senga. «Du tror ikke alvorlig at det kan ha vært Krongli som …»

«Jeg veit ikke. Jeg veit bare at den som utløste raset må ha vært godt kjent i terrenget. Krongli har hatt å gjøre med dem som var på Håvasshytta. I tillegg fortalte Elias Skog før han ble drept at han hadde sett noe som kunne vært en voldtekt på Håvasshytta. Aslak Krongli hørtes ut som en potensiell voldsmann.

Og så er det dette raset. Hvis du skulle tatt livet av en kvinne som du trodde befant seg aleine sammen med en ubevæpnet etterforsker på ei hytte langt til fjells, hvordan ville du gjort det? Å utløse et ras gir ikke akkurat garantert resultat. Så hvorfor ikke gjøre det enkelt og sikkert, ta med ditt foretrukne drapsvåpen og gå rett opp til hytta? Fordi han visste at Iska Peller og etterforskeren ikke var aleine. Han *visste* at vi ventet på ham. Derfor sneik han seg innpå og angrep på den eneste måten som gjorde at han kunne komme seg unna etterpå. Vi snakker om en innsider. En som kjente til teoriene våre om Håvasshytta og skjønte sammenhengen når han hørte at vi brukte navnet på et vitne under en pressekonferanse. Lensmannskontoret på Ustaoset …»

«Geilo,» rettet Kaja.

«Krongli mottok i alle fall hastesøknaden fra Kripos om å få lande med politihelikopter i nasjonalparken samme natt. Han må ha skjønt sammenhengen.»

«Da burde han også skjønt at Iska Peller ikke var der, at vi ikke ville risikert et vitne,» sa Kaja. «Og da er det rart at han ikke bare holdt seg langt unna.»

Harry nikket. «Bra, Kaja. Jeg er enig, jeg tror ikke Krongli ett sekund trodde Peller befant seg i hytta. Jeg tror snøraset bare var en fortsettelse av det han har drevet med en stund.»

«Som er?»

«Å leke seg med oss.»

«Leke?»

«Jeg fikk et anrop fra telefonen til Tony Leike mens vi var på Håvasshytta.»

«Tony la inn nummeret til meg i kontaktregisteret på sin telefon. Og jeg er temmelig overbevist om at det ikke var han som ringte meg. Greia er at han som ringer ikke legger på fort nok, svareren kobler inn og man hører ett sekund av lyd før forbindelsen blir brutt. Jeg er ikke sikker, men for meg høres det ut som latter.»

«Latter?»

«Latteren til en som morer seg. Fordi han akkurat har hørt meg si på svareren at jeg befinner meg utenfor dekningsområde et par dager. La oss forestille oss at det er Aslak Krongli som akkurat har fått bekreftet mistanken om at jeg befinner meg på Håvasshytta og venter på drapsmannen.»

Harry holdt inne og stirret tenksomt ut i lufta.

«Nå?» sa Kaja etter en stund.

«Jeg ville bare høre hvordan teorien lød når jeg sa det høyt,» sa Harry.

«Og?»

Han reiste seg. «Hørtes ganske ræva ut, egentlig. Men jeg sjekker alibiene til Krongli for morddatoene. Vi snakkes.»

«Truls Berntsen?»

«Ja.»

«Roger Gjendem i Aftenposten. Har du tid til å svare på et par korte spørsmål?»

«Kommer an på. Hvis du skal mase om Jussi, så får du snakke med …»

«Det gjelder ikke Jussi Kolkka, men kondolerer forresten.»

«OK.»

Roger satt med beina på bordet på sitt kontor i Postgirobygget og så over de lave bygningene som utgjorde Oslo Sentralstasjon, ned mot operabygget som snart skulle stå ferdig. Etter samtalen med Bent Nordbø på Stopp Pressen hadde han brukt hele dagen – og deler av natta – på å gå Mikael Bellman nærmere etter i sømmene. Bortsett fra det ryktet om denne vikaren på Stovner politistasjon som var blitt banket opp, var det ikke mye å sette fingeren på. Men som krimjournalist hadde Roger Gjendem gjennom årene opparbeidet seg et kobbel faste, upålitelige kilder som gjerne anga bestemoren sin for prisen på en flaske sprit eller en nullti. Og tre av dem bodde på Manglerud. Etter noen telefoner viste det seg at alle tre hadde vokst opp der også. Kanskje var det sant som han hadde hørt noen si, at ingen flytter fra Manglerud. Eller til.

Miljøet var tydeligvis oversiktlig, for alle tre husket Mikael Bellman. Litt fordi han hadde vært en kødd av en politimann på Stovner politistasjon. Men mest fordi han hadde sjekket opp dama til Julle mens Julle sonet en tidligere betinget dom på ett år for narkotika. Den var blitt gjort ubetinget etter at noen hadde sladret på at Julle hadde bøffa bensin nede på Mortensrud. Dama var Ulla Swart, fineste på Manglerud og ett år eldre enn Bellman. Da Julle hadde sonet ferdig og ruslet ut av fengselet med et godt kjent løfte om å ta seg av Bellman, hadde det stått to karer og ventet inne i garasjen da Julle hadde kommet hjem for å hente Kawaen. De hadde hatt hetter på og hadde banket ham gul og blå med et par jernstenger, og lovet at det ventet mer om han rørte Bellman eller Ulla. Ryktene sa at ingen av de to hadde vært Bellman. Men at den ene var en de kalte Beavis, Bellmans faste lakei. Det var det eneste kortet Roger Gjendem hadde da han nå ringte Truls «Beavis» Berntsen. Desto større grunn til å gå ut som om han hadde fire ess:

«Jeg ville bare spørre om det medfører riktighet at du i sin tid banket opp Stanislav Hesse som var vikar på lønns- og personalkontoret på Stovner stasjon. På oppdrag fra Mikael Bellman.»

Ruvende stillhet i den andre enden.

Roger kremtet: «Nå?»

«Det der er noe forbanna jug.»

«Hvilken del av det?»

«At jeg fikk noe sånt oppdrag av Mikael. Alle så at den jævla polakken prøvde seg på kona hans, kan ha vært hvem som helst som tok affære.»

Roger Gjendem kjente at han trodde på det første, det med oppdraget. Men ikke det siste, det med «hvem som helst». Ingen av de andre tidligere kollegene på Stovner som Roger hadde snakket med, hadde kommet på noe direkte galt å si om Bellman. Likevel hadde det skint igjennom at Bellman ikke var elsket, ikke en mann de ville gått i krigen for. Bortsett fra én.

«Takk, det var alt,» sa Roger Gjendem.

Idet Roger Gjendem la sin telefon i jakkelomma, grep Harry ned i sin jakkelomme og la sin telefon til øret:

«Ja?»

«Det er Bjørn Holm.»

«Jeg ser jo det.»

«Jøss. Trudde itte du brydde deg med å opprette kontaktregister.»

«Jo visst. Føl deg beæret, Holm, du er én av fire jeg har der.»

«Hå er den støyen i bakgrunnen? Hen er du, egentlig?»

«Gamblere som hoier fordi de tror de skal vinne. Jeg er på hesteveddeløp.»

«Hva?»

«Bombay Garden.»

«Er itte det ... slepp *du* inn der?»

«Jeg er medlem. Hva gjelder det?»

«Faen, speller du på hester, Harry? Lærte du *ingenting* i Hong Kong?»

«Slapp av, jeg er her for å sjekke Aslak Krongli ut av saken. Ifølge lensmannskontoret var han på tjenestereise i Oslo både da Charlotte og Borgny ble drept. Ikke så rart egentlig, for det viser seg at han er nokså mye i Oslo. Og jeg har akkurat funnet ut grunnen.»

«'Bombay Garden?'»

«Jepp. Aslak Krongli har et aldri så lite gamblingproblem. Greia er at jeg har fått sjekket kredittkortutskriftene som de har liggende på data her. Med klokkeslett og alt. Krongli har dratt kortet sitt flere ganger, og klokkeslettene gir ham alibi. Dessverre.»

«Ja vel. Og dom har PC-en med regnskapsdataene stående i samma rom som veddeløpsbanen?»

«Hæ? Det er innspurten nå, du må snakke høyere!»

«Dom har ... Gløm det. Je ringer for å si at vi har sæd frå skibuksa som Adele Vetlesen brukte på Håvasshytta.»

«Hva? Du kødder ikke? Det betyr at ...»

«At vi snart kæn ha DNA frå den sjuende mannen. Hvis det er sæden hass. Og den eneste måten vi kæn vara sikre på det, er å utelukke dom andre menna som var på Håvasshytta.»

«Vi trenger deres DNA.»

«Ja,» sa Bjørn Holm. «Elias Skog er jo grei, hæn har vi DNA på. Det er verre med Tony Leike. Vi hadde garantert fønni DNA heme hos'n, men til det treng vi en rettskjennelse. Og etter det som skjedde sist skal det jævlig mye til at vi får det.»

«Overlat det til meg,» sa Harry. «Vi bør også ha DNA-profilen til Krongli. Selv om han ikke har drept Charlotte eller Borgny, kan han ha voldtatt Adele.»

«OK. Åssen får vi tak det?»

«Som politimann har han vel på et eller annet tidspunkt befunnet seg på et drapsåsted,» sa Harry og behøvde ikke avslutte resonnementet. Bjørn Holm nikket allerede. For å unngå forvirring og forvekslinger ble det rutinemessig innhentet fingeravtrykk og DNA fra alle politifolk som hadde vært på et åsted og potensielt kunne ha forurenset det.

«Je sjekker registeret.»

«Bra jobba, Bjørn.»

«Vent. Det er mer. Du ba oss se nøyere etter om vi fant ei sjukepleieruniform. Og vi gjorde det. Med PSG på. Og jeg har sjekka, det ligg en nedlagt PSG-fabrikk i Oslo, oppe i Nydalen. Hvis det står tomt og den sjuende mannen har hatt sex med Adele der, kæn vi kanskje fortsatt finne sæd.»

«Mm. Nypult i Nydalen og hekka på på Håvasshytta. Den

sjuende mannen har kanskje pult seg ut av gjemmestedet sitt. PSG, sa du. Er det fra Kadok-fabrikken?»

«Ja, hvordan ...»

«Fatter'n til en kompis jobba der.»

«Gjenta, det er jævlig bråkete nå.»

«Målgang. Snakkes.»

Harry stakk telefonen i jakkelomma, snurret en halv runde i stolen så han slapp å se på de dystre taperansiktene rundt filtbanen og heller kunne se på croupierens smilende: «Glattis igjen, Hally!»

Harry reiste seg, tok på jakka og så på pengeseddelen vietnameseren holdt fram mot ham. Med portrettet av Edvard Munch. Altså en tusenlapp.

«Veldig glatt,» sa Harry. «Sett den på grønn hest i neste løp. Jeg innkasserer en annen dag, Duc.»

Lene Galtung satt i stua og stirret inn i de doble glassrutene, på det dobbelteksponerte speilbildet. Ipod-en hennes spilte Tracy Chapman. «Fast Car.» Hun kunne høre sangen om og om igjen, ble aldri lei. Den handlet om ei fattig jente som ønsker å flykte fra alt, bare sette seg i den raske bilen til kjæresten sin og reise fra det livet hun hadde, jobben i kassa på RIMI, fra ansvaret for sin forfyllete far, brenne alle broer. Det kunne ikke være fjernere fra Lenes eget liv, likevel var det henne sangen handlet om. Den Lene hun kunne vært. Egentlig var. Den ene av de to hun så i det doble speilbildet. Den alminnelige, grå. I alle årene på skolen hadde hun vært livredd for at døra til klasserommet plutselig skulle gå opp, noen komme inn og rette en pekefinger mot henne og si at nå, nå har vi deg, ta av deg de fine klærne. Så ville de hive noen filler til henne og si at nå skulle alle få se hvem hun virkelig var, lausungen. Hun hadde sittet år ut og år inn, gjemt seg, musestille, skottet mot døra og bare ventet. Lyttet til venninnene, lyttet etter det som røpet at de hadde avslørt henne. Sjenansen, frykten, forsvaret hun satte opp virket på andre som arroganse. Og hun visste at hun overspilte rollen som rik, vellykket, bortskjemt, bekymringsfri. Hun var

slett ikke vakker og briljant slik de andre pikene i omgangs-
kretsen hennes var, de som med smilende selvsikkerhet kunne
synge «jeg aner ikke, jeg», i skjønn visshet om at det de ikke
visste umulig kunne være særlig viktig og at verden uansett
aldri ville kreve noe annet av dem enn at de var vakre. Så hun
måtte late som. Som om hun var vakker. Briljant. Hevet over
alt. Men hun var så trett av det. Hadde bare villet sette seg i
Tonys bil og bedt ham kjøre fra det hele. Til et sted hvor hun
kunne bli den ene ekte Lene og ikke være disse to falske per-
sonene som hatet hverandre. Tracy Chapman sang at sammen
kunne hun og Tony komme seg til det stedet.

Speilbildet i glassruten beveget seg. Lene rykket til da hun
skjønte at ansiktet ikke var hennes eget likevel. Hun hadde ikke
hørt henne komme inn. Lene rettet ryggen og dro ut øreplug-
gene.

«Sett kaffebretter der, Nanna.»

Kvinnen gjorde som hun sa. «Du burde glemme ham, Lene.»

«Hold opp!»

«Jeg sier det bare. Han var ikke noen bra mann for deg.»

«Hold opp, sier jeg!»

«Hysj!» Kvinnen satte kaffebrettet hardt og skramlende ned
på bordet, og det lynte i de turkise øynene. «Du må ta til
fornuften, Lene. Det har vi alle måttet gjøre i dette huset når
situasjonen har krevet det. Jeg sier bare dette som din …»

«Som min hva?» snøftet Lene. «Se på deg. Hva kan du være
for meg?»

Kvinnen strøk hendene over det hvite forkleet, ville legge en
hånd mot Lenes kinn, men Lene viftet den vekk. Det lød som
en dråpe i en brønn da kvinnen sukket. Så snudde hun seg og
gikk ut. Idet døra gikk igjen bak henne, ringte den svarte tele-
fonen foran Lene. Hun kjente hjertet hoppe. Siden Tony var
forsvunnet, hadde telefonen vært konstant på og alltid innen-
for rekkevidde. Hun grep den: «Lene Galtung.»

«Harry Hole, Voldsavsn … sorry, Kripos. Takk for sist. Jeg
beklager å forstyrre, men jeg må be om din assistanse i en sak.
Det gjelder Tony.»

Lene kjente at stemmen holdt på å skjære ut av kontroll da hun svarte: «Er det ... har det skjedd noe?»

«Vi leter etter en sannsynlig omkommet person under et stup i fjellene innenfor Ustaoset ...»

Hun kjente at det svimlet, at gulvet ville opp og taket ned.

«Vi har ikke funnet det ennå. Det har snødd og leteområdet er stort og ekstremt ulendt. Hører du meg?»

«J... ja da.» Politimannens stemme, en anelse hes, fortsatte: «Når liket blir funnet, vil vi søke å få det identifisert så fort som mulig. Men det vi veit er at dette liket sannsynligvis har store brannskader. Derfor trenger vi DNA allerede nå fra personer som kan tenkes å være identiske med den omkomne. Og all den tid Tony er forsvunnet ...»

Lenes hjerte kjentes som det ville opp gjennom halsen, bykse ut av munnen. Stemmen i den andre enden messet videre:

«Derfor lurer jeg på om du kunne hjulpet en av våre krim-teknikere med å skaffe DNA-materiale fra hjemme hos Tony.»

«S-som hva da?»

«Et hår i hårbørsten, spytt på tannbørsten, de veit hva de trenger. Det viktige er at du som hans forlovede gir din tilla-telse, og møter opp utenfor huset hans med nøkkel.»

«S-selvfølgelig.»

«Tusen takk. Da sender jeg en tekniker til Holmenveien med én gang.»

Lene la på. Kjente gråten komme. Satte ørepluggene til Ipod-en inn igjen.

Rakk å høre Tracy Chapman synge siste linjen, den om å ta en rask bil og bare forsette å kjøre til det stedet. Så var sangen slutt. Hun trykket på repeat.

Kapittel 65
Kadok

Nydalen var et bilde på avindustrialiseringen av Oslo. De fabrikkbygningene som ikke var blitt revet og hadde gitt plass for glatt og elegant designete kontorbygg i glass og stål, var blitt ombygd til TV-studioer, restauranter og store, åpne lokaler med rød murstein hvor rør til ventilasjon og vann lå nakent.

De siste ble gjerne leid av reklamebyråer som ønsket å signalisere at de tenkte utradisjonelt, at de mente at kreativiteten blomstret like godt i billige industrilokaler som i de streite konkurrentenes dyre, representative sentrumskontorer. Men lokalene i Nydalen kostet minst like mye ettersom alle reklamebyråer i bunnen og grunnen tenker tradisjonelt. Det vil si; De følger moten og byr opp prisene på det som er mote.

Eierne av tomten som den nedlagte Kadok-fabrikken lå på, hadde imidlertid ikke tatt del i denne bonanzaen. Da fabrikken for fjorten år siden endelig hadde stengt etter år med underskudd og kinesisk dumping av PSG, hadde grunnleggerens arvinger gått rett i strupen på hverandre. Og mens de kranglet om hvem som skulle ha hva, hadde fabrikken stått og forfalt der den lå for seg selv bak gjerdene på vestsiden av Akerselva. Kratt og løvskog hadde fått gro fritt og etter hvert skjult fabrikken for omgivelsene. Alt dette tatt i betraktning, virket den store hengelåsen på porten merkelig ny, syntes Harry.

«Klipp den over,» sa Harry til politibetjenten ved siden av seg.

Kjevene på den enorme avbitertangen gled gjennom metallet som om det var smør, og låsen var kuttet over like raskt som det hadde tatt Harry å få en blålapp. Statsadvokaten på Kripos hadde hørtes ut som han hadde viktigere ting å drive med enn å utstede ransakingstillatelser, og Harry hadde knapt fått snakket ut før han hadde en ferdig utfylt i hånden. Og i sitt stille sinn tenkt at de kunne trengt et par stressete, skjødesløse advokater på Voldsavsnittet også.

Den lave ettermiddagssola blinket i tanngarder av glass i utslåtte ruter oppe på mursteinsveggene. Atmosfæren var preget av den forlatthet man bare finner på nedlagte fabrikker, hvor alt du ser er konstruert for hektisk, effektiv aktivitet, men ingen finnes. Hvor ekkoet av jern mot jern, av svettende menns rop, banning og latter over maskinenes during fremdeles dirrer stumt mellom veggene, og vinden blåser gjennom de svartsotete, utslåtte rutene og får det til å skjelve i spindelvev og døde insektskall.

Det var ingen lås på den store døra inn til fabrikkhallen. De fem mennene gikk gjennom et avlangt lokalet med kirkeakustikk som ga inntrykk av evakuering snarere enn nedleggelse; verktøy lå fremme, en palle lastet med hvite spann påskrevet PSG TYPE 3 sto klar til å kjøres ut, en blå lagerfrakk hang over en stolrygg.

De stoppet da de var midt i lokalet. I det ene hjørnet var en slags kiosk, formet som et fyrtårn og hevet en meter over gulvet. Arbeidsformannens, tenkte Harry. Oppe på veggene gikk et galleri rundt hele lokalet som i den ene enden gikk over til en halvetasje med egne rom. Harry tippet på lunsjrom, administrasjon.

«Hvor begynner vi?» spurte Harry.

«Som alltid,» sa Bjørn Holm og så seg rundt. «Øverst i venstre hjørne.»

«Hva ser vi etter?»

«Et bord, en benk med blå eternitt på. Flekka på buksebaken var gnidd inn litt under baklomma, så hu har søtti oppå noe med beina lågere, altså itte liggi flatt.»

«Hvis dere begynner her nede, går jeg og betjenten opp med avbitertanga,» sa Harry.

«Å?»

«Åpner bare dører for dere teknikergutta. Vi lover å ikke sprute sæd noe sted.»

«Morosamt. Itte ...»

«... ta på no'.»

Harry og betjenten som han kalte betjent ganske enkelt fordi han hadde glemt navnet hans to sekunder etter at han hadde hørt det, trampet opp en vindeltrapp så det sang i jerntrinnene. Dørene de kom til var ulåste, og det var som Harry hadde antatt, kontorer hvor møblene var fjernet. En garderobe med jernskap i rekke. En stor fellesdusj. Men ingen blå flekker.

«Hva tror du dette er?» sa Harry da de sto på lunsjrommet. Han pekte på en smal dør med hengelås innerst i rommet.

«Matskapet,» sa betjenten som alt var på vei ut.

«Vent!»

Harry gikk bort til døra. Skrapte neglen mot den tilsynelatende rustne låsen. Det var ekte rust. Han snudde den, så på låssylinderen. Ingen rust.

«Klipp over,» sa Harry.

Betjenten gjorde som han ba om. Så dro Harry opp døra.

Betjenten smattet.

«Bare en kamuflasjedør,» sa Harry.

På baksiden var det ikke noe matskap og ikke noe rom, men en ny dør. Utstyrt med noe som så ut som en solid dørlås.

Betjenten satte fra seg avbitertangen.

Harry så seg rundt og fant straks det han lette etter. Et stort, rødt brannslokningsapparat hang lett synlig midt på veggen i lunsjrommet. Hadde ikke Øystein en gang sagt noe om det, at det stoffet de lagde der faren hans jobbet var så lettantennelig at instruksen var at røyking måtte foregå nede ved elva. Og sneipene hives i vannet.

Han løftet ned brannslokningsapparatet og bar det bort til døra. Tok to skritts løpefart, siktet og svingte metallsylinderen som en rambukk foran seg.

Døra revnet rundt låsen, men klamret seg fast til karmene. Harry gjentok angrepet. Treflisene føyk rundt dem.

«Hva faen er det som skjer?» hørte han Bjørn rope nede fra fabrikkgulvet.

På tredje forsøk ga døra fra seg et resignert skrik og svingte opp. De stirret inn i et svart belgmørke.

«Kan jeg få låne lykta di?» sa Harry, la fra seg brannslokningsapparatet og tørket svetten. «Takk. Vent her.»

Harry steg inn i rommet. Det luktet ammoniakk. Lyskjeglen gled langs veggene. Rommet – som han anslo til å være tre ganger tre meter – hadde ingen vinduer. Lyset gled over en svart klappstol, en arbeidspult med en arbeidslampe og en PC-skjerm av merket Dell. PC-tastaturet hadde intakte e-er og n-er. Pulten var ryddet og trehvit, uten blå flekker. I søppelkurven lå avklipte papirstrimler som om noen hadde klippet ut bilder. Og et Dagbladet hvor det ganske riktig var sakset i forsiden. Harry leste overskriften over den utklippede ruten og visste at de var kommet riktig. At de var fremme. At det var her.

«OMKOM I RASULYKKE.»

Harry svingte automatisk lykta opp, på veggen over pulten, forbi noen blå flekker. Og der hang de.

Alle sammen.

Marit Olsen, Charlotte Lolles, Borgny Stem-Myhre, Adele Vetlesen, Elias Skog, Jussi Kolkka. Og Tony Leike.

Harry konsentrerte seg om å puste med magen. Om å ta inn informasjonen bit for bit. Bildene var klippet ut av aviser eller printet ut på ark, sannsynligvis fra nyhetssider på Internett. Bortsett fra bildet av Adele. Hjertet hans kjentes som en basstromme som med dumpe støt prøvde å få mer blod til hjernen hans. Bildet var på fotopapir og så kornete at Harry antok det hadde vært tatt med en telelinse og så blåst opp. Det viste sidevinduet på en bil, Adele som satt i profil i et forsete som det så ut som plasten ikke var fjernet på, og det var noe som stakk ut av halsen hennes. En stor kniv med blankt, gult skjefte. Harry tvang blikket videre. Under bildene hang en rad

med brev, også de printet ut fra en PC. Harry scannet over
åpningsteksten på en av dem:

DET ER SÅ ENKELT. JEG VET HVEM DU HAR
DREPT.

DU VET IKKE HVEM JEG ER, MEN DU VET HVA
JEG VIL HA.

PENGER. HVIS IKKE KOMMER ONKEL POLITI.
ENKELT, HVA?

Teksten fortsatte, men han flyttet blikket til nederst på bre-
vet. Ikke noe navn, ingen avsluttende hilsen. Betjenten sto i
døråpningen. Harry hørte hånden hans kravle langs veggen
mens han mumlet: «Må jo være en lysbryter her et sted.»

Harry lyste opp i det blå taket, på fire, store lysrør.

«Det må det,» sa Harry og lyste tilbake på veggen, over flere
blå flekker før lyskjeglen fant et ark som var stiftet opp til høyre
for bildene. En bitte liten alarm hadde begynt å summe i hjer-
nen hans. Arket var revet i siden og hadde linjer og kolonner
hvor det var skrevet for hånd. Men med forskjellige håndskrif-
ter.

«Her er den,» sa betjenten.

Harry tenkte av en eller annen grunn plutselig på arbeids-
lampa. Og det blå taket. Og ammoniakklukten. Og skjønte i
det samme at alarmen i hodet hans ikke skyldtes arket.

«Ikke ...» begynte Harry.

Men for sent.

Eksplosjonen var ikke teknisk sett en eksplosjon, men – som
det skulle stå i rapporten som brannsjefen skulle undertegne
neste dag – en eksplosjonsartet brann forårsaket av en elektrisk
gnist fra ledningene som var koblet til en boks med ammoni-
akkgass som igjen antente PSG-en som var malt over hele taket
og i flekker på veggene.

Harry gispet da oksygenet i rommet ble dratt inn i flammene
samtidig som han kjente en voldsom varme slå ned i hodet.
Han falt automatisk ned på knærne og dro hendene gjennom
håret for å kjenne om det brant. Da han så opp igjen, sto flam-
mene ut fra veggene. Han ville til å dra pusten, men greide å

446

stoppe refleksen. Kom seg opp. Døra var bare to meter unna, men han måtte ha med seg ... han strakte seg mot arket. Mot den forsvunne siden i gjesteboka på Håvasshytta.

«Unna!» Betjenten sto i døra med brannslokningsapparatet under den ene armen og slangen i hånden. Som i sakte kino så Harry spruten komme. Så den brune, gylne strålen stå ut av slangen og klaske i veggen. Brunt som skulle vært hvitt, væske som skulle vært pulver. Og allerede før han så inn i gapet på flammene som reiste seg på to og brølte til ham fra der væsken traff, før han kjente det søte stikket i nesa av bensinlukt, før han så flammene følge bensinstrålen mot betjenten som sto i døråpningen som i sjokk og fremdeles med hendelen presset ned, skjønte Harry hvorfor brannslokningsapparatet hadde hengt midt på veggen i lunsjrommet, hengt til utstilling hvor det var umulig å unngå å se det, rødt og nytt, som et rop om at det ønsket å bli brukt.

Harrys skulder traff betjenten i beltehøyde, brettet ham rundt den framrusende førstebetjenten og sendte ham baklengs inn i lunsjrommet med Harry oppå seg.

De feide unna et par stoler idet de skled inn under bordet. Betjenten, tom for luft, gestikulerte og pekte mens han åpnet og lukket munnen som en fisk. Harry snudde seg. Med en rumlende lyd og innhyllet i flammer kom det røde brannslokningsapparatet rullende mot dem. Slangen kastet smeltet gummi. Harry kom seg opp, dro betjenten etter seg, dro ham mot døra mens det tikket en stoppeklokke uten tid i hodet hans. Han dyttet den sjanglende betjenten ut av lunsjrommet, ut på galleriet, røsket ham med seg ned på gulvet idet den kom, det som brannsjefen i rapporten skulle betegne som en eksplosjon, og som blåste ut alle vinduene og antente hele lunsjrommet.

Klipperommet brenner. Det er på nyhetene. Du skal tjene og beskytte, Harry Hole, ikke rive ned og ødelegge. Så du må betale erstatning. Hvis ikke vil jeg ta fra deg noe du har kjært. Det er gjort på ett sekund. Du aner ikke hvor lett det vil være.

Kapittel 66
Etterslokking

Kveldsmørket hadde senket seg over Nydalen. Harry sto med et ullteppe over skuldrene og et stort pappbeger i hånden mens han og Bjørn Holm så røykdykkerne løpe inn og ut med de siste spannene med PSG som noensinne skulle forlate Kadok-fabrikken.

«Så 'n hadde stifte opp bilder ta ælle drapsofra?» sa Bjørn Holm.

«Jepp,» sa Harry. «Minus den prostituerte kvinnen i Leipzig, Juliana Verni.»

«Hå med det arket? Du er sikker på at det var frå gjesteboka på Håvasshytta?»

«Ja. Jeg så gjesteboka da jeg var på Håvasshytta og sidene så nøyaktig slik ut.»

«Og du sto altså en halv meter frå arket der namnet på den sjuende mannen sannsynligvis sto, men du såg det itte?»

Harry trakk på skuldrene. «Kanskje jeg trenger lesebriller. Det gikk jævlig fort der inne, Bjørn. Og interessen min for det arket tapte seg litt da betjenten begynte å sprute bensin.»

«Ja da, je meinte itte å …»

«Det hang noen brev der. Av det jeg rakk å lese så det ut som utpresningsbrev. Kan hende hadde noen alt avslørt ham.»

En brannmann kom mot dem. Det bråket og knirket i klærne hans når han gikk.

«Kripos, ikke sant?» brummet mannen med en stemme

som sto til hjelm og støvler. Og med et kroppsspråk som sa sjef.

Harry nølte, men nikket bekreftende, ingen grunn til å komplisere ting.

«Hva skjedde egentlig der inne?»

«Det håper jeg at folka dine etter hvert kan fortelle *oss*,» sa Harry. «Men generelt tror jeg vi kan si at den som hadde leid seg gratis kontor der inne, hadde en klar plan for hva som skulle skje hvis kontoret fikk ubedte gjester.»

«Å?»

«Jeg burde ha skjønt det var noe galt med én gang jeg så lysrørene i taket. Hvis de hadde vært i bruk, hadde ikke leietageren hatt bruk for noen arbeidslampe. Lysbryteren var koblet til noe annet, en eller annen antenningsmekanisme.»

«Så du tror det? Vel, vel, vi får sende ekspertene opp i morgen tidlig.»

«Åssen ser det ut inni der?» spurte Holm. «Rommet der det starte.»

Brannmannen mønstret Holm. «PSG på vegger og tak, gutt. Hvordan *tror* du det ser ut?»

Harry var trøtt. Trøtt av juling, trøtt av å være redd, trøtt av alltid å være på etterskudd. Men akkurat nå mest trøtt av voksne menn som aldri ble trøtte av å leke konge-på-haugen. Harry snakket lavt, så lavt at brannmannen måtte bøye seg litt fram:

«Med mindre du er seriøst interessert i hva krimteknikeren min tror om rommet du akkurat har hatt ørten røykdykkere inne på, så foreslår jeg at du spytter ut hva du veit i konsise, fyllestgjørende svar. Du skjønner, det har sittet en fyr der inne og planlagt en sju–åtte drap. Som han har gjennomført. Og vi er *veldig* spente på om vi kan forvente å finne spor der inne som kan hjelpe oss å stoppe denne veldig, veldig slemme mannen. Var det konsist?»

Brannmannen rettet seg opp. Kremtet. «PSG er ekstremt ...»

«Hør etter. Vi spør deg om resultatet, ikke årsaken.»

Brannmannen hadde fått en farge i ansiktet som ikke bare

skyldtes varmen fra brennende PSG. «Utbrent. Helt utbrent. Papirer, møbler, PC, alt.»

«Takk, sjef,» sa Harry.

De to politimennene sto og så etter brannmannens rygg.

«Krimteknikeren *min*?» gjentok Holm med en grimase som om han hadde fått i seg noe illesmakende.

«Måtte jo høres ut som jeg var litt sjef, jeg også.»

«Godt å ta litt rotta på noen når en akkurat sjøl er blitt tatt rotta på, itte sant?»

Harry nikket og trakk ullteppet tettere rundt seg. «Han sa 'utbrent', gjorde han ikke?»

«Utbrent. Åssen føler du deg?»

Harry stirret mismodig på røyken som fortsatt sivet ut av fabrikkvinduene og inn i brannvesenets lyskastere.

«Nypult i Nydalen,» svarte han og tømte ut resten av den kalde kaffen.

Harry kjørte fra Nydalen, men hadde ikke kommet lenger enn til et rødt lys i Uelandsgate da Bjørn Holm ringte igjen.

«Rettmedisinsk har annalysert sædflekken på skibuksa hennes Adele, og vi har en DNA-proffil.»

«Allerede?» sa Harry.

«En delvis proffil. Men nok til at dom med treognitti prosent sikkerhet kæn slå fast at vi har en match.»

Harry rettet seg opp i setet.

Match. Dette deiligste av alle ord. Kanskje kunne dagen fremdeles reddes.

«Kom igjen da!» sa Harry.

«Du må lære deg å nyte kunstpausa,» sa Holm.

Harry stønnet.

«OK, OK. Dom fant den matchende DNA-profilen på hår frå hårbørsten hass Tony Leike.»

Harry stirret rett framfor seg.

Tony Leike hadde voldtatt Adele Vetlesen på Håvasshytta.

Harry hadde ikke sett den komme. Tony Leike? Han hadde problemer med å få det til å stemme. Voldsmann, ja, men voldta ei dame som er på hytta sammen med en annen mann? Elias Skog sa han hadde sett ham holde for munnen hennes, trekke henne inn på doen. Kanskje det ikke var en voldtekt når alt kom til alt?

Og så – med ett – kom alt til alt.

Harry så det klart.

Det var ingen voldtekt. Og der var det: motivet.

Bilene bak ham tutet. Harry hadde fått grønt lys.

Kapittel 67
Kavaleren

Klokka var kvart på åtte, og dagen hadde ennå ikke skrudd opp farge og kontrast. Det grå morgenlyset viste landskapet i en kornete svart-hvitt versjon da Harry parkerte ved siden av den eneste andre bilen på Vøyentangen og ruslet ned til flytebrygga. Lensmann Skai sto ytterst på kanten med en fiskestang i hånden og en sigarett i munnviken. Dotter av tåke hang igjen som bomull i toppen av sivet som sto opp av den svarte, oljeglatte vannflaten.

«Hole,» sa Skai uten å snu seg. «Tidlig oppe.»

«Kona di sa du var her.»

«Hver morgen fra sju til åtte. Eneste muligheten jeg har til å få tenkt litt før maset starter.»

«Hva får du?»

«Ingenting. Men det er gjedde borti sivet der.»

«Høres kjent ut. Redd maset starter litt tidligere i dag. Det gjelder Tony Leike.»

«Tony, ja. Gården til morfaren hans ligger på Rustad, på østsiden av Lyseren.»

«Så du husker ham godt?»

«Dette er et lite sted, Hole. Faren min og gamle Leike var omgangsvenner, og Tony var her hver sommer.»

«Hvordan husker du ham?»

«Tja. Morsom type. Mange som likte Tony. Spesielt av kvinnfolka. Var jentepen, litt sånn Elvis. Og greide å omgi seg med

452

passe mye mystikk. Ryktet sa at han hadde vokst opp aleine hos sin ulykkelige, alkoholiserte mor inntil hun en dag hadde sendt ham hjemmefra fordi mannfolket hun var sammen med ikke likte guttungen. Men kvinnfolka rundt her likte ham plenty. Og han dem. Hendte at det skaffet ham trøbbel.»

«Som da han la seg etter datteren din?»

Skai rykket til som om han hadde fått napp.

«Kona di,» sa Harry. «Jeg spurte henne om Tony, og hun fortalte det. At det var datteren din Tony og denne lokale fyren sloss om den gangen.»

Lensmannen ristet på hodet. «De sloss ikke, det var ren slakt. Stakkars Ole, han hadde innbilt seg at han og Mia var kjærester bare fordi han var forelsket og fikk kjøre Mia og venninnene på dans. Han var ikke noen slåsskjempe, Ole, var mer den skoleflinke typen. Men han gøyv på Tony. Som la Ole i bakken, dro fram kniven og … det var ganske uhyggelig, vi er ikke vant til slikt her ute.»

«Hva gjorde han?»

«Han skar ut halve tunga på ham. Stakk den i lomma og gikk derfra. Vi arresterte Tony hos bestefaren en halvtime etterpå, sa at tunga måtte til operasjonssalen. Tony sa at han hadde slengt den til kråkene.»

«Det jeg ville spørre om er om du mistenkte Tony for voldtekt. Da eller noen annen gang.»

Skai sveivet hardt inn.

«La meg si det slik, Hole. Mia ble aldri den samme glade, jenta. Hun ville fortsatt ha den galningen, selvfølgelig, men sånn er jo jentunger i den alderen. Og Ole flyttet. Hver gang stakkaren åpnet kjeften her omkring var det jo en påminnelse for ham og andre om den jævlige ydmykelsen. Så, ja, jeg vil si at Tony Leike er en voldtektsmann. Men, nei, jeg tror ikke at han har voldtatt noen seksuelt. Da ville han gjort det med Mia, for å si det sånn.»

«Hun …?»

«De var i skauen bak danselokalet. Hun lot ikke Tony få slippe til. Og han aksepterte det.»

«Du er sikker på det? Beklager at jeg må spørre, men det er ...»

Kroken bykset ut av vannet og mot dem. Den blinket i dagens første, horisontale solstråler.

«Det er greit, Hole. Jeg er politi, og jeg vet hva dere jobber med. Mia er en ordentlig jente og juger ikke. Heller ikke i en vitneboks. Du kan få rapporten hvis du må ha detaljene. Jeg vil bare helst at Mia slipper å måtte snakke om dette igjen.»

«Blir ikke nødvendig,» sa Harry. «Takk skal du ha.»

Harry hadde gitt forsamlingen på møterom Odin opplysningen om at personen han hadde sett under scooteren – som ennå ikke var funnet til tross for økt innsats – hadde hatt Tony Leikes giktbrudne fingre. Og så redegjort for teorien sin. Han lente seg tilbake og ventet på reaksjonene.

Pelikanen kikket på Harry over brilleglassene, men hørtes ut som hun henvendte seg til hele morgenmøtet:

«Hva mener du med at du tror Adele var frivillig med på det, hun skrek om hjelp, for søren!»

«Det var noe Elias Skog tenkte først etterpå,» sa Harry. «Hans første tanke var at han så to mennesker som hadde frivillig sex.»

«Men en kvinne som tar med seg en mann på en hytte, har ikke sex med en som tilfeldigvis dropper innom utpå natta! Må man virkelig være kvinne for å skjønne det!» Hun freste, og med sine nyanlagte, oppsiktsvekkende ukledelige dreadlocks minnet hun Harry om en rasende Medusa. Svaret kom fra Harrys sidemann:

«Og mener du virkelig at kjønnet automatisk gir deg overlegen kompetanse på de seksuelle preferansene til halvparten av jordas befolkning?» Ærdal holdt opp og studerte en nylig rengjort lillefingernegl. «Har vi ikke brakt på det rene at Adele Vetlesen skiftet partner svært ofte og spontant? At hun takket ja til å ha sex med en mann hun knapt kjente på en nedlagt fabrikk midt på natta?»

Ærdal senket hånden, begynte på rengjøringen av ringfingerneglen og mumlet så lavt at bare Harry hørte det: «Dessuten har jeg knullet flere kvinnfolk enn deg, jævla vadefugl.»

«Damer falt lett for Tony og omvendt,» sa Harry. «Tony kom seint til hytta, kavaleren til Adele var sur og hadde lagt seg. Han og Adele kunne uhindret flørte. Han hadde trøbbel på hjemmebane, og hun hadde begynt å miste tenninga på den mannen hun var der sammen med. Adele og Tony hadde lyst på hverandre, men på hytta var det folk overalt. Så utpå natta sneik de seg ut og møttes foran utedoen. De begynte å kysse, befølte hverandre, han stilte seg bak henne, dro ned sine egne bukser og var nå så opphisset at det var det de på sedelighet kaller 'preejakulær sædvæske' på penistuppen som ble smurt mot skibuksene hennes før han fikk fikk dratt dem ned og de startet samleiet. Hun var såpass entusiastisk høylytt at hun vekket Elias Skog som så dem fra vinduet. Og jeg tror de vekket hennes kavaler også, at han så dem fra sitt rom. Det tror jeg hun ga blaffen i. Tony derimot, prøvde å kvele ropene hennes.»

«Hvis *hun* ga blaffen, hvorfor gjorde ikke *han*?» utbrøt Pelikanen. «Det er tross alt kvinner som blir stigmatisert av den type løsaktighet, mens menn bare får økt sin status. Hos andre menn, vel å merke!»

«Tony Leike hadde minst to gode motiver for å kvele ropene,» sa Harry. «For det første ønsker man ikke å kringkaste frilansknulling når man er forlovet i den kulørte pressen, og særlig ikke når din tilkommende svigerfars penger er det som skal redde investeringene dine i Kongo. For det andre var Tony Leike en erfaren fjellmann og godt kjent i området.»

«Hva søren har det med saken å gjøre?»

Det lød en klukkende latter, og de snudde seg alle mot den øverste enden av bordet, der Mikael Bellman satt og ristet.

«Ras,» lo han. «Tony Leike var bekymret for at Adele Vetlesens hyling skulle sette i gang et snøras.»

«Tony visste vel at i mer enn tre fjerdedeler av alle ras som tar mennesker, er det menneskene som har utløst raset,» sa Harry.

Vantro latter spredte seg rundt bordet, selv Pelikanen måtte dra på smilebåndet.

«Men hva er det som får deg til å tro at kavaleren til Adele så dem?» spurte hun. «Og at Adele ga blaffen i det. Hun kan jo bare ha blitt så revet med at hun glemte seg.»

«Fordi,» sa Harry og la seg bakover i stolen. «Adele har gjort dette før. Hun sendte typen sin en MMS av seg selv mens hun ble knullet av en annen mann. En hjerterå, men fyllestgjørende beskjed. Ifølge vennene hennes traff hun da heller ikke igjen kavaleren etter turen til Håvasshytta.»

«Interessant,» sa Bellman. «Men hvor leder det oss?»

«Til motivet,» sa Harry. «For første gang i denne saken har vi et mulig 'hvorfor'.»

«Så vi forlater teorien om en gal seriemorder?» spurte Ærdal.

«Snømannen hadde også et motiv,» sa Beate Lønn som akkurat hadde kommet inn og satte seg nederst ved bordet. «Skrudd, men definitivt et motiv.»

«Dette er enklere,» sa Harry. «God, gammeldags sjalusi. Motiv for to av tre drap i dette landet. Og i de fleste andre land. Sånn sett er vi mennesker ganske forutsigbare.»

«Det forklarer kanskje drapet på Adele Vetlesen og Tony Leike,» sa Pelikanen. «Men hva med de andre?»

«De måtte ryddes vekk,» sa Harry. «De var alle mulige vitner til det som hadde skjedd på Håvasshytta og kunne fortalt politiet det, servert oss det motivet vi manglet. Og kanskje enda verre: de hadde vært vitner til hans totale ydmykelse, å bli bedratt i all offentlighet. For en ustabil person kan det alene være motiv nok.»

Bellman klappet hendene sammen. «Forhåpentligvis får vi snart svar på noen av disse spørsmålene. Jeg snakket med Krongli på telefonen, og han sier at været har bedret seg i leteområdet, så nå kan de sende inn bikkjer og også lete med helikopter. Noen grunn til at du ikke har nevnt før at du mistenkte liket for å være Tony, Harry?»

Harry trakk på skuldrene. «Jeg hadde regnet med at liket skulle finnes mye fortere, så jeg så ingen grunn til å spekulere høyt. Leddgikt er tross alt ikke uvanlig.»

Bellman lot blikket hvile et øyeblikk på Harry før han henvendte seg til resten:

«Vi har en mistenkt, folkens. Noen som vil døpe ham?»

«Den sjuende mannen,» sa Ærdal.

«Kavaleren,» fastslo Pelikanen.

I noen sekunder hersket full stillhet, som om det som hadde kommet fram krevde å fordøyes før de gikk videre.

«Nå er jo ikke jeg taktisk etterforsker,» begynte Beate Lønn, i trygg forvissning om at alle i rommet visste at Beate Lønn aldri uttalte seg om noe hun ikke hadde satt seg grundig inn i. «Men er det ikke noe her som får dere også til å stusse? Leike hadde jo alibi for drapstidspunktene, men hva med alle disse sporene som pekte mot ham? Hva med telefonen fra hjemmetelefonen hans til Elias Skog? Hva med mordvåpenet som ble skaffet fra Kongo. Til og med fra et område hvor Leike hadde økonomiske interesser. Tilfeldig?»

«Nei,» sa Harry. «Kavaleren har fra dag én guidet oss mot Tony Leike som drapsmann. Det var Kavaleren som betalte Juliana Verni for å dra til Kongo fordi han visste at ethvert spor som ledet til Kongo ville peke mot Tony Leike. Og når det gjelder den telefonen fra huset hans til Elias Skog, så har jeg i dag sjekket noe vi burde sjekket for lenge siden, men som vi typisk nok lar være når vi tror vi nærmer oss målet. Fordi vi vegrer oss mot å svekke vårt eget bevismateriale. Rundt det tidspunktet det ble ringt fra Leikes hus til Skog, gikk det tre telefoner fra Leikes internnummer i kontorfellesskapet ved Aker Brygge. Leike kan ikke ha vært to steder på én gang. Jeg setter to hundre på at han var på Aker Brygge. Noen som setter imot?»

Tause, men oppspilte ansikter.

«Mener du at Kavaleren ringte til Elias Skog fra Leikes hus?» spurte Pelikanen. «Hvordan …»

«Da Leike kom til meg på Politihuset, fortalte han at han hadde hatt et innbrudd gjennom kjellerdøra noen dager tidligere. Det stemmer med tidspunktet for telefonen til Skog. Kavaleren tok med seg en sykkel derfra for å kamuflere det som et vanlig innbrudd, uskyldig nok til at vi ville notere oss det, men heller ikke mer. Leike veit at vi ikke gjør noe med den type innbrudd, så han anmeldte det ikke engang. Dermed hadde Kavaleren plantet et ugjendrivelig bevis mot Leike.»

«For en slimål!» utbrøt Pelikanen.

«Jeg kjøper forklaringen på hvordan,» sa Beate Lønn. «Men hvorfor? Hvorfor peke på Tony Leike?»

«Fordi han skjønte at vi på et eller annet tidspunkt ville greie å linke drapsofrene til Håvasshytta,» sa Harry. «Og det ville begrense antall mistenkte slik at alle som hadde vært der den natta ville få søkelyset på seg. Det var to grunner til at han rev ut den siden i gjesteboka. Nummer én, at han og ikke vi hadde navnene på dem som var der, slik at han i ro og mak kunne finne dem og drepe dem uten at vi fikk stanset det. Nummer to og viktigst, at han holdt sitt eget navn skjult.»

«Logisk,» sa Ærdal. «Og for å være helt sikker på at vi ikke skulle komme etter ham, måtte han gi oss en tilsynelatende skyldig. Tony Leike.»

«Og det var derfor han måtte vente med å drepe Tony Leike til slutt,» sa en av etterforskerne, en mann med en kraftig Nansen-bart og som Harry bare husket etternavnet på. Sidemannen, en ung fyr med blank, skinnende hud og ditto øyne og som Harry ikke husket noen av navnene på, hev seg inn:

«Men dessverre for ham hadde Tony alibi for drapstidspunktene. Og siden Tony var oppbrukt som syndebukk, var det endelig på tide å drepe numero uno fiende.»

Temperaturen hadde steget i rommet, og det var som den bleke, nølende vintersola lyste opp rommet. De var på vei til noe, det hadde endelig løsnet. Harry kunne se at selv Bellman satt mer framoverlent i stolen.

«Alt det der er vel og bra,» sa Beate Lønn, og mens Harry ventet på men-et, visste han hva hun kom til å spørre om, visste at hun spilte djevelens advokat fordi hun visste at han hadde svarene: «Men hvorfor har denne Kavaleren gjort dette så unødvendig komplisert?»

«Fordi mennesker *er* kompliserte,» sa Harry og hørte det var ekko av noe han hadde hørt og glemt. «Vi vil lage ting som er sammensatt, som griper inn i hverandre, hvor vi styrer skjebnene og kan føle oss som herskere i vårt eget univers. Det rommet som brant nede på Kadok-fabrikken, veit dere hva det mest av alt minnet meg om? Et kontrollrom. Hovedkvarteret. Og det er slett ikke sikkert han engang planla å ta livet av Leike. Kanskje han nettopp ville ha ham arrestert og dømt.»

Det var så stille i rommet at de kunne høre en fugl kvitre utenfor.

«Hvorfor det?» spurte Pelikanen. «Hvis han kunne drept ham? Eller torturert ham.»

«Fordi smerte og død ikke er det verste for et menneske,» sa Harry og hørte igjen ekkoet. «Det er ydmykelsen. Det var den han ønsket for Leike. Ydmykelsen ved å fratas alt man har. Fallet, skammen.»

Han så et lite smil på Beate Lønns lepper, så henne nikke bifallende.

«Men,» fortsatte han. «Som det er blitt påpekt, så hadde Tony – dessverre for drapsmannen vår – alibi. Og dermed slapp Tony unna med den subsidiære straffen. Som var en langsom og garantert grusom død.»

I stillheten som fulgte kjente Harry noe flimret forbi. Lukten av stekt flesk. Så var det som om hele rommet trakk pusten på én gang.

«Så hva gjør vi nå?» spurte Pelikanen.

Harry så opp. Den kvitrende fuglen på grenen utenfor vinduet var en bokfink. En for tidlig ankommen trekkfugl. Som ga menneskene håp om vår, men som frøs i hjel i løpet av første frostnatt.

Ikke faen, tenkte Harry. Ikke faen.

Kapittel 68
Gjeddefiske

Det ble et langt morgenmøte på Kripos.

Bjørn Holm redegjorde for de tekniske undersøkelsene på Kadok. Ikke noe sæd var funnet og heller ikke andre fysiske spor etter gjerningsmannen. Rommet han hadde brukt var ganske riktig totalt utbrent, og PC-en var forvandlet til en klump av metall uten muligheter til å gjenvinne data.

«Sannsynligvis har hæn vøri på nettet ved å bruke dom åpne nettverka i området, Nydalen er full ta dom.»

«Men han må da ha etterlatt seg elektroniske spor,» sa Ærdal, men det hørtes mer ut som et refreng han hadde lært enn noe han kunne utdype utover «må da».

«Vi kæn sjølsagt søke om å få gå inn på noen ta dom hundre nettverka oppi der og leite etter noe vi itte veit hå er,» sa Holm. «Men hå mange uker det vil ta, aner je itte. Eller om vi finn noe.»

«Overlat det til meg,» sa Harry. Han hadde alt reist seg og var på vei mot døra mens han tastet et nummer. «Jeg kjenner noen.»

Han lot døra stå på klem, og mens han ventet på svar, hørte han en av etterforskerne fortelle at ingen de hadde snakket med hadde sett noen komme og gå på Kadok, men at det ikke var så rart siden det lå gjemt bak trær og buskas og det dessuten var så mørkt nå i vintermånedene.

Harry fikk svar. «Katrine Bratts sekretær.»

«Hallo?»

«Frøken Bratt er på vei til lunsj akkurat nå.»

«Sorry, Katrine, men spisingen får vente. Hør …»

Katrine lyttet mens Harry forklarte hva han ønsket:

«Kavaleren hadde bilder på veggen som sannsynligvis var utskrifter fra nyhetssider på nettet. Med søkemotoren kan du komme inn på nettverkene i området, sjekke loggene og finne ut hvem som har vært på nyhetssider som omhandler drapene. Det er nok mange som har vært det …»

«Neppe like mye som ham,» sa Katrine. «Jeg ber bare om en liste sortert etter kvantum nedlastet.»

«Mm. Du har lært deg dette fort.»

«Ligger i navnet. Bratt. Lærekurve. Skjønner?»

Harry gikk inn igjen til de andre.

De var i ferd med å spille av telefonbeskjeden som Harry hadde fått fra Leikes telefon. Den var blitt sendt til NTNU i Trondheim for stemmeanalyse, de hadde oppnådd gode resultater med lydopptak av bankran, faktisk bedre enn med overvåkningskameraene siden stemmen – selv når man forsøker å forvrenge den – i liten grad lar seg maskere. Men Bjørn Holm hadde fått beskjed om at et dårlig opptak av ett sekund med ubestemmelig lyd, harking eller latter, var verdiløst og ikke kunne brukes til å lage en stemmeprofil.

«Pokker,» sa Bellman og slo håndflaten i bordet. «Med en stemmeprofil, med én ende, kunne vi i hvert fall begynt å sjekke mulige mistenkte *ut* av saken.»

«Hvilke mulige mistenkte?» mumlet Ærdal.

«Signalet til basestasjonen fortæl øss at den som brukte Leikes telefon var i nærheta ta Ustaoset sentrum da 'n ringte,» sa Holm. «Signala forsvinn like etterpå, teleoperatørens nett har bære dekning rundt Ustaoset sentrum. Men nettopp det at signala forsvinn styrker teorien om at det er Kavaleren som har telefonen.»

«Hvorfor det?»

«Sjøl når telefonen itte er i bruk, vil basestasjona til teleoperatøra fange opp signaler hår anna time. At det itte er mottatt

461

signaler, viser at telefonen før og etter oppringningen har vøri i dom øde fjellområda rundt Ustaoset. Der den kænskje har fått vøri med på skred og tortur og sånn.»

Ingen latter. Harry konstaterte at euforien fra i stad var fordunstet. Han gikk mot stolen sin.

«Det er én mulighet for at vi kan skaffe den ene enden Bellman snakker om,» sa han lavt, visste at han ikke lenger behøvde å jobbe for oppmerksomheten. «La oss gå tilbake til huset til Leike og innbruddet. La oss anta at drapsmannen vår gjorde innbrudd hos Leike for å ringe Elias Skog derfra. Dette skjedde altså bare noen få dager før vi arresterte Leike. Og la oss anta at våre hvitkledde krimteknikere gjorde en så grundig jobb som det så ut da jeg kom dit og noe overraskende ... traff Holm.» Bjørn Holm la hodet på skakke og sendte Harry et spar-humoren-blikk. «Burde ikke vi da allerede ha fingeravtrykk fra Holmenveien som rett og slett kan være ... Kavalerens?»

Sola lyste opp rommet igjen. De andre vekslet blikk. Nærmest skamfulle. Så enkelt. Så innlysende. Og ingen av dem hadde tenkt tanken ...

«Det har vært et langt møte med mye ny informasjon,» sa Bellman. «Hjernene begynner tydeligvis å gå tregere her. Men hva tror du om dette, Holm?»

Bjørn Holm dasket hånden mot pannen: «Sjølsagt har vi ælle fingeravtrykka. Vi gjorde jo granskninga fordi vi trudde Leike var drapsmannen og huset hass et mulig åsted. Vi håper å finne fingeravtrykk som matcher noen ta ofras.»

«Har dere mange avtrykk som ikke ble identifisert?» spurte Bellman.

«Det er akkurat det,» sa Bjørn Holm, fremdeles leende. «Leike hadde to polske damer som vaske hos 'n én gong i uka. Dom hadde vøri der seks dager tidligere og gjort en grundig jobb. Så vi fant bære avtrykk etter Leike sjøl, Lene Galtung, dom to polske damene og en ukjent som i alle fall itte matche noen ta drapsofra. Vi slutte å leite etter match da Leike kom opp med alibiet sitt og vart løslatt. Men je huser itte i farten å henne vi fant dom ukjente avtrykka.»

«Men det gjør *jeg*,» sa Beate Lønn. «Jeg fikk rapporten med skisse og fotografier. Avtrykkene til X1s venstre hånd var avsatt på bordplaten til det pompøse og ganske stygge skrivebordet. Sånn.» Hun reiste seg og lente seg på venstre hånd. «Tar jeg ikke mye feil, er det der fasttelefonen står. Sånn.» Hun brukte høyre hånd til å gjøre det internasjonale tegnet for telefon med tommel mot øre og lillefinger foran munnen.

«Mine damer og herrer,» sa Bellman med et bredt smil og slo ut med armene. «Jeg tror forsyne meg vi har et ekte spor. Fortsett å lete etter match til X1, Holm. Men *lov* meg at det ikke er mannen til en av polakkdamene som har blitt med for å ringe gratis hjem, greit?»

På vei ut fra møtet kom Pelikanen opp på siden av Harry. Hun kastet på sine nyanlagte rastafletter: «Du er kanskje bedre enn jeg trodde, Harry. Men når du legger fram teoriene dine hadde du ikke hatt vondt av å putte inn et 'jeg tror' her og der.» Hun smilte og dultet spøkefullt borti ham med hoften.

Harry satte pris på smilet, det med hoften derimot … Telefonen vibrerte i lomma hans. Han fisket den fram. Ikke Rikshospitalet.

«Han kaller seg Nashville,» sa Katrine Bratt.

«Som den amerikanske byen?»

«Jepp. Han har vært inne på nettsidene til alle de store avisene, lest rubbel og bit om drapene. De dårlige nyhetene er at det er alt jeg har til deg. Nashville er nemlig en datamaskin som har vært aktiv på nettet i bare et par måneder og utelukkende har søkt på ting som er relatert til drapene. Det kan nesten virke som Nashville har vært forberedt på å bli undersøkt.»

«Høres ut som vår mann, ja,» sa Harry.

«Vel,» sa Katrine. «Du får lete etter menn med cowboyhatt.»

«Hva?»

«Nashville. Countrymusikkens Mekka og alt det der.»

Pause.

«Hallo? Harry?»

463

«Jeg er her. Ja visst. Takk skal du ha, Katrine.»

«Kyss?»

«Over det hele.»

«Nei takk.»

De la på.

Harry hadde fått tildelt kontor med utsikt over Bryn og betraktet områdets uskjønne enkeltheter da det banket på dørkarmen.

Beate Lønn sto i døråpningen.

«Nå, hvordan føles det å være i seng med fienden?»

Harry trakk på skuldrene: «Fienden heter Kavaleren.»

«Godt. Ville bare si at vi har kjørt fingeravtrykket fra skrivebordet mot databasen, og vi har ham ikke der.»

«Jeg ventet ikke det heller.»

«Hvordan går det med faren din?»

«Dager.»

«Leit å høre.»

«Takk.»

De så på hverandre. Og plutselig gikk det opp for Harry at det var et ansikt han skulle se i begravelsen. Et lite, blekt ansikt som han hadde sett i andre begravelser, forgrått, med store, tragiske øyne. Et ansikt som skapt for begravelser.

«Hva tenker du på?» spurte hun.

«At jeg bare kjenner én drapsmann som har drept på denne måten,» sa Harry og snudde seg mot utsikten igjen.

«Han minner deg om Snømannen, hva?»

Harry nikket langsomt.

Hun sukket. «Jeg lovet å ikke si dette, men Rakel ringte.»

Harry stirret på blokkene borte på Helsfyr.

«Hun spurte om deg. Jeg sa du hadde det bra. Var det riktig av meg, Harry?»

Harry trakk pusten dypt. «Ja visst.»

Beate ble stående en stund til i døråpningen. Så gikk hun.

Hvordan har hun det? Hvordan har Oleg det? Hvor er de? Hva gjør de når kveldene kommer, hvem passer på dem, hvem holder vakt? Harry støttet hodet på armene og holdt hendene rundt ørene.

Bare én som vet hvordan Kavaleren tenker.

Ettermiddagsmørket kom uten at noe hadde skjedd. Kapteinen, den meddelelseskåte resepsjonisten, ringte og sa at noen hadde ringt og spurt om Iska Peller, den australske damen i Aftenposten, bodde der. Harry sa det sannsynligvis var pressen, men Kapteinen mente at selv den mest nedrige journalistrotte kunne spillereglen om å presentere seg med navn og hvor de jobbet. Harry takket og holdt nesten på å be Kapteinen ringe tilbake hvis han hørte noe mer. Før han kom på hva en slik invitasjon ville innebære. Bellman ringte og sa at det var en pressekonferanse og om Harry følte for å delta, så ...

Harry sa nei og hørte at Bellman var lettet.

Harry trommet på bordplaten. Løftet røret for å ringe Kaja, men la på igjen.

Løftet det igjen og ringte noen av sentrumshotellene. Ingen av dem kunne huske å ha blitt oppringt med spørsmål om noen Iska Peller.

Harry så på klokka. Han hadde lyst på en drink. Han hadde lyst til å gå inn på kontoret til Bellman, spørre hvor i helvete han hadde gjort av opiumen hans, løfte neven, se ham krype sammen ...

Den eneste som vet.

Harry reiste seg, sparket til stolen, trev ullfrakken og strenet ut.

Han kjørte ned til byen og parkerte horribelt ulovlig utenfor Det Norske Teatret. Krysset gata og gikk inn i hotellresepsjonen.

Kapteinen hadde fått tilnavnet sitt mens han jobbet som dørvakt på det samme hotellet. Grunnen var sannsynligvis en kombinasjon av den gilde, røde uniformen og at han kontinuerlig kommenterte – og kommanderte – alle og alt rundt seg. I tillegg så han seg selv som trafikknutepunktet for alt som skjedde av betydning i sentrum, mannen med fingeren på byens puls, mannen som *visste*. Informanten med stor i, en uvurderlig del av politiets maskineri som holdt Oslo trygt.

«I min hjernes bakerste bakrom kan jeg høre en litt spesiell stemme,» sa Kapteinen mens han smattende smakte på sine egne ord. Harry så de himlende øynene til kollegaen som sto ved siden av Kapteinen bak resepsjonsdisken.

«Liksom homsete,» konkluderte Kapteinen.

«Mener du lys?» spurte Harry og tenkte på noe vennene til Adele hadde fortalt. At Adele hadde sagt at hun syntes det var turn-off at kavaleren hennes hadde snakket som homsesamboeren hennes.

«Nei, mer sånn.» Kapteinen knakk i håndflatene, blafret med øyevippene og gjorde en høylytt skrulleparodi: «Jeg er bare sååå sur på deg, Søren!»

Kollegaen, som ganske riktig hadde et navneskilt med SØREN på, kniste.

Harry takket og var igjen på nippet til å be Kapteinen ringe om det skjedde noe mer. Han gikk utenfor. Tente en sigarett og så opp på hotellets navneskilt. Det var noe … I det samme ble han oppmerksom på bilen fra Trafikksjefens etat som sto parkert bak hans egen bil og mannen i kjeledress som sto og noterte bilnummeret hans.

Harry krysset gata og holdt fram ID-kortet. «Politi i tjeneste.»

«Hjelper ikke, stopp forbudt er stopp forbudt,» sa kjeledressen uten å slutte å skrive. «Send en klage.»

«Vel,» sa Harry. «Du veit at vi har fullmakt til å skrive ut parkeringsbøter vi også?»

Mannen kikket opp og gliste: «Hvis du tror jeg vil overlate til deg å skrive din egen bot, tar du feil, kamerat.»

«Jeg tenkte mer på *den* bilen.» Harry pekte.

«Det er min og Trafikksjefens …»

«Stopp forbudt er stopp forbudt.»

Kjeledressen så surt på ham.

Harry trakk på skuldrene. «Send en klage. Kamerat.»

Kjeledressen klappet sammen notisblokka, vendte på hælene og gikk tilbake mot bilen.

Idet Harry svingte bilen opp Universitetsgata, ringte telefonen. Det var Gunnar Hagen. Harry hørte opphisselsen dirre under den vanligvis så beherskede stemmen til Voldsavsnittets sjef:

«Du må komme ned hit med én gang, Harry.»

«Hva har skjedd?»

«Bare kom. Kulverten.»

Harry hørte stemmene og så lysglimtene fra blitzlampa lenge før han var kommet til enden av betongkorridoren. Foran døra til hans siste kontor sto Gunnar Hagen og Bjørn Holm. En kvinne fra Krimteknisk børstet av døra og dørklinken på jakt etter fingeravtrykk, mens en Holm-look-alike tok bilder av et halvt støvelavtrykk i kroken helt inntil veggen.

«Det avtrykket er gammelt,» sa Harry. «Var her før vi flyttet inn. Hva skjer?»

Look-alike'n så på Bjørn som nikket at det fikk holde.

«En av fengselsbetjentene oppdaget denne på gulvet foran døra her,» sa Hagen og holdt opp en bevispose som inneholdt en brun konvolutt. Gjennom poseplasten kunne Harry lese sitt eget navn på konvolutten. Med printerbokstaver på en adresselapp som var limt på konvolutten.

«Fengselsbetjenten mente den kan ha ligget i maks et par dager, det er jo ikke hver dag det går folk gjennom kulverten.»

«Vi måler fuktigheta i papiret,» sa Bjørn. «Legg en tilsvarende konvolutt her og ser hå lang tid det tar å oppnå samma fuktighet. Så regner vi oss bakover.»

«Se det, nå begynner det å bli litt CSI over det,» sa Harry.

«Ikke at tidspunktet nødvendigvis hjelper oss,» sa Hagen. «Det er ingen overvåkningskameraer på veien han sannsynligvis har kommet og gått. Som jo er såre enkel. Inn i en travel resepsjon, inn i heisen og ned hit hvor det jo ikke er noen stengte dører før man eventuelt skal opp i fengselet.

«Nei, hvorfor skulle man låse her,» sa Harry. «Noen noe imot at jeg tar en sigg?»

Ingen svarte, men blikkene var talende nok. Harry trakk på skuldrene.

«Jeg regner med at noen på et eller annet tidspunkt kommer til å fortelle meg hva som var oppi den konvolutten,» sa han.

Bjørn Holm holdt opp en annen bevispose.

Det var vanskelig å se innholdet i det dårlige lyset, så Harry gikk et skritt nærmere.

«Å faen,» sa han og rygget et halvt tilbake.

«Langfingeren,» sa Hagen.

«Fingeren kan se ut som den er brøkki først,» sa Bjørn. «Fin, glatt kuttflate, ingen opprivi hud. Hugg. Ei øks. Eller en stor kniv.»

Fra kulverten lød gjenklangen av løpende skritt som nærmet seg.

Harry stirret. Fingeren var hvit, tømt for blod, men tuppen var farget blåsvart.

«Hva er det? Har du tatt fingeravtrykk allerede?»

«Ja,» sa Bjørn. «Og er vi heldige er svaret på veg.»

«Jeg tipper det er venstre hånd,» sa Harry.

«Godt sett, for det stemmer,» sa Hagen.

«Konvolutten inneholdt ikke noe annet?»

«Nei. Nå vet du like mye som oss.»

«Kanskje,» sa Harry og fingret med sigarettpakken. «Men jeg veit noe mer om den fingeren.»

«Vi har tenkt på det også,» sa Hagen og vekslet blikk med Bjørn Holm. Lyden av klampende skritt steg. «Langfingeren på venstre hånd. Det er den samme fingeren som Snømannen tok fra deg.»

«Jeg har noe her,» avbrøt den kvinnelige krimteknikeren.

De andre snudde seg mot henne.

Hun satt på huk og holdt noe mellom tommel- og pekefinger. Det var svart og grått. «Ligner ikke denne på de småsteinene vi fant på åstedet til Borgny?»

Harry kom nærmere. «Jepp. Lavastein.»

468

Den løpende var en ung mann med politiets ID-kort hengede fra brystlomma på skjorta. Han stoppet foran Bjørn Holm, satte hendene mot knærne og hev etter pusten.

«Nå, Kim Erik?» sa Holm.

«Vi fant en match,» prustet gutten.

«La meg gjette,» sa Harry og stakk en sigarett mellom leppene.

De andre så på ham.

«Tony Leike.»

Kim Erik så oppriktig skuffet ut: «Hv… hvordan …?»

«Jeg så hans høyre hånd stikke ut fra under scooteren, og den manglet ingen fingre. Så det må ha være den venstre.» Harry nikket mot bevisposen. «Fingeren er ikke brukket, den er bare forvridd. God, gammeldags leddgikt. Arvelig, men ikke smittsomt.»

Kapittel 69
Løkkeskrift

Kvinnen som åpnet døra til rekkehusleiligheten på Hovseter
var bredskuldret som en bryter og like høy som Harry. Hun
så tålmodig på Harry, som om hun var vant til å gi folk de
nødvendige sekundene til å summe seg.

«Ja?»

Harry kjente igjen Frida Larsens stemme fra telefonen. Den
som hadde fått ham til å forestille seg en vever, liten kvinne.

«Harry Hole,» sa han. «Jeg fant adressen via telefonnumme-
ret. Er Felix inne?»

«Ute og spiller sjakk,» sa hun tonløst, som det var et stan-
dardsvar. «Send en mail.»

«Jeg skulle gjerne snakket med ham.»

«Om hva?» Hun fylte døråpningen på en måte som hindret
innsyn. Det hadde ikke bare med kroppsstørrelsen å gjøre.

«Vi fant lavastein nede på politihuset. Jeg lurer på om denne
steinen er fra samme vulkanen som den forrige vi sendte ham.»

Harry sto to trappetrinn under henne og holdt opp den lille
steinen. Men hun rørte seg ikke fra dørstokken.

«Umulig å se,» sa hun. «Send en mail til Felix.» Hun gjorde
tegn til å ville lukke.

«Lava er vel lava,» sa Harry.

Hun nølte. Harry ventet. Han visste av erfaring at en fag-
person aldri greier å la være å korrigere en ikke-fagperson.

«Alle vulkaner har lava med sin egen sammensetning,» sa

hun. «Men det varierer også fra utbrudd til utbrudd. Dere må analysere steinen. Jerninnholdet sier mye.» Ansiktet hennes var uttrykksløst, blikket uinteressert.

«Det jeg egentlig ville,» sa Harry. «Er å forhøre meg litt om disse folkene som reiser jorda rundt og ser på vulkaner. Det kan ikke være så mange, så jeg lurer på om Felix kan ha en oversikt over det norske miljøet.»

«Vi er nok flere enn du tror,» sa hun.

«Så du er en av dem?»

Hun trakk på skuldrene.

«Hva er siste vulkanen dere var på?»

«Ol Doinyo Lengai i Tanzania. Og vi var ikke på, men ved. Den hadde utbrudd. Magmatiske natrokarbonatitter. Lavaen som kommer ut er svart, men den reagerer med luft og etter noen timer er den helt hvit. Som snø.»

Stemmen og ansiktet hennes hadde plutselig fått liv.

«Hvorfor vil han ikke snakke?» spurte Harry. «Er broren din stum?»

Ansiktet hennes stivnet til igjen. Stemmen var flat og død: «Send en mail.»

Døra slamret igjen så hardt at Harry fikk støv i øynene.

Kaja parkerte i Maridalsveien, hoppet over autovernet og trådte forsiktig nedover den bratte skråningen mot skogen der Kadok-fabrikken lå. Hun tente lykta og tråkket gjennom kratt, skjøv vekk nakne greiner som ville opp i ansiktet hennes. Det var tett der inne, skyggene bykset rundt som lydløse ulver og selv når hun stoppet og lyttet og så, falt skyggene av trær på trær på trær, så en ikke visste hva som var hva, som i en speillabyrint. Men hun var ikke redd. Det var i grunnen pussig at hun som var så redd for lukkede dører, ikke var redd for mørket. Hun lyttet til suset fra elva. Hadde hun hørt noe? En lyd som ikke skulle være der? Hun fortsatte. Bøyde seg under en nedblåst stamme og stoppet igjen. Men som i stad stoppet de andre lydene med én gang hun selv stoppet. Kaja pustet dypt inn og ut og fullførte tanken: som om noen fulgte etter henne og ikke ville bli oppdaget.

Hun snudde seg og lyste bakover. Var ikke lenger så sikker på dette med ingen mørkredsel. Noen greiner vaiet i lyset, men de var det vel hun selv som hadde satt i bevegelse?

Hun snudde seg fremover igjen.

Og skrek da lommelykta lyste opp et likblekt ansikt med oppsperrede øyne. Hun mistet lykta i bakken og rygget bakover, men skikkelsen kom etter med en gryntende lyd som minnet om latter. I mørket skimtet hun at den bøyde seg ned, reiste seg og i neste øyeblikk hadde hun det blendende lyset fra sin egen lykt rett i ansiktet.

Hun holdt pusten.

Den gryntende latteren stoppet.

«Her,» sa en skrapende mannsstemme og lyset gjorde et lite hopp.

«Her?»

«Lykta di,» sa stemmen.

Kaja tok imot lykta og rettet lyset litt til siden for ham. Slik at hun kunne se ham uten å blende ham. Han hadde lyst hår og et fremskutt kjeveparti.

«Hvem er du?» spurte hun.

«Truls Berntsen. Jobber sammen med Mikael.»

Selvfølgelig hadde hun hørt om Truls Berntsen. Skyggen. Beavis, var det ikke det Mikael kalte ham?

«Jeg er …»

«Kaja Solness.»

«Ja vel, hvordan vet …» Hun svelget, omformulerte spørsmålet. «Hva gjør du her?»

«Samme som deg,» svarte han med monoton skrapestemme.

«Ja vel? Og hva gjør jeg her?»

Han lo gryntelatteren sin. Men svarte ikke. Sto bare der rett foran henne med armene hengende ned og litt ut fra siden. Det dirret i det ene øyelokket hans som om et insekt var fanget under det.

Kaja sukket. «Hvis du gjør det samme som meg, så er du her for å holde fabrikken under oppsyn,» sa hun. «I tilfelle han skulle dukke opp igjen.»

«Ja, i tilfelle han skulle dukke opp,» sa Beavisfyren uten å ta blikket fra henne.

«Det er jo ikke så usannsynlig,» sa hun. «Det er ikke sikkert han vet at det har brent.»

«Faren min jobba der nede,» sa Beavis. «Han pleide å si at han lagde PSG, hosta PSG og ble til PSG.»

«Er det flere fra Kripos i området rundt her? Er det Mikael som har beordret dere ut?»

«Du treffer ikke ham lenger nå, gjør du vel? Du treffer Harry Hole.»

Kaja kjente hun ble kald i magen. Hvordan i all verden visste denne mannen om det? Hadde Mikael virkelig fortalt noen om henne?

«Du var ikke med til Håvasshytta,» sa hun for å skifte samtaleemne.

«Var jeg ikke?» Gryntelatter. «Jeg hadde vel fri. Avspasering. Jussi var med.»

«Ja,» sa hun stille. «Han var med.»

Det kom et vindkast, og hun vred hodet til siden da en grein skrapte henne over ansiktet. Hadde han fulgt etter henne, eller hadde han vært her før hun kom?

Da hun skulle til å spørre ham, var han ikke der. Hun lyste inn mellom trærne. Han var vekk.

Klokka var to på natta da hun parkerte i gata, gikk inn porten og opp trappa til det gule huset. Hun trykket inn knappen over den malte keramikkflisen hvor det sto «fam. Hole» med snirklete løkkeskrift.

Da hun hadde ringt på for tredje gang, hørte hun lav kremting og snudde seg, tidsnok til å se Harry stikke en tjenestere-volver tilbake i bukselinningen. Han måtte ha kommet lydløst rundt hushjørnet.

«Hva er det?» sa hun skrekkslagent.

«Bare ekstra forsiktig. Du burde ringt og sagt du kom.»

«Bu... burde jeg ikke kommet?»

Harry gikk opp trappa, forbi henne og låste opp. Hun gikk

inn etter ham, la armene rundt ham bakfra, klemte seg inn mot ryggen hans, sparket igjen døra med hælen. Han frigjorde seg, snudde seg, skulle til å si noe, men hun stoppet ham med et kyss. Et grådig kyss som krevde å bli gjengjeldt. Hun stakk de kalde hendene under skjorta hans, kjente på den glovarme huden at den hadde kommet rett fra senga, dro opp revolveren hans fra bukselinningen og la den med et hardt dunk på entrébordet.

«Jeg vil ha deg,» hvisket hun, bet ham i øret og skjøv hånden ned i buksene hans. Lemmet var varmt og mykt.

«Kaja …»

«Får jeg deg?»

Hun syntes hun merket en ørliten nøling, en viss motvillighet. Hun la den andre hånden rundt nakken hans, så ham inn i øynene: «Vær så snill …»

Han smilte. Så slappet musklene hans av. Og han kysset hennes. Varsomt. Mer varsomt enn hun ville. Hun stønnet i frustrasjon, dro opp bukseknappene hans. Holdt hardt rundt pikken uten å bevege hånden, kjente bare hvordan den vokste.

«Faen ta deg,» stønnet han og løftet henne. Bar henne opp trappene. Sparket opp døra til soverommet og la henne på senga. På morens side. Hun la hodet bakover, lukket øynene, kjente plaggene bli dratt av seg, fort, effektivt. Kjente varmen som strålte ut fra huden hans sekundet før han senket seg ned over henne og tvang lårene hennes fra hverandre. Ja, tenkte hun. Faen ta meg.

Hun lå med kinnet og øret mot brystet hans og lyttet til hjerteslagene.

«Hva tenkte du,» hvisket hun. «Da du lå der og visste at du skulle dø?»

«At jeg skulle leve,» sa Harry.

«Bare det?»

«Bare det.»

«Ikke at du skulle … treffe igjen dem du var glad i?»

«Nei.»

«Det gjorde jeg. Det var merkelig. Jeg var så redd at noe gikk i stykker. Og så gikk redselen over og i stedet ble jeg fylt med fred. Jeg sovnet bare. Og så kom du. Og vekket meg. Reddet meg.»

Harry rakte henne sin sigarett og hun tok et drag av den. Hun kniste.

«Du er en helt, Harry. Rett og slett en slik de gir medaljer. Det skulle man ikke trodd om deg, hva?»

Harry ristet på hodet. «Tro meg, kjære, jeg tenkte bare på meg selv. Jeg skjenket deg ikke en tanke før jeg kom meg til peisen.»

«Nei vel, men da du kom dit, hadde du fortsatt begrenset med luft. Ved å grave ut meg visste du at vi kom til å bruke opp lufta dobbelt så fort.»

«Hva kan jeg si? Jeg er en spandabel fyr.»

Hun slo ham leende i brystet: «En helt!»

Harry tok et hardt trekk av sigaretten. «Eller kanskje det var overlevelsesviljen som fintet ut samvittigheten.»

«Hva mener du?»

«Den jeg fant først var så sterk at han nesten greide å holde igjen staven. Så jeg skjønte at det måtte være Kolkka og at han var i live. Jeg visste at det sto om sekunder og minutter, men i stedet for å grave ham ut, begynte jeg å stikke i snøen til jeg fant deg. Du var helt stille. Jeg trodde du var død.»

«Så?»

«Så kan hende tenkte jeg innerst inne at hvis jeg gravde ut den som var død først, kunne den som var i live dø i mellom-tiden. På den måten kunne jeg få all lufta for meg selv. Det er vanskelig å vite hva som styrer en.»

Hun ble stille. Utenfor steg knurringen fra en motorsykkel og forsvant igjen. Motorsykkel i februar. Og i dag hadde hun sett en trekkfugl. Alt var ute av rytme.

«Grubler du alltid så mye?» spurte hun.

«Nei. Kanskje. Jeg veit ikke.»

Hun vrikket seg enda tettere inn til ham. «Hva grubler du på nå?»

475

«Hvordan han kan vite det han veit.»

Hun sukket. «Drapsmannen vår?»

«Og hvorfor han leker med meg. Hvorfor han sender meg en legemsdel fra Tony Leike. Hvordan han tenker.»

«Og hvordan har du tenkt å finne ut av det?»

Han stumpet sigaretten i askebegeret på nattbordet. Trakk pusten dypt og slapp den ut igjen i et langt hves. «Det er akkurat det. Jeg kan bare komme på én måte. Jeg må snakke med ham.»

«Ham? Kavaleren?»

«Noen *som* ham.»

På vei inn i søvnen kom drømmen. Han stirret opp på en spiker. Den stakk ut av hodet til en mann. Men det var noe kjent med ansiktet i natt. Et kjent portrett, et han hadde sett så mange ganger. Sett nylig. fremmedlegemet i Harrys munn eksploderte og han rykket til. Han sov.

Kapittel 70
Dødvinkel

Harry gikk gjennom sykehuskorridoren sammen med en sivil-kledd fengselsbetjent. To skritt foran dem gikk legen. Hun hadde informert Harry om tilstanden, forberedt ham på hva han hadde i vente.

De kom til en dør som ble låst opp av fengselsbetjenten. På innsiden fortsatte korridoren noen meter. Det var tre dører på den venstre veggen. Foran én av dem sto en uniformskledd fengselsbetjent.

«Er han våken?» spurte legen mens den uniformerte feng-selsbetjenten ransaket Harry. Betjenten nikket, la alt innholdet fra Harrys lommer på bordet, låste opp og trådte til side.

Legen signaliserte at Harry skulle vente på utsiden og gikk inn sammen med fengselsbetjenten. Like etterpå kom hun ut igjen.

«Femten minutter maks,» sa hun. «Han er på bedringens vei, men er fortsatt svak.»

Harry nikket. Trakk pusten. Og gikk inn.

Han stoppet innenfor døra og kjente den gli igjen bak seg. Gardinene var trukket for, og rommet mørklagt bortsett fra en lampe som sto på over senga. Lyset falt på en skikkelse som halvveis satt i senga med bøyd hode og langt hår hengende ned på hver side.

«Kom nærmere, Harry.» Stemmen var forandret, den lød som jamringen fra smurte dørhengsler. Men Harry kjente den igjen, og det fikk det til å gå kaldt gjennom ham.

Han gikk bort til senga og satte seg på stolen som var satt fram. Mannen løftet hodet. Og Harry sluttet å puste.

Det så ut som noen hadde helt flytende voks over ansiktet hans. Det hadde stivnet til en maske som var for trang, som dro pannehuden og hakeskinnet bakover og gjorde munnen til et lite, leppeløst hull i et klumpete landskap av forbeinet vev. Latteren var to korte luftstøt.

«Kjenner du meg ikke igjen, Harry?»

«Jeg kjenner igjen øynene,» sa Harry. «Det holder. Det er deg.»

«Noe nytt fra ...» Den lille, karpeformede munnen så ut som den prøvde å forme et smil, «... vår Rakel?»

Harry hadde forberedt seg på dette, innstilt seg slik en bokser innstiller seg på smerte. Likevel fikk lyden av hennes navn i hans munn ham til å knytte nevene.

«Du har sagt ja til å snakke om en mann. En mann som vi tror er som deg.»

«Som meg? Penere, håper jeg.» Igjen to korte luftstøt. «Det er merkelig, jeg har aldri vært en forfengelig mann, Harry. Jeg trodde det skulle bli smertene som var det verste med denne sykdommen. Men vet du hva det er? Det er forfallet. Det er å se seg selv i speilet, se dette monsteret vokse fram. De lar meg fremdeles gå alene på toalettet her, men da unngår jeg speilene. Jeg var en pen mann, vet du.»

«Du har lest tingene jeg sendte deg?»

«Jeg måtte smuglese. Doktor Dyregod mener jeg ikke må slite meg ut. Infeksjoner. Betennelser. Feber. Hun er oppriktig interessert i min helse, Harry. Ganske forbløffende med tanke på hva jeg har gjort, eller hva? Personlig er jeg mer interessert i å dø. Akkurat der misunner jeg faktisk de jeg ... men det forhindret jo du, Harry.»

«Døden ville vært en for mild straff.»

Det var som noe tentes i blikket til mannen i senga, og det sto som et hvitt, kaldt lys ut av øyesprekkene.

«Jeg fikk i alle fall et navn og en plass i historiebøkene. Folk vil lese om Snømannen. Noen vil ta opp arven og sette ideene mine ut i live. Hva fikk du, Harry? Ingenting. Tvert om, du mistet det lille du hadde.»

«Sant,» sa Harry. «Du vant.»

«Savner du den langfingeren?»

«Vel. Jeg savner den akkurat nå.» Harry løftet hodet og møtte den andres blikk. Holdt det. Så åpnet den lille karpemunnen seg. Latteren lød som en pistol med lyddemper:

«Du mistet i hver fall ikke sansen for humor, Harry. Du vet at jeg kommer til å forlange noe i gjengjeld?»

«No cure, no pay. Men få høre.»

Mannen vred seg med møye mot nattbordet, løftet vannglasset som sto der og la det til munnåpningen. Harry stirret på hånden som holdt glasset. Den så ut som en hvit fugleklo. Da han var ferdig med å drikke, satte han glasset varsomt tilbake og snakket. Den jamrende stemmen lød svakere nå, som fra en radio med utladede batterier:

«Jeg tror det står noe i fengslingsinstruksen min om ekstrem selvmordsfare, de passer i alle fall på meg som hauker. De ransaket deg før du kom inn, ikke sant? Redd du ville ha med en kniv eller noe til meg. Men jeg vil ikke se resten av forfallet, Harry. Det er nok nå, synes du ikke?»

«Nei,» sa Harry. «Jeg synes ikke det. Velg noe annet.»

«Du kunne bare løyet og sagt ja.»

«Vil du foretrekke det?»

Mannen viftet avvergende med hånden. «Jeg vil treffe Rakel.»

Harry hevet et øyebryn forbauset. «Hvorfor det?»

«Jeg vil bare si noe til henne.»

«Hva da?»

«Det blir mellom henne og meg.»

Stolen skrapte under Harry da han reiste seg. «Det kommer ikke til å skje.»

«Vent. Sett deg.»

Harry satte seg.

Mannen så ned og nappet i dynetrekket. «Ikke misforstå, de andre angrer jeg ikke på. De var horer. Men Rakel var annerledes. Hun var ... annerledes. Jeg ville bare si det.»

Harry så vantro på ham.

«Så hva tror du?» sa Snømannen. «Si ja. Lyv om du må.»

«Ja,» løy Harry.

«Du lyver for dårlig, Harry. Jeg vil snakke med henne før jeg hjelper deg.»

«Uaktuelt.»

«Hvorfor skulle jeg stole på deg?»

«Fordi du ikke har noe valg. Fordi tyver stoler på tyver når de må.»

«Gjør de?»

Harry smilte tynt. «Da jeg kjøpte opium i Hong Kong, brukte vi en stund et handicaptoalett på Landmark på Des Voeux. Jeg gikk inn først, la en tåteflaske med penger under lokket i cisterna på toalettavlukket lengst til høyre. Gikk en tur og så på falske klokker, kom tilbake og der lå fortsatt tåteflaska mi. Alltid med riktig kvantum opium i. Blind tillit.»

«Du sa dere brukte toalettet 'en stund'.»

Harry trakk på skuldrene. «En dag var tåteflaska borte. Kanskje snøyt dealeren meg, kanskje hadde noen sett oss og stukket av med pengene eller stoffet. Det gis ingen garantier.»

Snømannen så lenge på Harry.

Harry gikk nedover korridoren sammen med legen. Fengselsbetjenten gikk foran dem.

«Det tok jo ikke lang tid,» sa hun.

«Han var kortfattet,» sa Harry.

Harry gikk rett gjennom resepsjonsområdet, ut til parkeringsplassen, låste seg inn i bilen. Så hånden skjelve da han satte i tenningsnøkkelen. Kjente skjorteryggen var våt av svette da han lente seg bakover i setet.

Kortfattet.

«La oss anta at han er som meg, Harry. Den antagelsen er tross alt nødvendig for at jeg skal kunne hjelpe deg. Motivet først. Hat. Et glødende, kokende hat. Det er stoffet som får ham til å overleve, det er magmaen inni ham som holder ham varm. Og akkurat som magma er hatet en forutsetning for liv, for at alt ikke skal fryse til is. Samtidig vil trykket fra den indre varmen uvegerlig føre til utbrudd, til at det destruktive slippes løs. Og jo lengre tid som går uten at det skjer, desto kraftigere blir utbruddet. Nå er utbruddet i full gang, og det er kraftig. Hvilket forteller meg at du må lete langt tilbake i tid etter årsaken. For det er ikke hathandlingene, men årsaken til hatet som kan løse denne gåten for deg. Uten årsaken vil ikke handlingene gi mening. Hatet har tatt tid å bygge opp, men årsaken er enkel. Noe skjedde. Alt handler om dette ene som skjedde. Finn ut hva det var og du har ham.»

Hva hadde fått ham til å bruke akkurat vulkanmetaforer? Harry kjørte ned den bratte, svingete veien fra Bærum Sykehus.

«Åtte drap. Da er han hersker nå, på toppen. Han har bygget et univers hvor alt synes å lystre ham. Han er dukkemesteren, og han leker med dere. Og spesielt med deg, Harry. Det er vanskelig å se hvorfor du skulle være utpekt, kanskje skyldes det en tilfeldighet. Men etter hvert som han behersker sine dukker, søker han mer spenning. Han vil snakke med dukkene, være nær dem, nyte sine triumfer der han best kan nyte dem, sammen med dem han triumferer over. Men han er godt forkledd. Han framstår ikke som noen dukkemester, tvert om kan han virke underdanig, en som er lett å lede, en man undervurderer, en man ikke vil tiltenke å kunne regissere et så komplekst drama.»

Harry kjørte mot sentrum på E18. Det var kø. Han la seg ut i kollektivfeltet. Han var politi, for faen. Og det hastet, hastet. Munnen var tørr, bikkjene i fullt opprør.

«Han er nær deg, Harry, det er jeg nesten sikker på, han greier rett og slett ikke la være. Men han har kommet inn fra en dødvinkel. Sneket seg inn i livet ditt på en tilforlatelig måte, på et tidspunkt da du hadde oppmerksomheten din et annet sted. Eller da du var svak. Han hører hjemme der han er. En nabo, en venn, en kollega. Eller en som bare er der, rett bak en annen person som er tydeligere for deg, en skygge du ikke engang tenker på uten som et appendiks til denne andre. Tenk på hvem som har glidd gjennom synsfeltet ditt. For han har vært der. Du kjenner ansiktet hans allerede. Han har kanskje ikke vekslet mange ordene med deg, men om han er som meg, har han ikke greid å la være, Harry. Han har *tatt på deg*.»

Harry parkerte utenfor Savoy, gikk inn og bort til bardisken.

«Vær så god?»

Harry lot blikket gli over flaskene i glasshyllene bak barkeeperen.

Beefeater, Johnnie Walker, Bristol Cream, Absolute, Jim Beam.

Han lette etter en mann med et glødende hat. En som ikke lot andre følelser slippe til. En med panserhjerte.

Blikket stoppet. Og hoppet tilbake. Munnen hans gled opp. Det var som et guddommelig blink. Og *alt*, alt var i det blinket.

Stemmen kom som fra langt borte.

«Mister? Hallo?»

«Ja.»

«Bestemt deg?»

Harry nikket langsomt.

«Ja,» sa han. «Ja, jeg har bestemt meg.»

Kapittel 71
Fryd

Gunnar Hagen presset en blyant mellom pekefingrene mens han betraktet Harry som for en gangs skyld satt – og ikke lå – i stolen foran skrivebordet hans.

«Teknisk sett er du for tiden avgitt til Kripos og inngår dermed i Bellmans mannskap,» sa avsnittssjefen. «Ergo vil en arrestasjon foretatt av deg være en hjemmeseier for Bellman.»

«Og hvis jeg – fortsatt helt hypotetisk – informerte dere og overlot en arrestasjon til en på Voldsavsnittet, la oss si Kaja Solness eller Magnus Skarre?»

«Selv et så generøst tilbud fra deg hadde jeg måttet takke nei til, Harry. Jeg er som sagt bundet av avtaler.»

«Mm. Bellman har fortsatt det taket på deg?»

Hagen sukket. «Hvis jeg skulle gjort et krumspring som å ta fra Bellman arrestasjonen i Norges største drapssak, ville Justisdepartementet straks få vite alt. For eksempel at jeg trosset dem og hentet hjem deg for å etterforske denne saken. Det ville bli betraktet som ordrenekt. Og ville rammet hele avsnittet. Beklager, Harry, men jeg kan ikke.»

Harry stirret tenksomt foran seg. «OK, sjef.» Han spratt opp av stolen og gikk raskt mot døra.

«Vent!»

Harry stoppet.

«Hvorfor spør du om dette nå, Harry? Er det noe som skjer som jeg burde vite om?»

Harry ristet på hodet. «Bare litt hypotesetesting, sjef. Det er jo jobben vår, er det ikke?»

Harry brukte timene fram til klokka tre til å ringe. Den siste telefonen var til Bjørn Holm som uten betenkningstid sa ja til å kjøre.

«Jeg har ikke fortalt hvor og hvorfor,» sa Harry.

«Behøves itte,» sa Bjørn og fortsatte med trykk på hvert ord. «Je-stoler-på-deg.»

Det oppsto en pause.

«Jeg fortjente vel den,» sa Harry.

«Ja,» sa Bjørn.

«Jeg har en følelse av at jeg har bedt om unnskyldning, men har jeg egentlig det?»

«Nei.»

«Ikke? OK. Unn... unn... unn... Faen, det var hardt. Unn... unn...»

«Høres ut som du kællstarter der, buddy,» sa Bjørn, men Harry kunne høre at han smilte.

«Sorry,» sa Harry. «Forhåpentligvis har jeg noen fingeravtrykk som jeg vil du skal sjekke før vi drar klokka fem. Hvis de ikke matcher, slipper du å kjøre for å si det sånn.»

«Åffer så hemmelighetsfull?»

«Fordi du stoler på meg.»

Klokka var halv fire da Harry banket på døra til det lille vaktkottet på Rikshospitalet.

Sigurd Altman åpnet.

«Hei, kan du ta en titt på disse?»

Han rakte pleieren en liten bunke bilder.

«De er klissete,» sa Altman.

«Kommer rett fra framkallingsrommet.»

«Hm. En avkuttet finger. Hva er det med den?»

«Jeg mistenker at eieren har fått en kraftig dose ketanomin. Jeg lurer på om du som anestesiekspert kan si om vi vil kunne finne spor av stoffet i fingeren.»

«Ja, det er klart, det sprer seg med blodet i hele kroppen.»

Altman bladde igjennom bildene. «Den fingeren ser temmelig tømt ut for blod, men i teorien er jo én dråpe nok.»

«Da er neste spørsmål om du kan bistå oss ved en arrestasjon i kveld?»

«Jeg? Har dere ikke rettsmedisinere som …»

«Du kan mer enn dem om akkurat dette. Og jeg trenger en jeg kan stole på.»

Altman trakk på skuldrene, så på klokka og rakte bildene tilbake. «Jeg går av vakt om to timer, så …»

«Fint. Vi kommer og henter deg. Du skal få være med på norsk krimhistorie, Altman.»

Pleieren smilte blekt.

Mikael Bellman ringte idet Harry var på vei inn på Krimteknisk.

«Hvor har du vært, Harry? Savnet deg på morgenmøtet i dag.»

«Rundt omkring.»

«Omkring hva?»

«Vår kjære by,» sa Harry idet han droppet en stor A4-konvolutt på benken foran Kim Erik Lokker og pekte på fingertuppene sine for å vise at han ville ha innholdet sjekket for fingeravtrykk.

«Jeg blir nervøs når du ikke engang er innom radaren i løpet av en hel dag, Harry.»

«Stoler du ikke på meg, Mi-ka-el? Redd jeg skal havne på fylla?»

Det ble stille en stund i andre enden.

«Du rapporterer til meg, og jeg vil gjerne bli holdt underrettet, det er alt.»

«Rapporterer ingenting å rapportere, sjef.»

Harry kuttet forbindelsen og gikk inn til Bjørn. Beate satt alt på kontoret hans og ventet.

«Hva er det du skal fortelle oss?» spurte hun.

«En ordentlig røverhistorie,» sa Harry og satte seg.

Han var halvveis i fortellingen da Lokker stakk hodet inn døra.

«Jeg fant disse,» sa han og holdt fram en fingeravtrykksfolie.

«Takk,» sa Bjørn, tok folien, la det på scanneren sin, satte seg ved PC-en, hentet opp mappen med fingeravtrykkene de hadde funnet i Holmenveien og startet matcheprogrammet.

Harry visste at det bare ville ta et par sekunder, men han lukket øynene, kjente hjertet hamre selv om han visste – han visste. Snømannen visste. Og hadde fortalt Harry det lille han hadde trengt, formulert ordene, lagd lydbølgen som skulle til for å starte raset.

Det måtte være slik.

Det burde bare ta et par sekunder.

Hjertet hamret.

Bjørn Holm kremtet. Men sa ingenting.

«Bjørn,» sa Harry, fremdeles med øynene knepet igjen.

«Ja, Harry.»

«Er dette en av de kunstpausene du vil at jeg skal sette pris på?»

«Ja.»

«Er den over nå, din jævla kødd?»

«Ja. Og vi har match.»

Harry åpnet øynene. Sollyset. Flommet inn i rommet, fylte det så de formelig kunne svømme ut på det. Fryd. Føkking fryd.

De tre reiste seg samtidig. Stirret på hverandre med åpne munner som formet stumme jubelbrøl. Så omfavnet de hverandre i en klønete gruppeklem med Bjørn på utsiden og lille Beate halvt flatklemt. De fortsatte med dempede utrop, forsiktige high-fives, og Bjørn Holm avsluttet med noe Harry mente måtte være langt utover det en kunne forlange av en Hank Williams-fan, en fullkommen moonwalk.

Kapittel 72
Boy

De to mennene sto på en liten gressvoll uten gress mellom Manglerud kirke og motorveien.

«Vi kalte det jordhuge eller jordsjobang,» sa mannen i MC-skinnjakka og skjøv de lange, tynne hårfjonene til side. «På sommeren lå vi her og røyka opp alt vi hadde skaffa. Femti meter unna Manglerud politistasjon.» Han smilte skjevt. «Det var meg, Ulla, Te-Ve, dama hans pluss noen andre. Det var tider.»

Mannen ble fjern i blikket, mens Roger Gjendem noterte.

Det hadde ikke vært lett å finne Julle, men til slutt hadde Roger greid å spore ham opp på en MC-klubb på Alnabru hvor det viste seg at han spiste, sov og tilbrakte sitt liv som fri mann, at han ikke beveget seg lenger enn til Prix-butikken for å kjøpe snus og brød. Gjendem hadde sett det før, hvordan fengselet gjorde folk avhengig av vante omgivelser, rutine, trygghet. Men merkelig nok hadde Julle relativt fort gått med på å snakke om fortiden. Det forløsende ordet hadde vært Bellman.

«Ulla var dama mi og det var faen så bra, for alle på Manglerud var forelska i Ulla.» Julle nikket som for å si seg enig med seg selv. «Men ingen så sjukt som ham.»

«Mikael Bellman?»

Julle ristet på hodet. «Han andre. Skyggen. Beavis.»

«Hva skjedde?»

Julle slo ut med hendene. Roger hadde lagt merke til sårskorpene. En fengselstrekkfugl i skytteltrafikk mellom dop i frihet og dop i fengsel. «Mikael Bellman tysta på noe bensinbøffing, jeg hadde betinga på noe hasjgreier og måtte sone. Jeg hørte jo ryktene om at Bellman og Ulla var blitt sett sammen. Uansett, da jeg kom ut igjen og skulle hente henne, venta han Beavis-fyren på meg. Slo meg nesten i hjel. Sa at Ulla tilhørte ham. Og Mikael. I hvert fall ikke meg. Og at om jeg viste meg i nærheten ...» Julle dro pekefingeren over en mager strupe med grå skjeggstubber. «Temmelig sjukt. Og jævlig nifst. Det var faen meg ingen i gjengen som trudde meg når jeg fortalte at han Beavis-fyren hadde vært *så* langt fra å ta reper'n på meg. Den siklende idioten som bare labba etter Bellman, liksom.»

«Men du nevnte noe om et parti med heroin,» sa Roger. Når han intervjuet folk i narkotikasaker, passet han alltid på å bruke presise ord som ikke kunne misforstås siden slanguttrykkene skiftet fort og betydde forskjellige ting på forskjellige steder. For eksempel kunne «smack» bety kokain på Hovseter, heroin på Hellerud, og på Abildsø hva som helst som ga deg høyde.

«Jeg, Ulla, Te-Ve og dama hans var på motorsykkeltur i Europa samme sommeren som jeg åkte inn. Vi tok med en halvkilo boy fra København. MC-gutter som meg og Te-Ve ble sjekka på hver eneste grenseovergang, men vi sendte jentene over for seg selv. Faen, de var fine der de gikk, dressa opp i sommerkjoler med blå blikk og hver sin kvartkilo boy i kusa. Vi solgte mesteparten til en langer nede på Tveita.»

«Du er åpenhjertig,» sa Roger mens han noterte, satte klamme rundt «kusa» for senere omskrivning og føyde «boy» til den lange synonymordlista for heroin.

«Det er jo forelda, så de kan'ke ta noen for det nå. Poenget er at langeren på Tveita blei tatt. Og fikk tilbud om redusert straff om han tysta på bakmenna. Noe han selvfølgelig gjorde, den rotta.»

«Hvordan vet du det?»

«Ha! Fyren fortalte det til meg noen år seinere da vi sona på Ullersmo sammen. At han hadde oppgitt navn og føkking

adresse på oss alle fire, Ulla inkludert. Det var bare person-
nummera som mangla. At vi var faen så heldige at saken bare
blei henlagt.»

Roger noterte febrilsk.

«Og gjett hvem på Stovner politistasjon som hadde saken?
Hvem som avhørte fyren? Hvem som nødvendigvis anbefalte
at saken burde droppes, lempes ut av bunken, henlegges? Hvem
som redda skinnet til Ulla?»

«Jeg vil gjerne at du sier det, Julle.»

«Mer enn gjerne. Det var fittetjuven. Mikael Bellman.»

«Bare et siste spørsmål,» sa Roger og visste at han var ved
det kritiske punktet. Om historien var verifiserbar. Om kilden
kunne ettersjekkes. «Har du navnet på den langeren? Jeg mener,
han risikerer jo ingenting og han vil uansett ikke bli nevnt.»

«Om jeg vil tyste på ham mener du?» Julle lo høyt. «Det kan
du banne faen på at jeg vil.»

Han stavet navnet og Roger bladde om og noterte med store
bokstaver mens han merket at kjevene strammet seg. At han
smilte. Han tok seg sammen og glattet ut ansiktet. Men visste
at smaken kom til å være der lenge: den søte smaken av scoop.

«Da takker jeg for hjelpen,» sa Roger.

«Jeg som skal takke,» sa Julle. «Bare sørg for å mose Bellman,
du, så er vi even.»

«Jo, forresten, bare av nysgjerrighet. Hvorfor tror du lange-
ren fortalte deg at han hadde tystet?»

«Fordi han var redd.»

«Redd? Hvorfor det?»

«Fordi han visste for mye. Han ville at noen andre skulle
kjenne til historien i tilfelle han purkefyren kom til å gjøre det
han hadde trua med.»

«*Truet* Bellman langeren?»

«Ikke Bellman. Skyggen hans. Han sa at hvis fyren så mye
som nevnte navnet til Ulla igjen, skulle han putte i ham noe
som ville få ham til å holde kjeft. For godt.»

Kapittel 73
Arrestasjon

Klokka var fem over seks da Bjørn Holms Volvo Amazon svingte inn overfor trikkeholdeplassen på Rikshospitalet. Sigurd Altman sto og ventet med hendene i lommene på en duffelcoat. Harry vinket fra baksetet at han skulle sette seg foran. Sigurd og Bjørn hilste på hverandre, og de kjørte ned på Ringveien hvor de fortsatte østover i retning Sinsenkrysset.

Harry lente seg fram mellom setene.

«Det var som et av de kjemieksperimentene vi hadde på skolen. Du har egentlig alle ingrediensene du trenger for å få til reaksjonen, men du mangler katalysatoren, den ytre komponenten, gnisten som må til for å starte det. Informasjonen hadde jeg fått, jeg trengte bare noe som kunne få meg til å sette det sammen på riktig måte. Min katalysator var en syk mann, en drapsmann kalt Snømannen. Og en flaske i en barhylle. Greit om jeg tar en sigg?»

Taushet.

«Skjønner. Altså …»

De kjørte under tunnelen på Bryn, oppover mot Ryenkrysset og Manglerud.

Truls Berntsen sto på den gamle, ubebygde tomta og så oppover skråningen, opp mot huset til Bellman.

Det var merkelig at han som så ofte hadde spist middag, lekt

490

og sovet der da de vokste opp, ikke hadde vært der én eneste gang etter at Mikael og Ulla overtok huset.

Grunnen var enkel: han hadde ikke vært invitert.

Det hendte at han sto som nå, i ettermiddagsmørket og så opp mot huset for å få et glimt av henne. Hun, den uoppnåelige, den ingen skulle få. Ingen, utenom ham, prinsen, Mikael. Av og til lurte han på om Mikael visste. Visste og at det var derfor de ikke inviterte ham. Eller var det hun som visste? Og lot Mikael forstå, uten å si det rett ut, at denne Beavis som han hadde vokst opp med, kanskje ikke var en de behøvde å omgås privat. I hvert fall ikke nå som karrieren endelig skjøt fart, og det ble viktigere å vanke i de riktige sosiale kretser, treffe de riktige menneskene, sende ut de riktige signalene. Da var det ikke taktisk klokt å omgi seg med gjenferd fra en fortid som inneholdt ting som helst skulle forbli glemt.

Å, han skjønte det. Han skjønte bare ikke hvorfor ikke hun kunne skjønne det: at han aldri ville skade henne. Tvert om, hadde han ikke beskyttet henne og Mikael i alle disse årene, kanskje? Jo. Han passet på, var der, ryddet opp. Sørget for deres lykke. Slik var hans kjærlighet.

Det var lys i vinduene der oppe i kveld. Hadde de fest? Spiste de og lo, drakk viner de aldri hadde hatt på polet på Manglerud og snakket på den nye måten? Smilte hun så de tentes, øynene som var så vakre at det gjorde vondt når de så på deg? Ville hun se mer på ham hvis han skaffet seg penger, ble rik? Kunne det være slik? Så enkelt?

Han ble stående en liten stund til der i bunnen av den utsprengte tomta. Så begynte han å gå hjemover.

Bjørn Holms Amazon krenget majestetisk i rundkjøringen på Ryen.

Et skilt viste avkjørselen til Manglerud.

«Hvor skal vi?» spurte Sigurd Altman og støttet seg mot innsiden av døra.

«Vi skal dit Snømannen sa vi måtte dra,» sa Harry. «Langt tilbake i tid.»

De passerte avkjørselen.

«Hit,» sa Harry, og Bjørn svingte av.

«E6?»

«Jepp, vi skal østover. Mot Lyseren. Kjent i de trakter, Sigurd?»

«Fint der, men hva …?»

«Det er der historien starter,» sa Harry. «For mange år siden, utenfor et danselokale. Tony Leike, mannen som eide fingeren jeg viste deg bilder av før i dag, står i skogbrynet og kysser Mia, datteren til lensmann Skai. Ole, som er forelsket i Mia, er gått ut for å lete etter Mia og kommer over dem. Ole, sint og knust, kaster seg over denne inntrengeren, sjarmøren Tony. Men nå åpenbarer det brått seg en annen side hos Tony. Borte er den smilende, sjarmerende flørteren alle liker. Tilbake er et rovdyr. Og som alle rovdyr som føler seg truet, angriper han med et raseri og en brutalitet som paralyserer både Ole, Mia og dem som etter hvert kommer til. Han er i blodtåka, han tar fram en kniv og skjærer halve tunga av Ole før de får trukket ham vekk. Og selv om Ole er uskyldig i saken, er det ham skammen rammer. Skammen over at hans ubesvarte kjærlighet er blitt stilt til skue, at han er blitt ydmyket i Bygde-Norges rituelle paringskamp og at hans forkrøplede tale for alltid skal vitne om nederlaget. Så han flykter, flytter. Du er med så langt?»

Altman nikket.

«Mange år går. Ole har etablert seg på et nytt sted, har en jobb hvor han er godt likt og respekteres for sin dyktighet. Han har venner, ikke mange, men det holder, det viktigste er at de ikke kjenner til hans forhistorie. Det som mangler i livet hans er en kvinne. Han har truffet noen, via datingsider på nettet, kontaktannonser, en sjelden gang på et utested. Men de forsvinner fort. Ikke på grunn av hans manglende tunge, men fordi han bærer nederlaget med seg som en ryggsekk full av dritt. Av tilvendte talemåter hvor han nedvurderer seg sjøl, avvisninger han tar på forskudd og mistenksomhet mot kvinner som oppfører seg som om de faktisk *vil* ha ham. Den vanlige greia. Stanken av nederlag, den alle flykter fra. Så en dag skjer det noe. Han treffer en kvinne som ikke flykter, som har vært ute en vinternatt før. Hun lar ham til og med leve ut seksuelle fantasier, de har sex på en nedlagt fabrikk. Han inviterer henne med på skitur i fjellet, som et første signal om at han mener alvor. Hun heter Adele Vetlesen og blir noe motvillig med.»

Bjørn Holm svingte av ved Grønmo hvor søppelrøyken sto til værs.

«De går en fin tur i fjellet. Kanskje. Eller kanskje kjeder Adele seg, hun er en rastløs sjel. De tar inn på Håvasshytta hvor det allerede er ankommet fem andre personer. Marit Olsen, Elias Skog, Borgny Stem-Myhre, Charlotte Lolles og en syk Iska Peller som ligger og sover ut feberen på et rom for seg selv. Etter middagen tennes det i peisen og noen åpner en flaske rødvin mens andre legger seg. Som Charlotte Lolles. Og Ole som ligger der i soveposen på soverommet og venter på sin Adele. Men Adele vil heller være oppe. Kanskje har hun omsider begynt å kjenne stanken. Så skjer det noe. Utpå kvelden ankommer en siste person. Det er lytt, og Ole hører en ny mannsstemme der inne fra stua. Han stivner til. Det er stemmen fra hans verste mareritt, fra hans deiligste hevnfantasier. Men det kan ikke være ham, *kan* ikke. Ole lytter. Stemmen snakker med Marit Olsen. En stund. Så snakker den med Adele. Han hører henne le. Men etter hvert blir stemmene deres lavere. Han hører de andre legge seg i rommene ved siden av. Men ikke Adele. Og ikke denne mannen med den kjente stemmen. Så hører han ingenting. Før lydene utenfra når ham. Han kryper bort til vinduet, ser ut, ser dem, ser det lystige ansiktet hennes, kjenner igjen elskovslydene hennes. Og han vet at det umulige er i ferd med å skje; historien gjentar seg. For han kjenner igjen mannen som står bak Adele, som skal til å ta henne. Det er ham. Det er Tony Leike.»

Bjørn Holm skrudde opp varmeapparatet. Harry skjøv seg tilbake i setet:

«Når de andre står opp neste morgen, har Tony dratt. Ole later som ingenting. For han er sterkere nå, de mange årene med hat har herdet ham. Han vet at de andre har sett Adele og

Tony, at de har sett hans fornedrelse, akkurat som den gang. Men han er rolig. Han vet hva han skal gjøre. Kanskje har han lengtet etter det, det siste dyttet, det frie fallet. Et par dager senere har han planen klar. Han drar tilbake til Håvasshytta, får kanskje scooterskyss dit, og river ut siden i gjesteboka med navnene deres. For denne gangen skal det ikke være han som i skam rømmer fra vitnene, det er de som skal få lide. Og Adele. Men den som skal få lide mest, er Tony. Han skal få bære all den skammen Ole har båret, hans navn skal dras gjennom søla, hans liv ødelegges, han skal rammes av den samme urettferdige Gud som lar tunger skjæres ut på ulykkelig forelskede.»

Sigurd Altman rullet vinduet så vidt ned, og en myk plystrelyd fylte bilen.

«Det første Ole må gjøre er å skaffe seg et rom, et hovedkvarter hvor han kan arbeide uforstyrret og uten bekymring for å bli avslørt. Og hva er vel mer naturlig enn i den nedlagte fabrikken hvor han en natt hadde sitt livs lykkeligste øyeblikk? Der starter han kartleggingen av ofrene og den nitide planleggingen. Han må naturligvis drepe Adele Vetlesen først siden hun var den eneste på Håvasshytta som kjenner hans hele og fulle identitet. Navn som eventuelt ble utvekslet der oppe, ble like fort glemt, og det fantes ingen kopi av siden i gjesteboka. Sikker på det med sigg, gutter?»

Ingen svar. Harry sukket.

«Så han avtaler å møte henne igjen. Han henter henne i en bil. Som han har kledd innvendig med plast. De kjører til et uforstyrret sted, kanskje Kadok-fabrikken. Der tar han fram en stor kniv med gult skaft. Han tvinger henne til å skrive et kort han har diktert og adressere det til samboeren i Drammen. Deretter dreper han henne. Bjørn?»

Bjørn Holm kremtet og giret ned: «Obduksjonen viser at hæn stakk høl på halspulsåra hennes.»

«Han går ut av bilen. Tar et bilde av henne der hun sitter i passasjersetet med kniven i halsen. Fotografiet. Bekreftelsen på hevnen, på triumfen. Det er det første bildet som havner på veggen på kontoret hans på Kadok-fabrikken.»

En møtende bil veivet i veibanen, men tok seg inn og tutet idet den passerte.

«Kanskje var det lett å drepe henne. Kanskje ikke. Han veit uansett at dette er det mest kritiske offeret. Det var ikke mange gangene de rakk å treffes, men han kan ikke vite sikkert hvor mye hun har fortalt vennene sine om ham. Han veit bare at om hun blir funnet drept og kan knyttes til ham, vil en dumpet elsker være politiets hovedmistenkte. *Om* hun blir funnet. Hvis hun derimot tilsynelatende forsvinner, for eksempel under en reise i Afrika, er han trygg.

Så Ole senker liket på et sted han kjenner godt, hvor han veit det er dypt og folk dessuten holder seg unna. Stedet med den forsmådde bruden i vinduet. Reperbanen ved Lyseren. Så reiser han til Leipzig og betaler den prostituerte kvinnen Juliana Verni for å ta med kortet Adele har skrevet fra Rwanda, ta inn på hotell i Adele Vetlesens navn og å sende kortet derfra. I tillegg skal hun kjøpe med noe hjem til Ole fra Kongo. Et mordvåpen. Leopolds eple. Det spesielle våpenet er selvfølgelig ikke tilfeldig valgt, det skal peke mot Kongo og hjelpe politiet til å fatte mistanke til Kongo-fareren Tony Leike. Da Juliana kommer tilbake til Leipzig, betaler Ole henne. Og kanskje er det der, stående over den skjelvende Juliana som gaper over tortureplet mens tårene triller, at han begynner å kjenne fryden, sadismens rus, en nesten seksuell lyst han har utviklet og næret gjennom år med ensomme dagdrømmer om hevn. Etterpå dumper han henne i elva, men liket flyter opp og blir funnet.»

Harry trakk pusten dypt. Veien var blitt smalere, og skogen hadde rykket inn, den sto tett på begge sider nå.

«I løpet av de neste ukene dreper han Borgny Stem-Myhre og Charlotte Lolles. I motsetning til med Adele og Juliana prøver han ikke å skjule likene, tvert om. Likevel leder ikke politiets etterforskning fram til Tony Leike slik Ole hadde håpet. Så han må fortsette å drepe, fortsette å gi dem spor, presse dem. Han dreper Marit Olsen, stortingsrepresentant, stiller henne ut i Frognerbadet. Nå må da politiet se sammenhengen mel-

JO NESBØ

lom kvinnene, finne mannen med Leopolds eple? Men det
skjer ikke. Og han skjønner at han må gripe inn, hjelpe til,
ta en sjanse. Han overvåker Tonys hus i Holmenveien til han
ser Tony forlater huset. Så bryter han seg inn via kjelleren, går
opp i stua og ringer det neste offeret, Elias Skog, fra Tonys
fasttelefon på skrivebordet. På vei ut stjeler han en sykkel for å
kamuflere det som et vanlig innbrudd. At han etterlater finger-
avtrykk oppe i stua, er ikke noe som bekymrer Ole, alle veit at
politiet ikke etterforsker vanlige kjellerinnbrudd. Så drar han
til Stavanger. På dette tidspunktet har hans sadisme slått ut i
full blomst. Han dreper Elias ved å lime ham fast til bunnen
av badekaret og la kranen så vidt renne. Hei, bensinstasjon!
Noen som er sultne?»

Bjørn Holm sakket ikke engang på farten.

«OK. Så skjer det noe. Ole får et brev. Det er fra en utpresser.
Han skriver at han veit at Ole har drept, at han vil ha penger,
hvis ikke kommer onkel politi. Oles første tanke er at det må
være en som veit at han var på Håvasshytta, altså må det være
en av de to gjenlevende. Iska Peller. Eller Tony Leike. Iska Peller
utelukker han fort. Hun er australsk, har dratt hjem og skri-
ver dessuten neppe norsk. Tony Leike, hvilken ironi! De traff
aldri hverandre på hytta, men Adele kan selvfølgelig ha nevnt
Oles navn mens de to flørtet. Eller Tony kan ha sett Oles navn
i gjesteboka. Uansett må Tony ha skjønt sammenhengen etter
hvert som drapene har kommet i avisa. Utpresningsforsøket
stemmer dessuten godt med det finanspressen skriver om at
Tony desperat trenger penger til sitt Kongo-prosjekt. Ole tar
en beslutning. Selv om han helst hadde ønsket at Tony måtte
leve med skammen, må han ty til det andre før ting kommer
ut av kontroll. Tony må dø. Han skygger Tony. Følger etter
ham på toget som går dit Tony alltid drar, til Ustaoset. Følger
scootersporene hans som leder til en stengt turisthytte som
ligger blant stup og kløfter. Og der fanger Ole ham. Og Tony
gjenkjenner gjenferdet, gutten fra danselokalet, ham han skar
ut tungen på. Og veit sikkert hva han har i vente. Og Ole tar
sin hevn. Han torturerer Tony. Brenner ham. Kanskje for å få

496

ham til å røpe eventuelle samarbeidspartnere i utpressings-saken. Kanskje bare for sin egen nytelse.»

Altman rullet vinduet hardt opp igjen.

«Kaldt,» sa han kort.

«Mens dette pågår, kommer nyheten om at Iska Peller er på Håvasshytta. Ole skjønner at den endelige løsningen kan være nær, samtidig som han værer en felle. Han husker snøskavlen over hytta, at kjentfolk sa den var farlig. Han tar en beslutning. Han tar kanskje med seg Tony som guide, drar mot Håvass-hytta, utløser snøskavlen med dynamitt. Så kjører han scoote-ren tilbake, lemper Tony – død eller levende – utfor stupet og sender snøscooteren etter. Hvis liket mot formodning noen-sinne skulle finnes, vil det hele se ut som en ulykke. Kanskje en mann som har brent seg og kjørt utfor på vei etter hjelp.»

Landskapet åpnet seg. De passerte et vann hvor månen spei-let seg.

«Ole triumferer, han har vunnet. Han har lurt alle, lurt dem trill rundt. Og han har begynt å like leken, følelsen av å ha regien, av at alle følger hans anvisninger. Så mesteren som har knyttet åtte enkeltskjebner sammen til ett stort drama, bestem-mer seg for å gi oss en avskjedshilsen. Gi meg en avskjedshil-sen.»

En klynge med hus, en bensinstasjon og et handlesenter. De tok til venstre i en rundkjøring.

«Ole har kuttet av Tonys venstre langfinger. Og han har Leikes telefon. Det var den han brukte da han ringte meg fra Ustaoset sentrum. Nummeret mitt er ikke registrert noe sted, men Tony Leike hadde lagt inn nummeret mitt i kontaktre-gisteret på telefonen. Ole la ikke igjen noen beskjed, det var kanskje bare et lekent innfall.»

«Eller for å forvirre,» sa Bjørn Holm.

«Eller for å vise oss sin overlegenhet,» sa Harry. «Som når han helt bokstavelig gir oss fingeren ved å legge igjen Tonys langfinger utenfor min dør, inne i Politihuset, rett under nesa på oss. For han kan gjøre det. Han er Kavaleren, han har reist seg fra skammen, slått tilbake, hevnet seg på alle dem som hånet ham og deres stedfortredere. Vitnene. Horen. Og fittetjuven. Så skjer det igjen noe uforutsett. Hovedkvarteret på Kadok-fabrikken avsløres. Riktignok har politiet ennå ingen spor som fører direkte mot Ole, men de begynner å komme farlig nær. Så Ole går til sjefen sin og sier at han endelig skal ta ut både ferie og avspasering som har hopet seg opp. At han blir borte en god stund. Flyet hans skal for øvrig gå i overmorgen.»

«Klokka tjueén femten til Bangkok via Stockholm,» sa Bjørn Holm.

«Det er mange av detaljene i denne historien som er antagelser, men ikke akkurat det. Vi nærmer oss. Her er det.»

Bjørn svingte av fra veien og inn på grusen foran den store, rødmalte trebygningen. Stoppet og skrudde av tenningen.

Det var ikke lys i noen av vinduene, men på veggene i første etasje hang reklameskilter som viste at det ene hjørnet av bygningen engang hadde vært en dagligvarehandel. I den andre enden av plassen, femti meter foran dem og under en av gatelyktene, sto en grønn Jeep Cherokee.

Det var stille. Lydstille, tidsstille, vindstille. Fra øverst på vinduet på førersiden av Cherokeen steg sigarettrøyk opp i lyset.

«Stedet det hele begynte,» sa Harry. «Danselokalet.»

«Hvem er det?» spurte Altman og nikket mot Cherokeen.

«Kjenner du den ikke igjen?» Harry tok fram sigarettpakken, satte en utent sigarett mellom leppene og stirret sultent mot tobakksrøyken. «Man kan lures av gatelyset, selvfølgelig. De fleste eldre gatelykter kaster gult lys som gjør at en blå bil vil se grønn ut.»

«Jeg har sett den filmen,» sa Altman. «*In The Valley of Elah.*»

«Mm. Bra film. Nesten Altman-klasse.»

«Nesten.»

«Sigurd Altman-klasse.»

Sigurd svarte ikke.

«Så,» sa Harry. «Er du fornøyd? Ble det det mesterverket du hadde tenkt deg, Sigurd? Eller kan jeg kalle deg Ole Sigurd?»

Kapittel 74
Bristol Cream

«Jeg foretrekker Sigurd.»

«Synd at det ikke er like lett å få bytte fornavn som etternavn,» sa Harry og lente seg fram mellom forsetene. «Da du fortalte meg at du hadde skiftet ut det vanlige sen-etternavnet ditt, tenkte jeg jo ikke over at s-en i Ole S. Hansen kunne stå for Sigurd. Men hjalp det, Sigurd? Gjorde det nye navnet deg til en annen enn han som mistet alt i grusen akkurat her?»

Sigurd trakk på skuldrene. «Vi rømmer så langt vi kan. Det nye navnet tok meg vel et lite stykke på vei.»

«Mm. Jeg har sjekket en del ting i dag. Da du flyttet herfra til Oslo, begynte du på sykepleierstudiene. Hvorfor ikke medisinstudier, du hadde jo bare toppkarakterer fra videregående?»

«Det eneste jeg var opptatt av var å ikke måtte snakke offentlig,» sa Sigurd og smilte skjevt. «Jeg antok at jeg ville slippe det som sykepleier.»

«Jeg ringte og snakket med en logoped i dag, og han fortalte meg at det kommer an på hvilke muskler som er skadet, at i teorien kan en selv med en halv tunge trene seg opp til å snakke nesten perfekt igjen.»

«S-ene er vanskelig uten tungespiss. Var det det som avslørte meg?»

Harry rullet ned sidevinduet og tente sigaretten. Inhalerte så hardt at det knaket og knitret i sigarettpapiret.

«Det var én av tingene. Men vi ble ført i feil retning en

stund. Logopeden fortalte meg at folk har en tendens til å koble lesping med mannlig homoseksualitet. På engelsk kalles det «gay lisp» og er ikke lesping i logopedisk forstand, bare en annen måte å uttale bokstaven 's' på. Homser kan ofte skru gay lisp av og på, de bruker det som en kode. Og koden fungerer. Logopeden fortalte at de hadde gjort en lingvistisk undersøkelse ved et amerikansk universitet for å se om folk greide å gjette seg til seksuell legning til personer ved kun å lytte til opptak av tale. De traff brukbart. Men det viste seg at når de hørte det de oppfattet som gay lisp, var det et så sterkt signal at de overhørte andre språksignaler som var typiske for heterofile. Da resepsjonisten på Hotel Bristol sa at en mann hadde spurt etter Iska Peller og at mannen snakket feminint, var han et offer for samme stereotypi-tenkning. Det var først da han demonstrerte for meg hvordan vedkommende hadde snakket, at jeg forsto det var selve lespingen han hadde hengt seg opp i.»

«Det må ha vært noe mer enn det.»

«Ja da. Bristol. Det er en bydel i Sydney, Australia. Jeg ser på deg at du skjønner sammenhengen nå.»

«Vent,» sa Bjørn. «*Je* skjønner itte.»

Harry blåste røyk ut av vinduet. «Snømannen sa noe til meg. At drapsmannen likte å være nær, at han hadde glidd gjennom synsfeltet mitt. At han hadde tatt på meg. Så da en flaske Bristol Cream gled gjennom synsfeltet mitt, koblet jeg det endelig. At jeg hadde sett på et skilt med samme navn rett før. Og fortalt noe til en person. En person som hadde tatt på meg. Og jeg skjønte plutselig at det jeg hadde sagt var blitt misforstått. Jeg sa at Iska Pellers oppholdssted var Bristol. Vedkommende trodde jeg mente Hotel Bristol i Oslo. Jeg sa det til deg, Sigurd. På sykehuset rett etter raset.»

«Du har god hukommelse.»

«På enkelte ting. Når mistanken først var rettet mot deg, var det andre ting som ble helt åpenbare. Som det du selv sa om ketanomin, at man måtte jobbe innenfor anestesi for å få tak i det i Norge. Som noe en venn av meg sa om at man begjærer det man ser hver dag, som vil si at den som har en kvinne i vanlige sykehusklær som seksuell fantasi, kanskje jobber på et sykehus. Som at brukernavnet på PC-en på Kadok-fabrikken var Nashville. At navnet var hentet fra tittelen på filmen. Regissert av ...»

«Robert Altman i 1975,» sa Sigurd. «Et altfor lite påaktet mesterverk.»

«Og at klappstolen inne på hovedkvarteret selvfølgelig var en regissørstol. For mesterregissøren Sigurd Altman.»

Sigurd svarte ikke.

«Men ennå visste jeg ikke hva motivet ditt var,» fortsatte Harry. «Snømannen hadde fortalt meg at drapsmannen var drevet av hat. Og at hatet skyldtes én enkelt hendelse, noe som lå langt tilbake i tid. Det er mulig jeg alt hadde en anelse. Tungen. Lespingen. Jeg fikk en sinnssyk dame i Bergen til å sjekke litt rundt Sigurd Altman. Hun brukte cirka tretti sekunder på å finne navneendringen din i folkeregisteret og å koble det gamle navnet til voldsdommen til Tony Leike.»

En sigarett ble knipset ut av vinduet på Cherokeen og etterlot seg en hale av gnister.

«Så da gjensto bare spørsmålet om tidslinjen,» sa Harry. «Vi sjekket vaktlistene på Rikshospitalet. Det gir deg tilsynelatende alibi for to av drapene. Du var på vakt både da Marit Olsen og Borgny Stem-Myhre ble drept. Men begge drapene skjedde i Oslo, og det er ingen på Rikshospitalet som konkret kan huske å ha sett deg på de aktuelle tidspunktene. Og siden du ambulerer mellom avdelingene, så er det heller ingen som savner deg om de ikke ser deg på noen timer. Tar jeg ikke mye feil, vil du fortelle meg at på fritiden er du for det meste aleine. Og inne.»

Sigurd Altman trakk på skuldrene. «Sannsynligvis.»

«Så der er vi,» sa Harry og klappet hendene sammen.

«Vent litt,» sa Altman. «Det du har fortalt er bare en historie. Det finnes ikke et eneste håndfast bevis her.»

«Å, det glemte jeg,» sa Harry. «Husker du de bildene jeg viste deg tidligere i dag? De jeg fikk deg til å bla igjennom og som du syntes var litt klissete?»

«Hva med dem?»

«Det blir glimrende fingeravtrykk når man tar på sånne bilder. Fingeravtrykkene dine matchet dem vi fant på skrivebordet hjemme hos Tony Leike.»

Sigurd Altmans ansiktsuttrykk forandret seg langsomt etter hvert som det syntes å gå opp for ham. «Du viste dem bare ... bare for at jeg skulle ta på dem?» Altman stirret som forstenet på Harry i noen sekunder. Så la han ansiktet i hendene. Og en lyd steg opp bak dem. Latter.

«Du tenkte på nesten alt,» sa Harry. «Hvorfor tenkte du ikke på at det var lurt å skaffe seg noe som lignet alibi?»

«Det falt meg ikke inn at jeg trengte det,» knegget Altman. «Du hadde vel gjennomskuet det uansett, hadde du ikke, Harry?»

Blikket bak brilleglassene var fuktig, men ikke knust. Resignasjon. Harry hadde sett det før. Lettelsen ved å ha blitt avslørt. Å endelig kunne fortelle.

«Sannsynligvis,» sa Harry. «Det vil si, offisielt er det ikke jeg som har gjennomskuet noe av dette. Det er den mannen som sitter i bilen der borte. Derfor er det han som skal arrestere deg.»

Sigurd tok av seg brillene og tørket lattertårene. «Så du løy da du sa du trengte meg til å se på ketanomin?»

«Ja, men jeg løy ikke da jeg sa du skulle få være med på norsk krimhistorie.»

Harry nikket til Bjørn som blinket med lysene.

En mann steg ut av Cherokeen foran dem.

«En gammel kjenning av deg,» sa Harry. «I hvert fall datteren hans.»

Mannen kom gående mot dem, lett hjulbeint, heiste opp buksene etter beltet. Som en gammel politimann.

«Bare en siste ting jeg lurer på,» sa Harry. «Snømannen sa at drapsmannen ville komme snikende innpå meg, umerkelig, kanskje mens jeg var svak. Hvordan gjorde du det?»

Sigurd satte på seg brillene. «Alle pasienter som legges inn, må oppgi en person som deres nærmeste pårørende. Faren din oppga tydeligvis deg, for i kantina nevnte en av pleierne at faren til han som hadde tatt Snømannen, selveste Harry Hole, lå på avdelingen hennes. Jeg tok det for gitt at en med ditt ry var satt på saken. På det tidspunktet jobbet jeg egentlig på helt andre avdelinger, men jeg ba avdelingssjefen om å få bruke din far i et anestesiprosjekt jeg holdt på å skrive, sa at han passet perfekt inn i testgruppen min. Jeg tenkte at hvis jeg via ham ble kjent med deg, så kunne jeg få et inntrykk av hvordan saken sto.»

«Du kunne være *nær*, mener du. Kjenne saken på pulsen og få bekreftet din overlegenhet.»

«Da du endelig dukket opp, måtte jeg passe på å ikke spørre direkte om etterforskningen.» Sigurd Altman trakk pusten dypt. «Jeg måtte ikke vekke mistanke. Være tålmodig, vente til jeg hadde bygd opp tillit.»

«Og det greide du.»

Sigurd Altman nikket langsomt: «Takk, jeg liker å tro at jeg er en tillitvekkende person. For øvrig kalte jeg rommet på Kadok-fabrikken klipperommet. Da dere brøt dere inn, mistet jeg besinnelsen. Det var hjemmet mitt. Jeg var så rasende at jeg holdt på å koble faren din fra respiratoren, Harry. Men jeg lot være. Jeg vil bare at du skal vite det.»

Harry svarte ikke.

«Bare én ting jeg lurer på,» sa Sigurd. «Hvordan fant dere ut det med den stengte turisthytta?»

Harry trakk på skuldrene. «Tilfeldig. Jeg og en kollega måtte ta oss inn der. Det virket som det akkurat hadde vært folk der. Og det var svidd fast noe jeg trodde var fleskebiter til ovnen. Det gikk en stund før jeg koblet det til armen som stakk ut fra under scooteren. Den så ut som en svidd grillpølse. Lensmannsbetjenten har vært på hytta, pirket løs alle bitene og sendt dem til DNA-analyse. Vi får svar i løpet av noen dager. Tony oppbevarte personlige saker der. Jeg fant for eksempel et familiebilde i en skuff. Tony som guttunge. Du ryddet ikke godt nok etter deg, Sigurd.»

Politimannen hadde stoppet ved førervinduet som Bjørn

rullet ned. Han bøyde seg ned, så forbi Bjørn og bort på Sigurd Altman.

«Hei, Ole,» sa lensmann Skai. «Jeg arresterer deg herved for drapet på en hel haug med folk som jeg egentlig burde lest opp navnene på nå, men det får vi ta etter hvert. Før jeg kommer rundt og åpner døra, vil jeg at du legger begge henda høyt opp på dashbordet slik at jeg ser dem. Jeg kommer til å sette på deg håndjern, og du skal få bli med meg til ei fin, nyvaska celle. Kona har lagd kjøttkaker med kålrotstuing, mener å huske at du likte det. Høres det greit ut, Ole?»

DEL VIII

Kapittel 75
Transpirasjon

«Hva faen skal dette bety?»

Klokka var sju, Kripos-bygget holdt på å våkne til liv, og i Harrys døråpning sto en rasende Mikael Bellman med stresskofferten i den ene hånden og Aftenposten i den andre.

«Hvis du tenker på Aftenposten …»

«Jeg tenker på dette, ja!» Bellman smelte Aftenposten ned i bordet foran ham.

Overskriften dekket halve førstesiden. «KAVALEREN» ARRESTERT I NATT. Kallenavnet Kavaleren hadde pressen fått tak i samme dag som de hadde døpt ham på møterom Odin. ARRESTERT I NATT var selvfølgelig ikke helt riktig, det var vel mer på kvelden, men lensmann Skai hadde ikke hatt tid til å sende ut pressemeldingen før etter midnatt, etter TV-stasjonenes siste nyhetssendinger og like før avisenes deadline. Den hadde vært kortfattet og spesifiserte ikke klokkeslett og omstendigheter, bare at Kavaleren, etter intens etterforskning fra lensmannskontorets side, var pågrepet utenfor det gamle samfunnshuset i Ytre Enebakk.

«Hva skal det bety?» gjentok Bellman.

«Det betyr vel at politiet har fått en av norgeshistoriens verste drapsmenn bak lås og slå,» sa Harry og prøvde å vippe den høye stolryggen bakover.

«Politiet?» hveste Bellman. «Lensmannskontoret i …» Han måtte konsultere Aftenposten. «… Ytre Enebakk?»

507

«Det er vel ikke så viktig hvem som oppklarer saken så lenge den blir oppklart,» sa Harry og lette etter spaken på siden av stolen. «Hvordan virker disse greiene?»

Bellman rygget noen skritt og lukket døra. «Hør her, Hole.»

«Ikke Harry lenger?»

«Hold kjeft og hør godt etter nå. Jeg vet hva som har skjedd her. Du har snakket med Hagen og fått vite at du ikke kunne overlate arrestasjonen til ham og Voldsavsnittet, at han risikerte for mye. Så når du ikke kunne få hjemmeseier, gikk du for uavgjort. Du overlot æren og poengene til en bondetamp av en lensmann som ikke kan opp og ned på en drapsetterforskning.»

«Jeg, sjef?» sa Harry og ga Bellman et blått, forurettet blikk. «Ett av likene ble funnet i hans distrikt, så det var vel naturlig at han fulgte det opp på lokalt plan. Så nøstet han vel opp denne forhistorien med Tony Leike. Jævlig godt politiarbeid, spør du meg.»

Det fortonte seg som pigmentflekkene i Bellmans panne gjennomgikk alle regnbuens farger.

«Vet du hvordan dette tar seg ut sett fra Justisdepartementet? De har overlatt etterforskningen til meg, jeg holder på i uke etter uke, null resultater. Så kommer denne jævla heimføingen og tar innersvingen på oss i løpet av noen dager.»

«Mm.» Harry dro spaken opp og ryggen vippet brått bakover. «Høres ikke bra ut når du sier det sånn, sjef.»

Bellman satte håndflatene mot skrivebordet, lente seg fram og freste så små, hvite spyttfragmenter virvlet mot Harry. «Jeg håper dette heller ikke høres bra ut, Hole. I ettermiddag går en klump som ble funnet hjemme hos deg, til laboratoriet som fastslår at det er opium. Du er ferdig, Hole!»

«Og fortsettelsen, sjef?» Harry gynget i stolen mens han rykket og slet i spaken.

Bellman rynket pannen. «Hva pokker mener du?»

«Hva skal du svare pressen og Justisdepartementet? Når de har sett på datoen på ransakelsesordren dere brukte, den som ble utstedt i ditt navn. Og spør hvordan det kan ha seg at dagen etter at du har funnet opium hjemme hos en politimann, gir du den samme politimannen en framskutt posisjon i din egen etterforskningsgruppe. Noen vil kanskje hevde at hvis Kripos styres på den måten, er det ikke rart at en lensmann med én celle og kona som kokke, er bedre på å finne drapsmenn.»

Bellman blunket og blunket med åpen munn.

«Derr!» Harry lente seg bakover mot den fastlåste stolryggen med et fornøyd smil. Og knep øynene sammen mot lufttrykket fra døra som ble slamret igjen.

Sola hadde glidd over kanten av fjellet da Krongli stoppet snøscooteren, steg av og gikk bort til Roy Stille som sto ved siden av en skistav som var stukket dypt ned i snøen.

«Nå?»

«Jeg tror vi har funnet det,» sa Stille. «Dette er nok staven han der Hole markerte funnstedet med.»

Den snart pensjonerte politimannen hadde aldri hatt ambisjoner om å bli noe mer enn betjent, men det tette, hvite håret, det faste blikket og den rolige stemmen gjorde at når han snakket, trodde folk ofte at det var han og ikke Krongli som var lensmannen av de to.

«Å?» sa Krongli.

Han fulgte med Stille bort til kanten av stupet. Stille pekte. Og der, nede i ura så han snøscooteren. Han satte kikkerten foran øynene. Så den nakne, svartsvidde armen som stakk ut. Mumlet halvhøyt: «Å faen. Endelig. Eller begge deler.»

Frokostgjestene hadde begynt å gå fra Stopp Pressen da Bent Nordbø hørte kremting, så opp fra New York Times, tok av seg brillene, myste og presterte det nærmeste han hadde kommet å lære seg et smil.

«Gunnar.»

«Bent.»

Hilsningsmåten med å si den andres navn var noe de hadde fra losjen og minnet Gunnar Hagen alltid om møtende maur som utveksler luktstoff. Avsnittslederen satte seg, men tok ikke av frakken. «Du sa på telefonen at du hadde funnet noe.»

«En av journalistene mine har framskaffet dette.» Nordbø skjøv en brun konvolutt over bordet. «Ser ut som Mikael Bellman har beskyttet sin kone i en narkotikasak. Saken er gammel, så juridisk sett går de vel fri, men i pressen ...»

«... går de aldri fri,» sa Hagen og tok konvolutten.

«Jeg tror trygt du kan betrakte Mikael Bellman som uskadeliggjort.»

«I hvert fall kan en terrorbalanse være oppnådd. Han har ting på meg også. Dessuten er det ikke sikkert at jeg får bruk for dette engang, han er akkurat blitt ydmyket av en lensmann i Ytre Enebakk.»

«Jeg leste det. Og det har Justisdepartementet også, eller hva?»

«Der oppe både leser de aviser og lytter til bakken. Men takk skal du ha, likevel.»

«For all del, vi hjelper da hverandre.»

«Hvem vet, kanskje jeg får bruk for denne en annen dag.» Gunnar Hagen tok konvolutten og stakk den innenfor frakken.

Han fikk ikke noe svar siden Bent Nordbø hadde gjenopptatt lesingen av artikkelen om en ung, svart amerikansk senator med navn Barack Obama som artikkelforfatteren i fullt alvor påsto at en dag kunne bli president i De forente stater.

Da Krongli nådde ura, ropte han opp til de andre at han var nede og knyttet seg ut av klatretauet.

Scooteren var av merket Arctic Cat og lå med meiene i været. Han bukserte seg de tre meterne bort til vraket og ble automatisk bevisst på hvor han satte føtter og armer. Som om han var på et åsted. Han satte seg på huk. En arm stakk fram fra under scooteren. Han kjente på scooteren. Den lå og vippet på to steiner. Så trakk han pusten. Og tippet scooteren over på siden.

Den døde lå på ryggen. Kronglis første tanke var at det *antagelig* var en mann. Hodet og ansiktet var blitt knust mellom scooteren og steinene, og resultatet så ut som restene etter en krabbefest. Han behøvde ikke kjenne på den sønderknuste kroppen for å vite at den var geléaktig, som et stykke mørt kjøtt hvor beina er fjernet, at torsoen var flatklemt, hofter og kneskåler pulverisert. Krongli hadde neppe greid å identifisere liket om det ikke hadde vært for den røde filtskjorta. Og den enslige råtne, brune tanna som sto igjen i underkjeven.

Kapittel 76
Redefinisjon

«Hva er det du sier?» sa Harry og presset telefonen hardere mot øret som om feilen skulle ligge der et sted.

«Jeg sier at liket under scooteren ikke er Tony Leike,» sa Krongli.

«Men?»

«Odd Utmo. En lokal einstøing og kjentmann. Han går alltid med den samme røde filtskjorta. Og det er hans scooter. Men det var tannstellet på liket som gjorde meg sikker. Én enslig råtten tannstubb. Gudene veit hvor resten av tenna og tannreguleringen er blitt av.»

Utmo. Tannregulering. Harry husket Kaja hadde fortalt om kjentmannen som hadde kjørt henne på scooter til Håvasshytta.

«Men fingrene,» sa Harry. «Er ikke de forvridde?»

«Jo visst. Utmo var sterkt plaga av gikt, stakkar. Det var Bellman som ba meg ringe og informere deg direkte. Var det ikke helt det du håpet på, Hole?»

Harry skjøv stolen bort fra pulten. «I alle fall ikke helt det jeg venta. Kan det ha vært en ulykke, Krongli?»

Men han visste svaret alt før det kom. Det hadde vært måneskinn hele den kvelden og natta, selv uten kjørelys måtte den kløfta ha vært umulig å ikke se. Særlig for en lokal kjentmann. Særlig når han kjører så sakte at han på et syttimeters fall havner bare tre meter fra loddlinja.

«Glem det, Krongli. Fortell meg om brannskadene.»

Det var stille et øyeblikk i den andre enden før svaret kom.

«Armene og ryggen. Huden på armene har sprukket, og du ser rett inn på røde kjøttet. Deler av ryggen er forkullet. Og det er svidd inn et motiv mellom skulderbladene ...»

Harry lukket øynene. Tenkte på mønsteret på ovnen i hytta. De rykende fleskebitende.

«... ser ut som en kronhjort. Noe mer, Hole? Vi må begynne å frakte ...»

«Ikke mer, Krongli. Takk.»

Harry la på. Satt en stund og grublet. Ikke Tony Leike. Det forandret selvfølgelig detaljene, men ikke det store bildet. Utmo var nok et offer for Altmans hevntokt, en som hadde kommet i veien for ham på en eller annen måte, sannsynligvis. De hadde fingeren til Tony Leike, men hvor var resten av liket hans? En tanke slo Harry. Hvis han var død. I teorien kunne Tony Leike være innesperret et sted. Et sted bare Sigurd Altman kjente til.

Harry slo nummeret til lensmann Skai.

«Han nekter å si et eneste ord til noen,» sa Skai som tygget på et eller annet. «Bortsett fra advokaten sin.»

«Som er?»

«Johan Krohn. Kjenner du til fyren? Ser ut som en guttunge og ...»

«Jeg kjenner godt til Johan Krohn.»

Harry ringte Krohns kontor, ble satt over og Krohn lød akkurat så halvt imøtekommende, halvt avvisende som en profesjonell forsvarsadvokat skal gjøre når påtalemyndigheten ringer. Han lyttet til Harry. Så svarte han.

«Dessverre. Med mindre du har noe konkret som kan sannsynliggjøre at min klient holder en person innesperret eller på annen måte utsetter noen for fare ved ikke å opplyse hvor de er, kan jeg ikke tillate deg å snakke med Sigurd Altman akkurat nå, Hole. Det er alvorlige beskyldninger dere retter mot ham, og jeg behøver ikke fortelle deg at det er min jobb å ivareta hans interesser som best jeg kan.»

«Enig,» sa Harry. «Du behøvde ikke det.»

De la på.

Harry kikket ut av kontorvinduet nedover mot sentrum. Stolen var god, ingen tvil om det. Men blikket hans søkte det velkjente glasshuset på Grønland.

Så slo han et nummer på telefonen igjen.

Katrine Bratt var blid som ei lerke og kvitret som en også.

«Jeg skrives ut om et par dager,» sa hun.

«Jeg trodde du satt der frivillig, jeg.»

«Jo da, men jeg må formelt skrives ut. Jeg gleder meg til og med. De har tilbudt meg en kontorjobb på kammeret når sykemeldingen går ut.»

«Bra.»

«Noe spesielt du ville?»

Harry forklarte.

«Så du må prøve å finne Tony Leike uten Altmans hjelp?» sa Katrine.

«Jepp.»

«Noen forslag hvor jeg kan begynne?»

«Bare ett. Rett etter at Tony forsvant, sjekka vi at han ikke hadde overnattinger på eller rundt Ustaoset. Greia er at jeg sjekket litt nærmere for de siste åra, og han har nesten ingen overnattinger rundt Ustaoset, bare et par på turisthytter. Og det er litt merkelig siden han visstnok har vært veldig mye der oppe.»

«Kanskje han har snyltet på turisthyttene, bare latt være å skrive seg inn og å betale.»

«Han er ikke typen,» sa Harry. «Jeg lurer på om Tony kan ha ei hytte eller noe der oppe som ingen veit om.»

«OK. Var det alt?»

«Ja. Eller forresten, sjekk hva du finner ut om Odd Utmos aktiviteter de siste dagene.»

«Er du fortsatt singel, Harry?»

«Hva faen slags spørsmål er det?»

«Du høres litt mindre singel ut.»

«Gjør jeg?»

«Jepp. Men det kler deg.»

«Gjør det?»

«Siden du spør: nei.»

Aslak Krongli rettet den støle ryggen og så oppover i steinura.

Det var en av karene i ryddegruppa som hadde ropt og nå ropte han igjen, tydelig opphisset: «Hitover!»

Aslak bannet lavt. Åstedsgruppa hadde gjort seg ferdig, og de hadde fått heist opp og fraktet ut snøscooteren og Odd Utmo. Det var komplisert og tidkrevende arbeid siden den eneste mulige adkomsten til ura var ovenifra med tau, og selv det var vanskelig nok.

I lunsjpausen hadde en av karene fortalt noe en av stuepikene på hotellet hadde hvisket ham i øret i all fortrolighet: at lakenene på rommet til Rasmus Olsen, ektemannen til den døde stortingsdama, hadde vært røde av blod da han sjekket ut. Hun hadde først regnet med at det var mensblod, men så hadde hun hørt at Rasmus Olsen hadde bodd der alene og at kona var på Håvasshytta.

Krongli hadde svart at enten hadde han hatt med ei lokal dame opp på rommet, eller truffet kona på morgenen da hun kom til Ustaoset, og de hadde rukket å ha tilgivelses-sex før utsjekk. Fyren hadde mumlet at det var jo ikke sikkert at det var mensblod.

«Hitover!»

Helvetes mas. Aslak Krongli ville hjem. Middag, kaffe, sove. Legge hele denne drittsaken bak seg. Pengene han hadde skyldt i Oslo var betalt, og han skulle aldri ned dit igjen. Aldri ned i den hengemyra én gang til. Det var et løfte han skulle holde denne gangen.

De hadde brukt bikkje for å være sikker på at de fant alle bitene av Utmo i snøen, og det var bikkja som plutselig hadde bykset oppover i ura og blitt stående og gjø hundre meter lenger opp. Hundre bratte meter. Aslak vurderte det.

«Er det noe viktig?» ropte han og fikk kastet en symfoni av ekkoer mot seg.

Han fikk svar, og ti minutter senere sto han og stirret ned på det bikkja hadde gravd fram fra snøen. Det lå så inneklemt mellom steinene at det må ha vært umulig å se oppe fra kanten på stupet.

«Fy faen,» sa Aslak. «Hvem kan det der ha vært?»

«I hvert fall ikke han derre Tony Leike,» sa bikkjeeieren. «Du skal ligge lenge i den kalde ura her for å bli et så reinspist skjelett. Flere år.»

«Atten år.» Det var Roy Stille. Lensmannsbetjenten hadde kommet etter og sto og pustet tungt.

«I atten år har hun ligget her,» sa Roy Stille, satte seg på huk og bøyde hodet.

«Hun?» spurte Aslak.

Betjenten pekte mot hoftepartiet på skjelettet. «Kvinner har større bekkenåpning. Vi greide aldri å finne henne da hun forsvant. Det er Karen Utmo.»

Krongli hørte noe han aldri før hadde hørt i Roy Stilles stemme. En dirring. Dirringen hos en mann i opprør. I sorg. Men granittansiktet hans var som vanlig glatt, lukket.

«Dærsken, da er det sant da,» sa bikkjeeieren. «Hun gikk seg utfor et stup i sorg over guttungen sin.»

«Neppe,» sa Krongli. De to andre så på ham. Han hadde stukket en lillefinger inn i et fint, sirkelrundt hull i pannen på kraniet.

«Er det … et kulehøl?» spurte bikkjeeieren.

«Jepp,» sa Stille og kjente på baksiden av hodeskallen. «Og det er ikke noe utgangshøl, så jeg tipper vi finner kula inni hodeskallen.»

«Og skal vi tippe at kula kommer til å matche rifla til Utmo?» sa Krongli.

«Dærsken,» gjentok bikkjeeieren. «Mener du at han har drept kona si? Går det an? Drepe et menneske du har elska? Fordi du tror at hun og guttungen deres … inn i helvete.»

«Atten år,» sa lensmannsbetjent Stille og reiste seg stønnende. «Sju år igjen til drapet var forelda. Er visst det de kaller ironi. Du venter og venter, redd for å bli oppdaga. Mens åra

går. Og så, når du nærmer deg friheten – bom! – blir du drept
sjøl og havner i samme ura.»

Krongli lukket øynene igjen og tenkte at ja, det går an å
drepe et menneske du har elsket. Det går fint an. Men nei, du
går aldri fri. Aldri. Han skulle aldri mer ned dit.

Johan Krohn likte seg i rampelyset. Man blir ikke landets mest
etterspurte forsvarsadvokat uten å gjøre det. Og da han uten
ett sekunds nøling hadde sagt ja til å forsvare Sigurd Altman,
«Kavaleren», visste han at det kom til å bli mer rampelys enn
han hadde opplevd hittil i sin allerede bemerkelsesverdige karriere. Han hadde allerede nådd målet om å slå sin far som den
yngste advokat noensinne med møterett for Høyesterett. Som
forsvarsadvokat var han alt i tjueårene blitt utropt som den nye
stjernen, vidundergutten. Men det hadde muligens gått ham
litt til hodet, han hadde ikke vært vant til så mye oppmerksomhet som ung. Da hadde han vært den enerverende duksen
som alltid vinket litt for ivrig med hånden i været i klasserommet, som alltid prøvde litt for hardt sosialt og likevel alltid var
sistemann som fikk vite hvor festen på lørdag skulle være – om
i det hele tatt. Men nå kunne unge, kvinnelige assistenter og
advokatfullmektiger rødmende knise når han ga dem komplimenter eller foreslo en overtidsmiddag. Og invitasjonene haglet, både til å holde foredrag, delta i debatter på radio og TV
og til og med én og annen premiere som hans kone satte sånn
pris på. Det kunne nok hende at de tingene hadde tatt for mye
av hans oppmerksomhet de par siste årene. I alle fall hadde han
merket en dalende kurve både i antall vunne saker, antall store
mediasaker og antall ny klienter. Ikke så mye at det ennå hadde
begynt å gå ut over hans renommé blant folk flest, men nok
til at han visste at han trengte Sigurd Altman-saken. Trengte
noe høyprofilert for å få ham tilbake dit han hørte hjemme;
på toppen.

Derfor satt Johan Krohn helt stille og lyttet til den magre
mannen med de runde brillene. Lyttet mens Sigurd Altman
fortalte en historie som ikke bare var den minst sannsynlige

historien Krohn noensinne hadde hørt, men i tillegg var en historie han *trodde* på. Johan Krohn så allerede seg selv i retts-salen, den lysende retorikeren, agitatoren, manipulatoren som likevel aldri mistet jussen av syne, en fryd både for lekmann og fagdommer. Derfor var hans første reaksjon skuffelse da han skjønte hvilke planer Sigurd Altman hadde lagt. Men etter å ha minnet seg selv på farens gjentatte formaning om at advokaten var til for klienten og ikke omvendt, aksepterte han oppdraget. For Johan Krohn var ikke egentlig noen dårlig person.

Og da Krohn dro fra Oslo Kretsfengsel som Sigurd Altman i løpet av dagen var blitt overført til, så han nytt potensial i oppdraget som i sitt slag tross alt var eksepsjonelt. Det første han gjorde da han kom til kontoret, var å kontakte Mikael Bellman. De hadde bare møttes én gang tidligere, i en drapssak selvfølgelig, men Johan Krohn hadde straks skjønt hvor han hadde Bellman. En hauk kjenner igjen en hauk. Derfor visste han omtrent hvordan Bellman hadde det etter dagens avisopp-slag om lensmannens arrestasjon.

«Bellman.»

«Johan Krohn. Takk for sist.»

«God dag, Krohn.» Stemmen lød formell, men ikke uvenn-lig.

«Er det? Du føler deg vel rimelig forbikjørt på oppløpssiden her.»

Kort pause. «Hva gjelder det, Krohn?» Sammenbitt. For-bannet.

Johan Krohn visste at dette ville gå.

Harry og Søs satt tause ved farens seng på Rikshospitalet. På nattbordet og på to andre bord i rommet sto vaser med bloms-ter som plutselig hadde dukket opp de siste dagene. Harry hadde tatt runden og lest på kortene. Ett av dem hadde påskrif-ten «Min kjære, kjære Olav,» undertegnet «din Lise». Harry hadde aldri hørt om noen Lise, enda mindre tenkt tanken at det kunne ha vært andre kvinner enn moren i farens liv. De andre kortene var fra kolleger og naboer. Det måtte ha kommet dem for øre at det gikk mot slutten nå. Og som til tross for at de visste at han ikke kom til å få se dem, hadde sendt disse søtstinkende blomstene for å bøte på det faktum at de ikke hadde tatt seg tid til å besøke ham. Harry så på blomstene som omringet senga som gribber rundt den døende. Tunge, hengende hoder på tynne stilkehalser. Røde og gule nebb.

«Det er ikke lov å ha på mobiltelefonen her, Harry!» hvisket Søs strengt.

Harry fisket fram telefonen og så på displayet. «Beklager, Søs. Viktig.»

Katrine Bratt gikk rett på sak: «Leike har utvilsomt vært en del i Ustaoset og omegn,» sa hun. «Han har de siste årene kjøpt en og annen togbillett på nettet, betalt bensin med kredittkort på bensinstasjonen på Geilo. Det samme med matvarer, mest på Ustaoset. Den som skiller seg ut, er en faktura på bygnings-materiale, også på Geilo.»

«Bygningsmateriale?»

«Jepp. Jeg gikk inn på fakturaoversikten deres. Planker, spi-ker, verktøy, stålwire, leca-stein, sement. Over tretti tusen kro-ner. Men den er fire år gammel.»

«Tenker du det samme som meg?»

«At han har bygd seg et lite anneks eller noe sånt der oppe?»

«Han hadde ikke noen registrert hytte å bygge anneks til, det har vi sjekket. Men du kjøper ikke inn matvarer hvis du skal bo på hotell eller turisthytter. Jeg tror Tony har bygd seg et ulovlig, lite krypinn inne på nasjonalparkområdet, akkurat det han fortalte meg at han drømte om. Godt gjemt i terren-get, selvfølgelig. Et sted han kunne være helt, helt i fred. Men hvor?» Harry oppdaget at han hadde reist seg og begynt å gå fram og tilbake i rommet.

«Tja, si det,» sa Katrine Bratt.

«Vent! Når på året kjøpte han dette?»

«Skal vi se ... Sjette juli står det på utskriften.»

«Hvis hytta skulle gjemmes, må den ha vært et stykke unna allfarvei. Et øde sted uten veier. Sa du stålwire?»

«Ja. Og jeg kan tippe hvorfor. Når bergenserne bygde hytter

JO NESBØ

på de mest forblåste plassene på Ustaoset på sekstitallet, brukte de gjerne stålwire til å forankre hyttene.»

«Så hytta til Leike skal ligge på et forblåst, øde sted, og dit skal han frakte bygningsmateriale for tretti tusen kroner. Må ha vært minst et par tonn. Hvordan gjør du det når det er sommer og det ikke er noe snø så du kan bruke snøscooter.»

«Hest? Jeep?»

«Over elver, myrer, opp i fjellsiden? Prøv igjen.»

«Jeg aner ikke.»

«Men det gjør jeg. Jeg har sett bilde av det. Snakkes.»

«Vent.»

«Ja?»

«Du ba meg sjekke Utmos gjøren og laden de siste dagene i livet hans. Det er ikke stort som er registrert på ham i den elektroniske verden, gitt, men han har i alle fall ringt litt. Noe av det siste han gjorde var å ringe til Aslak Krongli. Fikk bare svareren, ser det ut til. Den aller siste samtalen fra telefonen hans er til SAS. Jeg sjekket videre i bestillingssystemet deres. Han bestilte en flybillett til København.»

«Mm. Han virker ikke som typen som reiste så mye.»

«Det kan du trygt si. Det er riktignok registrert et utstedt pass på ham, men han er ikke registrert i et eneste billettsystem. Og da snakker vi de siste tjuefem årene.»

«Altså en mann som knapt har beveget seg fra hjemstedet sitt. Og som plutselig skal til København. Når skulle han dratt, forresten?»

«I går.»

«OK. Takk.»

Harry la på, grep frakken, snudde seg i døra. Så på henne. Den flotte dama som var søsteren hans. Skulle til å spørre om hun greide seg alene, uten ham. Men rakk å stoppe det idiotiske spørsmålet. Når var det hun ikke hadde gjort det?

«Ha det,» sa han.

Jens Rath sto i kontorfellesskapets resepsjon. Innenfor jakka og skjorta var ryggen våt av svette. Fordi han akkurat hadde fått oppringningen på kontoret om at han hadde et besøk fra politiet. Han hadde hatt en episode med Økokrim for noen år siden, men saken var blitt henlagt. Likevel ble han fortsatt drivende svett bare han så en politibil. Og nå kjente Jens Rath svetteporene åpne seg på vidt gap. Han var en liten mann og så opp på politimannen som akkurat hadde reist seg. Og reist seg. Til han raget en kvartmeter over Jens og ga ham et hardt, kort håndtrykk.

«Harry Hole, Volds… Kripos. Det gjelder Tony Leike.»

«Noe nytt?»

«Skal vi slå oss ned, Rath?»

De satte seg i hver sin Le Corbusier-stol, og Rath signaliserte diskré til Wenche i resepsjonen at hun *ikke* skulle servere dem kaffe som ellers var stående ordre når investorer kom på besøk.

«Jeg vil at du blir med og viser oss hvor hytta hans er,» sa politimannen.

«Hytta?»

«Jeg så at du avlyste kaffeserveringen, Rath, og det er greit, jeg har like dårlig tid som deg. Jeg veit også at saken din hos Økokrim er henlagt, men det tar meg nøyaktig én telefon å gjenåpne den. Det er ikke sikkert de finner noe denne gangen heller, men jeg lover deg at dokumentasjonen de kommer til å forlange at du framlegger …»

Rath lukket øynene. «Å herregud …»

«… kommer til å holde deg sysselsatt lenger enn det tok å bygge hytta til din kollega, kompis og skjebnevenn Tony Leike. Eller hva?»

Jens Raths eneste talent var at han raskere og sikrere enn de fleste kunne kalkulere hva som lønte seg. Regnestykket han akkurat var blitt presentert, tok det ham derfor cirka ett sekund å finne svaret på.

«Greit.»

«Vi reiser opp dit klokka ni i morgen tidlig.»

«Hvordan …»

«På samme måte som dere fraktet materialet opp dit. Helikopter.» Politimannen reiste seg.

JO NESBØ

«Bare ett spørsmål. Tony har alltid vært jævlig nøye på at absolutt ingen skal vite om den hytta, jeg tror ikke engang Lene, forloveden hans, kjente til den. Så hvordan ...?»

«En faktura på bygningsmateriale fra Geilo pluss bildet av dere tre i arbeidsklær sittende på en plankestabel foran et helikopter.»

Jens Rath nikket kort. «Seff. *Bildet.*»

«Hvem tok det forresten?»

«Piloten. Før vi tok av fra Geilo. Og det var Andreas' idé å sende det med pressemeldingen da vi åpnet kontorfellesskapet. Han mente det var kulere med et bilde av oss i arbeidsklær enn i dress og slips. Og Tony sa ja fordi han mente det så ut som vi *eide* det helikopteret. Uansett, finanspressen bruker det bildet hele tiden.»

«Hvorfor sa ikke du og Andreas fra om hytta da Tony ble meldt savnet?»

Jens Rath trakk på skuldrene. «Ikke misforstå, vi er like oppsatt som dere på at Tony snart dukker opp. Vi har et prosjekt i Kongo som går belly up om han ikke snart kommer opp med ti friske millioner. Men når Tony forsvinner, er det alltid fordi han selv vil. Han klarer seg, husk at han var leiesoldat. Jeg tipper at akkurat nå sitter Tony et eller annet sted med en drink, et eksotisk villdyr av en dame i armkroken og gliser fordi han har tenkt ut løsningen.»

«Mm,» sa Harry. «Går ut fra at det er villdyret som har bitt av ham langfingeren da. Fornebu klokka ni i morgen.»

Jens Rath ble stående og se etter politimannen. Og lure på hvorfor han ikke bare svettet, men silte, var i ferd med å renne bort.

Da Harry kom tilbake til Rikshospitalet, satt Søs der fremdeles. Hun bladde i et blad og spiste et eple. Han så ut over gribbeflokken. Det var kommet flere blomster.

«Du ser sliten ut, Harry,» sa hun. «Du burde gå hjem.»

Harry humret. «Du kan gå, du. Du har sittet her lenge nok aleine.»

522

«Jeg har ikke vært alene,» smilte hun lurt tilbake. «Gjett hvem som var her?»

Harry sukket. «Jeg beklager, Søs, jeg gjetter nok som det er om dagen.»

«Øystein!»

«Øystein Eikeland?»

«Ja! Han hadde med seg en melkesjokolade. Ikke til pappa, men til meg. Beklager, men det ble ikke noe igjen.» Hun lo så øynene forsvant i bare kinn.

Da hun reiste seg og gikk ut en tur, så Harry på telefonen. To tapte anrop fra Kaja. Han skjøv stolen inntil veggen og la hodet bakover.

Kapittel 77
Avtrykk

Klokka ti over ti på formiddagen landet helikopteret på et høydedrag rett vest av Hallingskarvet. Klokka elleve var hytta lokalisert.

Den lå så godt skjult i terrenget at selv om de hadde visst omtrent hvor hytta var, hadde de neppe funnet den om ikke Jens Rath hadde vært med. Hytta var bygd i stein høyt oppe i østsiden, lesiden av fjellet, for høyt til at den kunne tas av ras. Steinene var båret dit fra de omkringliggende områdene og blitt murt sammen opp mot to kampesteiner som dannet sidevegg og bakvegg. Det var ingen iøynefallende rette vinkler. Vinduene lignet skyteskår og lå så dypt inne i steinveggen at sola ikke ble reflektert i dem.

«Detta kæller je ei ordentlig hytte,» sa Bjørn Holm, spente av seg skiene og sank straks ned til knærne i snøen.

Harry forklarte Jens at herfra trengte de ikke lenger hans tjenester, og at han skulle gå tilbake til helikopteret og vente der sammen med piloten.

Snøen var ikke så dyp foran døra.

«Noen har spadd her for ikke lenge siden,» sa Harry.

Døra hadde et beslag med en enkel hengelås som uten særlige protester ga etter for Bjørns kubein.

Før de åpnet, tok de av seg vottene, tok på latekshansker og trakk blå plastposer utenpå skistøvlene. Så steg de inn.

«Oj,» sa Bjørn lavt.

Hele hytta besto av ett enkelt rom på rundt fem ganger tre meter, og minnet mest av alt om en gammeldags kapteinslugar med koøylignende vinduer og kompakte, plassbesparende løsninger. Gulv, vegger og tak var kledd med grove, ubehandlede bord, som hadde fått et par strøk hvit maling for å utnytte det lille av lys som slapp inn. Kortveggen til høyre var okkupert av en enkel kjøkkenbenk med en utslagsvask og et underskap. En divan ved kortveggen fungerte tydeligvis også som seng. Midt i rommet sto et spisebord med en – én – pinnestol med malingsflekker. Foran det ene vinduet sto et velbrukt skrivebord med initialer og halvkvedete viser skåret inn i treverket. Til venstre på langveggen der den bakre kampesteinen lå blottet, sto en svart ovn. For å utnytte varmen bedre fulgte ovnsrøret steinen en omvei ut til høyre før den fortsatte rett opp. Vedkurven var fylt med bjørkeved og aviser til opptenning. På veggene hang kart over området, men også et over Afrika.

Bjørn kikket ut av vinduet over skrivebordet.

«Og det kæller je en ordentlig utsikt. Faen, du kan sjå halve Norge herifrå.»

«La oss komme i gang,» sa Harry. «Piloten ga oss to timer, det er et skysystem på vei inn fra kysten.»

Mikael Bellman hadde som vanlig stått opp klokka seks og jogget seg våken på tredemølla i kjelleren. Han hadde drømt om Kaja igjen. Hun hadde sittet bakpå en motorsykkel med armene rundt en mann som bare var hjelm og visir. Hun hadde smilt så lykkelig med de spisse tennene og vinket idet de kjørte fra ham. Men hadde de ikke stjålet sykkelen, var den ikke hans? Han kunne ikke vite sikkert, for det flagrende håret hennes var så langt at det skjulte nummerskiltet.

Etter løpingen hadde Mikael dusjet og gått opp til frokost.

Han hadde stålsatt seg før han snudde morgenavisen som Ulla – også som vanlig – hadde lagt ved siden av tallerkenen hans.

I mangel av bilder av Sigurd Altman alias Kavaleren, hadde de trykket et bilde av lensmannen. Skai. Han sto utenfor lensmannskontoret sitt med armene i kors, iført en grønn cap med lang brem, som en jævla bjørnejeger. Overskriften:

«Kavaleren arrestert?» Og ved siden av, over bildet av en gul, smadret scooter: «Nytt lik funnet på Ustaoset.»

Bellman hadde latt blikket raskt fare nedover teksten på leting etter ordet «Kripos» eller – i verste fall – sitt eget navn. Ingenting på førstesiden. Godt.

Han hadde slått opp på sidene det var henvist til, og der hadde det vært, med bilde og alt:

Leder for Kripos' etterforskning, Mikael Bellman, sier i en kort kommentar at han ikke vil uttale seg før Kavaleren er blitt avhørt. Og at han ikke har noen spesiell kommentar til at det var akkurat lensmannskontoret i Ytre Enebakk som pågrep den mistenkte.

– På generell basis kan jeg si at alt politiarbeid er teamwork. I Kripos legger vi ikke vekt på hvem som får sjarmøretappen.

Det siste burde han ikke ha sagt. Det var løgn, ville bli oppfattet som løgn og stinket dårlig taper lang vei.

Men det var ikke så farlig. For om det Johan Krohn, forsvarsadvokaten, hadde fortalt ham på telefonen dagen før var sant, hadde Bellman en gyllen mulighet til å rette opp alt. Ja, mer enn det. Til selv å løpe sjarmøretappen. Han visste at prisen Krohn ville forlange var høy, men også at det ikke kom til å være ham som måtte betale den. Men den jævla bjørnejegeren. Og Harry Hole og Voldsavsnittet.

En fengselsbetjent holdt døra til besøksrommet oppe, og Mikael Bellman lot Johan Krohn gå foran. Krohn hadde insistert på at siden dette var en samtale – altså ikke et formelt avhør – skulle den foregå på mest mulig nøytralt område. Siden det var utelukket å slippe Kavaleren utenfor Oslo Kretsfengsel hvor han hadde fått en av suitecellene, var Krohn og Bellman blitt enige om et av besøksrommene, de som ble brukt til private treff mellom innsatte og familie. Ingen kameraer, ingen mikrofoner, bare et vanlig rom uten vinduer hvor man hadde gjort et halvhjertet forsøk på å gjøre det trivelig med en heklet duk på bordet og klokkestreng på veggen. Som regel var det kjærester som ble innvilget møter her, og fjærene på den sædinnsatte sofaen var så utslitte at Bellman kunne se hvordan Krohn sank ned i stoffet da han satte seg.

Sigurd Altman satt på en stol ved enden av bordet. Bellman satte seg på den andre stolen slik at han og Altman ble sittende i temmelig nøyaktig lik høyde. Altmans ansikt var magert, med dyptliggende øyne og markert munnparti med et framstikkende tannsett som fikk Bellman til å tenke på bilder av utmagrede jøder i Auschwitz. Og monsteret i *Alien*.

«Samtaler som dette er ikke etter boka,» sa Bellman. «Jeg må derfor insistere på at det verken blir tatt notater eller at noe vi sier blir brakt videre.»

«Samtidig som vi må få en garanti på at betingelsene for en tilståelse oppfylles fra påtalemyndighetens side,» sa Krohn.

«Du har mitt ord,» sa Bellman.

«Og det takker jeg ydmykt for. Hva mer har du?»

«Mer?» sa Bellman og smilte tynt. «Hva vil du jeg skal gjøre? Undertegne en skriftlig avtale?» Forbannede, arrogante forsvarskødd.

«Gjerne,» sa Krohn og skjøv et ark over bordet.

Bellman stirret på arket. Blikket hoppet nedover fra setning til setning.

«Vil selvfølgelig ikke bli vist til noen om det ikke behøves,» sa Krohn. «Og dokumentet tilbakeleveres til deg når betingelsene er oppfylt. Og dette …» Han rakte en penn mot Bellman. «… er en S.T. Dupont, det beste skriveverktøy som kan oppdrives.»

Bellman tok imot pennen og la den på bordet ved siden av seg.

«Hvis historien er god nok, skal jeg undertegne,» sa han.

«Hvis dette skulle vara et åsted, har vedkommende rødde godt etter seg.»

Bjørn Holm satte hendene i siden og så seg rundt i rommet. De hadde vært høyt og lavt, i skuffer og skap, lyst etter blod og løftet fingeravtrykk. Han hadde satt laptopen sin på skrivebordet. Til den var det koblet en fingeravtrykkscanner på størrelse med en fyrstikkeske, tilsvarende de man på noen flyplasser hadde begynt å bruke til passasjeridentifikasjon. Så langt hadde alle fingeravtrykkene matchet én person i saken: Tony Leike.

«Fortsett,» sa Harry som lå på kne under utslagsvasken og skrudde fra hverandre plastrørene. «Det er her et sted.»

«Hå da?»

«Jeg veit ikke. Et eller annet.»

«Hvis vi skal fortsetta, bør vi i hvert fall få litt varme her.»

«Så fyr opp.»

Bjørn Holm satte seg på huk ved ovnen, åpnet luken og begynte å rive løs og krølle avissider fra vedkurven.

«Hva tilbau du egentlig Skai for at 'n skulle bli med på det spellet ditt? Hæn risikerer tross alt litt ta hårt om sannheten skulle komma fram.»

«Han risikerer ingenting,» sa Harry. «Han har ikke sagt et ord som ikke er sant, bare se på uttalelsene hans. Det er media som har trukket konklusjoner som er feil. Og det finnes ingen politiinstruks som sier noe om hvem som skal arrestere og ikke arrestere en mistenkt. Jeg behøvde ikke å tilby noe for hjelpen. Han sa at han mislikte meg mindre enn han mislikte Bellman, at det var grunn nok.»

«Det var alt?»

«Vel. Han fortalte om datteren, Mia. Det har ikke gått så bra for henne. I sånne tilfeller leter alle foreldre etter en årsak, noe konkret de kan peke på. Og Skai mener at det er den natta utenfor samfunnshuset, at den merket Mia for livet. På folkemunne ble historien til at Mia og Ole hadde vært kjærester, og at det slett ikke bare var uskyldig kyssing i skogbrynet da Ole fersket henne og Tony. I Skais øyne er det Ole og Tony som har skylden for datterens problemer.»

Bjørn ristet på hodet. «Ofre, ofre, hå hen du snur og vender deg.»

Harry hadde kommet bort til Bjørn og holdt fram hånden. I håndflaten lå biter av noe som så ut som metalltråd som var kuttet fra et gjerde. «Dette lå under sluket. Aner du hva det er?»

Bjørn tok imot metallbitene og studerte dem.

«Hei!» utbrøt Harry. «Hva er det der?»

«Hå da?»

«Avisa. Se, det er fra pressekonferansen der vi lanserte Iska Peller.»

Bjørn Holm så ned på bildet av Bellman som var blitt blottet da han hadde revet ut siden foran. «Visst faen.»

«Den avisa er bare noen dager gammel. Noen har vært her nylig.»

«Visst faen.»

«Kanskje det er fingeravtrykk på førstesid…» Harry så inn i ovnen hvor de første sidene akkurat gikk opp i flammer.

«Sorry,» sa Bjørn. «Men je kæn sjekke dom andre siden.»

«OK. Jeg lurer forresten på denne veden.»

«Ja?»

«Det er ikke et tre i kilometers omkrets. Han må ha en stor vedstabel et sted. Sjekk avisa, så tar jeg en tur rundt utenfor.»

Mikael Bellman så på Sigurd Altman. Han likte ikke det kalde blikket hans. Likte ikke den beinete kroppen, tannsettet som presset mot innsiden av leppene, de stakkato bevegelsene eller den ubehjelpelige lespingen. Men han behøvde ikke like Sigurd Altman for å se ham som sin frelser og velgjører. For hvert ord Altman sa, var Bellman ett skritt nærmere seier.

«Jeg går ut fra at du har lest Harry Holes rapport med framstilling av antatt hendelsesforløp,» sa Altman.

«Du mener lensmann Skais rapport?» sa Bellman. «Med Skais framstilling?»

Altman smilte skjevt. «Gjerne det om du vil. Den historien Harry fortalte var i alle fall forbløffende korrekt. Problemet med den er at det kun inneholder ett eneste håndgripelig bevis. Mine fingeravtrykk hjemme hos Tony Leike. Vel, la oss si at jeg sier at jeg var der og besøkte ham. At vi snakket om gode, gamle dager.»

Bellman trakk på skuldrene. «Og det mener du at en jury vil tro på?»

«Jeg liker å tro at jeg er en tillitsvekkende fyr. Men ...» Altmans lepper trakk seg opp og blottet tannkjøttet. «Nå vil jo jeg aldri stilles for noen jury, eller hva?»

Harry fant vedstabelen under en grønn presenning under en fjellnabb. En øks sto bukkende ned i en hoggestabbe, ved siden av den en kniv. Harry så seg rundt og sparket i snøen. Det var ikke mye av interesse her. Støvelen traff noe. En hvit, tom plastspole. Han bøyde seg ned. Produktspesifikasjonen sto på siden. Ti meter gasbind. Hva gjorde det her?

Harry la hodet på skakke og så på hoggestabben en stund. Så på det svarte som var trukket ned i treet. På kniven. På skaftet. Gult, glatt. Hva gjorde en kniv på en hoggestabbe? Kunne selvfølgelig være mange grunner, likevel ...

Han la sin venstre hånd mot stabben slik at den gjenværende stubben av langfingeren ble liggende oppå og de andre fingrene presset ned langs siden.

Harry løsnet kniven forsiktig med to fingre øverst på skjeftet. Bladet var skarp som et barberblad. Med spor etter det stoffet han alltid så etter i sitt yrke. Så løp han som en elg på lange bein i dypsnøen.

Bjørn kikket opp fra PC-en da Harry braste inn. «Bære mer Tony Leike,» sukket han.

«Det er blod på knivbladet,» sa Harry andpusten. «Sjekk skjeftet for avtrykk.»

Bjørn tok forsiktig imot kniven. Drysset svart pulver på det glattlakkerte, gule treet og blåste forsiktig på det.

«Det er bære ett sett med fingeravtrykk her, men det er til gjengjeld nydelig,» sa han. «Kanskje det er epitelceller her også.»

«Yess!» sa Harry.

«Hå er greia?»

«Den som satte det fingeravtrykket, skar fingeren av Tony Leike.»

«Å? Hå får deg ...»

«Det er blod på hoggestabben. Og han har hatt gasbind klar til å forbinde såret. Og det aner meg at jeg har sett den kniven før. På et kornete foto av Adele Vetlesen.»

Bjørn Holm plystret lavt, presset fingeravtrykksfolie mot skaftet slik at pulveret festet seg. Så la han folien på scanneren.

«Sigurd Altman, du kunne kanskje fått en bra advokat til å prate vekk fingeravtrykkene på skrivebordet til Leike,» hvisket Harry mens Bjørn trykket på søk-knappen og de begge fulgte den blå stripen som i rykk og napp krøp mot høyre i det liggende rektangelet. «Men ikke avtrykket på denne kniven.»

Ready ...

Found 1 match.

Bjørn Holm trykket på vis.

Harry stirret på navnet som kom opp.

«Trur du fremdeles det er avtrykket til den som høgg fingeren ta n'Tony?» spurte Bjørn Holm.

Kapittel 78
Avtalen

«Etter at jeg så Adele og Tony stå der og knulle som bikkjer foran utedoen, kom alt tilbake. Alt jeg hadde greid å grave ned. Alt psykologen hadde sagt jeg hadde lagt bak meg. Men det var tvert om. Det var som et dyr som hadde vært lenket, men blitt fôret, vokst og var sterkere enn noensinne. Og nå var det løs. Harry hadde helt rett. Jeg planla en hevn som gikk ut på å ydmyke Tony Leike, akkurat slik han hadde ydmyket meg.»

Sigurd Altman så ned på hendene sine og smilte.

«Men derfra og inn tok Harry feil. Jeg planla ikke at Adele skulle dø. Jeg ville bare ydmyke Tony i påsyn av alle. Ikke minst dem han håpet skulle bli svigerfamilien hans, melkekua Galtung som skulle finansiere hele dette Kongo-eventyret hans. Hvorfor skulle ellers en som Tony gidde å gifte seg med en sånn grå mus som Lene Galtung?»

«Sant nok,» smilte Mikael Bellman for å vise at han var på lag.

«Så jeg skrev et brev til Tony hvor jeg utga meg for å være Adele. Jeg skrev at han hadde gjort meg gravid og at jeg ville ha barnet. Men at jeg som vordende alenemor måtte sørge for økonomien, og at jeg derfor ville ha penger for å holde kjeft om at det var hans. Fire hundre tusen i første omgang. At han skulle møte opp med pengene på parkeringshuset bak Lefdal i Sandvika ved midnatt to dager senere. Så sendte jeg et brev til Adele, ga meg ut for å være Tony og spurte om vi kunne møtes samme sted og tid for et stevnemøte. Jeg visste jo at settingen ville være etter Adeles smak, og jeg regnet med at de ikke hadde utvekslet navn og telefonnummer, for å si det sånn. At bedraget ikke ville bli avslørt før det var for sent, før jeg hadde det jeg ville ha. Klokka elleve var jeg selv på plass og satt i en bil med kameraet klart. Planen var å avbilde stevnemøtet, enten det endte med krangling eller knulling, og å sende det hele sammen med den avslørende historien til Anders Galtung. Det var alt.»

Sigurd så på Bellman og gjentok. «Det var alt.»

Bellman nikket, og Sigurd Altman fortsatte: «Tony kom før tiden. Han parkerte, gikk ut og så seg rundt. Før han forsvant inn i skyggene under trærne mot elva. Jeg krøp ned bak rattet. Så kom Adele. Jeg rullet ned vinduet for å høre. Hun sto der og ventet, så seg rundt, kikket på klokka. Jeg så Tony stå rett bak henne, så nær at det var utrolig at hun ikke merket ham. Jeg så ham dra opp en svær samekniv og så legge armen rundt halsen hennes. Hun sprellet mens han bar henne med seg inn i sin egen bil. Det var da døra gikk opp at jeg så det var trukket plast over bilsetene. Jeg hørte ikke hva Tony sa til henne, men jeg fikk opp kameraet, fikk zoomet dem inn. Så at han hadde presset en penn inn i hånden hennes, at han tydeligvis dikterte noe som hun skrev på et kort.»

«Postkortet fra Kigali,» sa Bellman. «Han hadde planlagt alt på forhånd. Hun skulle forsvinne.»

«Jeg tok bilder, tenkte ikke på annet. Helt til jeg plutselig så ham løfte hånden og kjøre kniven inn i halsen hennes. Jeg trodde ikke mine egne øyne. Blodspruten sto ut, traff innsiden av frontruta.»

De to mennene enset ikke Krohn som snappet etter luft.

«Han ventet en stund, lot kniven bare stå i halsen, som om han ville la henne tømmes for blod først. Så løftet han henne, bar henne bak bilen sin og lempet henne ned i bagasjerommet. Idet han skulle sette seg inn igjen i bilen, stoppet han og liksom været ut i lufta. Han sto under lyset fra en lyktestolpe, og da så jeg det: de samme vidt oppsperrede øynene, det samme

533

grinet rundt munnen som Tony hadde hatt da han satt oppå meg utenfor danselokalet og tvang kniven inn i munnen min. Lenge etter at Tony hadde kjørt av gårde med Adele satt jeg der stiv av skrekk, greide ikke røre meg. Jeg skjønte at jeg ikke kunne sende noe avslørende brev til Anders Galtung. Eller noe annet sted. Fordi jeg akkurat var blitt medskyldig i et mord.»

Sigurd tok en liten, behersket slurk av vannglasset som sto foran ham og kikket bort på Johan Krohn som nikket tilbake.

Bellman kremtet. «Teknisk sett var du nok ikke medskyldig i mord. I verste fall i utpresning eller bedrag. Du kunne stoppet der. Det ville naturligvis vært svært ubehagelig for deg, men du kunne gått til politiet. Du hadde jo til og med tatt bilder som kunne bevise det.»

«Jeg ville uansett bli tiltalt og dømt. De ville påstått at jeg bedre enn noen vet at Tony Leike reagerer med vold når han blir satt under press, at jeg hadde satt det hele i gang med overlegg.»

«Hadde du ikke tenkt tanken at det kunne skje, da?» spurte Bellman og overså det advarende blikket fra Krohn.

Sigurd Altman smilte. «Er det ikke underlig, overbetjent, at det ofte er våre egne overlegninger som er de vanskeligste å gjennomskue? Eller huske? Jeg husker ærlig talt ikke helt hva jeg selv trodde skulle skje.»

Fordi du ikke vil huske, tenkte Bellman og nikket og mm-et som i takknemlighet for at Altman hadde gitt ham ny innsikt i menneskesjelen.

«Jeg tenkte meg om i flere dager,» sa Altman. «Så dro jeg tilbake til Håvasshytta og rev ut den siden i gjesteboka hvor navnene og adressen på alle dem som var der den natta sto. Så skrev jeg et nytt brev til Tony. Hvor jeg sa at jeg visste hva han hadde gjort. At jeg hadde sett ham knulle Adele Vetlesen på Håvasshytta og at jeg visste hvorfor. At jeg ville ha penger. Undertegnet Borgny Stem-Myhre. Fem dager senere leste jeg i avisene at hun var funnet drept i en kjeller. Det skulle stoppet der. Politiet skulle ha etterforske saken og avslørt Tony. Det var det dere burde gjort. Tatt ham.»

Sigurd Altman hadde hevet stemmen, og Bellman kunne banne på at han så tårer velle opp i øynene bak de runde brilleglassene.

«Men dere hadde ikke engang et spor, dere var helt i tåka. Så jeg måtte fortsette å mate ham med flere ofre, true ham med nye navn fra lista på Håvasshytta. Jeg klippet ut bilder av ofrene fra avisene og hengte dem opp på veggen i klipperommet på Kadok-fabrikken sammen med kopier av brevene jeg hadde skrevet i ofrenes navn. Etter hvert som Tony drepte én person, kom det brev fra en ny som påsto at det var *de* som hadde sendt de foregående, at de nå visste at han hadde to eller tre og etter hvert fire liv på samvittigheten. Og at prisen for deres taushet var hevet tilsvarende.» Altman lente seg fram, stemmen lød forpint. «Jeg gjorde det jo for å gi dere muligheten til å ta ham. En drapsmann gjør feil, gjør han ikke? Jo flere drap, desto større sjanse for at han blir tatt.»

«Og desto bedre blir han på det han driver med,» sa Bellman. «Og husk at Tony Leike ikke var noen novise i vold. Du er ikke leiesoldat i Afrika så lenge som han var, uten å ha blod på hendene. Slik du selv har.»

«Blod på hendene?» skrek Altman, plutselig rasende. «Jeg brøt meg inn hos Tony og ringte til Elias Skog for at dere skulle finne sporet i telefonregisteret. Det er dere som ikke gjorde jobben deres som har blod på hendene! Horer som Adele og Mia, mordere som Tony. Om ikke …»

«Stopp nå, Sigurd.» Johan Krohn hadde reist seg. «Vi tar en liten pause, greit?»

Altman lukket øynene, løftet hendene og ristet på hodet. «Jeg er OK, jeg er OK. La oss få det overstått.»

Johan Krohn så på klienten sin, på Bellman og satte seg igjen.

Altman trakk pusten dypt og skjelvende. Så fortsatte han: «Etter det tredje drapet eller så skjønte naturligvis Tony at det neste brevet ikke nødvendigvis var fra den det ga seg ut for. Likevel fortsatte han å drepe dem, på stadig mer grusomt vis. Det var som om han ville skremme meg, få meg til å trekke meg, vise at han kunne drepe alt og alle og til slutt ville ta meg også.»

«Eller han ville kvitte seg med potensielle vitner som hadde sett ham og Adele,» sa Bellman. «Han visste at det bare hadde vært sju personer på Håvasshytta, han hadde bare ingen mulighet til å skaffe seg oversikt over hvem.»

Altman lo. «Tenk deg! Jeg skal banne på at han dro opp til Håvasshytta for å se i gjesteboka. Og så finner han bare margen på et utrevet ark. Tony Pony!»

«Hva med ditt eget motiv for å fortsette?»

«Hva mener du?» spurte Altman, brått vaktsom.

«Du kunne gitt politiet et anonymt tips mye tidligere i saken. Kanskje du også ville at alle vitnene skulle forsvinne?»

Altman la hodet på skakke, øret berørte nesten skulderen. «Som sagt, overbetjent. Det kan være vanskelig å holde rede på alle grunnene til at man gjør det man gjør. Underbevisstheten er styrt av overlevelsesinstinktet og er derfor ofte mer rasjonell enn den bevisste tanken. Kanskje underbevisstheten skjønte at det ble tryggere for meg også om Tony ryddet vitnene av veien. Så ville jo ingen kunne fortelle at jeg hadde vært der, eller plutselig en dag kjenne meg igjen på gata. Men det spørsmålet vil vi aldri få svar på, vil vi vel?»

Det kaklet og sprakte i ovnen.

«Men åffer i all verda skulle Tony Leike høgge ta sin egen langfinger?» spurte Bjørn Holm.

Han hadde satt seg på divanen mens Harry gikk gjennom medisinskrinet som han hadde funnet innerst i en kjøkkenskuff. Det inneholdt flere ruller med gasbind. Og blødningshemmende salve som fikk blod til å koagulere fortere. Produksjonsdatoen på tuben viste at den bare var to måneder gammel.

«Altman tvang ham til det,» sa Harry og snudde på en liten, brun og etikettløs flaske. «Leike skulle ydmykes.»

«Du høres itte ut som du trur på det sjøl.»

«Visst faen tror jeg på det,» sa Harry, skrudde av korken og snuste på innholdet.

«Å? Det er itte et eneste fingeravtrykk her som itte er Leikes, itte et hårstrå som itte er Leikes ravnsvarte, itte et skoavtrykk som itte er Leikes størrelse femogførti. Sigurd Altman er askeblond og har størrelse toogførti, Harry.»

«Han har ryddet godt etter seg. Minn meg på at vi analyserer denne.» Harry lot den brune flasken gli ned i jakkelomma.

«Rødde så godt? På noe som sannsynligvis itte er et åsted engong? Den samma mænn som itte brydde seg om at'n satte store, feite fingeravtrykk på skrivebordet hass Leike i Holmenvegen? Som du sjøl sa hadde rødde for dårlig etter seg på turisthytta der'n drepte Utmo? Je trur itte det, Harry. Og det gjør itte du hell.»

«Faen!» ropte Harry. «Faen, faen.» Han la pannen i hendene og stirret i bordplaten.

Bjørn Holm holdt en av de små metallbitene fra sluket i lufta og skrapte av gult belegg med pekefingerneglen. «Je trur forresten je veit hå dette er.»

«Å?» sa Harry uten å løfte hodet.

«Jern, krom, nikkel og titan.»

«Hva?»

«Je hadde tannregulering da je var liten. Når nye reguleringer skulle tilpasses måtte det bøyes og klyppes til.»

Harry løftet brått hodet og stirret på Afrika-kartet. Han så på landene som føyde seg inn i hverandre som puslebiter. På Madagaskar som lå for seg selv som en bit som ikke passet.

«Hos tannlegen …»

«Hysj!» sa Harry og holdt opp en hånd. Han kjente det nå. Noe hadde akkurat falt på plass. Alt som hørtes, var ovnen og vindkastene som hadde begynt å komme tettere utenfor. To puslebiter som hadde ligget langt fra hverandre, på hver sin side av puslebrettet. En morfar ved Lyseren. Far til mor. Og fotografiet i skuffen på turisthytta. Familiebildet. Ikke Tony Leikes bilde, men hans, Odd Utmos. Leddgikt. Hva var det Tony hadde sagt til ham? Ikke smittsomt, men arvelig. Gutten med de store, blottede tennene. Og den voksne mannen med den hardt gjenknepne munnen som om han skjulte en mørk

537

hemmelighet. Skjulte sine egne, råtne tenner og tannregule-ringen.

Steinen. Den brune og svarte steinen han hadde funnet på baderomsgulvet i turisthytta. Han stakk hånden i lomma. Den lå der fortsatt. Han slengte den bort til Bjørn.

«Si meg,» sa han og svelget. «Jeg stusset på denne. Tror du det kan være en tann?»

Bjørn holdt den opp mot lyset. Skrapte i den med neglen. «Kæn godt være det.»

«Vi må komme oss tilbake,» sa Harry og kjente hårene i nakken reise seg. «Nå. Det er faen ikke Altman som har drept dem.»

«Å?»

«Det er Tony Leike.»

«Du har selvfølgelig lest i avisene at Tony Leike ble løslatt etter først å ha blitt arrestert,» sa Bellman. «Han hadde nemlig en fin, liten ting som heter alibi. Han var beviselig på et annet sted både da Borgny og Charlotte døde.»

«Det vet jeg ikke noe om,» sa Sigurd Altman og la armene i kors. «Jeg vet bare at jeg så ham stikke kniven i Adele. Og at brevene jeg sendte, medførte at de angivelige avsenderne ble drept like etterpå.»

«Du er klar over at i hvert fall det gjør deg medskyldig i mord?»

Johan Krohn kremtet. «Og du er klar over at du har gjort en handel her som serverer deg og Kripos den virkelige draps-mannen på et sølvfat? Du får løst alle dine interne problemer, Bellman. Du får all credit, og du får et vitne som vil si i rettssalen at han så Tony Leike drepe Adele Vetlesen. Det som skjedde utover det, forblir mellom oss.»

«Og din klient går fri?»

«Det er avtalen.»

«Hva hvis Leike har beholdt brevene og de skulle dukke opp i rettssaken?» sa Bellman. «Da har vi et problem.»

«Nettopp derfor har jeg en følelse av at de ikke kommer til å dukke opp,» smilte Krohn. «Eller hva, overbetjent?»

«Hva med fotografiene du tok av Adele og Tony?»

«Gikk med i brannen på Kadok,» sa Altman. «Helvetes Hole.»

Mikael Bellman nikket langsomt. Så løftet han pennen. S.T. Dupont. Bly og stål. Den var tung å løfte. Men da han først hadde satt den mot arket, var det som om signaturen skrev seg selv.

«Takk,» sa Harry. «Over og ut.»

Han fikk en skrapelyd til svar og så var det stille, bare helikoptermotorens monotone støy der utenfor øreklokkene. Harry bøyde vekk mikrofonen på headsettet og så ut.

For sent.

Han hadde akkurat avsluttet en samtale over radioen med tårnet på Gardermoen. De hadde av sikkerhetsgrunner tilgang til det meste, også passasjerlister. Og kunne bekrefte at Odd Utmo hadde reist på sin forhåndsbestilte billett til København i går.

Landskapet som flyttet seg sakte under dem.

Harry så ham for seg der han sto med passet til mannen han hadde torturert og drept. Mannen eller kvinnen bak skranken som rutinemessig leste at navnet i passet stemte med det registrerte passasjernavnet og som – hvis de i det hele tatt kastet et blikk på bildet – tenkte at det var da faen til tannregulering på en voksen mann. Kikket opp, registrerte den samme tannreguleringen på de kanskje kunstig brunfargete tennene foran seg, en tannregulering som Tony Leike hadde måttet bøye til og klippe opp for å få dem noenlunde tredd ned på sine egne porselenshøyblokker av noen tenner.

De fløy inn i en regnbyge som eksploderte på boblen av plexiglass, løp ut til sidene i dirrende vannstriper og ble borte. Sekunder senere var det som om den aldri hadde vært der.

Fingeren.

Tony Leike hadde kuttet av fingeren og sendt til Harry som en siste avledningsmanøver, for å vise at Tony Leike måtte regnes som død. At han kunne glemmes, avskrives, henlegges. Var det tilfeldig at han hadde valgt samme finger som Harry, gjort seg lik ham?

Men hva med alibiet, det vanntette alibiet hans?

Harry hadde vært innom tanken før, men hadde slått den fra seg fordi kaldblodige mordere er sjeldenheter, avvikere, perverterte sjeler i ordets rette forstand. Men kunne det likevel finnes én til, kunne det være så enkelt som at Tony Leike hadde hatt en medsammensvoren?

«Faen!» sa Harry, høyt nok til at den lydaktiverte mikrofonen kringkastet siste del av stavelsen til de andre tre headsettene i helikopteret. Han merket av Jens Rath stirret på ham fra siden. Kanskje hadde Rath fått rett likevel. Kanskje satt Tony Leike akkurat nå med en drink, et eksotisk villdyr av ei dame i armkroken og gliste fordi han hadde tenkt ut løsningen.

Kapittel 79

Tapte anrop

Klokka kvart over to landet helikopteret på Fornebu, den nedlagte flyplassen som lå tolv minutters kjøring fra sentrum. Da Harry og Bjørn Holm gikk inn gjennom døra på Kripos og Harry spurte resepsjonisten hvorfor verken Bellman eller noen andre i etterforskningsledelsen svarte på telefoner, fikk han beskjed om at de alle satt i samme møtet.

«Hvorfor faen er ikke vi innkalt?» mumlet Harry mens hans langet ut nedover korridoren med Bjørn småløpende bak seg.

Han dyttet opp døra uten å banke på. Sju hoder snudde seg mot dem. Det åttende, Mikael Bellmans, behøvde ikke snu seg ettersom han satt ved enden av langbordet vendt mot døra, og det var han alle de andre hadde sett på.

«Helan og Halvan,» sa Bellman muntert og Harry skjønte på humringen at de var blitt omtalt in absentia. «Hvor har dere vært?»

«Vel, mens dere har sittet her og vært Snøhvit og de sju dvergene, har vi vært på hytta til Tony Leike,» sa Harry og slengte seg ned på en ledig stol ved motsatt kortende av bordet. «Og vi har nyheter. Det er ikke Altman. Vi har tatt feil mann. Det var Tony Leike.»

Harry visste ikke hvilken reaksjon han hadde ventet seg. Men i hvert fall ikke dette: ingen reaksjon overhodet.

Overbetjenten lente seg bakover i stolen med et vennlig spørrende smil.

«*Vi* har tatt feil mann? Så vidt jeg husker var det lensmann Skai som fant det for godt å arrestere Sigurd Altman. Og når det gjelder nyhetsverdien, er den temmelig begrenset. Vi får vel heller si 'velkommen etter' når det gjelder Tony Leike.»

Harrys blikk hoppet fra Ærdal til Pelikanen og tilbake til Bellman mens hjernen spant. Og konkluderte med det eneste mulige.

«Altman,» sa Harry. «Altman har fortalt at det var Leike. Han har visst det hele tiden.»

«Han har ikke bare visst,» sa Bellman. «Slik Leike satte i gang raset på Håvasshytta, satte Altman uten å være klar over det i gang hele denne drapssaken. Skai arresterte en uskyldig mann, Harry.»

«Uskyldig?» Harry ristet på hodet. «Jeg *så* de bildene på Kadok-fabrikken, Bellman. Altman er innblandet her, jeg veit bare ikke helt hvordan ennå.»

«Men det gjør vi,» sa Bellman. «Så hvis du foreløpig kan overlate dette til oss …»

Harry hørte ordet «voksne» formes i Bellmans munn, men det kom ut som:

«… som har fakta inne, så kan du jo henge deg på når du er mer oppdatert, Harry. Greit? Bjørn også? Da fortsetter vi. Jeg var altså i gang med å si at vi ikke kan utelukke at Leike hadde en medskyldig, en som utførte minst to av drapene, de to som Leike har alibi for. Vi vet at både da Borgny og Charlotte døde, var Leike i forretningsmøter med flere vitner til stede.»

«En smart jævel,» sa Ærdal. «Leike visste naturligvis at politiet ville sette alle drapene i sammenheng med hverandre. Slik at hvis han skaffet seg vanntett alibi for ett eller to av dem, ville han automatisk fritas for mistanke for de øvrige.»

«Ja,» sa Bellman. «Men hvem er den medskyldige?»

Harry hørte forslag, kommentarer og spørsmål fra de andre i rommet flimre forbi.

«Tony Leikes motiv for å drepe Adele Vetlesen var neppe utpresningsbeløpet på fire hundre tusen,» sa Pelikanen. «Men frykten for at hvis det ble kjent at han hadde gjort en kvinne gravid, ville Lene Galtung gjøre det slutt, og han kunne vinke farvel til Galtung-millionene til Kongo-prosjektet. Så spørsmålet vi bør stille oss er hvem som hadde sammenfallende motiv.»

«De andre investorene i Kongo,» ropte den glatthudede. «Hva med disse finanskameratene hans i kontorfellesskapet?»

«Tony Leike står og faller med det Kongo-prosjektet,» sa Bellman. «Men det er ingen av de andre finansvalpene som ville drept to mennesker for å sikre sin ti-prosents andel i et prosjekt, de gutta er vant til å vinne og tape penger. Dessuten måtte Leike samarbeide med noen han kunne stole på både personlig og profesjonelt. Husk også at drapsvåpenet var det samme i tilfellet Borgny og Charlotte. Hva var det du kalte det, Harry?»

«Leopolds eple,» sa Harry tonløst, fremdeles ør.

«Høyere, er du snill.»

«Leopolds eple.»

«Takk. Fra Afrika. Samme sted hvor Leike hadde vært leiesoldat. Det er derfor nærliggende å anta at Leike brukte en av sine tidligere kolleger, og jeg synes vi skal begynne der.»

«Hvis han har brukt leiemorder på drap nummer to og tre, hvorfor ikke på alle?» spurte Pelikanen. «Så hadde han hatt alibi hele veien.»

«Han hadde sikkert fått bra kvantumsrabatt også,» sa Nansen-barten. «Leiemorderen kan ikke få mer enn livsvarig uansett.»

«Det kan ha vært overveielser vi ikke ser,» sa Bellman. «Banale grunner som at vedkommende ikke hadde tid eller Leike ikke hadde råd. Eller den vanligste grunnen i krimsaker. At det bare ble slik.»

Det ble nikket i enighet rundt bordet, selv Pelikanen virket fornøyd med svaret.

«Andre spørsmål? Ikke? Da vil jeg benytte anledningen til å takke Harry Hole som var med oss så langt. Ettersom vi ikke lenger har bruk for ekspertisen hans, vil han returneres til Voldsavsnittet med umiddelbar virkning. Det var interessant med andre øyne på hvordan man jobber med drap, Harry. Du fikk kanskje ikke løst noen sak denne gangen, men hvem vet? Om ikke akkurat drap, kan det jo være at det venter noen interessante voldssaker på deg der nede på Grønland. Så takk igjen. Jeg har en pressekonferanse som venter, folkens.»

Harry så på Bellman. Han kunne ikke annet enn beundre ham. Slik man beundrer en kakerlakk man skyller ned i dass, men som kommer krypende opp igjen. Og igjen. Og til slutt har arvet verden.

Ved senga på Rikshospitalet gikk minuttene, kvarterene og etter hvert timene i en sakte, bølgende montoni. En pleier kom og gikk, Søs var der og gikk. Blomstene rykket umerkelig nærmere.

Harry hadde sett hvordan mange pårørende ikke tålte ventingen når deres kjæres siste åndedrag nærmet seg, hvordan de til slutt ba, tryglet om at døden måtte komme og befri dem. I betydningen seg selv. Men for Harry var det omvendt. Han hadde aldri følt seg nærmere faren enn nå, her i dette ordløse rommet hvor alt var pust og neste hjerteslag. For å se Olav Hole være der var som å være der selv, i den fredfylte eksistensen mellom liv og intethet.

Etterforskerne på Kripos hadde sett og skjønt mye. Men ikke den åpenbare sammenhengen. Den som gjorde det hele så mye klarere. Sammenhengen mellom Leike-gården og Ustaoset. Mellom ryktene om gjenferdet av en savnet gutt fra Utmogården og en mann som kalte viddene rundt for «sitt landskap». Mellom Tony Leike og gutten på fotografiet sammen med sin stygge far og vakre mor.

Av og til kikket Harry på mobiltelefonen og så et tapt anrop. Hagen. Øystein. Kaja. Kaja igjen. Han måtte snart besvare anropene hennes. Han ringte henne.

«Kan jeg komme til deg i natt?» spurte hun.

Kapittel 80
Rytmen

Regnet hamret mot plankene i flytebrygga. Harry gikk mot ryggen som sto der ytterst.

«God morgen, Skai.»

«God morgen, Hole,» sa lensmannen uten å snu seg. Tuppen på fiskestanga var bøyd ned mot snøret som forsvant inn i sivet på motsatt bredd.

«Fast fisk?»

«Niks,» sa Skai. «Satt meg fast i det helvetes sivet.»

«Beklager det. Lest avisene i dag?»

«De kommer ikke før litt utpå formiddagen her ute i periferien.»

Harry visste at det ikke var sant, men nikket likevel.

«Men de skriver vel at jeg er en bygdeidiot,» sa Skai. «At det måtte byfolkene i Kripos til for å få rydda opp i floka.»

«Som sagt: jeg beklager.»

Skai trakk på skuldrene. «Ikke noe å beklage. Du sa alt som det var, jeg visste hva jeg gikk til. Og det var jo litt moro også. Skjer ikke så mye her ute, veit du.»

«Mm. De skriver ikke så mye om deg, de er mest opptatt av at det var Tony Leike som var drapsmannen likevel. Bellman er mye sitert.»

«Han er vel det.»

«Snart kommer de til å oppdage hvem som er faren til Tony også.»

JO NESBØ

Skai snudde seg og så på Harry.

«Jeg burde ha tenkt tanken før, og særlig etter at vi var igjennom dette med å bytte navn.»

«Nå følger jeg deg ikke, Hole.»

«Det var til og med du som sa det til meg, Skai. At Tony bodde hos morfaren på Leike-gården. Leike. Mors far. Tony hadde tatt morens etternavn.»

«Ikke noe uvanlig i det.»

«Kanskje ikke. Men i dette tilfellet var det en god grunn til det. Tony gjemte seg hos bestefaren. Moren hans sendte ham dit.»

«Hva får deg til å tro det?»

«En kollega,» sa Harry og et øyeblikk var det som han hadde nattas lukt av henne i neseborene igjen. «Hun fortalte meg noe lensmannen på Ustaoset hadde fortalt henne. Om familien Utmo. Om en far og en sønn som hatet hverandre så intenst at det lå an til å ende i drap.»

«Drap?»

«Jeg har sjekket rullebladet til Odd Utmo. Han var som sønnen sin kjent for sinnet sitt. Som ung sonet han åtte år for sjalusidrap. Etter det flyttet han ut i ødemarka. Han giftet seg med Karen Leike, og de fikk en sønn. Sønnen kom i puberteten og var allerede da flott, høy, sjarmerende. To menn og en kvinne i nesten total isolasjon. En mann som tidligere har drept i sjalusi. Det kan se ut som Karen Leike forsøkte å forhindre en tragedie ved å sende sønnen bort i all hemmelighet og samtidig legge ut en av skoene hans på et sted hvor det akkurat hadde gått et stort snøras.»

«Dette var ukjent for meg, Hole.»

Harry nikket langsomt. «Dessverre greide hun bare å utsette tragedien. Liket hennes ble akkurat funnet i en steinur med en kule gjennom panna. Noen meter unna ble hennes mann og morder knust under en snøscooter. På forhånd var han blitt torturert, hadde fått svidd av det meste av huden på ryggen og armene og tennene var røsket ut. Gjett av hvem?»

«Å herregud …»

Harry satte en sigarett mellom leppene.

«Hvordan kom du på sporet av sammenhengen?» spurte Skai.

«Likheten, arvestoffet.» Han tente sigaretten. «Far og sønn. Man kan prøve å flykte fra det, men det vil være der like forbanna. Jeg tror Odd Utmo skjønte at drapene knyttet til Håvasshytta betydde at han selv ble jaktet på, at det var gjenferdet av hans egen omkomne sønn som var ute etter ham. Så han rømte fra gården opp til denne turisthytta som lå tryggere gjemt blant stupene. Dit tok han med seg et fotografi av familien sin, familien han selv hadde ødelagt. Tenk deg det, en redd, kanskje angrende drapsmann aleine med tankene sine.»

«Han hadde alt fått sin straff, ja.»

«Jeg fant det fotografiet. Tony hadde vært heldig, han lignet mest på moren. Det var vanskelig å se noe av den voksne Tony i guttungen på bildet. Men han hadde allerede da de store, hvite tennene. Mens faren gjemte sine. Akkurat der var de forskjellige.»

«Jeg synes du sa det var likheten som avslørte dem?»

Harry nikket. «De hadde samme sykdommen.»

«De var drapsmenn.»

Harry ristet på hodet. «Sykdom er bare et ord, Skai. Jeg mente at de begge hadde leddgikt. Slektskapet ble bekreftet i morges. DNA-analysen av kjøttbitene på ovnen og Tony Leikes hår viser at de er far og sønn.»

Skai nikket.

«Vel,» sa Harry. «Jeg kom i hvert fall for å takke for hjelpen og beklage utfallet. Bjørn Holm ber deg hilse til kona og si at det er de beste kjøttkakene med kålrotstuing han har smakt.»

Skai smilte kort. «De fleste synes det. Selv Tony likte dem.»

«Å?»

Skai trakk på skuldrene mens han dro en kniv opp av sliren i beltet.

«Jeg fortalte deg jo at Mia ble opphengt i fyren. Det var rett etter han hadde brukt kniven på Ole. Hun hadde ham med hjem på middag en dag hun visste jeg ikke var der. Kona sa ingenting da de dukket opp, men det ble oppvask da jeg fikk høre om det, naturligvis. Det ble røffe tak, du vet hvordan jenter i den alderen er når de er blitt verliebt. Jeg prøvde å forklare at Tony var en voldsmann, dum som jeg var. Jeg burde jo visst at jo verre ting lieblingen beskyldes for, desto mer oppsatt blir de på å holde på fyren. For da er det de to på parti mot resten av verden, liksom. Ja, du har jo sett det selv med kvinnfolk som begynner å brevveksle med dømte mordere.»

Harry nikket.

«Mia skulle rømme hjemmefra, skulle følge ham til verdens ende, det var ikke måte på,» sa Skai, skar over snøret og begynte å sveive inn.

Harry fulgte det slappe snørets retrett. «Mm. Verdens ende?»

«Jepp.»

«Skjønner.»

Skai stoppet brått å sveive og så på Harry. «Nei,» sa han med ettertrykk.

«Nei-hva-da?»

«Nei til det du tenker på.»

«Som er?»

«At Mia og Tony har møtt hverandre igjen i seinere tid. Han brøt med henne, siden har de aldri møttes. Livet hennes fortsatte uten ham. Hun har ikke noe med denne saken å gjøre, forstått? Du har mitt ord. Hun er i ferd med å få ting til å fungere igjen, så vær så snill å ikke …»

Harry nikket og tok sigaretten som regnet hadde slukket, ut av munnen.

«Jeg er ikke på saken lenger,» sa han. «Men ditt ord hadde uansett vært godt nok.»

Da Harry kjørte fra parkeringsplassen, så han i speilet at Skai ryddet sammen fiskesakene.

Rikshospitalet. Han hadde kommet inn i rytmen nå. Tiden var ikke hakket opp av begivenheter, men fløt i en jevn strøm. Han hadde tenkt å be om å få en madrass. Det ville bli omtrent som på Chungking Mansion.

Kapittel 81
Lyskjeglene

Tre dager gikk. Han levde. Alle levde.

Ingen visste hvor Tony Leike var, sporene etter den falske Odd Utmo endte i København. Et bilde av Lene Galtung med sjal over hodet og store solbriller i beste Greta Garbo-stil preget én avis. Overskriften var: «Ingen kommentar.» Og nå hadde ingen sett henne på to dager etter at hun var gått i skjul, angivelig i farens hus i London. Bildet av Tony i arbeidsklær foran helikopteret hadde stått i flere aviser. «Kavalerens forsvinningsnummer» hadde det stått i dag. Han hadde overtatt oppnavnet, sannsynligvis fordi det hadde satt seg blant folk og dessuten passet bedre på Leike enn på Altman. Merkelig nok hadde ingen i pressen ennå greid å linke Tony Leike til Utmogården. Moren og senere Tony selv hadde tydeligvis skjult de sporene godt.

Mikael Bellman hadde daglige pressekonferanser. I et talkshow på TV viste han både sine pedagogiske evner og sitt vinnende smil da han forklarte hvordan saken var blitt løst. Hans versjon av historien, selvfølgelig. Og fikk det til å virke som en inkurie at drapsmannen ikke var tatt, at det viktige i første omgang var at Tony «Kavaleren» Leike var avslørt, nøytralisert, satt ut av spill.

Mørket kom noen minutter senere hver kveld. Alle ventet på vår eller kulde, én av delene, men begge uteble.

Lyskjeglene sveipet over taket.

Harry lå på siden og stirret på røyken fra sigaretten som snodde seg opp i mørket i intrikate og alltid uforutsigbare mønstre.

«Du er så stille,» sa Kaja og krøp inntil ryggen hans.

«Jeg blir her til etter begravelsen,» sa han. «Så drar jeg.»

Han tok et drag til av sigaretten. Hun svarte ikke. Så kjente han til sin forbauselse skulderbladet bli varmt og vått. Han la sigaretten på kanten av askebegeret og snudde seg mot henne. «Gråter du?»

«Nesten ikke,» sa hun, lo og snufset. «Jeg vet ikke hva som går av meg.»

«Vil du ha en sigg?»

Hun ristet på hodet og tørket tårene. «Mikael ringte i dag og ville at vi skulle treffes.»

«Mm.»

Hun la hodet mot brystet hans. «Vil du ikke vite hva jeg svarte?»

«Bare hvis du vil fortelle meg det.»

«Jeg sa nei. Da sa han at jeg kom til å angre. Han sa at du ville dra meg med under. At det ikke ville være første gang du gjorde det med noen.»

«Vel. Han har rett.»

Hun løftet hodet. «Men det betyr ikke noe, skjønner du ikke det? Jeg vil være med deg dit du skal.» Tårene hennes begynte å trille igjen. «Og om det er ned, så vil jeg være med dit også.»

«Men det er ingenting der,» sa Harry. «Ikke jeg heller, jeg blir borte. Du så meg på Chungking. Det ville blitt som rett etter raset. I samme hytte, men alene og forlatt.»

«Men du fant meg og fikk meg ut. Jeg kan gjøre det samme med deg.»

«Hva om jeg ikke vil ut? Du har ikke flere døende fedre å lokke med.»

«Men du elsker meg, Harry. Jeg vet jo at du elsker meg. Det er grunn god nok, er det ikke? *Jeg* er grunn nok.»

Harry strøk henne over håret, over kinnene, fanget tårene på fingrene, førte dem til munnen og kysset dem.

«Jo,» sa han og smilte bedrøvet. «Du er grunn nok.»

Hun tok hånden hans, kysset den der han hadde kysset den.

«Nei,» hvisket hun. «Ikke si det. Ikke si at det er nettopp derfor du reiser. For at du ikke vil dra meg ned. Jeg vil følge deg til verdens ende, skjønner du?»

Han trakk henne inntil seg. Og kjente i det samme at noe løsnet, som en muskel som lenge hadde stått i dirrende spenn uten at han hadde vært klar over det. Han slapp taket, ga opp, lot seg falle. Og smerten som hadde vært der smeltet, ble til noe varmt som fulgte blodstrømmen rundt i kroppen, myket den opp, ga den fred. Følelsen av fritt fall var så befriende at han kjente halsen tykne. Og visste at en del av ham hadde ønsket det, dette, også der oppe i snøtåka over steinura.

«Til verdens ende,» hvisket hun og pustet alt fortere.

Lyskjeglene gled og gled over taket.

Kapittel 82
Rød

Det var fortsatt mørkt da Harry satte seg ved farens seng. En sykepleier kom inn med en kaffekopp, spurte om han hadde spist frokost og droppet et sladreblad i fanget hans.

«Du må tenke på *noe* annet innimellom, vet du,» sa hun, la hodet på skakke og så ut som hun hadde lyst til å stryke ham over kinnet.

Harry bladde pliktskyldigst i bladet mens hun stelte med faren. Men han slapp ikke unna i kjendispressen heller. Bilder av Lene Galtung fra premierer, gallamiddager, i sin nye Porsche. «Savner Tony» var overskriften, og påstanden var underbygd med uttalelser ikke fra Lene selv, men fra kjendisvenner. Det var bilder fra utenfor porten til et hus i London, men ingen hadde sett Lene der heller. I hvert fall ikke gjenkjent henne. Det var et kornete bilde tatt på avstand som viste en rødhåret kvinne foran Crédit Suisse i Zürich, og som bladet påsto var Lene Galtung fordi de kunne sitere Lenes stylist som Harry antok hadde fått klekkelig betalt for uttalelsen: «Hun ba meg krølle håret hennes og farge det mursteinsrødt.» Tony selv ble omtalt som «mistenkt» i noe som framsto som en middels sosietetsskandale og ikke en av landets verste drapssaker noensinne.

Harry reiste seg, gikk ut på gangen og ringte til Katrine Bratt. Klokka var ennå ikke sju, men hun var oppe. Hun skulle flytte ut i dag. Begynne på Bergen politikammer over helgen.

Han håpet at hun kom til å ta det rolig i starten. Skjønt, det var vanskelig å forestille seg Katrine Bratt ta noe som helst rolig.

«En siste jobb,» sa han.

«Og etter det?» spurte hun.

«Så forsvinner jeg.»

«Ingen vil savne deg.»

«... mer enn meg?»

«Det var nok et punktum der, kjære.»

«Det gjelder Crédit Suisse i Zürich. Om Lene Galtung kan ha konto der. Hun skal ha mottatt en del i forhåndsarv. Sveitsiske banker er vriene, du må sannsynligvis bruke litt tid.»

«Greit, jeg begynner å få teken.»

«Godt. Og så er det en kvinne jeg vil at du skal sjekke bevegelsene til.»

«Lene Galtung?»

«Nei.»

«Ikke. Hva heter dyret da?»

Harry stavet det for henne.

Klokka kvart over åtte parkerte Harry utenfor gården for folkeeventyret i Voksenkollen. Et par biler sto parkert, og bak regndråpene på rutene skimtet Harry trette ansikter og paparazzienes lange fotolinser. De så ut som de hadde vært der hele natta. Harry ringte på ved porten og gikk inn.

Kvinnen med de turkise øynene sto ved døra og ventet.

«Lene er ikke her,» sa hun.

«Hvor er hun?»

«Et sted hvor de ikke får tak i henne,» sa hun og nikket mot bilene utenfor porten. «Og dere lovet at dere skulle la henne være i fred etter det siste avhøret. Tre timer varte det.»

«Jeg veit det,» løy Harry. «Men det var deg jeg ville snakke med.»

«Meg?»

«Kan jeg få komme inn?»

Han fulgte etter henne inn på kjøkkenet. Hun nikket mot

en stol, snudde ryggen mot ham og skjenket i kaffe fra en trakter på kjøkkenbenken.

«Hva er historien?» spurte Harry.

«Hvilken historie?»

«Den om at du er moren til Lene.»

Kaffekoppen traff gulvet og gikk i tusen knas. Hun støttet seg mot benken, og han kunne se ryggen hennes heve og senke seg. Harry nølte et øyeblikk, men så trakk han pusten og sa det han hadde bestemte seg for:

«Vi har DNA-testet det.»

Hun virvlet rundt, rasende: «Hvordan da? Dere har jo ikke...» Hun holdt brått inne.

Harrys blikk møtte hennes turkise. Hun hadde gått på bløffen. Han kjente et vagt ubehag. Som kunne ha skyldtes skam. Det gikk uansett over.

«Kom deg ut!» hveste hun.

«Ut til dem?» sa Harry og nikket mot paparazziene. «Jeg er i ferd med å slutte som politimann, jeg skal reise. Jeg trenger litt kapital. Når en stylist blir betalt tjue tusen kroner for å fortelle hvilken hårfarge Lene har bedt om, hvor mye tror du man får for å fortelle dem hvem den virkelige moren hennes er?»

Kvinnen tok et skritt fram, hevet høyre hånd som til slag, men så steg tårene opp, sluknet det rasende lyset i øynene, og hun sank kraftløs ned på en av kjøkkenstolene. Harry bannet inni seg, visste at han hadde vært unødvendig brutal. Men tiden tillot ikke finavstemte virkemidler.

«Unnskyld,» sa han. «Men jeg prøver å redde datteren din. Og til det trenger jeg din hjelp. Skjønner du?»

Han la en hånd oppå hånden hennes, men hun dro den til seg.

«Han er en drapsmann,» sa Harry. «Men hun bryr seg ikke om det, gjør hun vel? Hun vil gjøre det likevel.»

«Gjøre hva?» snufset kvinnen.

«Følge ham til verdens ende.»

Hun svarte ikke, ristet bare på hodet og gråt stille.

Harry ventet. Reiste seg, skjenket kaffe i en kopp, rev et tørk av papirrullen, la det på bordet foran henne, satte seg og ventet. Tok en slurk. Ventet.

«Jeg sa at hun ikke skulle gjøre som meg,» sa hun og snufset. «Hun skulle ikke bli glad i en mann bare fordi han … fordi han fikk henne til å føle seg *vakker*. Vakrere enn det hun er. Du tror det er en velsignelse når det skjer, men det er en forbannelse.»

Harry ventet.

«Når du har sett deg selv bli vakker i blikket hans én gang, så er det som … som trolldom. Og derfor blir du. Blir og blir, fordi du tror du skal få se det én gang til.»

Harry ventet.

«Jeg vokste opp i en campingvogn. Vi reiste rundt, jeg kunne ikke gå på noen skole. Da jeg var åtte, kom barnevernet og hentet meg. Da jeg var seksten, begynte jeg å vaske på rederiet til Galtung. Anders var forlovet da han gjorde meg gravid. Det var ikke han som hadde pengene, det var hun. Han hadde satset i markedet, men tankratene hadde falt, og han hadde ikke noe valg. Han sendte meg vekk. Men hun oppdaget det. Og det var hun som bestemte at jeg skulle ha barnet, at jeg skulle fortsette som hushjelp, at jentungen min skulle oppdras som datteren i huset. Selv kunne hun ikke få barn, så Lene ble en slags adoptivdatter. De tok henne fra meg. De spurte hva slags oppvekst jeg kunne gi Lene. Jeg, en alenemor, uten utdannelse, uten noen andre rundt meg, hadde jeg virkelig samvittighet til å ta fra barnet mitt muligheten til et godt liv? Jeg var så ung og redd, jeg trodde de hadde rett, at det var best slik.»

«Ingen har visst om det?»

Hun tok papiret på bordet og tørket nesa. «Det er merkelig hvor lett det er å lure folk når de vil la seg lure. Og om de ikke lot seg lure, lot de seg ikke merke ved det. Det betydde ikke så mye. Jeg hadde bare fungert som livmor for Galtungs arving, hva så?»

«Var det alt?»

Hun trakk på skuldrene. «Nei. Jeg hadde jo Lene. Ammet

henne, matet henne, byttet bleier, sov sammen med henne. Lærte henne å snakke, oppdro henne. Men vi visste alle at det var midlertidig, at jeg én dag måtte gi slipp.»

«Gjorde du det?»

Hun lo bittert. «*Kan* en mor noensinne gi slipp? En datter kan gi slipp. Lene forakter meg for det jeg har gjort. For det jeg *er*. Men se, nå gjør hun det samme.»

«Følger feil mann til verdens ende?»

Hun trakk på skuldrene.

«Veit du hvor hun er?»

«Nei. Bare at hun har dratt for å være sammen med ham.»

Harry tok en slurk til av koppen. «Jeg veit hvor verdens ende er,» sa han.

Hun svarte ikke.

«Jeg kan dra og forsøke å hente henne for deg.»

«Hun vil ikke hentes.»

«Jeg kan prøve. Med din hjelp.» Harry trakk fram et ark og la foran henne. «Hva sier du?»

Hun leste. Så løftet hun blikket. Sminken hadde rent fra de turkise øynene og ned på de hule kinnene.

«Sverg på at du får jenta mi hel hjem igjen, Hole. Sverg. Gjør du det, så er det greit.»

Harry så lenge på henne.

«Jeg sverger,» sa han.

Da han sto utenfor igjen og fyrte opp en sigarett, tenkte han på det hun hadde sagt. *Kan en mor noensinne gi slipp?* På Odd Utmo som hadde tatt med et bilde av sin sønn. *Men en datter kan gi slipp.* Kan hun? Han blåste ut tobakksrøyk. Kunne han selv?

Gunnar Hagen sto ved grønnsakdisken på sin foretrukne pakistanske dagligvarehandel. Han så vantro på førstebetjenten sin. «Du skal tilbake til Kongo? For å finne Lene Galtung? Og det har ingenting med drapssaken å gjøre?»

«Samme som sist,» sa Harry og løftet på en grønnsak han ikke engang dro kjensel på. «Vi leter etter en savnet person.»

«Lene Galtung er ikke meldt savnet av andre enn den kulørte pressen, så vidt jeg vet.»

«Hun er det nå.» Harry trakk et ark opp av frakkelomma og viste Hagen underskriften. «Av sin biologiske mor.»

«Ja vel? Og hvordan skal jeg forklare departementet at vi begynner letingen i Kongo?»

«Vi har et spor.»

«Som er?»

«Jeg leste i Se og Hør at Lene Galtung hadde bedt om å få farget håret mursteinsrødt. Jeg veit ikke engang om det er en fargebetegnelse vi bruker her til lands, det var vel derfor jeg husket den.»

«Husket hva?»

«At det var fargen som sto under 'hårfarge' i passet til Juliana Verni fra Leipzig. Jeg ba i sin tid Günther sjekke om det sto et stempel fra Kigali i passet hennes. Men politiet fant det ikke, passet var borte, og jeg er sikker på at Tony Leike tok det.»

«Passet? Og?»

«Og nå har Lene Galtung det.»

Hagen puttet en bunt med bok choy i handlekurven mens han ristet langsomt på hodet. «Du baserer en Kongo-reise på noe du leste i et sladreblad?»

«Jeg baserer det på at jeg – eller rettere sagt Katrine Bratt – har sjekket hva Juliana Verni har foretatt seg i det siste.»

Hagen begynte å gå mot mannen ved kassaapparatet som satt på et podium ved høyre vegg. «Verni er død, Harry.»

«Døde mennesker tar fly for tiden. Viser seg at Juliana Verni – eller la oss anta en kvinne med krøllete, mursteinsrødt hår – har kjøpt seg flybillett fra Zürich til verdens ende.»

«Verdens ende?»

«Goma, Kongo. I morgen tidlig.»

«Så vil de arrestere henne der når de oppdager at hun har passet til en person som har vært død i over to måneder.»

«Jeg sjekket med ICAO. De sier at det kan ta opptil ett år før passnummeret til en død person strykes i registrene. Som vil si at noen kan ha kommet seg til Kongo på passet til Odd

Utmo også. Uansett har vi ingen samarbeidsavtale med Kongo. Og det er neppe noe uoverkommelig problem å kjøpe seg fri fra en arrestasjon.»

Hagen lot kassamannen slå inn varene mens han masserte tinningene som for å komme en uunngåelig hodepine i forkjøpet. «Så finn henne i Zürich. Send sveitsisk politi til flyplassen.»

«Vi skygger henne. Lene Galtung kommer til å lede oss til Tony Leike, sjef.»

«Hun kommer til å lede oss ut i fortapelsen, Harry.» Hagen betalte, tok varene sine og marsjerte ut døra til et regnvått, forblåst Grønlandsleiret hvor menneskene hastet forbi med oppslåtte krager og nedslåtte blikk.

«Du skjønner ikke. Bratt greide å finne ut at for noen dager siden tømte Lene Galtung kontoen sin i Zürich. To millioner euro. Ikke noe svimlende beløp og definitivt ikke nok til å finansiere et helt gruveprosjekt. Men nok til å drifte det gjennom en kritisk fase.»

«Spekulasjoner.»

«Hva faen skal hun ellers med to millioner euro i cash? Kom igjen, sjef, dette er den ene sjansen vi får.» Harry langet ut for å holde tritt med sjefen sin. «I Kongo finner du ikke mennesker som ikke vil bli funnet. Det forpulte landet er like stort som Vest-Europa og består stort sett av skau som ingen hvit mann har sett. Slå til nå. Leike kommer til å hjemsøke deg i marerittene dine, sjef.»

«Jeg har ikke mareritt slik du har, Harry.»

«Har du fortalt de pårørende hvor godt du sover om natta, sjef?»

Gunnar Hagen bråstoppet.

«Sorry, sjef,» sa Harry. «Den var over streken.»

«Det var den. Og egentlig skjønner jeg ikke hva du maser etter min tillatelse for, den har aldri vært viktig før.»

«Tenkte det var hyggelig for deg å ha en følelse av at det er du som bestemmer, sjef.»

Hagen så advarende på ham. Harry trakk på skuldrene: «La meg gjøre dette, sjef. Etterpå kan du gi du meg sparken for ordrenekt. Jeg tar all skyld, det er helt OK.»

«Er det OK?»

«Jeg kommer til å si opp etter dette uansett.»

Hagen så lenge på Harry. «Greit,» sa han. «Dra.» Så begynte han å gå igjen.

Harry skyndte seg etter. «Greit?»

«Ja. Egentlig var det greit helt fra starten av.»

«Å? Hvorfor sa du ikke det med en gang?»

«Synes det var hyggelig å ha en følelse av at det var jeg som bestemte.»

DEL IX

Kapittel 83
Verdens ende

Hun drømte at hun sto foran en lukket dør og hørte et ensomt, kaldt fugleskrik fra skogen og at det lød så rart fordi sola skinte og skinte. At hun åpnet døra …

Hun våknet med hodet mot Harrys skulder og tørt sikkel i munnvikene. Kapteinens stemme forkynte at de gikk inn for landing i Goma.

Hun så ut av flyvinduet. En grå stripe i øst varslet den nye dagens ankomst. Det var tolv timer siden de hadde forlatt Oslo. Om seks timer kom Zürich-flyet med Juliana Verni på passasjerlisten til å lande.

«Jeg lurer på hvorfor Hagen syntes det var helt greit at vi skygger Lene,» sa Harry.

«Han syntes vel argumentene dine var gode,» gjespet Kaja.

«Mm. Han virket litt for avslappet. Jeg tror han har noe i bakhånd. Noe som gjør ham trygg på at de ikke vil ta ham for dette.»

«Kanskje han har noe på noen som bestemmer i departementet,» sa Kaja.

«Mm. Eller på Bellman. Kanskje han veit at du og Bellman hadde et forhold?»

«Tviler jeg på,» sa Kaja og myste ut i mørket. «Det er nesten ingen lys her.»

«Ser ut som strømmen har gått,» sa Harry. «Flyplassen har vel eget aggregat.»

«De har lys der borte,» sa hun og pekte mot et rødskimmer nord for byen. «Hva er det?»

«Nyiragongo,» sa Harry. «Det er lavaen som lyser opp på himmelen.»

«Er det sant?» sa hun og trykket nesa mot vinduet.

Harry tømte vannglasset. «Skal vi gå igjennom planen én gang til?»

Hun nikket og rettet opp stolryggen.

«Du blir igjen i ankomsthallen og følger med på ankomsttidene, at alt går som det skal. Imens drar jeg på shopping. Det er bare femten minutter herfra til sentrum, så jeg er tilbake i god tid før flyet til Lene lander. Du følger med, ser om noen henter henne og følger henne tett. Ettersom Lene kjenner ansiktet mitt, sitter jeg i en taxi utenfor og venter på dere. Og skulle det være noe uventet som skjer, ringer du meg med én gang. OK?»

«OK. Og du føler deg sikker på at hun skal overnatte i Goma?»

«Jeg er ikke sikker på noe som helst. Det er bare to hoteller i Goma som fortsatt er operative, og ifølge Katrine er det ikke booket noe der, verken i Vernis eller Galtungs navn. På den annen side kontrollerer geriljaen veien både vestover og nordover, og den nærmeste byen sørover er åtte timers kjøring.»

«Tror du virkelig at den eneste grunnen til at Tony har fått Lene hit, er for å melke henne for penger?»

«Ifølge Jens Rath er situasjonen for prosjektet kritisk. Ser du noen annen grunn?»

Kaja trakk på skuldrene. «Hva om selv en drapsmann er i stand til elske noen så mye at han rett og slett bare vil være sammen med henne? Er det så utenkelig?»

Harry nikket. Som i «ja, du har rett». Eller «ja, det er utenkelig».

Det summet og klikket som fra et kamera i sakte kino da hjulene ble senket.

Kaja stirret ut av vinduet.

«Og jeg liker ikke den shoppingen, Harry. Jeg liker ikke våpen.»

«Leike er en voldsmann.»

«Og jeg liker ikke å være politi inkognito. Jeg skjønner at vi ikke kan smugle inn våre egne våpen i Kongo, men vi kunne bare bedt det kongolesiske politiet om assistanse i arrestasjonen.»

«Vi har som sagt ingen utleveringsavtale. Og det er ikke usannsynlig at en pengemann som Leike har lokale politifolk på lønningslista som hadde varslet ham.»

«Konspirasjonsteori.»

«Jepp. Og enkel matematikk. En politilønn i Kongo er ikke nok til å fø en familie. Slapp av, van Boorst har en fin liten jernvarehandel, og han er proff nok til å holde kjeft.»

Hjulene ga fra seg et lite skrik da de traff landingsstripen.

Kaja myste ut av vinduet. «Hvorfor er det så mange soldater her?»

«FN som flyr inn forsterkninger. Geriljaen har rykket nærmere de siste dagene.»

«Hvilken gerilja?»

«Hutugeriljaen, tutsigeriljan, mai-mai-geriljaen. Hvem veit?»

«Harry?»

«Ja.»

«La oss få denne jobben overstått og komme oss hjem.»

Han nikket.

Det hadde alt lysnet da Harry gikk langs rekken av taxisjåfører utenfor. Han vekslet noen ord med hver og en av dem til han fant en som snakket godt engelsk. Utmerket engelsk, faktisk. Han var en liten mann med et oppvakt blikk, grått hår og tykke blodårer over tinningene og sidene på den høye, skinnende pannen. Engelsken hans var definitivt original, en slags oppstyltet Oxford-variant med bred kongolesisk aksent. Harry forklarte at han ville leie ham for hele dagen, de ble fort enige om en pris og utvekslet håndtrykk, en tredjedel av det avtalte beløpet i dollar og navn, Harry og doktor Duigame.

«Engelsk litteratur,» forklarte mannen og telte pengene åpenlyst. «Men siden vi skal være sammen hele dagen, kan du få kalle meg Saul.»

Han åpnet bakdøra til en bulkete Hyundai. Harry forklarte hvor Saul skulle kjøre, til veien nedenfor den nedbrente kirken.

«Høres ut som du har vært her før,» sa Saul og styrte bilen langs en jevn asfaltstripe som med en gang den nådde hoved-veien ble et månelandskap av kratre og sprekker.

«Én gang.»

«Da skal du være forsiktig,» smilte han. «Hemingway skrev at når du først har åpnet din sjel for Afrika, vil du ikke noe annet sted.»

«Hemingway skrev det?» spurte Harry tvilende.

«Ja visst, men Hemingway skrev jo sånt romantisk piss hele tiden. Skjøt løver i fylla og pisset den der søte whiskyurinen på kadaverne. Sannheten er at ingen kommer tilbake til Kongo hvis de ikke må.»

«Jeg måtte,» smilte Harry. «Hør, jeg prøvde å få tak i sjåføren jeg hadde her sist, Joe hos Flyktningehjelpen. Men det svarte ikke på nummeret hans.»

«Joe er dratt,» sa Saul.

«Dratt?»

«Han tok med seg familien, stjal bilen og kjørte mot Uganda. Goma er under beleiring. De kommer til å drepe alle. Jeg drar snart, jeg også. Joe hadde en god bil, kanskje han greier det.»

Harry gjenkjente kirkespiret som raget over ruinene av det Nyiragongo hadde spist. Han holdt seg fast mens Hyundayen vagget seg forbi hullene. Det skrapte og smalt stygt i under-stellet et par ganger.

«Vent her,» sa Harry. «Jeg går resten av veien. Tilbake om kort tid.»

Harry steg ut og inhalerte grått støv og lukten av krydder og råtten fisk.

Så begynte han å gå. En åpenbart beruset mann prøvde å dytte til Harry med skulderen, men bommet og vaklet ut i veien. Harry fikk et par gloser slengt etter seg og gikk videre. Ikke for fort, ikke for sakte. Da han var kommet til det eneste murhuset som lå i tråkket mellom butikkene, gikk han opp til døra, banket hardt og ventet. Hørte raske skritt innenfor. Litt for raske til å være van Boorst. Døra ble åpnet på klem og et halvt svart ansikt og ett øye kom til syne.

«*Van Boorst home?*» spurte Harry.

«*No.*» Det glimtet i den store gulltannen i overkjeven.

«*I want to buy some handguns, miss van Boorst.* Kan du hjelpe meg?»

Hun ristet på hodet. «*Sorry. Goodbye.*»

Harry skyndte seg å sette foten i døråpningen. «Jeg betaler godt.»

«*No guns. Van Boorst not here.*»

«Når er han tilbake, miss van Boorst?»

«Jeg vet ikke. Jeg har ikke tid nå.»

«Jeg ser etter en mann fra Norge. Tony. *Tall. Handsome. You've seen him around?*»

Kvinnen ristet på hodet.

«Kommer van Boorst hjem i kveld? Dette er viktig, miss.»

Hun så på ham. Målte ham. Dvelende, fra topp til tå. Og tilbake. De myke leppene hennes gled fra hverandre over tennene. «*You a rich man?*»

Harry svarte ikke. Hun blunket søvnig, og det blinket matt i de svarte øynene. Så smilte hun skjevt. «*Thirty minutes. Come back then.*»

Harry gikk tilbake til bilen, satte seg i forsetet, ba Saul kjøre til banken og ringte Kajas telefon.

«Jeg sitter i ankomsthallen,» sa hun. «Ingen beskjed om annet enn at flyet fra Zürich er i rute.»

«Jeg sjekker oss inn på hotellet før jeg drar tilbake til van Boorst og kjøper det vi trenger.»

Hotellet lå øst for sentrum på veien mot grensen til Rwanda. Foran resepsjonen var en parkeringsplass av lavaglasur kranset med trær.

«De ble plantet etter det siste vulkanutbruddet,» sa Saul, som om han hadde lest Harrys tanker, at det nesten ikke var trær i Goma. Dobbeltrommet lå i annen etasje på en lav bygning helt nede ved sjøen og hadde en balkong som hang ut over vannet. Harry røykte en sigarett mens han så morgensola glitre i vannflaten og blinke i boreriggen langt der ute. Han så på klokka og gikk tilbake til parkeringsplassen.

Det var som om Sauls væremåte hadde tilpasset seg den seigt-flytende trafikken han beveget seg i: han kjørte sakte, snakket sakte, beveget hendene sakte. Han parkerte utenfor kirkemu-rene et godt stykke fra van Boorsts hus. Skrudde av motoren, snudde seg mot Harry og ba høflig, men bestemt om en tred-jedel til av beløpet.

«Stoler du ikke på meg?» spurte Harry med et hevet øyebryn.

«Jeg stoler på din oppriktige vilje til å betale,» sa Saul. «Men i Goma er pengene sikrere hos meg enn hos deg, mister Harry. Synd, men sant.»

Harry nikket til resonnementet, bladde opp resten av belø-pet og spurte om Saul hadde noe tungt og kompakt på stør-relse med en pistol i bilen, type en lommelykt. Saul nikket og åpnet hanskerommet. Harry tok ut lykta, stakk den ned i innerlomma på jakka og så på klokka. Det hadde gått tjuefem minutter.

Han gikk fort gjennom gata, så rett fram. Men sideblikket registrerte menn som snudde seg etter ham med blikk som vur-derte. Vurderte høyden og tyngden. Spenstigheten i skrittene hans. Jakka som hang litt skjevt og bulken der innerlomma var. Og slo det fra seg.

Han gikk opp til døra og banket på.

De samme lette skrittene.

Døra gikk opp. Hun så kort på ham før blikket vandret forbi ham, ut på gata.

«Fort, kom,» sa hun, tok ham i armen og trakk ham innen-for.

Harry steg over dørstokken og ble stående i halvmørket innenfor. Alle gardinene var trukket for, bortsett fra foran vin-duet over senga der han hadde sett henne ligge halvnaken første gang han var her.

«Han har ikke kommet ennå,» sa hun på sitt enkle, effektive engelsk. «Men snart.»

Harry nikket og så på senga. Prøvde å forestille seg henne der, med teppet over hoftene. Lyset som hadde falt på huden hennes. Men han greide det ikke. For det var noe annet som prøvde å fange oppmerksomheten hans, noe som ikke stemte, som manglet, eller var der og ikke skulle vært der.

«Kom du hit alene?» spurte hun, gikk rundt ham og satte seg på senga foran ham. Satte høyre hånd mot madrassen slik at den ene skulderstroppen på kjolen gled ned.

Harry flyttet blikket rundt på leting etter feilen. Og fant den. Koloniherren og utbytteren kong Leopold.

«Ja,» sa han automatisk, uten helt å vite hvorfor ennå. *«Alone.»*

Bildet av kong Leopold som hadde hengt på veggen over senga var borte. Neste tanke fulgte hakk i hæl. At Van Boorst ikke kom. At han var borte, han også.

Harry gikk et halvt skritt nærmere henne. Hun vendte hodet opp mot ham, fuktet de fyldige, rødsvarte leppene. Og han var nær nok til å se det nå, se hva det var som hadde erstattet bildet av den belgiske kongen. Spikeren bildet hadde hengt på spiddet en pengeseddel. Ansiktet som preget seddelen var følsomt og hadde en pent pleiet mustasje. Edvard Munch.

Harry skjønte hva som var i ferd med å skje, var i ferd med å snu seg, men noe sa ham også at det alt var for sent, at han befant seg akkurat der regien hadde lagt opp til.

Han mer enset enn så bevegelsen bak seg og kjente ikke det presise stikket i halsen, bare pusten mot tinningen, at nakken frøs til is, lammelsen som løp nedover ryggen og opp i hodebunnen, at beina sviktet under ham idet stoffene nådde hjernen og at bevisstheten svant. Hans siste tanke før mørket lukket seg rundt ham, var hvor forbløffende raskt ketanomin virket.

Kapittel 84
Gjenforeningen

Kaja bet seg i underleppen. Noe var galt.

Hun slo telefonnummeret til Harry enda en gang.

Og fikk enda en gang svareren hans.

I nesten tre timer hadde hun sittet i ankomsthallen – som for så vidt også var avgangshallen – og plaststolen gnaget på alle kroppsdeler den kom i berøring med.

Hun hørte suset fra et fly. Like etterpå viste den eneste monitoren i hallen, en bulkete kasse som hang etter to rustne wirer fra taket, at flight KJ337 fra Zürich hadde landet.

Hun hadde scannet personene i hallen hvert annet minutt og slått fast at ingen av de oppmøtte var Tony Leike.

Hun ringte enda en gang, men kuttet forbindelsen da det gikk opp for henne at det bare var for å gjøre noe, at det ikke var handling, men apati.

Skyvedørene inn til bagasjebåndene gled opp, og de første håndbagasjepassasjerene kom ut. Kaja reiste seg og gikk bort til veggen ved siden av skyvedøra slik at hun så navnene på plastskiltene og papirlappene som taxisjåførene holdt opp mot de ankomne. Ingen Juliana Verni eller Lene Galtung.

Hun gikk tilbake til utkikksposten ved stolen. Satte seg på håndflatene sine, kjente at de var våte av svette. Hva skulle hun gjøre? Hun skjøv ned de store solbrillene og stirret mot skyvedørene.

Sekundene gikk. Ingenting skjedde.

570

Lene Galtung var nesten skjult bak et par fiolette solbriller og en stor svart mann som gikk rett foran henne. Håret hennes var rødt, krøllete, og hun var kledd i dongerijakke, kakibukser og solide fjellsko. Hun dro på en trillebag, tilpasset maksimalmålene for håndbagasje. Hun hadde ingen veske, men en liten, blank metallkoffert.

Ingenting skjedde. Alt skjedde. Parallelt og samtidig, fortid og nåtid, og på merkelig vis skjønte Kaja at anledningen endelig var her. Anledningen hun hadde ventet på. Muligheten til å gjøre det rette.

Kaja så ikke rett på Lene Galtung, sørget bare for å ha henne til venstre i synsfeltet. Reiste seg rolig da hun hadde passert, tok bagen sin og begynte å gå etter henne. Ut i det blendende sollyset. Ennå hadde ingen henvendt seg til Lene, og ut ifra hennes raske, bestemte gange antok Kaja at hun var blitt instruert i detalj om hva hun skulle gjøre. Hun gikk forbi taxiene, krysset veien og steg inn i baksetet på en mørkeblå Range Rover. Døra ble holdt åpen av en svart mann i dress. Etter å ha smekket den igjen etter henne, gikk han rundt bilen mot førersetet. Kaja smatt inn i baksetet på taxien først i køen, lente seg fram mellom setene, tenkte seg kjapt om, men skjønte at det i grunnen ikke var noen annen måte å formulere det på: «*Follow that car.*»

Hun møtte sjåførens blikk og hevede øyebryn i sladrespeilet. Hun pekte på bilen foran dem, og sjåføren nikket at han forsto, men lot fremdeles bilen gå på tomgang.

«*Double pay,*» sa Kaja.

Sjåføren nikket kort og slapp clutchen.

Kaja ringte Harry. Fremdeles ikke noe svar.

De sneglet seg vestover langs hovedgata. Gatene var fulle av lastebiler, kjerrer og biler med kofferter bundet fast på taket. På hver side av veien gikk mennesker som bar store bylter med klær og eiendeler på hodene. Noen steder stoppet trafikken helt opp. Sjåføren hadde tydeligvis tatt poenget og sørget for å holde minst én bil mellom dem og Lene Galtungs taxi.

«Hvor skal alle?» spurte Kaja.

Sjåføren ristet smilende på hodet at han ikke forsto. Kaja gjentok spørsmålet på fransk uten respons. Til slutt pekte hun bare spørrende på menneskene som subbet borti bilen deres på vei forbi.

«*Re-fu-gee*,» sa sjåføren. «*Go away. Bad people coming.*»

Kaja nikket.

Kaja sendte enda en SMS til Harry. Prøvde å stagge panikken.

Midt i Goma delte hovedveien seg i to. Range Roveren svingte til venstre. Et stykke lenger nede gjorde den en ny venstresving og trillet seg nedover mot sjøen. De var kommet til en helt annerledes del av byen, med store villaer bak høye gjerder og omgitt av velpleide hager med trær som ga skygge og hindret innsyn.

«*Old*,» sa sjåføren. «*The Bel-gium. Co-lo-nist.*»

Det var ingen trafikk i villaområdet og Kaja signaliserte at de skulle holde større avstand, selv om hun tvilte på at Lene Galtung hadde noen trening i å avsløre skygging. Da Range Roveren stoppet hundre meter foran dem, ga Kaja beskjed om at de også skulle stoppe.

En jernport ble åpnet av en mann i grå uniform, bilen kjørte inn og porten ble lukket igjen.

Lene Galtung kjente hjertet slå og slå. Det hadde slått slik helt siden telefonen hadde ringt og hun hadde hørt stemmen hans. Han hadde sagt at han var i Afrika. Og at hun skulle komme. At han trengte henne. At bare hun kunne hjelpe ham. Redde det fine prosjektet som ikke bare var hans, men nå ville bli hennes også. Slik at han kunne ha et arbeid. Menn trengte arbeid. En fremtid. Et trygt liv et sted hvor barn kunne vokse opp.

Sjåføren åpnet døra for henne, og Lene Galtung steg ut. Sola var slett ikke så sterk som hun hadde fryktet. Villaen som lå foran henne var praktfull. Gammel, bygd sakte. Stein på stein. For gamle penger. Slik de selv skulle gjøre det. Da hun og Tony hadde truffet hverandre, hadde han vært så opptatt av slektstreet hennes. Galtung var norsk adelsslekt, en av de ytterst få som ikke var importert, et faktum Tony gjentok og gjentok. Kanskje var det derfor hun hadde bestemt seg for å utsette å fortelle ham at hun var som ham: av vanlig, beskjeden herkomst, en gråstein i ura, en oppkomling.

Men nå skulle de lage sin egen adel, de skulle skinne i ura. De skulle bygge.

Sjåføren gikk foran henne opp steintrappa til døra hvor en bevæpnet mann i kamuflasjeuniform åpnet for dem. En gedigen krystallkrone hang fra taket i hallen de kom inn i. Lenes hånd knuget svett om håndtaket på metallkofferten med pengene i. Hjertet kjentes som det skulle sprenge seg ut av brystet hennes. Lå håret hennes riktig? Kunne søvnmangelen og den lange reisen synes på henne? Ned den brede trappa fra annen etasje kom noen. Nei, det var en svart kvinne, sikkert en av tjenerne. Lene ga henne et vennlig, men ikke overdrevent imøtekommende smil. Så det glimte i en gulltann da kvinnen kvitterte med et usjenert, nesten frekt smil og forsvant ut døra bak henne.

Der var han.

Han sto ved gelenderet i annen etasje og så ned på dem.

Han var høy, mørk og iført en silkeslåbrok. Hun kunne se det vakre, tykke arret lyse hvitt mot brysthuden. Så smilte han. Hun hørte sin egen pust raske på. Smilet. Det lyste opp ansiktet hans, hjertet hennes, rommet mer enn noen krystallkrone kunne.

Han skred ned trappa.

Hun satte fra seg kofferten og stormet ham i møte. Han åpnet armene og tok imot henne. Og så var hun hos ham. Hun kjente lukten av ham, sterkere enn noensinne. Blandet med en annen, krydret, sterk lukt. Den måtte komme fra slåbroken, for hun så nå at det elegante silkeplagget både var for kort på armene og slett ikke nytt. Først da hun kjente ham frigjøre seg, skjønte hun at hun hadde klamret seg til ham og slapp skyndsomt.

«Men kjære, du gråter jo,» lo han og strøk en finger over kinnet hennes.

«Gjør jeg?» lo hun, tørket seg under øynene og håpet at sminken ikke rant.

«Jeg har en overraskelse til deg,» sa han og tok hånden hennes. «Kom.»

«Men ...» sa hun, snudde seg og så at metallkofferten alt var blitt fjernet.

De gikk opp trappa og inn gjennom døra til et stort, lyst soverom. Lange, flortynne gardiner duvet sakte i brisen fra terrassedøra.

«Sov du?» spurte hun og nikket mot den uoppredde himmelsenga.

«Nei,» smilte han. «Sett deg her. Og lukk øynene.»

«Men ...»

«Bare gjør som jeg sier, Lene.»

Hun syntes hun kunne høre antydning til irritasjon i stemmen hans og skyndte seg å gjøre som han sa.

«De kommer snart opp med champagnen, og da vil jeg spørre deg om noe. Men først vil jeg fortelle deg en historie. Er du klar?»

«Ja,» sa hun og visste. Visste at dette var stunden. Den hun hadde ventet på så lenge. Stunden hun kom til å huske resten av livet.

«Historien jeg skal fortelle deg er om meg. Det er nemlig en del ting jeg synes du bør vite om meg før du svarer på spørsmålet mitt.»

«Ja vel.» Det var som hun allerede hadde champagneboblene i blodet og måtte konsentrere seg for ikke å bare le.

«Jeg har fortalt deg at jeg vokste opp hos bestefaren min, at foreldrene mine var døde. Det jeg ikke fortalte, er at jeg bodde hos dem til jeg var femten.»

«Jeg visste det!» utbrøt hun.

Tony hevet et øyebryn. Et delikat formet, å så vakkert øyebryn, tenkte hun.

«Jeg har hele tiden visst at du hadde en hemmelighet, Tony,» lo hun. «Men jeg har også en hemmelighet. Jeg vil at vi skal vite alt, alt! om hverandre.»

Tony smilte skjevt. «Så la meg fortsette uten flere avbrytelser, kjære Lene. Min mor var dypt religiøs og traff min far på bedehuset. Han var akkurat blitt løslatt etter å ha sonet en dom for et sjalusidrap, og hadde møtt Jesus i fengselet. For moren min var dette som noe rett ut av Bibelen, en angrende synder, en mann hun kunne hjelpe til frelse og evig liv samtidig som hun gjorde bot for sine egne synder. Det var slik hun forklarte for meg at hun hadde giftet seg med det svinet.»

«Hva …»

«Hysj! Faren min kompenserte for drapet med å stemple alt som ikke var å prise Gud som synd. Jeg fikk ikke lov til å gjøre noen av de tingene andre barn gjorde. Hvis jeg sa imot ham, fikk jeg smake beltet. Han pleide å provosere meg, si at sola gikk rundt jorda, at det sto i Bibelen. Om jeg protesterte, banket han meg. Da jeg var tolv, var jeg på utedoen sammen med mor. Vi pleide det. Da vi kom ut, slo han meg med en spiss spade fordi han mente det var synd, at jeg var for gammel til å gå på do med min egen mor. Han merket meg for livet.»

Lene svelget mens Tony løftet en forvridd, giktbrudden pekefinger og dro den langs øverste delen av arret på brystet. Og det var først nå hun oppdaget hans manglende langfinger.

«Tony! Hva har …»

«Hysj! Den siste gangen faren min banket meg var jeg femten, og han brukte beltet tjuetre minutter i ett strekk. Et tusen tre hundre og nittito sekunder. Jeg telte dem. Han slo hvert fjerde sekund, som en maskin. Slo og slo, stadig mer rasende fordi jeg ikke begynte å gråte. Til slutt var han så sliten i armen at han måtte gi seg. Tre hundre og førtiåtte slag. Den natta ventet jeg til jeg hørte snorkingen hans, snek meg inn på soverommet deres og helte en dråpe syre i det ene øyet hans. Han skrek og skrek mens jeg holdt ham og hvisket i øret hans at om han rørte meg igjen kom jeg til å drepe ham. Og jeg kjente ham stivne i armene mine, visste at han kjente det, at jeg var blitt sterkere enn ham. Og at han skjønte at jeg hadde det i meg.»

«Hadde hva, Tony?»

«Ham. Drapsmannen.»

Lenes hjerte stoppet. Det var ikke sant. Kunne ikke være sant. Han hadde jo fortalt henne at det ikke var ham, at de tok feil.

«Etter den dagen gikk vi rundt og voktet på hverandre som dyr. Og mor visste det, at det var ham eller meg. Og en dag kom hun til meg og sa at han hadde vært på Geilo og kjøpt ny ammunisjon til rifla. At jeg måtte komme meg vekk, at hun hadde avtalt med bestefar hva som måtte gjøres. Han var enkemann og bodde ved Lyseren og visste at han måtte holde meg i skjul, hvis ikke ville han komme etter meg. Så jeg dro. Mor fikk det til å se ut som jeg var blitt tatt av et ras. Faren min skydde folk, så det var alltid mor som ordnet alt som krevde kontakt med fremmede. Han trodde hun hadde meldt meg savnet, men i virkeligheten hadde hun bare informert én person om hva hun hadde gjort og hvorfor. Hun og lensmannsbetjent Roy Stille de … ja, de kjente hverandre svært godt. Stille var klok nok til å vite at politiet kunne gjøre lite for å beskytte meg mot far og omvendt, så han hjalp til å dekke sporene etter meg. Jeg hadde det bra hos bestefar. Helt til beskjeden kom om at mor var forsvunnet i fjellet.»

Lene strakte fram hånden. «Stakkars, stakkars Tony.»

«Jeg sa lukk øynene!»

Hun skvatt til av snerten i stemmen hans, trakk hånden til seg og knep øynene igjen.

«Jeg kunne ikke dra i begravelsen, sa bestefaren min. Ingen måtte få vite at jeg var i live. Da han kom hjem, fortalte han meg ord for ord hva presten hadde sagt om henne i minnetalen. Tre linjer. Tre linjer om verdens vakreste, sterkeste kvinne. Den siste var 'Karen trådte lett på jorden'. Resten handlet om Jesus og syndenes forlatelse. Tre linjer og forlatelse for synder hun aldri hadde begått.» Lene kunne høre Tony puste tungt nå.

«'Trådte lett'. Prestefaen sto der på prekestolen og sa at hun ikke hadde satt noen spor. Forduftet like sporløst som hun levde. Over til neste bibelvers. Bestefar fortalte det uten omsvøp og vet du hva, Lene? Det var den viktigste dagen i mitt liv. Skjønner du?»

«Ee ... nei, Tony.»

«Jeg visste at han satt der, svinet som hadde drept henne. Og jeg sverget at jeg skulle hevne meg. At jeg skulle vise ham. At jeg skulle vise dem alle. Det var den dagen jeg besluttet at uansett hva som skjedde, så skulle jeg ikke ende opp som ham. Eller henne. Som tre linjer. Og syndenes forlatelse trengte verken jeg eller svinet som satt der, vi skulle brenne begge to. Heller det enn å dele paradis med en slik Gud.» Han senket stemmen: «Ingen, ingen skulle få stå i veien for meg. Skjønner du nå?»

«Ja,» smilte Lene. «Og du har fortjent det, Tony. Alt sammen. Du har jobbet så hardt!»

«Jeg er glad for at du er så forståelsesfull, kjære. For nå kommer resten. Er du klar?»

«Ja,» sa Lene og slo hendene sammen. Hun skulle få se, hun også, som satt der hjemme, misunnelig, ensom og bitter, og ikke unnet sin egen datter å oppleve kjærligheten.

«Jeg hadde det alt i min hule hånd,» sa Tony og Lene kjente hans hånd mot kneet. «Deg, pengene til faren din, prosjektet her nede. Jeg trodde ikke noe kunne gå galt. Helt til jeg knullet det kåte kvinnfolket på Håvasshytta. Jeg husket ikke engang hva hun het før jeg mottok et brev fra henne hvor det sto at hun var gravid og ville ha penger. Hun stilte seg i veien, Lene. Jeg planla nøye. Kledte bilen i plast. Tok med et blankt prospektkort fra Kongo jeg hadde liggende, tvang henne til å skrive en tekst som ville forklare forsvinningen. Så stakk jeg kniven i halsen hennes. Lyden av blod mot plast, Lene ... det er noe helt spesielt.»

Kapittel 85
Munch

Det var som noen hadde banket en istapp ned i Lenes kranium. Likevel knep hun øynene igjen. «Du ... du ... drepte henne? En kvinne som du ... du lå med der oppe på fjellet?»

«Min libido er sterkere enn din, Lene. Når du ikke vil gjøre for meg det jeg ber om, får jeg andre til å gjøre det.»

«Men du ... du ville at jeg skulle ...» Gråten dro i stemmebåndene hennes, «... det er jo ikke naturlig!»

Tony lo kort. «Hun hadde ikke noe imot det, Lene. Ikke Juliana, heller. Skjønt hun tok seg godt betalt.»

«Juliana? Hva snakker du om, Tony? Tony?» Lene famlet foran seg som en blind.

«En tysk hore fra Leipzig som jeg traff jevnlig. Hun gjør hva som helst for penger. Gjorde.»

Lene kjente tårene renne nedover kinnene sine. Stemmen hans var så rolig, det var det som gjorde det så uvirkelig.

«Si ... si at det ikke er sant, Tony. Vær så snill, stopp nå.»

«Hysj. Jeg fikk et nytt brev. Med et bilde. Du kan kanskje forestille deg sjokket mitt da jeg så det inneholdt et bilde av Adele i min bil med min kniv i halsen. Brevet var underskrevet med navnet til Borgny Stem-Myhre. Hun skrev at hun ville ha penger for ikke å anmelde meg for drapet på Adele Vetlesen. Jeg skjønte jo at jeg måtte rydde henne av veien. Men også at jeg trengte et alibi for drapstidspunktet i tilfelle politiet greide å knytte meg til Borgny og utpressingsforsøket. Egentlig hadde jeg tenkt å sende Adeles lille prospektkort fra Afrika neste gang jeg var her, men nå kom jeg på en enda bedre idé. Jeg kontaktet Juliana og sendte henne hit til Goma. Hun reiste i Adeles navn, sendte prospektkortet fra Kigali, dro til van Boorst og kjøpte med seg et eple jeg hadde tenkt å servere Borgny. Da Juliana kom tilbake, møttes vi i Leipzig. Hvor jeg lot henne være den første som fikk smake på eplet.» Tony lo kort. «Hun trodde det var et nytt sexleketøy, stakkar.»

«Du ... du drepte henne også?»

«Ja. Og så Borgny. Jeg fulgte etter henne. Hun var i ferd med å låse opp porten til gården der hun bodde da jeg gikk opp til henne med kniven. Jeg tok henne med ned til kjelleren hvor jeg hadde gjort alt klart. Hengelås. Eplet. Jeg satte en sprøyte med ketanomin i halsen hennes, så dro jeg til Skien, i et investormøte hvor alle mine vitner ventet. Alibiet. Jeg visste at mens jeg skålte i hvitvin, ville Borgny gjøre jobben med eplet selv. De gjør alltid det til slutt. Så dro jeg tilbake, gikk innom kjelleren, tok med min egen hengelås som jeg hadde låst Borgny inne med, tok eplet ut av munnen hennes og dro hjem. Til deg. Vi elsket. Du lot som du kom. Husker du?»

Lene ristet på hodet, ute av stand til å snakke.

«Lukk øynene, sa jeg.»

Hun kjente fingrene hans gli over pannen og stryke øyelokkene hennes ned, som en begravelsesagent. Hørte stemmen hans messe som til seg selv:

«Han likte å slå meg. Jeg kan skjønne det nå. Følelsen av makt som ligger i det å påføre smerte, å se et annet menneske føye seg, la din vilje skje på jorden som i himmelen.»

Hun kjente lukten av ham, lukten av kjønn. Kvinnekjønn. Så var stemmen hans der igjen, helt inntil øret hennes nå: «Etter hvert som jeg drepte dem, skjedde det noe. Det var som blodet deres vannet et frø som hadde ligget der hele tiden. Jeg begynte å skjønne det jeg hadde sett i blikket til far den gangen. Gjenkjennelsen. For slik han så seg selv i meg, begynte jeg å se ham når jeg så meg i speilet. Jeg likte makten. *Og* avmakten. Jeg likte spillet, risikoen, avgrunnen og tindenes topp på én gang.

For når du står på fjellet med hodet i en sky og hører paradisets englekor, må du også høre helvetes fresende ild under deg for at det skal bety noe. Det var det faren min visste. Og nå vet jeg det også.»

Lene så røde flekker danse på innsiden av øyelokkene.

«Jeg skjønte ikke hvor mye jeg hatet ham før et par år senere da jeg sto sammen med en jente i et skogholt utenfor et danselokale. En gutt føyk på meg. Jeg så sjalusien lyse i øynene hans. Jeg så faren min med spaden komme mot mor og meg. Jeg skar ut tungen på den gutten. De tok meg, og jeg fikk en dom. Og jeg oppdaget hva fengsel gjør med en. Og hvorfor far aldri hadde nevnt sin egen soning med ett ord. Det var en kort dom jeg fikk. Likevel holdt jeg på å bli gal der inne. Og det var mens jeg satt der muret inne at jeg skjønte hva jeg måtte gjøre. Jeg måtte få ham i fengsel for drapet på mor. Ikke drepe ham, men få ham muret inne, begravet levende. Men først måtte jeg finne beviset, levningene etter mor. Så jeg bygde ei hytte der oppe på fjellet, langt fra folk så jeg ikke risikerte at noen skulle kjenne igjen gutten som forsvant da han var femten år. Hvert år lette jeg gjennom vidda, kvadratkilometer for kvadratkilometer, begynte så snart det meste av snøen var borte, helst på nattestid når ingen andre var ute, trålte stup og rassteder. Om jeg måtte, overnattet jeg på turisthytter der det likevel bare var tilreisende. Men noen av de lokale må ha sett meg likevel, det begynte i alle fall å gå rykter om gjenferdet av guttungen fra Utmo.» Tony klukklo. Lene åpnet øynene, men Tony oppdaget det ikke, han så på et sigarettmunnstykke han akkurat hadde tatt ut av lomma på slåbroken. Lene skyndte seg å lukke øynene igjen.

«Etter drapet på Borgny kom et brev undertegnet Charlotte. Som skrev at det var hun som hadde stått bak det forrige. Jeg skjønte at jeg var fanget i et spill. At det kunne være en ny bløff, at det kunne være hvem som helst av dem som var på Håvasshytta den natta. Så jeg dro opp dit for å se i gjesteboka, men siden for den natta var revet ut. Så jeg drepte Charlotte. Og ventet på et nytt brev. Det kom. Jeg drepte Marit. Og så

Elias. Etter det ble det stille. Så leste jeg i avisen at de ba folk som hadde vært på Håvasshytta samme natt som drapsofrene, om å melde seg. Jeg visste naturligvis at ingen kunne vite at jeg hadde vært der, men også at hvis jeg meldte meg, kunne jeg få vite av politiet hvilke andre som hadde vært der. Hvem det var som var ute etter meg. Hvem det gjensto å ta livet av. Så jeg meldte meg direkte til den jeg antok visste mest. Denne etterforskeren, Harry Hole. Jeg prøvde å fritte ham ut om de andre gjestene. Uten at det hjalp stort. I stedet kom denne Mikael Bellman fra Kripos og arresterte meg. Noen hadde ringt fra min telefon til Elias Skog, fortalte han meg. Og jeg skjønte det da. At det ikke var penger det handlet om, men at noen prøvde å få meg fast. I fengsel. Hvem kunne kaldblodig se mennesker bli drept og likevel bare fortsette dette … dette korstoget mot meg? Hvem kunne hate meg så mye? Så kom det siste brevet. Denne gangen anga han ikke sin identitet, skrev bare at han hadde vært på Håvasshytta den natta, usynlig som et gjenferd. At jeg kjente ham så altfor godt. Og at han kom for å ta meg. Og da visste jeg. Han hadde omsider funnet meg. Far.»

Tony trakk pusten.

«Han hadde planlagt det samme for meg som jeg hadde planlagt for ham. En levende begravelse, å mures inne på livstid. Men hvordan hadde han greid det? Jeg tenkte at han hadde oppsyn med Håvasshytta, det kunne ha kommet ham for øre hva som hadde skjedd der. Kanskje visste han at jeg var i live, kanskje hadde han fulgt meg på avstand en stund. Etter at jeg forlovet meg med deg, begynte jo kjendispressen å trykke bilder av meg, og selv far kikket i de bladene en og annen gang. Men han måtte samarbeide med noen, det kunne for eksempel ikke være han som dro inn til Oslo og gjorde innbrudd, som hadde tatt bildet av Adele med kniven i halsen. Eller kunne det? Jeg fant ut at han hadde evakuert fra gården, det sleipe svinet. Det han ikke visste, var at jeg var blitt mer lommekjent i området enn ham selv i løpet av alle årene med leting etter liket av mor. Jeg fant ham på turisthytta ute i Kjeften. Jeg gledet meg som et barn. Men det ble et antiklimaks.»

Rasling i silke.

«Jeg hadde mindre glede av å torturere ham enn jeg hadde håpet. Han kjente meg ikke engang igjen, den blinde idioten. Og det var like greit. Jeg ville jo at han skulle se meg som det han selv aldri greide å bli. Suksessen. Ydmyke ham. I stedet fikk han se meg som seg selv. Drapsmannen.» Han sukket. «Og det begynte også å gå opp for meg at han ikke hadde samarbeidet med noen. Og han hadde ikke kapasiteten til å gjøre noe sånt alene, han var for skrøpelig, for redd og feig. Jeg utløste raset ved Håvasshytta, nærmest i panikk. For jeg visste det nå: det var en annen. En usynlig, uhørlig jeger som sto i mørket et sted og pustet i takt med meg. Jeg måtte komme meg vekk. Ut av landet. Et sted jeg ikke kunne finnes. Så her er vi, kjære. Ved randen av en jungel på størrelse med Vest-Europa.»

Lene skalv ukontrollert over hele kroppen. «Hvorfor gjør du dette, Tony? Hvorfor forteller du meg … dette?»

Hun kjente hånden hans mot kinnet. «Fordi du fortjener det, kjære. Fordi du heter Galtung og skal få en lang minnetale når du dør. Fordi jeg synes det er riktig at du får vite alt om meg før du gir meg ditt svar.»

«Svar på hva?»

«Om du vil gifte deg med meg.»

Alt spant rundt i hodet hennes nå. «Om jeg vil … vil …»

«Åpne øynene, Lene.»

«Men jeg …»

«Åpne dem, sa jeg.»

Hun gjorde som han sa.

«Denne er til deg,» sa han.

Lene Galtung gispet.

«Den er av gull,» sa Tony. Sollyset blinket matt i det gulbrune metallet som lå oppå et ark på salongbordet mellom dem. «Jeg vil at du skal ta den på.»

«På?»

«Etter at du har underskrevet ekteskapskontrakten vår selvfølgelig.»

Lene blunket og blunket. Prøvde å vekke seg selv fra marerittet. Hånden med de forvridde fingrene kom over bordet, la seg over hennes. Hun så ned, så på mønsteret i den burgunderrøde silken i slåbroken hans.

«Jeg vet hva du tenker,» sa han. «At pengene du hadde med bare rekker en stund, men at et ekteskap gir meg visse arverettigheter når du dør. Du lurer på om jeg har tenkt å ta livet av deg. Ikke sant?»

«Har du det?»

Tony lo lavt og klemte hånden hennes. «Har du tenkt å stå i veien for meg, Lene?»

Hun ristet på hodet. Alt hun hadde villet var å være der for noen. For ham. Som i trance tok hun pennen han rakte henne. Førte den ned til papiret. Tårene hennes traff signaturen og fikk blekket til å flyte ut. Han nappet arket til seg.

«Det går fint,» sa han, blåste på det og nikket mot salongbordet. «La oss ta den på da.»

«Hva mener du, Tony? Det er jo ingen ring.»

«Jeg mener at du skal gape opp, Lene.»

Harry blunket. En enslig, tent lyspære hang fra taket. Han lå på ryggen på en madrass. Han var naken. Det var den samme drømmen, bare at han ikke drømte. Over ham sto en spiker ut av veggen, og på spikeren var spiddet hodet til Edvard Munch. En norsk seddel. Han gapte så det kjentes som den ødelagte kjeven skulle revne, likevel presset det på, kjentes som hodet skulle sprenges. Han drømte ikke. Ketanominen hadde sluttet å virke og smertene tillot ingen drømmer lenger. Hvor lenge hadde han ligget her? Hvor lenge til smertene drev ham til vanvidd? Han vred forsiktig på hodet og så ut i rommet. Han var fortsatt hos van Boorst og han var alene. Han var ikke bundet, han kunne reise seg om han ville.

Blikket fulgte tråden som var bundet til håndtaket på utgangsdøra og som gikk stramt tvers gjennom rommet og til veggen bak ham. Han vred hodet forsiktig den andre veien. Tråden gikk gjennom u-bolten i murveggen rett bak hodet hans. Og derfra opp til hans egen munn. Leopolds eple. Han var tjoret fast. Døra svingte ut slik at den første som dro den opp, ville utløse nålene som ville spidde hodet hans innenfra. Og om han beveget seg for mye, ville det også utløse nålene.

Harry stakk tommelen og pekefingeren inn i hver sin munnvik. Kjente på spilene. Prøvde forgjeves å presse fingrene under en av dem. Et hosteanfall kom og det svartnet for ham da han ikke greide å puste. Det gikk opp for ham at spilene hadde fått kjøttet rundt pusterøret til å hovne opp, at han snart risikerte å kveles. Wiren til dørklinken. Den avkuttede fingeren. Var det bare tilfeldig eller kjente Tony Leike til Snømannen? Og ville overgå ham?

Harry sparket i veggen og spente stemmebåndene, men metallkulen kvalte skriket. Han ga opp. Lente seg mot veggen, stålsatte seg mot smertene og presset munnen sammen. Han hadde lest et sted at bittet til et menneske ikke er så mye svakere enn hvithaiens. Likevel klarte kjevemuskulaturen bare så vidt å presse spilene i kulene tilbake før de igjen presset munnen hans opp. Det kjentes som det pulserte, som om han hadde et levende jernhjerte i kjeften. Han kjente på tråden som hang ut av munnen. Alle instinkter skrek at han skulle dra i den, rykke denne kulen ut. Men han hadde sett det demonstrert hva som da ville skje, han hadde sett bildene fra åstedet. Om han ikke hadde sett …

Og i samme øyeblikk visste Harry. Visste ikke bare hvordan han selv skulle dø, men hvordan de andre hadde dødd. Og hvorfor det var blitt gjort slik. Han følte en absurd trang til å le. Det var så djevelsk enkelt. Så djevelsk enkelt at bare en djevel kunne tenkt det ut.

Tony Leikes alibi. Han hadde ikke hatt noen medhjelper. Det vil si, medhjelperne hans hadde vært ofrene selv. Da Borgny og Charlotte hadde våknet opp alene etter å ha vært dopet ned, hadde de ikke ant hva det var de hadde i kjeften. Borgny hadde bare vært innelåst i en kjeller. Charlotte hadde vært ute i det fri, men tråden fra munnen hennes hadde gått inn i bagasjerommet på bilvraket foran henne, og uansett hvor mye hun prøvde, skrapte og dro i bagasjelokket, var og forble det låst. Ingen av dem hadde hatt noen mulighet til å komme seg vekk fra der de var, og da smertene var blitt store nok, hadde de gjort det forutsigbare. De hadde dratt i tråden. Hadde de ant hva som ville skje? Hadde smertene gjort at mistanken måtte vike for håpet, håpet om at å dra i tråden ville trekke spilene inn igjen i den mystiske kulen? Og mens jentene sakte, men sikkert hadde tvilt og trodd seg fram til den uunngåelige handlingen, hadde Tony Leike kommet seg flere mil unna til en kundemiddag eller et foredrag i trygg forvissning om at jentene ville gjøre siste del av jobben selv. Og samtidig gi ham det best tenkelige alibi for dødstidspunktet. Strengt tatt hadde han ikke engang myrdet dem.

Harry beveget hodet for å se hvilken aksjonsradius han hadde uten å stramme stålwiren.

Han måtte gjøre noe. Noe. Han stønnet, syntes snoren strammet seg, sluttet å puste, stirret mot døra. Ventet på at den skulle svinge opp, på at ...

Ingenting skjedde.

Han prøvde å huske van Boorsts demonstrasjon av eplet, hvor langt spilene sto ut når de ikke hadde motstand. Om han bare hadde kunnet gape enda høyere, om bare kjevene ...

Harry lukket øynene. Det som slo ham var hvor merkelig normal og innlysende ideen virket, hvor lite motstand han kjente mot den. Tvert om, han kjente lettelse. Lettelse over å skulle påføre seg selv enda mer smerte, om nødvendig ta sitt eget liv i forsøket på å overleve. Det var logisk, enkelt, tvilens tussmørke var fortrengt av en lys, klar, sinnssyk tanke. Harry vred seg rundt på magen med hodet helt inntil u-bolten slik at wiren fikk en liten slakk. Så kom han seg forsiktig opp på knærne. Kjente på kjeven. Fant punktet. Punktet der det alt satt: smerten, kjevedisken, knuten, vasen av nerver og muskler som så vidt holdt kjevene sammen etter insidenten i Hong Kong. Han ville ikke greie å slå seg selv hardt nok, det måtte kroppstyngde bak. Han strøk pekefingeren prøvende over spikeren. Den sto omtrent fire centimeter ut fra veggen. Vanlig trådspiker med stort, bredt hode. Det ville knuse alt som kom i dens vei om det kom med nok tyngde. Harry siktet, la kjeven prøvende inn til spikerhodet, løftet seg opp for å beregne i hvilken vinkel han måtte falle. Hvor dypt inn spikeren måtte gå. Og hvor dypt den *ikke* måtte gå. Nakken, nerver, lammelse. Kalkulerte. Ikke kaldt og rolig. Men kalkulerte likevel. Tvang seg til det. Spikerhodet sto ikke som toppen på en t, det skrånet ned mot spikerstammen slik at hodet ikke nødvendigvis ville røske med seg alt på vei ut igjen. Til slutt prøvde han å komme på om det var noe han ikke hadde tenkt på. Til han skjønte at det var hjernens forsøk på å få en utsettelse.

Harry trakk pusten dypt.

Kroppen ville ikke. Den protesterte, strittet imot. Ville ikke la hodet falle.

«Idiot!» prøvde Harry å rope, men det ble bare til en visling. Han kjente en varm tåre bane seg vei nedover kinnet.

Nok grining, tenkte han. På tide å dø litt nå.

Så lot han hodet falle.

Spikeren tok imot ham med et dypt sukk.

Kaja famlet etter mobiltelefonen. Carpenters hadde akkurat ropt et trestemt «*Stop!*» og Karen Carpenter svart «*Oh, yeah wait a minute.*» SMS-tonen.

Utenfor bilen hadde mørket falt brått og brutalt. Hun hadde sendt tre meldinger til Harry. Fortalt hva som hadde skjedd, at hun sto parkert oppe i gata ved villaen hvor Lene Galtung hadde gått inn, at hun avventet videre beskjed og ba ham gi livstegn.

Godt jobbet. Kom og hent meg i gaten på sørsiden av kirken. Lett å finne, det er det eneste murhuset. Gå rett inn, det er åpent. Harry.

Hun videreformidlet adressen til taxisjåføren som nikket, gjespet og startet opp motoren.

Kaja tastet «*på vei*» mens de kjørte nordover gjennom opp-

lyste gater. Vulkanen lyste opp kveldshimmelen som en gløde-
lampe, visket ut stjernene og ga alt et nesten umerkelig, blod-
rødt skimmer.

Et kvarter senere befant de seg i et mørklagt bombekrater av
en gate. Et par parafinlamper hang utenfor en butikk. Enten
var strømmen gått igjen eller så hadde ikke dette nabolaget
strøm.

Sjåføren stoppet og pekte. Van Boorst. Det var ganske riktig
et lite murhus. Kaja så seg rundt. Lenger oppe i gata så hun to
Range Rovere. To brekende mopeder passerte med vinglende
lys. Fra en dør strømmet afrikansk tungdisco. Her og der kunne
hun se det gløde i sigaretter og hvite øyne.

«*Wait here*,» sa Kaja, dyttet håret opp i skyggelua og over-
hørte sjåførens advarende utrop da hun åpnet døra og smatt ut.

Hun gikk fort rett opp til huset. Hun hadde ingen naive
forestillinger om hvilke sjanser en ensom hvit kvinne hadde i
en by som Goma etter mørkets frambrudd, men akkurat nå
var mørket hennes beste venn.

Hun skimtet døra med svarte lavasteinblokker på begge sider,
kjente hun måtte skynde seg, at det var på vei, at hun måtte
komme det i forkjøpet. Hun holdt på å snuble, men styrte
videre, pustet med åpen munn. Så var hun der. Hun la hånden
på dørhåndtaket. Til tross for at temperaturen hadde falt over-
raskende fort etter at sola hadde gått ned, rant svetten i bekker
mellom skulderblad og brystene hennes. Hun tvang hånden til
å skyve håndtaket ned. Lyttet. Det var så merkelig stille. Like
stille som den gangen ...

Gråten kjentes som seigtflytende betongblanding i halsen.

«Kom igjen,» hvisket hun. «Ikke nå.»

Hun lukket øynene. Konsentrerte seg om åndedrettet. Tømte
hjernen for tanker. Hun ville klare dette nå. Tankene rant ut.
Delete, delete. Sånn. Det var bare én liten tanke igjen, så kunne
hun åpne døra.

Harry våknet av at det nappet i munnviken. Han åpnet øynene.
Det var blitt mørkt. Han måtte ha svimt av. Så ble han opp-

merksom på at det dro i metalltråden til kula som fremdeles befant seg inne i munnen hans. Hjertet hans startet, akselererte, hamret av gårde. Han skjøv munnen helt inntil bolten, fullstendig klar over at det ville hjelpe fint lite hvis noen dro opp døra.

En stripe av lys utenfra traff veggen over ham. Det glitret i blod. Han førte fingrene inn i munnen, la dem oppå tennene i underkjeven og presset ned. Smertene fikk det til å svartne et øyeblikk, men han kjente kjevene vippe ned. Den var ute av ledd! Mens han presset kjeven ned med den ene hånden, fikk han tak i kulen med den andre og prøvde å dra den ut.

Han hørte lyder utenfor døra. Faen, faen! Han fikk fremdeles ikke kula ut mellom tennene. Han presset kjeven enda lenger ned. Lyden av bein og vev som knaste og revnet hørtes ut som det kom fra øret selv. Han kunne kanskje klare å dra kjeven så langt ned på den ene siden at han kunne få kula ut sidelengs, men der var kinnet i veien. Han kunne skimte dørhåndtaket bevege seg. Det var ikke tid. Ingen tid. Tiden sluttet her.

Den siste lille tanken. SMS. Gaten. Gata. Kirken. Kirka. Harry brukte a-endelser. Kaja åpnet øynene. Hva var det han hadde sagt på terrassen hennes da de hadde snakket om tittelen på den Fante-boka? At han aldri sendte SMS. Fordi han ikke ville miste sjelen, fordi han foretrakk å ikke etterlate spor når han forsvant. Hun hadde aldri mottatt en eneste tekstmelding. Ikke før nå. Han kunne ringt. Dette stemte ikke, dette var ikke hjernen hennes som fant på unnskyldninger for ikke å åpne døra. Det var en felle.

Kaja slapp forsiktig dørhåndtaket. Hun kjente en varm luftstrøm mot nakken. Som om noen pustet på henne. Hun strøk «som om» og snudde seg.

De var to. Ansiktene deres gikk i ett med mørket.

«*Looking for someone, lady?*»

Følelsen av déjà vu slo henne alt før hun hadde svart: «*Wrong door, that's all.*»

I det samme hørte hun en bil starte opp, hun snudde seg og så baklysene på taxien sin som vagget seg nedover gata.

«*Don't worry, lady,*» sa stemmen. «*We paid him.*»

Hun snudde seg tilbake og så ned. På pistolen som pekte på henne.

«*Let's go.*»

Kaja overveide alternativene. Det var fort gjort. Det var ingen.

Hun gikk foran dem bort mot de to Range Roverne. Bakdøra på den ene svingte opp da de nærmet seg. Hun satte seg inn. Det luktet krydret etterbarberingsvann og nytt lær. Døra smekket i bak henne. Han smilte. Tennene var store og hvite og stemmen myk, munter:

«Hei, Kaja.»

Tony Leike var kledd i gulgrå kamuflasjeuniform. Han holdt en rød mobiltelefon i hånden. Harrys.

«Du fikk beskjed om å gå rett inn. Hva stoppet deg?»

Hun trakk på skuldrene.

«Fascinerende,» sa han og la hodet på skakke.

«Hva da?»

«Du ser ikke det minste redd ut.»

«Hvorfor skulle jeg det?»

«Fordi du snart skal dø. Har du virkelig ikke skjønt det?»

Kaja kjente halsen snøre seg sammen. Selv om én del av hjernen skrek ut at det var en tom trussel, at hun var politi, at han selvfølgelig aldri ville ta den sjansen, greide ikke stemmen å overdøve den andre, den som sa at Tony Leike satt foran henne og visste nøyaktig hva situasjonen var. At hun og Harry var to kamikazeidioter som var veldig langt hjemmefra uten autorisasjon, uten back-up, uten retrettmuligheter. Uten sjanse.

Leike trykket på en knapp og sidevinduet gled ned.

«*Go finish him and bring him up there,*» sa han til de to mennene og lot vinduet gli opp igjen.

«Jeg synes det hadde gitt det en touch av klasse om du hadde åpnet den døra,» sa Leike. «Jeg synes liksom vi skylder Harry en poetisk død. Men som det er, får vi heller satse på et poetisk farvel.» Han bøyde seg fram og så opp på himmelen. «Vakker rødfarge, er det ikke?» Hun så det på ham nå. Hørte det. Og den stemmen hennes – den som snakket sant – fortalte henne det. At hun virkelig skulle dø.

Kapittel 86
Kaliber

Kinzonzi pekte på van Boorsts murhus og sa at Oudry skulle kjøre Range Roveren helt inntil døra. Han kunne se at det var lys bak gardinene og husket at mister Tony hadde bestemt at det skulle stå på da de gikk. For at den hvite mannen skulle se hva han hadde i vente. Kinzonzi steg ut og ventet på at Oudry skulle få ut tenningsnøkkelen og komme etter. Ordren var enkel: drepe og bringe. Det vakte ingen følelser. Ikke frykt, ikke glede, ikke engang spenning. Det var jobb.

Kinzonzi var nitten år. Han hadde slåss siden han var elleve. Det var da PDLA, People's Democratic Liberation Army, hadde stormet landsbyen hans. De hadde knust brorens hode med baksiden av en kalasjnikov og voldtatt hans to søstre mens de tvang faren til å se på. Etterpå hadde kommandanten sagt at om faren ikke gjennomførte et samleie med den yngste søsteren mens de så på, ville de drepe Kinzonzi og den eldste søsteren. Men før kommandanten hadde fullført setningen, hadde faren løpt rett på en av machetene deres. Latteren hadde runget.

Da de dro derfra, hadde Kinzonzi for første gang på flere måneder fått et ordentlig måltid og en beret som kommandanten sa var uniformen hans. To måneder senere hadde han en kalasjnikov og hadde skutt sitt første menneske, en mor i en landsby som nektet å gi fra seg ullteppene sine til People's Democratic Liberation Army. Han hadde fylt tolv da han sto i køen av soldater som voldtok en ung pike ikke langt unna der han selv var blitt rekruttert. Da det ble hans tur, slo det ham plutselig at piken kunne vært hans søster, alderen kunne stemme. Men da han så på ansiktet hennes, hadde det gått opp for ham at han ikke lenger husket ansiktene deres. Mor, far, søsknene. Det var borte, slettet.

Da han og to kamerater fire måneder senere hogde armene av kommandanten og så ham blø i hjel, var det ikke av hevnlyst eller hat, men fordi CFF, Congo Freedom Front, hadde lovet å betale bedre. I fem år hadde han levd av det CFF-raidene i Nord-Kivus jungel brakte inn, men de hadde hele tiden måttet passe seg for de andre geriljaene, og landsbyene de kom over var etter hvert blitt så utplyndret av andre at de knapt kunne fø dem. En stund hadde CFF ligget i forhandlinger med regjeringshæren om å legge ned våpen mot amnesti og ansettelse. Men det strandet på lønnsforhandlingene.

I ren sult og desperasjon hadde CFF angrepet et av gruveselskapene som utvant koltan, selv om de visste at gruveselskapene både hadde bedre våpen og soldater enn dem. Kinzonzi hadde aldri hatt noen forestilling om at han kom til å leve lenge eller at han skulle dø på noen annen måte enn i kamp. Derfor hadde han ikke engang blunket da han var kommet til bevissthet og stirret inn i geværmunningen til en hvit mann som snakket til ham på et ukjent språk. Kinzonzi hadde bare nikket for å vise at han ville ha det overstått. To måneder senere var skadene helet, og gruveselskapet var hans nye arbeidsgiver.

Den hvite mannen var mister Tony. Mister Tony betalte godt, men viste ingen nåde hvis han så det minste tegn til illojalitet. Han snakket til dem og var den beste sjefen Kinzonzi hadde hatt. Kinzonzi ville ikke nølt ett sekund med å skyte ham om det hadde lønt seg. Men det lønte seg ikke.

«Skynd deg,» sa Kinzonzi til Oudry og ladet pistolen sin. Han visste at det kunne ta tid å dø av metallkulen som ville utløses i munnen på den hvite politimannen når de åpnet døra, derfor ville han skyte ham straks så de kunne komme seg opp til Nyiragongo hvor mister Tony og damene ventet.

En mann som hadde sittet på en stol og røykt utenfor butikken vegg-i-vegg, reiste seg, mumlet rasende og ble borte i mørket.

Kinzonzi så på dørhåndtaket. Første gang han var her var da de hadde hentet van Boorst. Det var også første gang han hadde sett den sagnomsuste Alma. På det tidspunktet hadde van Boorst brukt opp pengene sine på Singapore Sling, beskyttelse og Alma som neppe var billig i drift. Så van Boorst hadde i desperasjon begått sitt livs siste tabbe: å presse mister Tony for penger ved å true med å gå til politiet med det han visste. Belgieren hadde sett mer resignert enn overrasket ut da de kom, og hadde skyndet seg å drikke ut. De hadde partert ham i passe store biter som de hadde fôret til de paradoksalt feite grisene utenfor flyktningeleiren. Mister Tony hadde overtatt Alma. Alma med hoftene, gulltanna og det der kåte søvngjengerblikket som kunne gitt Kinzonzi enda en grunn til å sette en kule i mister Tonys panne. Om det hadde lønt seg.

Kinzonzi trykket ned håndtaket. Og dyttet hardt til døra. Den svingte opp, men ble stoppet i halvåpen stilling av en tynn stålwire som gikk fra innsiden av døra. I det samme den strammet, lød et høyt og tydelig klikk og lyden av metall mot metall, som lyden av en bajonett som blir rykket opp i jernslire. Døra gled knirkende mot dem igjen.

Kinzonzi steg inn, dro Oudry inn etter seg og smelte igjen døra. Den bitre lukten av oppkast stakk i nesa.

«Tenn lykta.»

Oudry gjorde som han fikk beskjed om.

Kinzonzi stirret mot enden av rommet. Fra en naken spiker på veggen over senga hang en pengeseddel, gjennomtrukket av blod som også hadde rent nedover veggen. På senga, i en dam av gult spy lå en blodig metallkule med lange nåler som stakk ut, lik solstråler. Men ingen hvit politimann.

Døra. Kinzonzi virvlet rundt med pistolen klar.

Ingen der.

Han la seg på knærne og så under senga. Ingen.

Oudry dro opp døra til det eneste skapet i rommet. Tomt.

«Han har flyktet,» sa Oudry til Kinzonzi som sto ved senga og trykket en finger ned i madrassen.

«Hva er det?» spurte Oudry som var kommet nærmere.

«Blod.» Han tok lykta fra Oudry. Lyste på gulvet. Fulgte blodsporet til der det stoppet midt på gulvet. En lem med jernring. Han skrittet bort til lemmen, røsket den opp og lyste ned i mørket under dem. «Hent geværet ditt, Oudry.»

Kameraten forsvant ut og kom inn igjen med sitt AK-47-gevær.

«Dekk meg,» sa Kinzonzi og gikk ned stigen.

Han nådde gulvet og samlet pistolen og lykta i et dobbeltgrep mens han dreide rundt. Lyskjeglen gled over skap og hyller langs veggen. Fortsatte over en frittstående reol midt på gulvet med hvite, groteske masker i hyllene. Én med nagler til øyebryn, én livaktig med en rødmalt, asymmetrisk munn som gikk helt opp til øret på den ene siden, én med tomme øyne og spyd tatovert inn på begge kinn. Lyskjeglen fór over hylla på motstatt vegg. Og stoppet brått. Kinzonzi stivnet til. Våpen. Geværer. Ammunisjon. Hjernen er en fantastisk computer. På brøkdelen av et sekund kan den registrere tonnevis av data, kombinere og resonnere seg fram til riktig svar. Så da Kinzonzi svingte lykta tilbake mot maskene, hadde den alt riktig svar. Lyset falt på den hvite masken med den asymmetriske munnen. Jekslene innenfor vistes. Det glitret i rødt. På samme måte som det hadde glitret i blodet på veggen under spikeren.

Kinzonzi hadde aldri hatt noen forestilling om at han skulle leve lenge. Eller at han skulle dø på noen annen måte enn i kamp.

Hjernen ga beskjed til fingeren om å klemme inn avtrekkeren på pistolen. Hjernen er en fantastisk computer.

I løpet av et mikrosekund klemte fingeren. Samtidig som hjernen alt hadde resonnert seg ferdig. Hadde svaret. Visste hva utfallet ville bli.

Harry hadde visst at det bare var én løsning. Og at det ikke var tid til å vente lenger. Derfor hadde han svingt hodet inn mot spikeren, litt høyere denne gangen. Han hadde knapt kjent det da spikeren perforerte kinnet og traff metallkulen innenfor. Så hadde han skjøvet seg nedover i senga, tvunget hodet inn mot veggen og lagt seg bakover med full tyngde mens han prøvde å stramme musklene i kinnet. Først hadde det ikke skjedd noe, så hadde kvalmen kommet. Og panikken. Hvis han kastet opp nå, med Leopolds eple i munnen, ville han druknes. Men det var ikke til å stoppe, han kunne alt kjenne magen trekke seg sammen for å sende den første ladningen opp gjennom spiserøret. Desperat løftet Harry hodet og hoftene. Lot seg falle hardt ned. Og kjente kjøttet i kinnet gi etter, revne, rives opp av spikeren. Kjente blodet strømme inn i munnen, ned i luftrøret, aktiverte hosterefleksen, kjente spikeren stange mot fortennene. Harry grep inn i munnen, men kula var sleip av blod, fingrene gled på metallet. Han skjøv hånden inn bak kula, dyttet mens han dro kjeven ned med den andre hånden. Hørte det skrape mot tenner. Så – med et voldsomt trykk – kom oppkastet.

Kanskje var det det som hadde fått metalleplet ut. Harry lå med hodet inn mot veggen og så på den blanke dødsoppfinnelsen som lå badet i spyet hans på madrassen under bolten.

Så reiste han seg, naken og på vaklende bein. Han var fri.

Han sjanglet mot døra, da han kom på hvorfor han hadde kommet hit. Først på tredje forsøk fikk han opp lemmen. Han gled i sitt eget blod på vei ned stigen og falt ned i det stummende mørket. Mens han lå på betonggulvet og pustet, hørte han en bil komme og stoppe. Han hørte stemmer, og det slo i bildører. Harry kom seg på beina, famlet seg fram i mørket, tok stigen i to lange steg, fikk en hånd på lemmen og lukket den idet han hørte døra svinge opp og det ru klikket fra eplet.

Harry gikk forsiktig ned igjen til han kjente det kalde betonggulvet mot fotbladene. Så lukket han øynene og prøvde å memorere. Malte fram bildet fra da han hadde vært her sist. Hylla til venstre. Kalasjnikov. Glock. Smith & Wesson. Kofferten med Märklin-rifla. Ammunisjon. I den rekkefølgen. Han famlet seg bortover. Fingrene gled over et geværløp. Det glatte stålet på en Glock. Og der, de kjente formene på en Smith & Wesson

38-kaliber, samme type som hans egen tjenesterevolver. Han tok den med og famlet seg videre mot ammunisjonsboksene. Kjente treet mot fingertuppene. Han hørte rasende stemmer og skritt der oppe. Lokket var bare å dra ut. Litt flaks nå. Han stakk hånden inn og klemte rundt en av kartongeskene. Kjente konturene av patronene. Faen, for store! Idet han løftet lokket av neste treboks, gikk lemmen opp. Han nappet til seg en eske, måtte bare ta sjansen på at det var det rette kaliberet. I det samme trengte lys ned i kjelleren, en ring som fra en spotlight lyste opp gulvet rundt stigen. Det ga også lys nok til at Harry kunne lese på etiketten på esken. 7.62 millimeter. Faen, faen! Harry så på hylla. Der. Boksen ved siden av. Kaliber 38. Lyset forsvant fra gulvet og skalv over taket. Harry så silhuetten av en kalasjnikov i åpningen og en mann på vei ned stigen.

Hjernen er en fantastisk computer.

Idet Harry dro opp lokket på boksen og fikk tak i en eske, hadde den alt regnet det ut. At det var for sent.

Kapittel 87
Kalasjnikov

«Det ville ikke vært vei her om ikke vi hadde drevet gruvedrift,» sa Tony Leike mens bilen duvet langs den trange kjerreveien. «Entreprenører som meg er det eneste håpet for at folk i land som Kongo skal komme seg på beina, komme etter, siviliseres. Alternativet er å overlate dem til seg selv så de kan fortsette med det de alltid har gjort: å ta livet av hverandre. Alle på dette kontinentet er jegere og bytte i én og samme person. Ikke glem det når du ser inn i de bedende øynene på et sultende, afrikansk barn. At om du gir det litt mat, skal de øynene snart se på deg igjen, fra bak et automatvåpen. Og da er det ingen nåde.»

Kaja svarte ikke. Hun stirret på det røde håret til kvinnen i passasjersetet. Lene Galtung hadde verken rørt seg eller sagt noe, satt der bare med rett rygg og tilbaketrukne skuldre.

«Alt i Afrika er syklus,» fortsatte Tony. «Regntid og tørke, natt og dag, spise og å bli spist, leve og å dø. Naturens gang er alt, ingenting kan forandres, svøm med strømmen, overlev så lenge du kan, ta det som tilbys, det er alt du kan gjøre. For dine forfedres liv er ditt liv, du kan ikke gjøre noen forandring, utvikling er ikke mulig. Det er ikke afrikansk filosofi, bare generasjonenes erfaring. Og det er *erfaringen* vi må forandre. Det er erfaringen som forandrer tankesettet, ikke omvendt.»

«Og hvis erfaringen er at hvite mennesker utbytter dem?» sa Kaja.

«Ideen om utbytting er plantet av hvite mennesker,» sa Tony. «Men begrepet har vist seg nyttig for afrikanske ledere som trenger å peke på en felles fiende for å samle folket bak seg. Helt fra avviklingen av kolonistyrene på sekstitallet har de brukt de hvites skyldfølelse til å skaffe seg selv makt så den virkelige utbyttingen av folket kunne begynne. Den hvites skyldfølelse for å kolonisere Afrika er patetisk. Den virkelige forbrytelsen var å overlate afrikaneren til sin egen morderiske og destruktive natur. Tro meg, Kaja, kongolesere flest har aldri hatt det bedre enn under belgierne. Opprørene hadde aldri noe grunnlag i folkets vilje, men i enkeltpersoners maktbegjær. Små grupperinger som stormet belgiernes hus her ved Kivusjøen fordi husene var så fine at de regnet med å finne noe der som de hadde lyst på. Sånn var det, og sånn er det. Det er derfor eiendommene alltid har minst to porter, én i hver sin ende. Én som ranerne kan storme inn, og én som beboerne kan flykte ut gjennom.»

«Så det var slik dere kom dere vekk fra eiendommen uten at jeg så dere?»

Tony lo. «Trodde du virkelig at det var du som skygget oss? Jeg har holdt øye med dere helt siden dere kom. Goma er en liten by med lite penger og et oversiktlig maktapparat. Det var svært naivt av deg og Harry å komme alene.»

«Hvem er naiv?» sa Kaja. «Hva tror du vil skje når det oppdages at to norske politifolk er forsvunnet i Goma?»

Tony trakk på skuldrene. «Kidnapping er relativt vanlig i Goma. Det skulle ikke forundre meg om det lokale politiet snart mottar et brev fra en frigjøringsgerilja med beskjed om å betale en uhørt sum i løsepenger for dere to. Samt å løslate navngitte fanger som er kjente motstandere av president Kabilas regime. Forhandlingene vil pågå i noen dager, men ikke føre fram siden kravene selvfølgelig vil være umulige å oppfylle. Og siden så ingen dere igjen. Hverdagskost, Kaja.»

Kaja prøvde å fange Lene Galtungs blikk i speilet, men det var vendt bort.

«Hva med henne?» sa Kaja høyt. «Vet hun at du har drept alle disse menneskene, Tony?»

«Hun gjør det nå,» sa Tony. «Og hun forstår meg. Slik er den ekte kjærligheten, Kaja. Og derfor skal Lene og jeg gifte oss nå i kveld. Dere er invitert.» Han lo. «Vi er på vei til kirken. Jeg tror det blir en svært stemningsfull seremoni når vi skal sverge hverandre evig troskap. Ikke sant, Lene?»

I det samme bøyde Lene seg framover i setet, og Kaja så grunnen til de tilbaketrukne skuldrene: hendene var låst på ryggen med et par rosa håndjern. Tony lente seg fram, grep Lene i skulderen og trakk henne hardt tilbake. I det samme vred Lene seg mot dem, og Kaja rykket til. Lene Galtung var nesten ugjenkjennelig. Ansiktet var grimete av gråt, hun hadde hevelser rundt det ene øyet, og munnen var tvunget opp slik at leppene formet en o. Inne i o-en glimtet det matt i metall. Fra gullkulen hang en kort, rød snor.

Og ordene Tony sa, var for Kaja et ekko fra et annet frieri på dødens terskel, en begravelse i snø: «Til døden skiller oss ad.»

Harry gled inn bak hylla med masker idet skikkelsen steg av stigen, snudde seg og svingte lykta. Det var ingen steder å gjemme seg, bare nedtellingen til han ble sett. Harry lukket øynene for ikke å bli blendet mens han åpnet patronesken med venstre hånd. Grep fire patroner, fingrene visste akkurat hva som var fire patroner. Han svingte revolvertønna ut til venstre med høyre hånd, prøvde å la de automatiserte bevegelsene komme av seg selv, slik de hadde gjort da han satt ensom i Cabrini Green og i ren kjedsommelighet trente hurtiglading. Men dette var ikke ensomt nok. Og ikke kjedelig nok. Fingrene skalv. Han så den røde innsiden av sine egne øyelokk da lyset falt på ansiktet hans. Han stålsatte seg. Men skuddene kom ikke. Lyset forsvant. Han var ikke død, ikke ennå. Fingrene lystret. De skjøv inn patronene i fire av de seks ledige hullene, avslappet, hurtig, med én hånd. Tønna smekket på plass. Harry åpnet øynene idet lyset traff ham i ansiktet. Blendet brente han av inn i sola.

Lyset svingte opp, over taket og ble borte. Ekkoet av skuddet hang igjen mens det lød en ru rumling av lommelykta som trillet rundt sin egen akse og som et fyrtårn sendte lavt lys rundt på veggene.

«Kinzonzi! Kinzonzi!»

Lykta stoppet mot hylla. Harry styrtet fram, grep den, la seg på ryggen på gulvet, holdt lykta på strak arm til siden, så langt vekk fra kroppen som mulig, stemte beina mot hylla og skjøv seg mot stigen slik at han fikk luka rett over seg. Så kom kulene. Det lød som piskesnert og han kunne kjenne spruten av betonggrus mot armen og brystet da de boret seg inn i gulvet rundt lykta. Harry siktet og skjøt opp på den opplyste skikkelsen som sto skrevende over luka. Tre raske skudd.

Kalasjnikoven kom først. Den traff gulvet ved siden av Harrys hode med et høyt smell. Så kom mannen. Harry rakk så vidt å få vridd seg unna før kroppen traff gulvet. Uten motstand. Kjøtt. Død vekt.

Det var stille i et par sekunder. Så hørte Harry Kinzonzi – hvis det var det han het – stønne lavt. Harry reiste seg, fremdeles med lykta ut fra siden, så en Glock-pistol ligge på gulvet ved siden av Kinzonzi og sparket den bort. Han grep kalasjnikoven.

Så slepte han den andre mannen bort til veggen lengst mulig fra Kinzonzi og lyste på ham. Han hadde forutsigbart nok reagert akkurat som Harry, blendet hadde han fyrt rett inn i sola. Drapsetterforskerblikket til Harry registrerte automatisk at mannens bukseskritt var gjennomtrukket av blod, at kulen sannsynligvis hadde fortsatt opp i magen, men neppe tatt livet av ham. En blodig skulder, ergo hadde én kule sannsynligvis gått opp i armhulen. Det forklarte at kalasjnikoven hadde kommet først. Harry satte seg på huk. Men det forklarte ikke at mannen ikke pustet.

Han lyste på ansiktet hans. At *gutten* ikke pustet.

Kula hadde gått inn under haka. Med vinkelen de hadde hatt i forhold til hverandre hadde blyet sannsynligvis fortsatt inn i munnen, gjennom ganen og opp i hjernen. Harry pustet inn. Gutten kunne ikke være stort mer enn seksten–sytten år. En rent ut vakker gutt. Bortkastet skjønnhet. Harry reiste seg, satte geværmunningen mot den dødes hode og ropte høyt: «*Where are they? Mister Leike. Tony. Where?*»

Han ventet litt.

«*What? Louder. I can't hear you. Where? Three seconds. One – two …*»

Harry trykket inn avtrekkeren. Våpenet sto tydeligvis på full auto, for det hadde fyrt av minst fire skudd før han rakk å slippe igjen. Harry hadde lukket øynene da han kjente spruten mot ansiktet, og da han åpnet dem igjen, så han at guttens vakre ansikt var borte. Harry registrerte at det rant varmt og vått nedover sin egen nakne kropp.

Harry skrittet bort til Kinzonzi. Skrevet over ham, rettet lyset mot ansiktet hans og geværmunningen mot pannen og gjentok spørsmålet ordrett.

«*Where are they? Mister Leike. Tony. Where? Three seconds …*»

Kinzonzi åpnet øynene. Harry så det dirre i de hvite øyeeplene. Redselen for å dø er en forutsetning for å ville leve. Det måtte det være, i hvert fall her, i Goma.

Kinzonzi svarte, langsomt og tydelig.

Kapittel 88
Kirken

Kinzonzi lå helt stille. Den høye, hvite mannen hadde satt lykta på gulvet slik at den lyste opp i taket. Kinzonzi så ham dra på seg Oudrys klær. Så ham rive opp T-skjorta hans i strimler og surre under haka og over hodet sitt slik at det dekket den gapende kjeften av et sår som gikk fra munnviken og opp mot øret. Strammet til så underkjeven ikke lenger hang ned på den ene siden. Blodet trakk gjennom bomullsstoffet mens Kinzonzi så på.

Han hadde svart mannen på de få spørsmålene han hadde hatt. Hvor. Hvor mange. Hvilke våpen de hadde.

Nå gikk den hvite mannen bort til hylla og trakk ut en svart koffert, åpnet den og sjekket innholdet.

Kinzonzi visste at han skulle dø. Ung og voldsomt. Men kanskje ikke riktig ennå, kanskje ikke i natt. Maven sved som om noen hadde helt syre på ham. Men det kunne gå.

Den hvite mannen reiste seg og grep Oudrys kalasjnikov. Han skrittet bort til Kinzonzi, sto over ham med lyset i ryggen. En veldig skikkelse med hodet surret i hvitt, slik de pleide å binde opp haka på døde før de skulle begraves. Om Kinzonzi skulle skytes, ville det skje nå. Mannen slapp T-skjorte-strimlene han ikke hadde brukt ned på Kinzonzi.

«*Help yourself.*»

Kinzonzi hørte ham stønne da han gikk opp stigen.

Kinzonzi lukket øynene. Om han ikke ventet for lenge, kunne han rekke å stoppe den verste blødningen før han besvimte av blodtapet. Komme seg opp, krype over veien, finne folk. Og han kunne være heldig, det *kunne* hende de ikke tilhørte arten Gomagribb. Han kunne finne Alma. Han kunne gjøre henne til sin. For hun hadde ikke lenger noen mann nå. Og Kinzonzi hadde ikke lenger noen arbeidsgiver. Han hadde nemlig sett hva som var i den kofferten den store hvite hadde tatt med seg.

Harry stoppet Range Roveren foran de lave kirkemurene, front-til-front med den bulkete Hyundaien som fortsatt sto der.

Det glødet i en sigarett inne i bilen.

Harry slo av lysene, rullet ned vinduet og stakk hodet ut.

«Saul!»

Harry så sigarettgloen bevege seg. Taxisjåføren kom ut.

«Harry. Hva har skjedd? Ansiktet ditt …»

«Ting gikk ikke helt etter planen. Jeg regnet ikke med at du fortsatt var her.»

«Hvorfor ikke? Du betalte meg for hele dagen.» Saul strøk hånden over panseret på Range Roveren. «Bra bil. Stjålet?»

«Lånt.»

«Lånt bil. Lånte klær også?»

«Ja.»

«Røde av blod. Den tidligere eierens?»

«Vi lar bilen din hvile, Saul.»

«Vil jeg ha denne turen, Harry?»

«Sannsynligvis ikke. Hjelper det hvis jeg sier at jeg er en av de snille gutta?»

«Beklager, men i Goma har vi glemt hva det betyr, Harry.»

«Mm. Hjelper ett hundre dollar?»

«To hundre,» sa Saul.

Harry nikket.

«… og femti,» sa Saul.

Harry steg ut og lot Saul overta rattet.

«Er du sikker på at det er der de er?» sa Saul og spant ut på veien.

«Ja,» sa Harry fra baksetet. «Noen fortalte meg en gang at

det er det eneste stedet hvor folk i Goma kan komme til himmelen.»

«Jeg liker ikke det stedet,» sa Saul.

«Å?» sa Harry og åpnet kassen ved siden av seg. Märklin. Bruksanvisningen for hvordan riflen skulle skrus sammen var limt på innsiden av lokket. Harry startet på jobben.

«Onde demoner. Ba-Toye.»

«Du hadde studert ved Oxford, sa du?» Det lød matte, oljete klikk fra delene som villig lot seg føye sammen.

«Du kjenner ikke til ilddemonen, skjønner jeg.»

«Nei, men jeg kjenner til disse,» sa Harry og holdt opp en av patronene som lå i et eget rom i kassen. «Og jeg setter penga på dem mot Ba-Toye.»

Det sparsommelige gule taklyset fikk det til å glimte i den gullfargete patronhylsen. Blykulen inni hadde en diameter på seksten millimeter. Verdens groveste kaliber. Da han jobbet med rapporten etter Rødstrupe-saken, hadde en ballistikkekspert fortalt ham at kaliberet til Märklin var godt over grensen for det som var klokt. Selv når man skulle skyte elefanter. At det var mer egnet til å felle trær.

Harry klikket kikkertsiktet på plass. «Gi gass, Saul.»

Han la løpet over stolryggen på det tomme passasjersetet og prøvde avtrekket mens han holdt øyet et stykke fra kikkertsiktet på grunn av humpingen. Siktet behøvde å bli justert, kalibrert, fininnstilt. Men det ville ikke bli anledning til det.

De var fremme. Kaja så ut av bilvinduet. De spredte lysene under dem var Goma. Lenger ute så hun lyset fra boreriggen på Kivusjøen. Månen glitret i det grønnsvarte vannet. Den siste delen av veien hadde bare vært en sti som snodde seg rundt toppen, og billyktene hadde feid over det svarte, nakne månelandskapet. Da de hadde kommet opp på det øverste platået, en paddeflat steintallerken med en diameter på rundt hundre meter, hadde sjåføren kjørt til den andre enden av platået gjennom skyer av hvit, drivende røyk som ble farget rød rett ved Nyiragongos krater.

Sjåføren slo av tenningen.

«Kan jeg spørre deg om en ting?» sa Tony. «Én ting som jeg har tenkt en del på de siste ukene. Hvordan føles det å vite at du skal dø? Jeg mener ikke å være redd fordi du er i livsfare, der har jeg vært flere ganger selv. Men å ha full og hel visshet om at her, nå, skal livet opphøre. Kan du klare å … formidle det?» Tony lente seg litt fram for å få øyekontakt med henne. «Bare ta deg tid til å finne de riktige ordene.»

Kaja så på ham. Hun hadde ventet på panikken. Den kom bare ikke. Hun var like forstenet som landskapet rundt dem.

«Jeg kjenner ingenting,» sa hun.

«Kom igjen,» sa han. «De andre var så redde at de greide ikke engang å svare, de bablet bare. Charlotte Lolles bare stirret som i sjokk. Elias Skog greide ikke å snakke rent. Faren min gråt. Er det bare kaos eller finnes det refleksjon? Kjenner du sorg? Anger? Eller lettelse over at du ikke behøver å stritte imot lenger? Se på Lene, for eksempel, hun har gitt opp, hun går til dette som det villige offerlammet hun er. Hvordan er det med deg, Kaja? Hvor mye lengter du etter å gi fra deg kontrollen?»

Kaja ble klar over at det var oppriktig nysgjerrighet i blikket hans.

«La meg heller spørre hvor mye du lengtet etter å *få* kontrollen, Tony,» sa hun og sveipet tungen rundt i munnen på jakt etter væte. «Da du ble styrt til å drepe den ene etter den andre, av en usynlig person som viste seg å være en guttunge du en gang hadde skåret ut tungen på? Kan du fortelle meg det?»

Tony så ut i lufta og ristet langsomt på hodet, som til et annet spørsmål.

«Jeg tenkte ikke engang tanken før jeg leste på nettet at gode, gamle Skai hadde arrestert en tidligere sambygding. Olemann. Hvem skulle trodd han hadde såpass gøts?»

«Så mye hat, mener du?»

Tony tok en pistol opp av jakkelomma. Så på klokka.

«Harry er sen.»

«Han kommer nok.»

Tony lo. «Men dessverre for deg uten puls. Jeg likte forresten Harry. Virkelig. Morsom å leke med. Jeg ringte ham fra Ustaoset, han hadde gitt meg nummeret sitt. Hørte telefonsvareren si at han var utenfor dekningsområde et par dager. Jeg måtte le. Han var selvfølgelig på Håvasshytta, den sleipingen.» Tony hadde lagt pistolen i den ene håndflaten mens han strøk over det svartlakkerte stålet med den andre hånden. «Jeg så det på ham da jeg traff ham på Politihuset. At han er som meg.»

«Det tviler jeg på.»

«Å jo. En drevet mann. En junkie. En mann som gjør det han må for å få det han vil ha, som går over lik om nødvendig. Stemmer ikke det?»

Kaja svarte ikke.

Tony så på klokka igjen. «Jeg tror nesten vi får begynne uten ham.»

Han kommer, tenkte Kaja. Jeg må bare skaffe ham tid.

«Så du stakk av,» sa hun. «Med din fars pass og tannregulering?»

Tony så på henne.

Hun visste at han visste hva hun gjorde. Men at han også likte dette. Å fortelle. Hvordan han hadde lurt dem. De gjorde alle det.

«Vet du hva, Kaja? Jeg skulle ønske at faren min hadde vært her og sett meg nå. Her, på toppen av fjellet mitt. Sett og forstått. Før jeg drepte ham. Slik Lene forstår at hun må dø. Slik jeg håper du også forstår, Kaja.»

Hun kjente den nå. Angsten. Mer som en fysisk smerte enn som en panikk som fikk rasjonell tenking til å kollapse. Hun så klart, hørte klart, tenkte klart. Ja, klarere enn noensinne, syntes hun.

«Du begynte å drepe for å skjule at du hadde vært utro,» sa hun, hesere i stemmen nå. «For å sikre deg millionene fra Galtung-familien. Men hva med de millionene du har lurt ut av Lene nå, er de virkelig nok til å redde prosjektet ditt her nede?»

«Jeg vet ikke,» smilte Tony og grep om pistolskjeftet. «Vi får se. Ut.»

«Er det verdt det, Tony? Er alt dette virkelig verdt alle disse menneskelivene?»

Kaja gispet da pistolløpet ble kjørt inn i ribbeina hennes. Tonys stemme hveste inn i øret hennes:

«Se deg rundt, Kaja. Dette er menneskehetens vugge. Se hva et menneskeliv er verdt. Noen dør og enda flere blir født, i et eneste rasende race, rundt og rundt, og det ene gir ikke noe mer mening enn det andre. Men spillet gir mening. Pasjonen, lidenskapen. Spillegalskapen som noen idioter kaller det. Det er alt. Det er som Nyiragongo. Den sluker alt, utsletter alt, men er også forutsetningen for alt liv. Ingen pasjon, ingen mening, ingen kokende lava der inne, og alt her ute ville ligget steindødt, stivfrossent. Lidenskapen, Kaja, har du den? Eller er du en død vulkan, et menneskefnugg som skal oppsummeres i tre setninger i en minnetale?»

Kaja rykket seg løs, og Tony lo skrattende.

«Er du klar for vielsen, Kaja? Klar for å tines opp?»

Hun kjente stanken av svovel. Sjåføren hadde åpnet døra for Kaja, så på henne med et likegyldig blikk, pekte på henne med et kortløpet gevær. Selv her, inne i bilen ti meter fra kanten til krateret, kunne hun kjenne varmen. Hun rørte seg ikke. Den svarte mannen bøyde seg inn og grep armen hennes. Hun lot ham trekke seg ut uten å gjøre motstand, sørget bare for å gjøre seg tung nok til at han ikke var i full balanse, slik at da hun plutselig bykset ut, vaklet han overrumplet bakover. Mannen var overraskende spinkel og sannsynligvis litt lavere enn det hun selv var. Hun slo med albuen. Visste at den har overlegen kraft i forhold til en knyttneve. Visste at halsen, tinningen, nesa var bra treffsteder. Albuen traff noe som knaste, mannen falt, mistet våpenet. Kaja løftet foten. Hun hadde lært at det mest effektive måten å uskadeliggjøre en liggende person på er å trampe på låret. Kombinasjonen av et tråkk med full kroppstyngde på oversiden og trykket fra bakken på undersiden vil umiddelbart utløse så store blødninger i den store lårmuskulaturen at personen aldri vil greie å reise seg og forfølge deg. Alternativet er å tråkke mot bryst og hals med mulig fatalt

utfall. Hun hadde blikket rettet mot den blottede halsen idet
månelyset falt på mannens ansikt. Hun nølte i brøkdelen av et
sekund. Han kunne ikke være eldre enn Even hadde vært.

Så kjente hun armene som ble slått rundt kroppen hennes
bakfra, hennes egne armer trykket inn til sidene og lufta som
ble presset ut av lungene idet hun ble løftet opp fra bakken
og sprellet hjelpeløs med beina. Tonys stemme helt inntil øret,
lød munter: «Bra, Kaja. Pasjon. Du vil leve. Jeg skal sørge for
at han trekkes i lønn, jeg lover.»

Den liggende gutten foran henne kom seg på beina og grep
våpenet sitt. Likegyldigheten var borte nå, det skinte et hvitt
raseri i blikket hans.

Tony dro hendene hennes bak på ryggen og hun kjente tynne
plaststrips strammes rundt håndleddene.

«Så,» sa Tony. «Tør jeg be Dem være min og Lenes forlover,
frøken Solness?»

Og nå – endelig – kom den. Panikken. Den tømte hjernen
hennes for alt annet, gjorde alt blankt, rent, grusomt. Enkelt.
Hun skrek.

Kapittel 89
Vielsen

Kaja sto på kanten og kikket ned. Den oppvarmede lufta steg opp, sto som en het bris mot ansiktet hennes. Den giftige røyken hadde alt gjort henne svimmel, men kanskje var det bare den dirrende varmlufta som gjorde bildet uklart, som fikk lavaen til å skjelve der nede i avgrunner hvor den skinte i nyanser av gult og rødt. En hårtjafs var glidd ned i ansiktet, men hendene hennes var bundet sammen på ryggen med plaststrips. Hun sto skulder mot skulder med Lene Galtung som Kaja antok måtte være dopet ned der hun sto og stirret søvngjengeraktig framfor seg. En hvitkledd, levende død med bare kulde og ødeland inne i seg. En brudekledd utstillingsfigur i et vindu i en reperbane.

Tony sto rett bak dem. Hun kjente hånden hans mot korsryggen.

«Tar du ham som ved din side står, lover å elske, ære og respektere ham i gode så vel som onde dager ...» hvisket han.

Det var ikke av grusomhet, hadde han forklart. Det var bare så praktisk. Det ville ikke bli noen spor igjen etter dem. Knapt noen spørsmål. At folk forsvinner i Kongo hver eneste dag.

«Så erklærer jeg dere herved for ektefolk.»

Kaja mumlet en bønn. Hun trodde det var en bønn. Helt til hun hørte ordene, «... fordi det er umulig for meg og den jeg vil ha å være sammen.»

Ordene fra Evens avskjedsbrev.

En bilmotor brølte på lavt gir og et par lykter sveipet over himmelen. Range Roveren dukket opp på den andre siden av krateret.

«Der har vi jo de andre,» sa Tony. «Vink pent farvel, jenter.»

Harry visste ikke hvilket syn som ville møte ham da de svingte opp på platået ved krateret. Kinzonzi hadde sagt at bortsett fra jentene, hadde mister Tony med seg bare sjåføren. Men at han og mister Tony begge var bevæpnet med automatvåpen.

Rett før toppen hadde Harry tilbudt Saul å bli satt av, men han hadde avslått: «Jeg har ingen familie igjen, Harry. Kanskje er det sant at du er på det godes side. Dessuten har du betalt for hele dagen.»

De skrenset til et stopp.

Lyktene pekte tvers over krateret, på klyngen med tre mennesker som sto på kanten. Så forsvant de tre i en sky, men Harry hadde allerede sett og oppsummert: én mann med et kortløpet gevær bak de tre. Én parkert Range Rover. Og ingen tid. Så gled skyen bort, og Harry så at både Tony og den andre mannen skygget for øynene og så mot bilen, som om de ventet på noe.

«Slå av motoren,» sa Harry fra baksetet og la løpet på Märklin-riflen oppå stolryggen. «Men la lysene stå på.»

Saul gjorde som han fikk beskjed om.

Mannen i kamuflasjeuniformen gikk ned i knestående, la geværet til skulderen og siktet mot dem.

«Blink et par ganger med lysene,» sa Harry og la øyet mot kikkertsiktet. «De venter på et eller annet signal.»

Harry knep det venstre øyet sammen. Lukket halve verden ute. Lukket ute de bleke ansiktene, at det var Kaja han så gjennom kikkertsiktet, at det var Lene med bulende kinn og sjokksvarte øyne, at det var disse sekundene. Lukket ute de turkise øynene som hadde sett på ham da han sa ordene: «Jeg sverger.» Lukket ute den poppende lyden av et skudd som fortalte ham at det var feil signal, lukket ute dunket da kulen traff karosseriet, etterfulgt av et dunk til. Lukket ute alt som ikke handlet om lysbrytningen i frontvinduet, lysbrytningen i den hetedirrende lufta over krateret, kulens sannsynlige avdrift mot høyre, samme vei som dampskyene drev. Han visste at han nå ble holdt oppe av én ting: adrenalin. At det var en kort rus, at den kunne løpe ut hvert sekund. Men så lenge hjertet fortsatt skjøv blod til hjernen, var det sekundet alt han trengte. For hjernen er en fantastisk computer. Tony Leikes hode var halvt skjult av Lenes, men stakk litt over.

Harry siktet på Kajas spisse tenner. Flyttet det til den blinkende kulen mellom Lenes lepper. Flyttet siktet litt opp. Ikke finjustert. Tilfeldigheter. Sett innsatsene, siste løp.

En dampsky var på vei inn fra venstre.

Snart ville de være innhyllet i den, og som om han var blitt skjenket et øyeblikks klarsyn, så Harry det: at når skyen hadde drevet forbi ville det ikke lenger stå noen der. Harry trakk fingeren bakover. Så Kaja blunke rett over korset i siktet.

Jeg sverger.

Han var fortapt. Endelig.

Bilkupeen kjentes som den skulle sprenges av lyd, og skulderen som den skulle gå ut av ledd. Fronruta hadde fått et frosthvitt, lite hull. Den blodrøde skyen dekket alt på den andre siden av krateret. Harry trakk pusten skjelvende og ventet.

Kapittel 90
Marlon Brando

Harry lå på ryggen og fløt. Fløt bort. Sank. Sank ned i Kivu-sjøen mens blodet, hans eget og de andres, blandet seg med sjøens, inngikk i helheten, forsvant i universets store søvn mens stjernene over ham forsvant i det svarte, kalde vannet. Freden i avgrunnen, stillheten, intetheten. Til han igjen steg opp til overflaten på en boble av metangass, et nattblått lik med guineaorminfisert kjøtt som kokte og beveget seg under huden. Og han måtte ut av Kivusjøen for å leve videre. For å vente.

Harry åpnet øynene. Han kunne se hotellbalkongen over seg. Han snudde seg rundt på siden og svømte de få meterne inn til bredden. Steg opp av vannet.

Snart ville det gry av morgen. Snart ville han sitte på flyet tilbake til Oslo. Snart ville han stå på kontoret til Gunnar Hagen og si at det var over. At de var borte, borte for alltid. At de hadde mislyktes. Så ville han igjen forsøke å forsvinne.

Harry hyllet seg skjelvende inn i det store hvite håndkleet og gikk mot trappa opp til hotellrommet.

Da skyen drev bort, hadde det ikke lenger stått noen ved kanten til krateret.

Harrys kikkertsikte hadde automatisk søkt etter skytteren. Funnet ham og vært like ved å trekke av. Men oppdaget at han så ryggen hans, at han var på vei mot bilen. Like etter hadde Range Roveren startet opp, passert dem og forsvunnet.

Han hadde flyttet kikkertsiktet tilbake dit han hadde sett

Kaja, Tony og Lene. Skrudd på optikken. Sett fotsåler. Tre par.

Så hadde han kastet fra seg rifla, hoppet ut av bilen og løpt rundt krateret med tjenesterevolveren foran seg. Løpt og bedt. Sklidd ned på knærne ved siden av dem. Og visste alt før han så etter at han hadde tapt.

Harry låste opp døra til hotellrommet sitt. Gikk ut på badet, trakk av den våte bandasjen rundt hodet og la på en ny som han hadde fått i resepsjonen. De midlertidige stingene holdt kinnet sammen, det var verre med kjeven. Bagen sto ferdig pakket ved siden av senga. Klærne han skulle reise med hang over stolen. Han tok sigarettpakken ut av bukselomma, gikk ut på balkongen og satte seg i en av plaststolene. Kulda døyvet smertene i kjeven og kinnet. Han så ut på den sølvskimrende sjøen han aldri skulle se igjen så lenge han levde.

Hun var død. Blykulen med diameter halvannen centimeter hadde passert gjennom det høyre øyet hennes, tatt med seg høyre del av bakhodet, tatt med seg Tony Leikes store, hvite fortenner inn i hodeskallen hans, åpnet et krater på baksiden og spredt det hele utover et område på hundre kvadratmeter lavastein.

Harry hadde brukket seg. Spyttet grønt slim på dem og vaklet baklengs bakover.

Han trakk to sigaretter ut av pakken. Stakk dem mellom leppene og kjente dem hoppe mot hans klaprende tenner. Flyet gikk om fire timer. Han hadde avtalt med Saul å kjøre til flyplassen. Harry var så utmattet at han knapt greide å holde øynene åpne, likevel verken kunne eller ville han sove. Spøkelsene hadde besøksforbud første natta.

«Marlon Brando,» sa hun.

«Hva?» sa Harry, tente sigarettene og rakte henne den ene.

«Machoskuespilleren jeg ikke greide å komme på. Han har jo den mest feminine stemmen av dem alle. Kvinnemunn også. Har du forresten lagt merke til at han lesper? Du hører det ikke tydelig, men den er der, som en sånn overtone øret ikke oppfatter som lyd, men hjernen likevel registrerer.»

«Jeg skjønner hva du mener,» sa Harry, inhalerte og så på henne.

Hun hadde vært oversprøytet av blod, kjøttslintrer, beinsplinter, hjernemasse. Han hadde brukt lang tid på å få skåret over plaststripsene som bandt hendene hennes sammen, fingrene hadde rett og slett ikke lystret ham. Da hun endelig var fri, hadde hun reist seg mens han var blitt liggende igjen på alle fire.

Og han hadde ikke gjort noe for å stoppe henne da hun hadde tatt tak i jakkekragen og beltet til Tony og rullet liket utfor kanten til krateret. Harry hadde ikke hørt en lyd, bare vinden som hvisket og. Sett henne stå der og se ned i krateret til hun snudde seg mot ham.

Han nikket. Hun behøvde ikke forklare. Det måtte gjøres slik.

Hun hadde nikket spørrende mot liket av Lene Galtung. Men Harry hadde ristet på hodet. Han hadde gjort avveiningen. Det praktiske mot det moralske. De diplomatiske konsekvensene mot at en mor fikk en grav å gå til. Sannheten mot en løgn som kanskje gjorde livet mer levelig. Så hadde han kommet seg opp. Løftet Lene Galtung, holdt på å segne sammen under vekten av den lille, unge piken. Stilt seg på kanten til avgrunnen, lukket øynene, kjent på lengselen, svaiet et øyeblikk. Og så sluppet henne. Åpnet øynene og sett ned etter henne. Hun var allerede en prikk. Så var den blitt oppslukt av røyken.

«Folk forsvinner i Kongo hver eneste dag,» hadde Kaja sagt mens Saul kjørte ned fra fjellet og han satt i baksetet og holdt henne.

Han visste at det ville bli en kort rapport. Ingen spor. Forsvunnet. At de kunne være hvor som helst. Og at svaret på alle spørsmål de ville få, ville måtte bli dette: folk forsvinner i Kongo hver eneste dag. Også når hun spurte, kvinnen med de turkise øynene. Fordi det ville være det enkleste for dem. Ingen lik, ingen intern etterforskning som var rutine når politimenn hadde løsnet skudd. Ingen internasjonal pinlig insident. Ingen

614

henleggelse, i alle fall ikke offisielt, men det videre søket etter Leike ville bare være for syns skyld. Lene Galtung ville bli meldt savnet. Hun hadde verken hatt flybillett til eller blitt registrert av immigrasjonsmyndighetene i Kongo. Det var best slik, ville Hagen komme til å si. For alle parter. I alle fall de parter som telte.

Og kvinnen med de turkise øynene ville nikke. Akseptere det han fortalte. Men kanskje vite likevel, om hun lyttet til det han ikke sa. Hun kunne velge. Velge å høre ham fortelle at datteren hennes var død. At han hadde siktet midt mellom Lenes øyne i stedet for det han antok ville være riktig, litt lenger til høyre. Men at han hadde villet være sikker på at kulen ikke drev så langt til høyre at den kunne skade hans kollega, hun som var der på jobb sammen med ham. Hun kunne velge det eller løgnen som skjøv lydbølgene foran seg, de som ga håp i stedet for en grav.

De skiftet fly i Kampala.

Satt i hvert sitt harde plastsete ved gaten og så ut på flyene som kom og gikk til Kaja sovnet og hodet hennes gled ned på Harrys skulder.

Hun våknet igjen av at noe hadde skjedd. Hun visste ikke hva, men det var noe som hadde forandret seg. Romtemperaturen. Rytmen i Harrys hjerteslag. Eller linjene i det bleke, forvåkne ansiktet hans. Hun så at hånden hans akkurat slapp mobiltelefonen tilbake i jakkelomma.

«Hva er det?» spurte hun.

«Det var fra Rikshospitalet,» sa Harry og blikket hans glapp for henne, gled forbi, forsvant ut av de store vinduene, ut mot horisonten av betongdekke og himmel svidd lyseblå.

«Han er død.»

DEL X

Kapittel 91
Avskjed

Det regnet på Olav Holes begravelse. Oppmøtet var som Harry hadde ventet; ikke fullt som i mammas begravelse, men heller ikke pinlig spinkelt.

Etterpå sto Harry og Søs utenfor kirken og mottok kondolanser fra gamle slektninger de ikke hadde hørt om, gamle lærerkolleger de aldri hadde sett og gamle naboer de kjente igjen navnene, men ikke ansiktene på. De eneste som ikke så ut som de selv sto for tur, var Harrys kolleger fra politiet: Gunnar Hagen, Beate Lønn, Kaja Solness og Bjørn Holm. Øystein Eikeland så definitivt ut som han var nær ved å sjekke ut, men skyldte på at han hadde kommet ut for en kraftig fyllekule. Og hilste fra Tresko som ikke kunne komme, men sendte sine kondolanser. Harry speidet etter de to som han hadde sett på bakerste benk, men de hadde tydeligvis gått før kisten var blitt båret ut.

Harry inviterte til karbonadesmørbrød og øl på Schrøder. De få som møtte opp, hadde mye å si om den usedvanlig tidlige våren, men lite om Olav Hole. Harry drakk opp eplesaften sin, forklarte at han hadde en avtale, takket for oppmøtet og gikk.

Han praiet en taxi og ga sjåføren en adresse i Holmenkollen.

Det lå fortsatt noen snøflekker i hagene der oppe i høyden.

Da Harry gikk opp oppkjørselen til det svartbeisete tømmerhuset, slo hjertet tungt. Og enda tyngre da han sto foran den velkjente døra, hadde ringt på og hørte skritt nærme seg. Også de kjente.

Hun så ut som hun alltid hadde gjort. Som hun alltid kom til å gjøre. Det mørke håret, mykheten i de brune øynene, den slanke halsen. Faen ta henne. Hun var så vakker for ham at det gjorde vondt.

«Harry,» sa hun.

«Rakel.»

«Ansiktet ditt. Jeg så det i kirken. Hva har skjedd?»

«Ingenting. De sier det kommer til å bli helt fint igjen,» løy han.

«Kom inn, så lager jeg kaffe.»

Harry ristet på hodet. «Jeg har en taxi som venter nede på veien. Er Oleg her?»

«Oppe på rommet. Vil du treffe ham?»

«En annen dag. Hvor lenge blir dere?»

«Tre dager. Kanskje fire. Eller fem. Vi får se.»

«Da vil jeg gjerne treffe dere snart. Passer det?»

Hun nikket. «Jeg vet ikke om jeg gjorde det rette.»

Harry smilte. «Nei, hvem veit egentlig det?»

«I kirken, mener jeg. Vi gikk før vi … forstyrret. Du hadde andre ting å tenke på. Dessuten kom vi jo for Olav. Du vet at Oleg og han … ja, de fant sammen. To reserverte mennesker. Det er ingen selvfølge.»

Harry nikket.

«Oleg snakker veldig mye om deg, Harry. Du betyr mer for ham enn du kanskje har vært klar over.» Hun så ned. «Mer enn jeg har vært klar over også, kanskje.»

Harry kremtet. «Så alt her er urørt siden …»

Rakel nikket fort så han slapp å fullføre den umulige setningen. Siden Snømannen hadde prøvd å ta livet av dem i nettopp dette huset.

Harry så på henne. Han hadde bare villet se henne, høre stemmen hennes. Kjenne hennes blikk på seg. Han hadde ikke villet spørre henne. Han kremtet igjen. «Det er en ting jeg må spørre deg om.»

«Hva da?»

«Kan vi gå inn på kjøkkenet ett minutt?»

De gikk inn. Han satt seg ved bordet tvers overfor henne. Forklarte langsomt og utførlig. Hun lyttet uten å avbryte.

«Han ønsker at du skal besøke ham på sykehuset. Han ønsker å be deg om tilgivelse.»

«Hvorfor skulle jeg gå med på det?»

«Det må du selv svare på, Rakel. Men han har ikke lenge igjen.»

«Jeg har lest at de kan leve lenge med den sykdommen.»

«Han har ikke lenge igjen,» gjentok Harry. «Tenk på det, du behøver ikke svare nå.»

Han ventet. Så henne blunke. Så øynene hennes fylles opp, hørte den nesten lydløse gråten. Hun trakk pusten i et hiv:

«Hva ville du gjort, Harry?»

«Jeg ville svart nei. Men nå er jo jeg et ganske dårlig menneske.»

Latteren hennes blandet seg med gråten. Og Harry undret seg over hvor mye det er mulig å savne en lyd, en bestemt svingning i lufta. Hvor lenge man kan lengte etter en latter.

«Jeg må dra nå,» sa han.

«Hvorfor det?»

«Jeg har tre møter igjen.»

«Igjen? Før hva da?»

«Jeg ringer deg i morgen.»

Harry reiste seg. Han hadde hørt musikk fra annen etasje. Slayer. Slipknot.

Da han satte seg inn i taxien og sa hva som var neste adresse, tenkte han på spørsmålet hennes. Før hva da? Før han ville være ferdig. Være fri. Kanskje.

Det var en kort kjøretur.

«Dette kan ta litt lengre tid,» sa han.

Han trakk pusten, åpnet porten og gikk mot døra til folkeeventyrhuset.

Han syntes han kunne se de turkise øynene følge ham fra kjøkkenvinduet.

Kapittel 92
Fritt fall

Mikael Bellman sto på innsiden av utgangsdøra ved Oslo Krets-
fengsel og så Sigurd Altman og en fengselsbetjent komme rus-
lende mot skranken.

«Utsjekk?» spurte betjenten bak disken.

«Ja,» sa Altman og leverte en lapp til ham.

«Tatt noe i minibaren?»

Den andre betjenten humret av det som utvilsomt måtte
være standardsvitsen ved løslatelser.

Eiendelene ble låst ut av et skap og overlevert med et bredt
smil: «Håper oppholdet har svart til forventningene, herr Alt-
man, og at vi ikke snarlig sees igjen.»

Bellman holdt døra oppe for Altman. De gikk sammen ned
trappene.

«Pressen står utenfor,» sa Bellman. «Så vi går gjennom kul-
verten. Krohn venter på deg i en bil på baksiden av Politihuset.»

«Finteeksperten,» sa Altman med et syrlig smil.

Bellman spurte ikke hvem av dem han tenkte på. Han hadde
andre spørsmål. De siste. Og fire hundre meter å få dem besvart
på. Dørlåsen summet og han skjøv opp døra til kulverten: «Nå
når handelen er gjort, tenkte jeg du kunne fortelle meg et par
ting.»

«Skyt, overbetjent.»

«Som hvorfor du ikke korrigerte Harry med én gang da du
skjønte at han var i ferd med å arrestere deg?»

Altman trakk på skuldrene: «Jeg syntes jo misforståelsen var kostelig å høre på. Den var jo fullt forståelig. Det som ikke var forståelig var at arrestasjonen skulle skje i Ytre Enebakk. Hvorfor der? Og når det er noe du ikke forstår, er det beste å holde kjeft. Så jeg holdt kjeft til det demret for meg, til jeg så det store bildet.»

«Og hva fortalte det store bildet deg?»

«At jeg var i vippeposisjon.»

«Hva mener du med det?»

«Jeg visste jo om konflikten mellom Kripos og Voldsavsnittet. Og jeg så at den ga meg en mulighet. Å være i vippeposisjon betyr at man sitter på noe som kan vippe vektskålen i den ene eller den andre retningen.»

«Men hvorfor prøvde du ikke å gjøre samme handelen med Harry som du gjorde med meg?»

«I vippeposisjon skal man alltid henvende seg til parten som er i ferd med å tape. Det er den parten som er mest desperat, som er villig til å betale mest for det du har å tilby. Det er enkel spillteori.»

«Hvorfor var du så sikker på at det ikke var Harry som var i ferd med å tape?»

«Jeg var ikke sikker, men det var én annen faktor. Jeg hadde begynt å kjenne Harry. Han er ikke som deg en kompromissets mann, Bellman. Han bryr seg ikke om personlig prestisje, han vil bare ta de slemme guttene. Alle de slemme. Han ville sett det slik at hvis Tony var hovedrolleinnehaveren, så var jeg regissøren. Og at jeg dermed ikke skulle sluppet noe billigere. Jeg regnet med at en karrieremann som deg ville se det annerledes. Og Johan Krohn var enig med meg. At du ville se den personlige gevinsten i å være den som fanget selve morderen. At du visste at det folk er opptatt av, er hvem som *gjorde* det, hvem som fysisk drepte, ikke hvem som *tenkte* det. Hvis en film flopper, er det fint for regissøren om Tom Cruise har hovedrollen, for da er det ham folk er opptatt av å slakte. Folk og presse vil ha det enkelt, og min forbrytelse er indirekte, komplisert. En domstol ville utvilsomt gitt meg livsvarig, men denne saken handler ikke om domstoler, men om politikk. Hvis presse og folk er fornøyde, er Justisdepartementet fornøyd, og alle kan gå noenlunde glade hjem. At jeg slipper unna med en kort og kanskje til og med betinget straff, er en billig pris å betale.»

«Ikke for alle,» sa Bellman.

Altman lo kort. Ekkoet overdøvet skrittene deres. «Ta et råd fra en som vet. La det fare. Ikke la det ete deg opp. Urettferdighet er som været. Hvis du ikke greier å leve med det, må du flytte. Urettferdighet er ikke en del av maskineriet. Det er maskineriet.»

«Jeg snakker ikke om meg, Altman. Jeg kan leve med det.»

«Og jeg snakker heller ikke om deg, Bellman. Jeg snakker om han som ikke kan leve med det.»

Bellman nikket. Selv kunne han definitivt leve med situasjonen. Det hadde vært telefoner fra Justisdepartementet. Ikke fra ministeren personlig, selvfølgelig, men tilbakemeldingen kunne bare tolkes på én måte. At de var fornøyde. At det ville få positive konsekvenser, både for Kripos og for ham personlig.

De gikk opp trappene og ut i dagslyset.

Johan Krohn steg ut av sin blå Audi og strakte fram en hånd mot Sigurd Altman idet de krysset veien.

Bellman ble stående og se etter den løslatte og hans forsvarsadvokat til Audien forsvant rundt svingen mot Tøyen.

«Sier du ikke hei når du er innom, Bellman?»

Bellman snudde seg. Det var Gunnar Hagen. Han sto på fortauet på den andre siden, uten jakke og med korslagte armer.

Bellman krysset gata, og de håndhilste.

«Noen som sladret på meg?» spurte Bellman.

«Her hos oss kommer alt for en dag,» sa Hagen, gned hendene hutrende mot hverandre og smilte bredt. «Apropos det. Jeg skal i møte med Justisdepartementet i slutten av neste måned.»

«Ja vel,» sa Bellman lett. Han visste godt hva det møtet kom til å handle om. Omorganisering. Nedbemanning. Overførsel av ansvaret for drapssaker. Det han ikke visste, var hva Hagen mente med aproposet til at alt kommer for en dag.

«Men det møtet kjenner du jo til,» sa Hagen. «Vi er jo begge bedt om å sende inn en anbefaling om fremtidig organisering av drapsetterforskning. Deadline nærmer seg.»

«De legger neppe særlig vekt på våre partsinnlegg,» sa Bellman og så på Hagen, prøvde å tolke hvor han ville. «Vi skal vel bare få si det vi mener, sånn i fordragelighetenes navn.»

«Med mindre vi begge mener at nåværende organisering er å foretrekke framfor at all drapsetterforskning legges ett sted,» sa Hagen med hakkende tenner.

Bellman lo kort. «Du har på for lite klær, Hagen.»

«Mulig det. Men jeg vet også hva jeg ville synes om at et nytt drapsavsnitt eventuelt skulle ledes av en politimann som i sin tid har benyttet sin stilling til å la sin fremtidige kone gå fri for narkotikasmugling. Selv om vitner hadde pekt henne ut.»

Bellman sluttet å puste. Kjente taket glippe. Kjente tyngdekraften ta tak i ham, hårene reise seg, suget i magen. Det var marerittet han hadde hatt. Pirrende i søvne, nådeløst i virkeligheten; fall uten tau. Soloklatrerens fall.

«Ser ut som du synes det er litt kaldt selv, Bellman.»

«Faen ta deg, Hagen.»

«Meg?»

«Hva er det du vil?»

«Vil og vil. I det lengste vil jeg naturligvis at korpset skal skånes for nok en offentlig skandale som bidrar til å trekke den jevne politimanns integritet i tvil. Når det gjelder omorganiseringen ...» Hagen trakk hodet ned mellom skuldrene og stampet føttene i bakken. «Nå kan det selvfølgelig hende at Justisdepartementet uavhengig av lederspørsmålet vil ha drapsetterforskningsressursene samlet på ett sted. Om jeg skulle bli spurt om å lede en slik enhet, ville jeg selvfølgelig vurdert det. Men alt i alt synes jeg egentlig ting fungerer bra som det er. Mordere får stort sett sin straff, eller hva? Så hvis min motpart i denne saken deler den vurderingen, vil jeg innstille på at vi fortsetter med drapsetterforskning både på Bryn og her på huset. Hva synes du, Bellman?»

Mikael Bellman kjente rykket da tauet tok ham likevel.

Kjente selen stramme, at han skulle til å slites i to, kjente ryggen ikke klare belastningen og brekke. Blandingen av smerte og lammelse. Han dinglet, hjelpeløs og svimmel et sted mellom himmel og jord. Men han var i live.

«La meg tenke på det, Hagen.»

«Tenk i vei. Men ikke bruk for lang tid. Deadline, vet du. Vi må samordne oss.»

Bellman ble stående og se etter Hagens rygg der han småløp tilbake mot inngangen på Politihuset. Så snudde han seg og stirret over hustakene på Grønland. Så på byen. Sin by.

Kapittel 93
Svaret

Harry sto på gulvet midt i stua og så seg rundt da telefonen ringte.

«Det er Rakel. Hva gjør du?»

«Ser på hva som blir igjen,» sa han. «Når en person dør.»

«Og?»

«Det er mye. Og likevel ikke stort. Søs har sagt hva hun ville ha, og i morgen kommer det en eller annen fyr som kjøper opp dødsbo. Han antydet at han vil betale femti tusen for rubbel og bit av innboet. Da vasker han etter seg også. Det er … er …» Harry fant ikke ordet.

«Jeg vet det,» sa hun. «Det var sånn for meg også da far døde. Tingene hans som hadde vært så viktige, så umistelige, de mistet liksom betydning. Det var som om det var han alene som hadde gitt dem verdi.»

«Eller kanskje er det vi som er igjen som kjenner at vi må rydde opp. Brenne. Starte på ny frisk.» Harry gikk inn på kjøkkenet. Så på fotografiet han hadde hengt opp under kjøkkenskapet. Fotografiet fra Sofies gate. Oleg og Rakel.

«Jeg håper dere fikk tatt ordentlig farvel,» sa Rakel. «Farvel er viktig. Spesielt for dem som ikke drar.»

«Jeg veit ikke,» sa Harry. «Vi fikk jo aldri sagt ordentlig hei, han og jeg. Jeg sviktet ham.»

«Hvordan da?»

«Han ba meg om dødshjelp. Jeg nektet ham det.»

Det ble stille en stund. Harry lyttet til bakgrunnslydene. Flyplasslyder.

Så var stemmen hennes der igjen: «Synes du at du burde gjort det?»

«Ja,» sa Harry. «Jeg synes det. Jeg synes det nå.»

«Ikke tenk på det. Det er for sent.»

«Er det?»

«Ja, Harry. Det er for sent.»

De ble stille igjen. Harry kunne høre en nasal stemme annonsere boarding til en flight til Amsterdam.

«Så du ville ikke treffe ham?»

«Jeg kan ikke, Harry. Jeg er visst et dårlig menneske, jeg også.»

«Så får vi prøve å bli bedre til neste gang.»

Han kunne høre henne smile. «Kan vi det?»

«Det er aldri for seint å prøve. Kan du hilse Oleg fra meg og si det?»

«Harry ...»

«Ja?»

«Ingenting.»

Harry ble stående og se ut av kjøkkenvinduet etter at hun hadde lagt på.

Så gikk han opp trappa og begynte å pakke.

Legen ventet på Harry da han kom ut fra toalettet. De fortsatte det siste stykket av korridoren bort til fengselsbetjenten.

«Tilstanden hans er stabil,» sa hun. «Kan hende vi kan sende ham tilbake til fengselet. Hva gjelder besøket denne gang?»

«Jeg vil takke ham for at han hjalp oss i en sak. Og gi ham tilbakemelding på et ønske han hadde.»

Harry tok av seg jakka, ga den til betjenten og holdt armene ut fra siden mens han lot seg ransake.

«Fem minutter. Ikke mer. Greit?»

Harry nikket.

«Vi blir med deg inn,» sa fengselsbetjenten som ikke greide å ta blikket fra Harrys skamferte kinn.

Harry hevet et øyebryn.

«Regler for sivilt besøk,» sa betjenten. «Det har kommet oss for øre at du har sagt opp som politimann.»

Harry trakk på skuldrene.

Mannen hadde stått opp fra senga og satt på en stol ved vinduet.

«Vi fant ham,» sa Harry og trakk en stol inntil ham. Fengselsbetjenten ble stående ved døra, men var godt innenfor hørevidde. «Takk for hjelpen.»

«Jeg holdt min del av dealen,» sa mannen. «Hva med din?»

«Rakel ville ikke komme.»

Mannen fortrakk ikke en mine, men krympet seg som for et iskaldt vindkast.

«Vi fant en flaske i medisinskrinet på hytta til Kavaleren,» sa Harry. «Jeg fikk analysert en dråpe av innholdet i går. Ketanomin. Samme som han brukte på ofrene sine. Du kjenner til stoffet? Dødelig i store doser.»

«Hvorfor forteller du meg det?»

«Jeg fikk noe av det i meg nylig. Jeg likte det på sett og vis. Men nå liker jo jeg all slags rus. Men det veit jo du, jeg fortalte deg om hva jeg drev med på toalettet på Landmark-senteret i Hong Kong.»

Snømannen så på Harry. Kikket forsiktig bort fengselsbetjenten og så på Harry igjen.

«Å, ja,» sa han tonløst. «I det avlukket som lå lengst til …»

«Høyre,» sa Harry. «Men som sagt. Takk. Unngå speil.»

«Du også,» sa mannen og rakte fram en hvit, knoklete hånd.

Harry så på den en stund. Så tok han den.

Da Harry ble låst ut i enden av korridoren, snudde han seg og rakk å se Snømannen stavre seg mot dem sammen med fengselsbetjenten. Før de svingte inn på toalettet.

Kapittel 94
Glassnudler

«Hei, Hole,» sa Kaja og smilte opp til ham.

Hun satt i baren, på en lav stol, på hendene sine. Blikket var intenst, leppene blodfulle, kinnene glødet. Det slo ham at han ikke hadde sett henne med sminke før nå. Og at det ikke er sant som han en gang i sin naivitet hadde trodd, at en vakker kvinne ikke kan forskjønnes av kosmetikk. Hun var iført en enkel, sort kjole. Et kort halskjede av gulhvite perler hvilte mot kravebeina, og når hun pustet, beveget de seg og reflekterte bløtt lys.

«Ventet lenge?» spurte Harry.

«Nei,» sa hun, reiste seg før han rakk å sette seg, trakk ham inntil seg og la hodet mot skulderen hans, holdt ham sånn. «Jeg bare fryser litt.»

Hun brydde seg ikke om blikkene fra de andre i baren, hun slapp ham ikke, stakk i stedet begge hendene under dressjakka hans og strøk dem opp og ned over skjorteryggen for å varme dem. Harry hørte et diskré kremt, så opp og fikk et vennlig nikk fra en mann med kroppsspråk som sa hovmester.

«Bordet vårt er klart,» smilte hun.

«Bord? Jeg trodde vi bare skulle ta en drink.»

«Vi må jo feire at saken er over. Jeg har forhåndsbestilt mat. Noe helt spesielt.»

De fikk plass ved et av vindusbordene i den fullsatte restauranten. En kelner tente lysene, helte eplesider i glassene, satte flasken tilbake i isbøtten og forsvant.

Hun løftet glasset. «Skål.»

«For?»

«For at Voldsavsnittet kommer til å fortsette som før. At du og jeg skal fange slemme folk. At vi er her nå. Sammen.»

De drakk. Harry satte glasset ned på duken. Flyttet det litt. Stetten hadde lagd et vått merke. «Kaja …»

«Jeg har noe til deg, Harry. Si meg hva du ønsker deg mest av alt akkurat nå.»

«Hør, Kaja …»

«Hva?» sa hun åndeløst og lente seg ivrig fram.

«Jeg sa jeg kom til å reise igjen. Jeg drar i morgen.»

«I morgen?» lo hun, og smilet visnet mens kelneren slo ut serviettene så de dalte tunge og hvite ned i fangene deres. «Hvor da?»

«Bort.»

Kaja stirret ned i bordet uten et ord. Harry ville legge en hånd oppå hennes. Men lot være.

«Så jeg var ikke nok?» hvisket hun. «Vi var ikke nok.»

Harry ventet til han fikk fanget blikket hennes. «Nei,» sa han. «Vi var ikke nok. Ikke nok for deg, ikke nok for meg.»

«Hva vet du om hva som er nok?» Stemmen hennes var alt tykk av gråt.

«Nokså mye,» sa Harry.

Kaja pustet tungt, prøvde å kontrollere stemmen: «Er det Rakel?»

«Ja.»

«Det var alltid Rakel, var det ikke?»

«Jo. Det var alltid Rakel.»

«Men du har jo selv sagt at hun ikke vil ha deg.»

«Hun vil ikke ha meg slik jeg er nå. Så jeg må reparere meg selv. Jeg må bli fin igjen. Skjønner du?»

«Nei, jeg skjønner ikke.» To knøttsmå tårer klamret seg skjelvende til vippene under øynene. «Du *er* jo helt fin. De arrene er bare …»

631

«Du veit godt at det ikke er *de* arrene jeg snakker om.»

«Kommer jeg noensinne til å se deg igjen?» spurte hun og fanget en av tårene med pekefingerneglen.

Hun grep hånden hans, klemte den så hardt at knokene hvitnet. Harry så på henne. Så slapp hun ham.

«Jeg kommer ikke til å hente deg én gang til,» sa hun.

«Jeg veit det.»

«Du kommer ikke til å greie deg.»

«Sannsynligvis ikke,» smilte han. «Men hvem gjør egentlig det?»

Hun la hodet på skakke. Så smilte hun med de små spisse tennene.

«Jeg gjør det,» sa hun.

Harry ble sittende til han hørte det myke smekket av en bildør ute i mørket og dieselmotoren som startet opp. Han så ned i duken og ville til å reise seg da en suppetallerken gled inn i synsfeltet og han hørte hovmesterens stemme forkynne:

«Spesialbestilt på damens anvisninger og flysendt fra Hong Kong. Li Yuans glassnudler.»

Harry stirret ned i tallerkenen. Hun sitter i stolen fortsatt, tenkte han. Restauranten er en såpeboble og nå løsner den, svever over byen og vekk. Kjøkkenet går aldri tomt og vi kommer aldri til å lande.

Han reiste seg og ville til å gå. Men ombestemte seg. Satte seg igjen. Løftet spisepinnene.

Kapittel 95
De allierte

Harry gikk fra danserestauranten som ikke lenger var danserestaurant, ned bakkene til Sjømannsskolen som ikke lenger var sjømannsskole. Fortsatte mot bunkersene som hadde forsvart landets erobrere. Under ham var fjorden og byen skjult av tåka. Biler listet seg forsiktig fram med gule katteøyne. En trikk gled ut av tåka som et spøkelse med skjærende tenner.

En bil stoppet foran ham, og Harry hoppet inn i forsetet. Over stereoanlegget øste Katie Melua av sin honningdryppende lidelse, og Harry slo desperat etter av-knappen på radioen.

«Fy faen som du ser ut!» sa Øystein forferdet. «Den kirurgen der strøyk i håndarbeid, banna bein. Men du sparer i hvert fall noen kroner på halloweenmaske. Ikke le, da revner trynet ditt igjen.»

«Jeg lover,» sa Harry.

«Apropos,» sa Øystein. «Jeg har bursdag i dag.»

«Å faen. Grattis. Her er en sigg. Fra meg til deg.»

«Akkurat det jeg ønska meg.»

«Mm. Ingen store ønsker?»

«Som hva da?»

«Verdensfred.»

«Den dagen du våkner til verdensfred, våkner du ikke, Harry. For da har de detonert the big one.»

«OK. Ingen private ønsker?»

«Ikke stort. Ny samvittighet, kanskje.»

«*Ny* samvittighet?»

«Den gamle er så dårlig. Stilig dress. Trudde du bare hadde den andre.»

«Dette er fatter'ns.»

«Jøss, du må ha krympa.»

«Ja,» sa Harry og rettet på slipset. «Jeg har krympa.»

«Hvordan er Ekebergrestauranten?»

Harry lukket øynene. «Fin.»

«Husker du den lekke rønna vi sneik oss inn på den gangen. Hvor gamle var vi? Seksten?»

«Sytten.»

«Dansa ikke du med Killer Queen her en gang?»

«Så vidt.»

«Skremmende å tenke på at vår ungdoms MILF er havna på aldershjemmet.»

«MILF?»

Øystein sukket. «Slå det opp.»

«Mm. Øystein?»

«Ja.»

«Hvorfor ble du og jeg kompiser?»

«Fordi vi vokste opp ved siden av hverandre, vel.»

«Er det alt? En demografisk tilfeldighet. Ikke noe åndelig fellesskap?»

«Ikke som jeg har merka. Så vidt jeg veit hadde vi bare én ting til felles.»

«Hva da?»

«At ingen andre ville være kompiser med oss.»

De snodde seg gjennom de neste svingene i taushet.

«Bortsett fra Tresko,» sa Harry.

Øystein snøftet. «Som stinka så jævlig tåfis at ingen andre greide å sitte ved sia av'n.»

«Ja,» sa Harry. «Vi var gode på det.»

«Det fiksa vi,» sa Øystein. «Men fy faen som det stinka.»

De lo sammen. Mykt, lett. Trist.

Øystein hadde parkert bilen på det brune gresset med dørene oppe. Harry klatret opp på bunkerstaket og satte seg ytterst på kanten med dinglende bein. Fra høyttalerne på innsiden av bildørene sang Springsteen om blodsbrødre en vinternatt og om løftet som måtte holdes.

Øystein rakte Harry Jim Beam-flaska. En ensom sirene fra byen steg og sank til den kraftløst forsvant helt. Giften sved i Harrys hals og mage og han brekte seg. Den andre slurken gikk bedre. Den tredje helt fint.

Max Weinberg hørtes ut som han prøvde å ødelegge trommeskinnet.

«Det slår meg ganske ofte at jeg skulle ønske jeg i hvert fall *angra* mer,» sa Øystein. «Men jeg gjør faen ikke det engang. Jeg tror jeg bare aksepterte det fra første våkne sekund. At jeg var en jævlig slask. Hva med deg?»

Harry tenkte seg om. «Jeg angrer som ei bikkje. Men det er kanskje bare fordi jeg har for høye tanker om meg selv. Jeg innbiller meg faktisk at jeg kunne valgt annerledes.»

«Men det kunne du faen ikke.»

«Ikke den gang. Men neste gang, Øystein. Neste gang.»

«Har det noen gang skjedd, Harry? Noen gang i menneskehetens forpulte historie?»

«At noe ikke har skjedd, betyr ikke at det ikke kan komme til å skje. Jeg veit ikke at denne flaska kommer til å falle nå om jeg slipper den. Faen, hvilken filosof var det igjen? Hobbes? Hume? Heidegger? En av de gærningene på H.»

«Svar meg.»

Harry trakk på skuldrene. «Jeg tror det er mulig å lære. Problemet er at vi lærer så jævlig *sakte*, at når tingene går opp for oss, er det for seint. For eksempel kan det hende at en du er glad i spør deg om en tjeneste, en kjærlighetshandling. Som å hjelpe ham å dø. Som du sier nei til fordi du ikke har lært, du har ikke kommet til innsikten. Når du endelig skjønner, er det for seint.» Harry tok en slurk til. «Så i stedet gjør du kjærlighetshandlingen for en annen. Kanskje til og med en du hater.»

635

Øystein tok imot flaska. «Aner ikke hva du snakker om, men det høres føkked up ut.»

«Ikke nødvendigvis. Det er aldri for seint for ålreite gjerninger, er det vel?»

«Det er *alltid* for seint, mener du vel?»

«Nei! Jeg mente alltid at vi hater for mye til at det er mulig å adlyde andre impulser. Men faren min mente noe annet. Han sa at hat og kjærlighet er samme valuta. At alt starter med kjærlighet, at hatet bare er baksiden.»

«Amen.»

«Men da må det bety at du kan gå andre veien også, fra hat til kjærlighet. At hat må være et bra utgangspunkt for å lære, for å forandre, for å gjøre det annerledes neste gang.»

«Nå er du så optimistisk at jeg må vurdere å spy, Harry.»

Orgelet kom inn på refrenget, hvinende, skar som en sirkelsag.

Øystein la hodet litt på skakke mens han kakket av asken. Og Harry fikk lyst å gråte. Ganske enkelt fordi han så årene som var blitt livet deres, som var blitt dem, i måten kameraten kakket asken slik han alltid hadde gjort, lent til siden som om sigaretten var for tung, hodet på skakke som om han likte verden bedre i et skjevere perspektiv, asken ned på bakken i et røykeskur på skolen, ned i en tom ølflaske på en fest de hadde kræsja, ned på kald, rå bunkersbetong.

«Dessuten begynner du å bli gammal, Harry.»

«Hvorfor sier du det?»

«Når menn begynner å sitere fatter'n sin, er de gamle. Da er løpet kjørt.»

Og Harry kom på det da. Svaret på spørsmålet hennes om hva han ønsket seg mest av alt akkurat nå. Han ønsket seg et panserhjerte.

Epilog

Blåsvarte skyer subbet over Hong Kongs høyeste punkt, Victoria Peak, men det hadde endelig sluttet å regne etter å ha dryppet sammenhengende siden september måned hadde startet. Sola stakk igjennom, og en veldig regnbue spente bro mellom Hong Kong Island og Kowloon. Harry lukket øynene og lot sola varme ansiktet. Oppholdsværet hadde kommet akkurat i tide til veddeløpssesongen som skulle starte på Happy Valley senere i kveld.

Harry hørte summing av japanske stemmer nærme seg og så passere benken han satt på. De kom fra kabelbanen som siden 1888 hadde trukket turister og lokale opp hit til den friskere lufta over byen. Harry åpnet øynene igjen og bladde i løpsprogrammet.

Han hadde kontaktet Herman Kluit så snart han kom til Hong Kong. Han hadde tilbudt Harry en jobb som debitorfinner, det vil si å oppspore folk som prøvde å rømme fra gjelden sin. På den måten slapp Kluit både å selge gjelden med betydelig rabatt til Triaden, og å tenke på de brutale innkrevningsmetodene de benyttet.

Det ville være å ta hardt i å si at Harry likte jobben, men den var godt betalt og enkel. Han skulle ikke kreve inn gjelden, bare lokalisere skyldnerne. Imidlertid viste det seg at hans framtoning – én nittitre og et glisende arr fra munnvik til øre – ofte var nok til at de gjorde opp for seg på stedet. Og det var kun unntaksvis at han benyttet en søkemotor som lå på en server i Tyskland.

Trikset var uansett å holde seg borte fra dop og alkohol. Som

637

han hadde greid hittil. Det hadde ligget to brev og ventet på ham i resepsjonen i dag. Hvordan de hadde funnet ham, ante han ikke. Bare at Kaja måtte ha hatt noe med det å gjøre. Det ene brevet hadde emblemet til Oslo politidistrikt på konvolutten, og Harry hadde tippet Gunnar Hagen. Det andre hadde han ikke behøvd å tippe på, han hadde straks gjenkjent Olegs steile og fortsatt barnslige håndskrift. Harry hadde lagt begge brevene i jakkelomma uten å ta noen beslutning om eller når han skulle lese dem.

Harry brettet sammen løpsprogrammet og la det ved siden av seg på benken. Myste innover mot det kinesiske fastlandet hvor den gule smogen ble tykkere for hvert år. Men her oppe på fjelltoppen kjentes lufta fortsatt nesten frisk. Han så ned på Happy Valley. På kirkegårdene vest for Wong Nai Chung-veien hvor det var egne seksjoner for protestanter, katolikker, muslimer og hinduer. Han kunne se hesteveddeløpsbanen hvor han visste jockeyene og hestene allerede var ute og testet før kveldens løp. Snart skulle publikum begynne å strømme til; de håpefulle, de håpløse, de heldige, de uheldige. De som kom for å få oppfylt drømmen og de som bare kom for å drømme. Taperne som tok ukalkulert risiko og de som tok kalkulert risiko, men tapte likevel. De hadde vært her før, og de kom alle tilbake, også gjenferdene fra kirkegårdene der nede, de flere hundre som hadde dødd under den store brannen på The Happy Valley Racecourse i 1918. For i kveld var det helt sikkert deres tur til å lure oddsene, betvinge tilfeldighetene, å stappe lommene fulle av knitrende Hong Kong-dollar, å slippe unna med mord. Om et par timer fra nå ville de ha kommet seg innenfor portene, lest løpsprogrammet, fylt ut bongene med sine dagens dobbel, quinellas, exactas, trippel, superfectas, hva nå deres gamblinggud het. De ville ha stilt seg i kø ved spilleluk-ene, holdt innsatsene klare. De fleste av dem ville dø litt ved hver målgang, men frelse vil ligge bare femten minutter unna, når startboksene åpnet seg for neste løp. Med mindre du var en *bridge jumper*, selvfølgelig, en som satset alt han eide på én hest i ett løp. Men ingen klaget. Alle kjente oddsene.

Men du har dem som kjenner oddsene, og så har du dem som kjenner utfallet. På en veddeløpsbane i Sør-Afrika hadde de nylig funnet nedgravde rør i startboksene. Rørene inneholdt komprimert luft og mini-dartpiler med beroligende stoff som kunne bli skutt opp i magene på hestene med et trykk på en fjernkontroll.

Katrine Bratt hadde opplyst ham om at Sigurd Altman var registrert på et hotell i Shanghai. Det var en flytur på knapt en time.

Harry kastet et siste blikk på programmets forside.

De som kjenner utfallet.

«Det er bare et spill.» Herman Kluit pleide å si det. Kanskje fordi han pleide å vinne.

Harry så på klokka, reiste seg og begynte å gå mot trikken. Han hadde fått et tips om en lovende hest i tredje løp.